Cambodge

Nick Ray

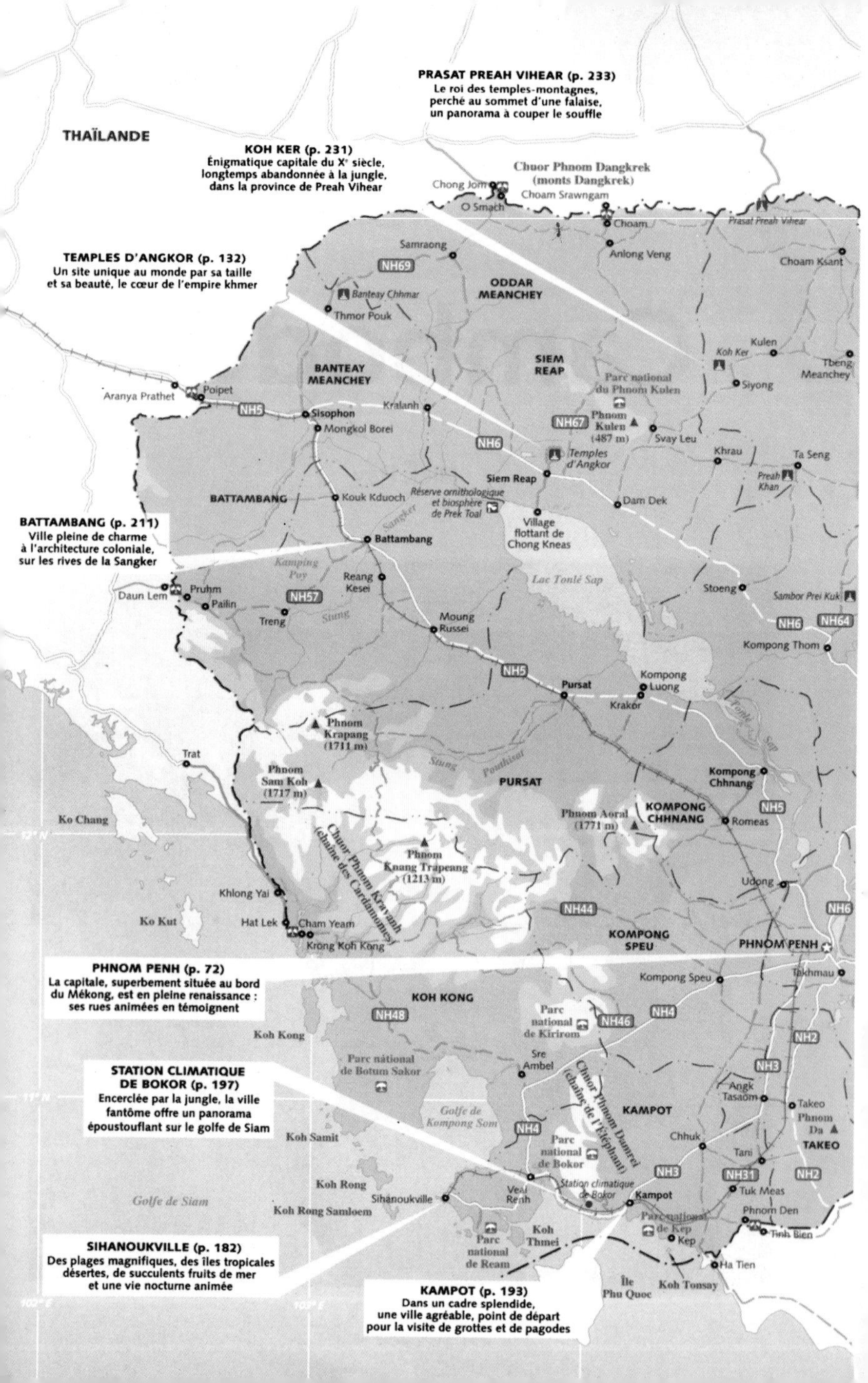
PRASAT PREAH VIHEAR (p. 233)
Le roi des temples-montagnes, perché au sommet d'une falaise, un panorama à couper le souffle
THAÏLANDE
KOH KER (p. 231)
Énigmatique capitale du Xe siècle, longtemps abandonnée à la jungle, dans la province de Preah Vihear
Chuor Phnom Dangkrek (monts Dangkrek)
Chong Jom
O Smach
Choam Srawngam
Choam
Prasat Preah Vihear
Samraong
Anlong Veng
Choam Ksant
TEMPLES D'ANGKOR (p. 132)
Un site unique au monde par sa taille et sa beauté, le cœur de l'empire khmer
NH69
ODDAR MEANCHEY
Banteay Chhmar
Thmor Pouk
Koh Ker
Kulen
Tbeng Meanchey
BANTEAY MEANCHEY
SIEM REAP
Parc national du Phnom Kulen
Siyong
Aranya Prathet
Poipet
NH5
Sisophon
Kralanh
Mongkol Borei
NH67
Phnom Kulen (487 m)
Svay Leu
NH6
Temples d'Angkor
Khrau
Ta Seng
Siem Reap
Preah Khan
BATTAMBANG
Kouk Kduoch
Réserve ornithologique et biosphère de Prek Toal
Dam Dek
Sangker
Village flottant de Chong Kneas
BATTAMBANG (p. 211)
Ville pleine de charme à l'architecture coloniale, sur les rives de la Sangker
Battambang
Kamping Poy
Reang Kesei
Lac Tonlé Sap
Daun Lem
Pruhm
Pailin
NH57
Stoeng
Sambor Prei Kuk
Treng
Stung
Moung Russei
NH6
NH64
Kompong Thom
NH5
Pursat
Kompong Luong
Krakor
Phnom Krapang (1711 m)
Trat
Stung Pouthisat
Tonlé Sap
Phnom Sam Koh (1717 m)
PURSAT
Kompong Chhnang
Ko Chang
Chuor Phnom Kravanh (chaîne des Cardamomes)
Phnom Aoral (1771 m)
KOMPONG CHHNANG
NH5
Romeas
12° N
Phnom Knang Trapeang (1213 m)
Udong
Khlong Yai
NH44
NH6
Ko Kut
Hat Lek
Cham Yeam
Krong Koh Kong
KOMPONG SPEU
PHNOM PENH
PHNOM PENH (p. 72)
La capitale, superbement située au bord du Mékong, est en pleine renaissance : ses rues animées en témoignent
Kompong Speu
Takhmau
KOH KONG
NH48
Parc national de Kirirom
NH46
NH4
Koh Kong
NH2
Parc national de Botum Sakor
Sre Ambel
NH3
STATION CLIMATIQUE DE BOKOR (p. 197)
Encerclée par la jungle, la ville fantôme offre un panorama époustouflant sur le golfe de Siam
11° N
Chuor Phnom Damrei (chaîne de l'Éléphant)
Angk Tasaom
Golfe de Kompong Som
KAMPOT
Takeo
Phnom Da
Koh Samit
NH4
Parc national de Bokor
Chhuk
TAKEO
Tani
NH3
NH31
NH2
Koh Rong
Veal Renh
Station climatique de Bokor
Tuk Meas
Golfe de Siam
Sihanoukville
Kampot
Koh Rong Samloem
Parc national de Kep
Phnom Den
Kep
Tinh Bien
Parc national de Ream
Koh Thmei
SIHANOUKVILLE (p. 182)
Des plages magnifiques, des îles tropicales désertes, de succulents fruits de mer et une vie nocturne animée
Ha Tien
Île Phu Quoc
Koh Tonsay
102° E
103° E
KAMPOT (p. 193)
Dans un cadre splendide, une ville agréable, point de départ pour la visite de grottes et de pagodes

LAOS
0
50 km
PROVINCE DU RATANAKIRI (p. 256)
L'endroit idéal pour rencontrer
les minorités ethniques,
se baigner sous les cascades
ou contempler les paysages
Parc national de Virachay
Muang Khong
Siem Pang
Voen Kham
Voen Sai
RATANAKIRI
Ko Chheuteal
Thom
Dom Kralor
STUNG
TRENG
NH78A
Ban Lung
Boeng Yeak
Lom
Bokheo
Tonlé Kong
Tonlé San
Thala Boravit
NH19
Stung Treng
Lumphat
Tonlé Srepok
NH7
Koh Nhek
Mékong
MONDOLKIRI
Sambor
Sandan
KRATIE
PROVINCE DU MONDOLKIRI (p. 262)
L'Est sauvage du Cambodge :
tribus montagnardes, éléphants
et chutes d'eau
Kratie
Sen Monorom
Spoe Tbong
Stung
Trang
NH76
Chhlong
Sre Khtum
NH7
NH71
KOMPONG
CHAM
NH73
Snuol
NH7
Kompong Cham
Suong
Chub
Krau
Memot
KRATIE (p. 251)
Poste d'observation des derniers
dauphins de l'Irrawaddy
vivant dans les eaux du Mékong
NH11
Prey Veng
PREY
VENG
VIETNAM
Ba Phnom
SVAY
RIENG
Tay
Ninh
NH1
Moc Bai
Svay Rieng
Bavet
Chiphu
Kaam
Samnor
Vinh Xuong
HO CHI MINH-VILLE
(SAIGON)
ALTITUDE
1500 m
1000 m
500 m
250 m
0
Chau Doc
Mékong
MER DE CHINE
MÉRIDIONALE
MPONG
THOM

Destination Cambodge

Après trois décennies de guerre civile et de terreur, le Cambodge fait un retour en force sur les cartes touristiques. La paix règne enfin dans cette contrée magnifique et le peuple cambodgien s'ouvre au monde. Bien que l'industrie du tourisme y soit en plein essor, le petit royaume figure encore parmi les destinations les plus authentiques d'Asie.

Le Cambodge moderne a succédé au puissant Empire khmer qui, pendant la période d'Angkor (du IXe au XVe siècle), régnait sur un territoire comprenant la majeure partie du Laos, de la Thaïlande et du Vietnam actuels. Les célèbres temples d'Angkor, dont la splendeur est sans égale en Asie du Sud-Est, sont les derniers vestiges de cet empire. Avec le Machu Picchu et le Taj Mahal, Angkor Vat, essence du génie khmer, fait partie des quelques sites sur la planète qui éblouissent et saisissent le voyageur.

Mais le Cambodge ne se réduit pas à ses temples. La côte sud est bordée d'îles désertes, à peine troublées par la présence d'un bungalow. Le majestueux Mékong, qui traverse le pays, abrite quelques-uns des derniers dauphins d'eau douce, près de Kratie. Les minorités ethniques vivent dans le nord-est du pays, une région sauvage et montagneuse qui constitue un univers en soi.

Et puis, il y a les habitants. Malgré des années de massacres, de misère et d'instabilité politique, les Cambodgiens ont gardé leur sourire. Et personne ne quitte ce merveilleux pays sans un sentiment d'affection et d'admiration pour son peuple.

ANDERS BL

À ne pas manquer

BILL WASSMAN

Le Ta Prohm (p. 159), abandonné aux éléments naturels et envahi par la jungle

NICK RAY

Loin de la foule à Koh Tonsay (p. 200)

NICK RAY

La plus belle collection au monde de sculptures khmères se trouve dans le magnifique Musée national (p. 83)

ET AUSSI

- Détente sur les plages de Sihanoukville (p. 182).
- Le temple-montagne de prasat Preah Vihear (p. 233).
- Les paysages vallonnés de la province du Mondolkiri (p. 262).
- Le nord-est du pays à dos d'éléphant (p. 264).

Les ruines coloniales de l'ancienne station climatique de Bokor (p.197) et la vue magnifique sur le golfe de Siam

ANDREW BURKE

RICHARD I'ANSON

Les villages flottants (p. 130) du lac Tonlé Sap

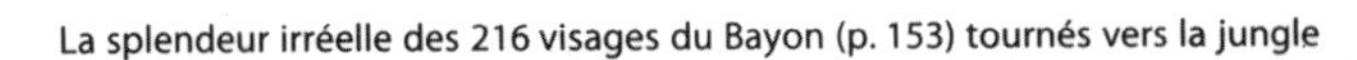

La splendeur irréelle des 216 visages du Bayon (p. 153) tournés vers la jungle

MICK ELMORE

JOHN BANAGAN

La splendeur d'Angkor Vat (p. 147), le plus vaste édifice religieux du monde

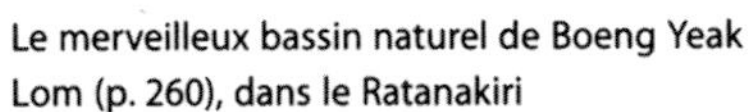

Le merveilleux bassin naturel de Boeng Yeak Lom (p. 260), dans le Ratanakiri

NICK RAY

JULIET COOMBE

Visite de Phnom Penh à l'arrière d'une moto, comme les Cambodgiens (p. 106)

Quelques délices khmers au marché de Tuol Tom Pong (p. 102) à Phnom Penh

JULIET COOMBE

RICHARD I'AN

Les 5 000 dalles d'argent de la pagode d'Argent (p. 82) qui abrite de splendides bouddhas

Les rues de Phnom Penh où le passé colonial du Cambodge (p. 72) se fait encore sentir

TOM COCK

Sommaire

Lonely Planet réalise ses guides en toute indépendance et n'accepte aucune publicité. Tous les établissements et prestataires mentionnés dans l'ouvrage le sont sur la foi du seul jugement des auteurs, qui ne bénéficient d'aucune rétribution ou réduction de prix en échange de leurs commentaires.

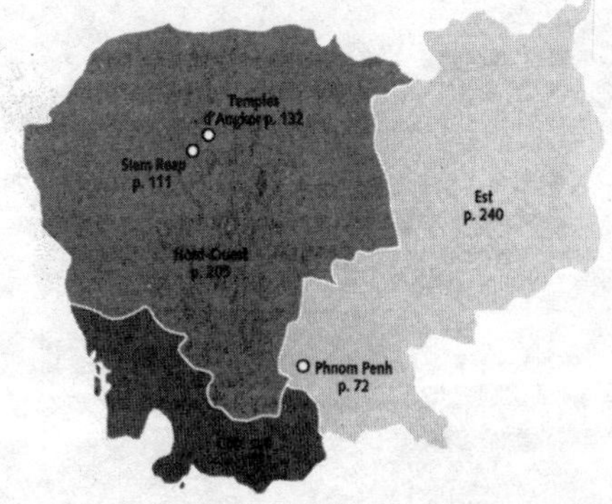

Temples d'Angkor p. 132
Siem Reap p. 111
Est p. 240
Nord-Ouest p. 205
Phnom Penh p. 72

L'auteur

NICK RAY

Londonien d'adoption, Nick est originaire de Watford, une ville qui donne envie de voir du pays. Il vit aujourd'hui à Phnom Penh avec sa femme Kulikar et son jeune fils Julian. Il a participé à l'élaboration de plusieurs guides Lonely Planet sur le Cambodge, notamment *Southeast Asia on a Shoestring* et *Cycling Vietnam, Laos & Cambodia.* Il travaille également pour des journaux et des magazines, comme le *Sunday Times* et *Wanderlust*, au Royaume-Uni. Lorsqu'il n'écrit pas, Nick part explorer les régions les plus reculées du pays comme régisseur de plateau pour la télévision et le cinéma. Passionné de moto, il préfère voyager hors des sentiers battus et découvrir de nouveaux itinéraires.

Mes coups de cœur

Il est bien difficile de choisir, mais j'ai gardé des souvenirs impérissables d'un périple à moto dans les provinces reculées du Mondolkiri (p. 262) et du Ratanakiri (p. 256), dans le nord-est du pays. Je n'oublierai jamais le jour où le bateau, qui nous conduisait de Stung Treng (p. 255) au Laos, a fait naufrage au milieu du Mékong après avoir heurté un banc de sable. Ma moto émergeant des eaux était vraiment une vision surréaliste ! J'aime aussi tout particulièrement l'ancienne route d'Angkor qui mène du Beng Mealea (p. 173) au Preah Khan (p. 163) à travers la jungle, ponctuée de vieux ponts ; le plus impressionnant est celui de Spean Ta Ong (p. 231), perdu dans un labyrinthe de pistes pour chars à bœufs, long de 77 m et gardé par de redoutables *nâga*. Pour rejoindre les sites touristiques, délaissez les grands axes au profit des petites routes, comme la NH31 vers Kep (p. 199) et Kampot (p. 193) et offrez-vous une balade sur le *bamboo train* (p. 304). N'hésitez pas à partir au hasard des pistes : l'enchantement vous attend à chaque tournant.

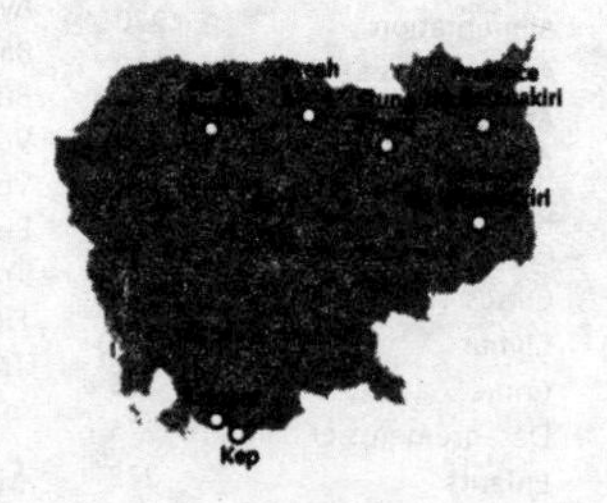

Mise en route

Comment ne pas succomber au charme du Cambodge ? L'extraordinaire héritage de l'empire khmer et les temples sans pareils d'Angkor justifient à eux seuls un voyage dans ce pays. Mais vous découvrirez bien d'autres raisons d'y rester : une capitale animée, des centaines de kilomètres de plages tropicales intactes, un fleuve majestueux, une culture très vivante et une population parmi les plus chaleureuses d'Asie. L'absence de sophistication de cette destination ajoute à son charme. Alors, armez-vous de patience et d'humour et préparez-vous à un voyage passionnant, surprenant, à mi-chemin entre vacances et aventure.

QUAND PARTIR

Le Cambodge se visite en toute saison. Décembre et janvier constituent néanmoins la période idéale. Le taux d'humidité et les précipitations sont au plus bas, et une brise rafraîchissante balaye le pays.

Début février, la température commence à augmenter et atteint son maximum en avril, où elle dépasse souvent 40°C. En mai-juin, la mousson du sud-ouest apporte des pluies et l'humidité ambiante fait se liquéfier le plus endurci des baroudeurs. La saison des pluies, qui dure jusqu'en octobre, n'est cependant pas une mauvaise période, les averses étant importantes, mais brèves. A Angkor, la végétation est luxuriante et les douves sont remplies d'eau. En revanche, dans les régions reculées, certaines pistes deviennent impraticables.

Pour plus d'informations, reportez-vous à la rubrique *Climat* (p. 274).

Vous pouvez faire coïncider votre voyage avec l'un des événements marquants du calendrier cambodgien, comme le Bon Om Tuk (fête de l'Eau), à Phnom Penh ou le Nouvel An khmer (voir p. 278).

COÛT DE LA VIE

En fonction de vos goûts et du confort souhaité, le coût d'un voyage au Cambodge peut aller de la quasi-gratuité à des sommes exorbitantes. Si les cordons de votre bourse sont très serrés, vous pouvez vous en sortir avec 10 $US par jour ou, en les relâchant un peu avec 20 $US par jour. 75 à 100 $US par jour vous permettront de descendre dans de bons hôtels, de bien manger et de voyager confortablement. Avec plus de 200 $US par jour, vous vivrez dans une opulence royale.

Dans les villes les plus touristiques, vous trouverez un hébergement pour 2 à 5 $US. Comptez entre 10 et 20 $US pour la climatisation, une TV satellite, un réfrigérateur et l'eau chaude. Avec 50 $US, le monde des

N'OUBLIEZ PAS...

N'emportez que le minimum. Vous trouverez tout sur place, à des prix nettement inférieurs. Les savons et les parfums ne manquent pas et les vêtements, chaussures et sacs à dos coûtent bien moins cher qu'en Occident. On ne trouve pas de tampons hygiéniques dans les régions reculées.

Un couteau suisse simplement muni d'une lame et d'un ouvre-boîte vous sera utile, ainsi qu'une lampe de poche et une boussole.

Pensez également à emporter des bouchons d'oreilles, un adaptateur électrique universel, une housse imperméable pour protéger votre sac à dos et un produit contre les moustiques. Enfin, le secret du voyageur heureux : munissez-vous de sacs en plastique qui vous permettront de garder vos affaires séparées les unes des autres, propres, mais aussi et surtout... sèches. Vous ne le regretterez pas à la fin d'une longue journée pluvieuse.

trois-étoiles et des hôtels de charme s'ouvrira à vous. Un cinq-étoiles vous coûtera un minimum de 100 $US. En basse saison, ou lorsque la clientèle est rare, n'hésitez pas à négocier les tarifs.

Si la cuisine cambodgienne n'est pas aussi connue que ses voisines thaïlandaise et vietnamienne, elle n'en est pas moins savoureuse. Un repas acheté dans la rue ou à l'étal d'un marché vous reviendra à 1000 r, 2 $US permettant de rassasier les gros appétits. Si vous souhaitez plus de confort, un petit restaurant khmer sans prétention vous coûtera entre 1 et 2 $US. Un cran au-dessus, les restaurants khmers plus chic et les établissements internationaux ou asiatiques vous factureront un minimum de 3 $US. Comptez 10 $US, vin compris, dans les endroits les plus élégants, 50 $US et au-delà si la carte des vins vous fait faire des folies.

Des vols intérieurs relient Phnom Penh à Siem Reap et au Ratanakiri. Les bateaux rapides qui font la navette entre les grandes destinations touristiques offrent un trajet plus pittoresque que la route. De nombreuses compagnies de bus très bon marché pour les Occidentaux sillonnent aujourd'hui le pays. Sur les pistes accidentées, optez pour les taxis collectifs ou les pick-up. Le train reste une solution économique, mais il atteint difficilement une vitesse moyenne de 20 km/h. Si vous souhaitez un maximum de souplesse, vous pouvez louer une voiture ou un 4x4 et voyager en compagnie d'un guide.

Étape incontournable, la visite d'Angkor implique un droit d'entrée de 20 $US la journée, 40 $US les trois jours et 60 $US la semaine. À cela s'ajoute le transport jusqu'au site et entre les temples, so. . 2 $US et plus pour un cyclo-pousse, 6 $US pour une moto-dop, 10 $US pour une remorque (tirée par un vélo ou une moto) et 20 $US pour une voiture.

Peu importe la taille de votre porte-monnaie. Le Cambodge est un pays magnifique, profitez-en.

QUELQUES PRIX

Une chambre d'hôtel climatisée 8-20 $US

Un repas au restaurant 2-6 $US

Une connexion Internet 0,50-1,50 $US/heure

Un numéro du *Cambodia Daily* 1 200 r

Une krama (écharpe) 3 000 r

L'INDICE LONELY PLANET

Un litre d'essence 3 000 r

Un litre d'eau 500-2 000 r

Une grande bouteille d'Angkor Beer 1,50-2,50 $US

Une soupe de nouilles 2 000-4 000 r

Un tee-shirt souvenir 2 $US

LIVRES À EMPORTER

La *Nuit du dragon – Voyages en Indochine* (1952, réédité chez Picquier, en 2004) de Norman Lewis est un classique des récits de voyage. Au cours de ses périples, l'auteur a navigué sur le lac Tonlé Sap en faisant halte à Angkor.

L'Empire des rois khmers de Thierry Zéphir (Gallimard, 1997) est un ouvrage très accessible, illustré de nombreuses photos qui permet de découvrir l'art et l'architecture de l'Empire khmer. En le lisant, vous comprendrez également les raisons de l'ascension de ce grand Empire et de sa chute.

Indochine, un rêve d'Asie, (Omnibus, 1995) est une anthologie regroupant des romans, des récits et des nouvelles ayant l'Indochine pour cadre. Parmi ces textes, *Un pèlerin d'Angkor* de l'écrivain voyageur Pierre Loti qui y raconte son expédition au Cambodge.

Né au Cambodge en 1887, George Groslier fut le créateur et le premier conservateur du musée de Phnom Penh. Il a publié de nombreux ouvrages sur l'archéologie et l'art khmer mais aussi plusieurs romans : *La Route du plus fort* et *Le Retour à l'argile* (tous deux réédités aux éditions Kailash en 1994) évoquent le chemin que certains colons, en abandonnant leurs préjugés, firent vers la culture khmère.

Enfin, un grand classique, *La Voie royale*, d'André Malraux (1930, réédité chez LGF en 2003) raconte sous une forme romancée les mésaventures d'un archéologue français dans la jungle cambodgienne.

TOP 10

10 temples anciens

Le Cambodge est la capitale asiatique des temples. Le pays regorge de monuments érigés par les dieux-rois. Temples majestueux dressés au sommet de montagnes, mystérieuses forteresses oubliées dans la jungle, lits de rivière sculptés ou édifices de briques pré-angkoriens : à vous de choisir.

- Angkor Vat (p. 147), la perfection incarnée
- Banteay Chhmar (p. 220), la forteresse oubliée du Nord-Ouest
- le Banteay Srei (p. 169), joyau de l'art angkorien
- le Bayon (p. 153) et ses 216 visages énigmatiques
- le Beng Mealea (p. 173), recouvert par la végétation
- Kbal Spean (p. 171), la rivière aux Mille Linga
- Koh Ker (p. 231), la gigantesque capitale érigée par un usurpateur
- le prasat Preah Vihear (p. 233), roi des temples-montagnes
- Sambor Prei Kuk (p. 237), la première ville-temple de la région
- le Ta Prohm (p. 159), inchangé depuis sa découverte, envahi par la nature

10 objets à rapporter

Vous trouverez de nombreux articles à rapporter car l'artisanat cambodgien est de grande qualité et très varié. Le plus grand choix se trouve sur les marchés, en particulier ceux de Phnom Penh (p. 102). La capitale abrite également plusieurs boutiques d'organisations caritatives dans lesquels vous pourrez faire vos achats pour une bonne cause (p. 103). Voici quelques suggestions de souvenirs typiques.

- une *krama*, écharpe à carreaux
- une *phamuong*, robe de soie unie
- un *sampot*, grand tissu à draper autour de vos hanches
- des *sbei tuoi*, des marionnettes de théâtre d'ombre en cuir
- un bouddha
- une copie d'un buste de Jayavarman VII
- une boîte à bétel en bois sculpté
- un panneau en bois gravé représentant une scène du *Râmakerti*, le *Râmâyana* khmer
- une chaînette de cheville comme celle des apsaras
- un Levis, à acheter sur le marché Tuol Tom, à Phnom Penh, voir p. 102

10 aventures à tenter

Si vous cherchez le grand frisson, le Cambodge vous laissera des souvenirs inoubliables. Dans ce pays, l'aventure est au coin de la rue.

- Explorez les plages de la magnifique île de Koh Kong (p. 179)
- Campez dans la jungle près des temples de Koh Ker (p. 232)
- Prenez un bateau rapide de Siem Reap à Battambang (p. 214)
- Jouez les spéléologues pour rejoindre les pagodes des grottes de Kampot (p. 196)
- Promenez-vous à dos d'éléphant (p. 264) dans le Nord-Est sauvage
- Faites le pèlerinage jusqu'au prasat Preah Vihear (p. 233)
- Sillonnez à pirogue la forêt inondée de Kompong Phhluk (p. 131)
- Cherchez de l'or à Mimong (p. 266), dans l'est du pays
- Montez dans le *bamboo train* à Battambang (p. 304)
- Grimpez à moto jusqu'à la station climatique de Bokor (p. 197)

SITES INTERNET

Khmer-Network (www.khmer-network.com) Un portail francophone très complet et très pratique sur le Cambodge.

Le cyber-village du Cambodge (www.vivrekhmer.org) Un site de passionné, très complet ; de nombreuses informations culturelles et pratiques.

Lonely Planet (www.lonelyplanet.fr) Une présentation synthétique du Cambodge dans la rubrique *Destinations*, le forum pour poser toutes vos questions sur le pays et une newsletter pour vous tenir informé de l'actualité du voyage.

Angkor, la cité perdue des rois khmers (www.angkor.wat.online.fr) Un site très complet consacré à Angkor et à l'art khmer, illustré de plans et riche en explications.

The official site for tourism of Cambodia (www.tourismcambodia.com) Le site (en anglais) de l'office national du tourisme cambodgien : une mine d'informations.

Itinéraires

LES GRANDS CLASSIQUES

À LA DÉCOUVERTE DU CAMBODGE

Deux à trois semaines

Que vous partiez de Siem Reap en direction du sud ou que vous voyagiez vers le nord pour rejoindre Angkor, cet itinéraire vous fera découvrir l'essentiel du pays : ses temples, ses plages et sa capitale.

À **Phnom Penh** (p. 72), admirez les superbes sculptures angkoriennes du **Musée national** (p. 83) et l'étonnante **pagode d'Argent** (p. 82), pavée de 5 000 dalles d'argent. Faites des emplettes au **psar Tuol Tom Pong** (p. 102) et profitez de l'**animation nocturne** (p. 101) de la capitale, qui se prolonge jusqu'à l'aube.

Prenez une vedette jusqu'au temple de **Phnom Da** (p. 203), puis continuez au sud vers la bourgade coloniale de **Kampot** (p. 193). De là, explorez la **station climatique de Bokor** (p. 197), aujourd'hui abandonnée, la ville côtière de **Kep** (p. 199) et les **grottes** (p. 196).

Partez ensuite vers l'ouest jusqu'à **Sihanoukville** (p. 182), la première station balnéaire du pays, et régalez-vous de fruits de mer après une plongée sous-marine ou une journée de farniente au soleil. Repassez par Phnom Penh pour gagner **Kompong Thom** (p. 236), où les temples de briques pré-angkoriens de **Sambor Prei Kuk** (p. 237) vous donneront un avant-goût de l'étape suivante.

Comptez deux semaines à un rythme soutenu, trois semaines si vous prenez votre temps. Des transports publics desservent la majeure partie de ce circuit. Pour les excursions comme Bokor et Sambor Prei Kuk, louez une moto. À Angkor, circulez en remorque-moto (en faisant attention !). Plus d'argent, moins de temps ? Louez une voiture et accélérez l'allure.

Terminez votre périple par la visite d'Angkor, un site d'une splendeur à couper le souffle. Laissez-vous saisir par la perfection d'**Angkor Vat** (p. 147), l'étrangeté du **Bayon** (p. 153) et l'étonnant **Ta Prohm** (p. 159), envahi par la végétation, puis aventurez-vous jusqu'au **Kbal Spean** (p. 171) ou au **Beng Mealea** (p. 173), perdu dans la jungle.

L'EXPÉRIENCE CAMBODGIENNE **Un mois**

Le Cambodge est un petit pays ; en dépit du mauvais état des routes et de la lenteur des transports, un mois suffit pour faire le tour des principaux sites.

En partant de **Phnom Penh** (p. 72), découvrez la beauté du Nord-Est en suivant l'itinéraire *Circuit dans les montagnes* (p. 20). Afin de pouvoir visiter le reste du pays, choisissez entre la **province du Ratanakiri** (p. 256) et celle du **Mondolkiri** (p. 262). Facilement accessibles par la route, les collines du Mondolkiri conviendront mieux aux voyageurs à petit budget. Les visiteurs plus fortunés profiteront des liaisons aériennes entre la capitale et le Ratanakiri.

Dirigez-vous ensuite vers la côte sud en suivant l'itinéraire décrit dans *À la découverte du Cambodge* (p. 17). Passez une nuit ou deux à **Kep** (p. 199) ou dans l'une des îles proches et, de Sihanoukville, prenez un bateau pour découvrir les merveilles marines du **parc national de Ream** (p. 192). En revenant vers la capitale, arrêtez-vous au **parc national de Kirirom** (p. 110), une forêt de pins peuplée d'ours noirs qui offre des vues spectaculaires sur la chaîne des Cardamomes.

Partez alors vers le Nord-Ouest pour rejoindre la charmante **Battambang** (p. 211), l'une des villes coloniales les mieux préservées du pays, d'où vous

On peut suivre ce circuit en sens inverse, en partant de Siem Reap et en quittant le Cambodge par bateau vers le Vietnam ou le Laos. Si vous arrivez du Laos, faites un crochet par le Ratanakiri, à l'est avant de partir vers le sud. En venant de Thaïlande, entrez par la côte sud et quittez le pays par Poipet. Les bus sur les grands axes, les taxis sur les petites routes et les bateaux sur les fleuves facilitent les déplacements

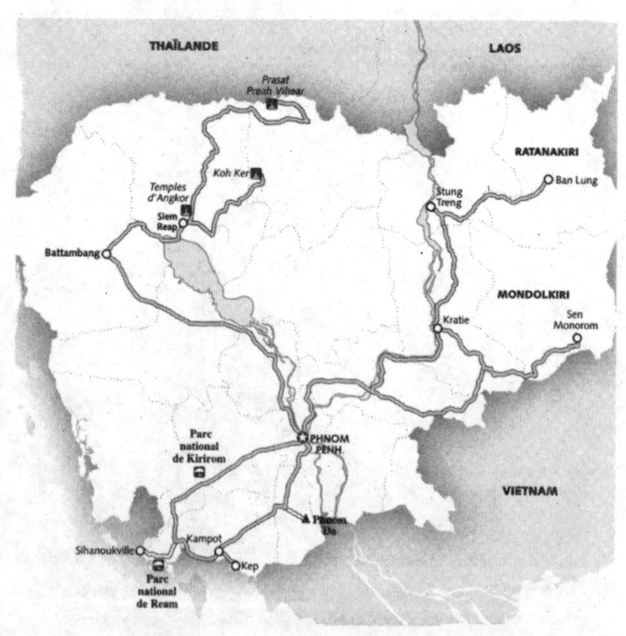

pourrez découvrir les villages alentour et emprunter le *bamboo train*. Prenez ensuite une vedette qui vous conduira à **Siem Reap** (p. 111) le long des méandres de la Sangker en traversant de splendides paysages, puis consacrez plusieurs jours aux temples d'**Angkor** (p. 132).

Profitez des merveilles d'Angkor et de ses environs mais gardez un peu de temps pour aller jusqu'à **Koh Ker** (p. 231), la capitale rivale perdue dans la jungle, ou jusqu'au **prasat Preah Vihear** (p. 233), un temple-montagne perché au bord d'une falaise à la frontière thaïlandaise.

HORS DES SENTIERS BATTUS

LES TEMPLES PERDUS DU NORD-OUEST

Les magnifiques temples d'Angkor constituent la capitale d'un puissant empire qui s'étendait jadis sur une grande partie de l'Asie du Sud-Est. Au cœur de la jungle, oubliés de tous durant des siècles, ces fabuleux édifices méritent facilement une semaine de visite, voire plus.

Ce parcours difficile, de Phnom Penh à Siem Reap – la porte d'Angkor –, suit un trajet aventureux le long de mauvaises routes et c'est là tout son intérêt. En partant de **Phnom Penh** (p. 72), dirigez-vous au nord vers **Kompong Thom** (p. 236) et la capitale pré-angkorienne de **Sambor Prei Kuk** (p. 237), première ville-temple d'Asie. De là, dites adieu à la civilisation et entamez le trajet ardu en direction du nord-ouest jusqu'au temple de **Preah Khan** (p. 163), l'un des plus vastes monuments angkoriens.

Continuez vers **Koh Ker** (p. 231), capitale établie par un usurpateur au Xe siècle, et explorez les monuments éparpillés dans la jungle. Rendez-

Cet itinéraire difficile est mal desservi par les transports publics. Comptez une bonne semaine et ne le tentez pas pendant la saison des pluies. Les motards expérimentés peuvent faire le parcours en motocross. Un 4x4 constitue une solution plus confortable. On peut aussi combiner pick-up et moto-dop, mais c'est moins amusant.

vous à Koh Ker via Khvau si vous êtes courageux, ou passez par **Tbeng Meanchey** (p. 227), capitale de la province de Preah Vihear, un itinéraire plus facile et plus long.

Dernier temple et roi des temples-montagnes, le **prasat Preah Vihear** (p. 233) représente le summum de l'audace architecturale angkorienne. Bâti au bord d'une falaise vertigineuse, il offre un point de vue époustouflant. De là, une longue route mène à **Siem Reap** (p. 111) en passant par l'ancien bastion khmer rouge d'**Anlong Veng** (p. 223), où vous pourrez visiter le site de la crémation de Pol Pot.

CIRCUIT DANS LES MONTAGNES

Avec ses collines onduleuses et ses cascades secrètes, le Nord-Est du Cambodge est un univers à part, peuplé d'un patchwork de minorités ethniques dont beaucoup se déplacent toujours à dos d'éléphant. Tout y est différent : les paysages, les sons, mais aussi la température, bien plus fraîche que dans le reste du pays. Les provinces du Mondolkiri et du Ratanakiri se situent en effet à près de 1 000 m d'altitude.

En partant de **Phnom Penh** (p. 72), passez par la ville animée de **Kompong Cham** (p. 246), au bord du Mékong, puis dirigez-vous vers l'est pour gagner **Sen Monorom** (p. 263), la charmante capitale de la pro-vince du Mondolkiri. Restez-y quelques jours pour vous baigner dans la **chute de Bou Sraa** (p. 265), l'une des plus grandes du pays, faire un **trek à dos d'éléphant** (p. 264) et explorer les villages pnong avant de revenir à **Kratie** (p. 250), sur les rives du Mékong. Dans cette jolie bourgade, vous pourrez observer l'un des mammifères les plus rares du monde, le

Sur les grands axes, ce circuit se fait facilement en taxi collectif ou en pick-up. Toutefois, tant que les routes ne sont pas terminées, nous le déconseillons pendant la saison des pluies. Les motards aguerris peuvent rallier le Mondolkiri et le Ratanakiri par l'une des pistes les plus accidentées du pays. Du Ratanakiri, on peut rejoindre le Laos par voie terrestre ou retourner à Phnom Penh en avion.

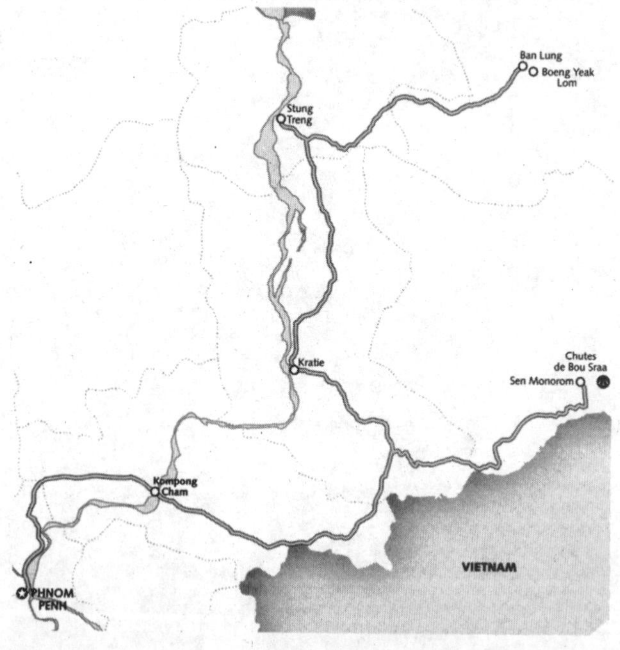

dauphin de l'Irrawaddy, qui vit en groupes de plus en plus réduits en amont de la ville.

Remontez le Mékong vers le nord à bord d'un bateau express jusqu'à **Stung Treng** (p. 254), en admirant au passage les îles minuscules et les bancs de sable qui ponctuent cette jolie partie du fleuve. À l'est, **Ban Lung** (p. 257), capitale de la province du Ratanakiri, constitue une base idéale pour des expériences inoubliables : une baignade dans la plus belle piscine naturelle du pays à **Boeng Yeak Loam** (p. 260), une balade à dos d'éléphant à travers les plantations d'hévéas jusqu'à l'étonnante cascade de Ka Tieng ou la visite des **mines de pierres précieuses** (p. 261), qui produisent la majeure partie du zircon cambodgien.

VOYAGE THÉMATIQUE

LE PUISSANT MÉKONG

Traversant le Cambodge de part en part, le Mékong constitue un moyen idéal de rallier le Laos ou le Vietnam, voisins. Quelques villes fascinantes ponctuent ses rives et ses eaux abritent le dauphin de l'Irrawaddy, une espèce rare. Ajoutez à cela un crochet par le Tonlé Sap, son affluent, et tout est en place pour une grande aventure fluviale.

Du Laos, entrez au Cambodge par le poste-frontière de Dom Kralor-Voen Kham et prenez un bateau rapide jusqu'à **Stung Treng** (p. 255), au sud. Si vous en avez le temps, faites un détour à l'est dans la **province du Ratanakiri** (p. 256) ou poursuivez au sud en bateau jusqu'à **Kratie** (p. 251), le meilleur site d'observation des dauphins du Mékong. Continuez vers le sud en traversant **Kompong Cham** (p. 246) pour atteindre la capitale, **Phnom Penh** (p. 72), où vous séjournerez quelques jours.

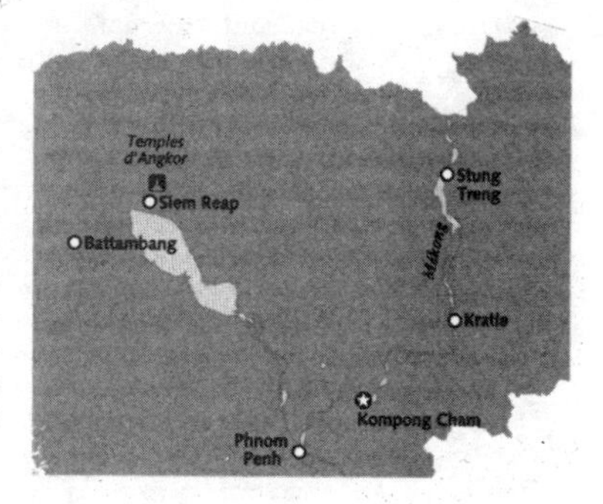

Ensuite, prenez un bateau rapide pour remonter le Tonlé Sap au nord-ouest jusqu'à **Siem Reap** (p. 111). Consacrez plusieurs jours aux temples d'**Angkor** (p. 132), puis prenez un petit bateau pour rejoindre **Battambang** (p. 211), au sud-ouest, par la Stung Sangker, l'un des plus beaux trajets fluviaux du pays. Revenez à Phnom Penh par la route et empruntez un bateau jusqu'à la ville vietnamienne de Chau Doc, dans le delta du Mékong. L'aventure ne s'arrête pas là, car des services fluviaux continuent jusqu'à Ho Chi Min-Ville.

Instantané

Bien engagé sur la voie de la guérison, le Cambodge se trouve aujourd'hui à un carrefour. Comparée aux années noires du régime de Pol Pot, la situation semble pleine de promesses. Mais à côté des pays voisins bien plus florissants, elle reste inquiétante. Le Cambodge doit choisir sa voie : le pluralisme, le progrès et la prospérité ou l'intimidation, l'injustice et l'impunité. Il n'a pas encore tranché.

Le procès des Khmers rouges est une autre question en suspens. Repoussé pour raisons politiques pendant la guerre froide, il a ensuite été retardé par des querelles bureaucratiques au Cambodge et à l'étranger. Rien ne dit que les rouages de la justice tourneront assez vite pour rattraper avant leur mort, les derniers responsables du régime. Après tant de souffrances, le peuple cambodgien mérite que justice soit faite. Mais la nation tirerait sans doute davantage profit d'une commission de type "Vérité et Réconciliation", qui permettrait de faire la lumière sur cette période sans succomber à l'esprit de revanche. Connaître la vérité pourrait se révéler plus libérateur pour les Cambodgiens que le procès, vingt-cinq ans trop tard, de sinistres vieillards révolutionnaires.

QUELQUES CHIFFRES

Population : environ 14 millions d'habitants

Espérance de vie : 57,4 ans

Mortalité infantile : 72,5 pour 1 000

PNB : 4 milliards de $US (2002)

Taux d'alphabétisation des adultes : 69,4%

Nombre de touristes par an : 1 million (en constante augmentation)

Nombre de moines : 59 470

Poissons d'eau douce pêchés chaque année : de 290 000 à 430 000 tonnes

Bombes lâchées sur le pays : 539 000 tonnes

Nombre de psychiatres : 20

La corruption reste omniprésente au Cambodge. L'État devrait donner l'exemple. Hélas, des plus hauts dignitaires aux plus humbles fonctionnaires, ce n'est pas toujours le cas, même si la tendance est de plus en plus à la discrétion : des terrains sont vendus à des compagnies privées pour une bouchée de pain, des contrats sont octroyés à des hommes d'affaires véreux en relation étroite avec le pouvoir. Cette pratique a même conduit à la privatisation partielle du patrimoine culturel cambodgien : des routes menant à des temples séculaires ont ainsi été ouvertes à coups de bulldozer, et les touristes, comme les habitants, ne peuvent désormais les emprunter qu'en payant un droit de passage très élevé.

Ce genre de comportement n'est malheureusement pas l'apanage des seuls Cambodgiens. L'aide étrangère coule à flots. De nombreuses petites ONG ont joué un rôle clé dans la remise en état du pays et, de fait, sans elles, bien plus de Cambodgiens seraient plongés dans la misère. Mais d'aucuns font aussi remarquer que beaucoup de fonctionnaires des grandes organisations internationales mènent la belle vie entre Genève et Phnom Penh, perçoivent des salaires très élevés, roulent dans des 4x4 haut de gamme et vivent dans des maisons de luxe. On reste songeur en imaginant que l'argent finançant le train de vie d'un consultant international pourrait être directement dépensé au profit des plus démunis.

Parmi les dragons asiatiques, l'économie cambodgienne fait un peu figure de lézard. La plupart des industries ont été détruites pendant les longues années de guerre et le tourisme demeure le secteur le plus prometteur. Angkor constitue un atout avec lequel aucun des pays voisins, certes plus développés, ne peut rivaliser. Les Cambodgiens peuvent remercier les mannes de leurs ancêtres : sans un tel héritage, l'économie serait dans un état bien plus pitoyable. Le textile constitue aussi depuis une dizaine d'années une activité très rentable. Cependant, l'adhésion du Cambodge à l'Organisation mondiale du commerce (OMC) risque fort de changer la donne, car le pays ne profitera plus d'un accès privilégié aux marchés américain et européen. Il faut espérer que les Cambodgiens continuent de garantir de bonnes conditions de travail et une législation solide en la matière. Cela leur permettrait d'acquérir, auprès des grandes marques et des consommateurs, la réputation d'un pays où l'éthique compte autant que le profit.

La famille royale est un pilier de l'histoire moderne du Cambodge : l'imprévisible roi Sihanouk a encore une fois surpris le monde en abdiquant en 2004 en faveur de l'un de ses fils. Relativement inconnu et n'ayant pris part à aucun conflit politique, le roi Sihamoni a apporté une nouvelle crédibilité à la monarchie.

Toutefois une nouvelle "famille" est en pleine ascension : les membres les plus influents du Parti du peuple cambodgien (PPC) sont en train d'établir des alliances dynastiques entre leurs enfants. Il suffit de feuilleter les faire-part de mariage publiés ces dernières années pour comprendre que les dirigeants du PPC ont la ferme intention de voir leurs descendants hériter du pouvoir.

Le PPC et le parti royaliste Funcinpec (Front uni national pour un Cambodge indépendant, neutre, pacifique et coopératif) forment de nouveau une alliance incongrue au sein du gouvernement, bien que le pouvoir soit en réalité aux mains du PPC, qui contrôle la fonction publique, l'armée et la police. La popularité du Funcinpec s'est effilochée depuis sa victoire électorale de 1993, et il n'est plus aujourd'hui que la troisième force politique du pays, après le parti d'opposition de Sam Rainsy. Ce dernier continue de reprocher aux dirigeants cambodgiens leur manque de dynamisme et commence à enregistrer un fort soutien dans les villes, ce qui augure une confrontation mouvementée avec le PPC. Le combat a déjà commencé : au début de l'année 2005, le leader de l'opposition et deux autres députés de son parti ont été privés de leur immunité parlementaire, une évolution inquiétante pour la démocratie.

Le Premier ministre Hun Sen fait preuve d'une adresse politique inégalée. Qu'on l'admire ou qu'on le déteste, ce politicien rusé est un battant, aussi bien sur le plan politique que personnel.

Pendant des années, l'élite a trahi avec constance et sans réserve l'avenir du peuple, pour son profit immédiat : voilà la triste réalité de la politique cambodgienne, où intérêts personnels et intérêts de l'État sont souvent confondus. Si le pays se redresse, malgré les carences de son gouvernement, c'est sans doute grâce au peuple cambodgien, à sa ténacité, sa bonne humeur et son instinct de survie. La plupart des Cambodgiens travaillent dur et sont honnêtes. On ne peut, hélas, pas en dire autant de leurs hommes politiques !

Histoire

Après de glorieux débuts, dont le point culminant fut le puissant empire d'Angkor qui domina la région sans partage pendant 400 ans, le pays entama un long déclin à partir du XIIIe siècle, alors que ses voisins prenaient l'ascendant et empiétaient peu à peu sur son territoire. Au XXe siècle, la situation prit un tour tragique lorsqu'une guerre civile meurtrière conduisit à l'établissement du régime génocidaire khmer rouge (1975-1979), un cauchemar dont le Cambodge ne s'est pas encore remis.

LA NAISSANCE DU CAMBODGE

Selon la légende, le Cambodge naquit de l'union d'une princesse et d'un étranger, un Indien brahmane nommé Kaundinya. La princesse était la fille d'un roi dragon qui régnait sur une terre recouverte par les eaux. Un jour, alors que Kaundinya passait en bateau, la princesse vint à sa rencontre à bord d'une barque. Kaundinya tira une flèche de son arc magique dans le bateau de la princesse qui, effrayée, accepta de l'épouser. Pour constituer la dot de sa fille, le roi dragon but les eaux qui recouvraient son pays et l'offrit à Kaundinya. Le nouveau royaume fut baptisé Kambuja.

À l'époque du Funan, le port d'Oc-Eo, situé dans le delta du Mékong, aujourd'hui vietnamien, était un important carrefour commercial entre l'Orient et l'Occident. Des archéologues y ont trouvé des pièces de monnaie romaines et des céramiques chinoises.

Comme beaucoup de légendes, celle-ci ne révèle pas grand-chose au niveau historique, mais elle évoque les racines culturelles du Cambodge et notamment ses relations avec le sous-continent indien. Ses traditions en matière de religion, de royauté et d'écriture proviennent d'Inde et ont commencé à se fondre en une entité culturelle propre entre le Ier et le Ve siècle.

On ignore presque tout du Cambodge préhistorique. La majeure partie du Sud-Est était occupée par un vaste golfe peu profond, que l'envasement progressif de l'embouchure du Mékong transforma en une plaine fertile, riche en minéraux. Des traces d'habitat ont été retrouvées dans des grottes du nord-ouest du pays. La datation au carbone 14 de céramiques mises au jour dans les environs a révélé qu'elles avaient été fabriquées vers 4200 av. J.-C., mais il est difficile d'établir une relation certaine entre ces premiers potiers et les Khmers d'aujourd'hui. L'examen d'ossements remontant à 1500 av. J.-C. environ semble indiquer que les habitants de cette époque ressemblaient aux Cambodgiens modernes. D'anciens textes chinois décrivent les Cambodgiens comme des gens "laids", à la peau "sombre", qui vivaient nus ; toutefois, on ne saurait prendre au pied de la lettre les écrits de la Chine impériale à propos de ses voisins "barbares".

L'INDIANISATION ET LE FUNAN

L'indianisation du Cambodge débuta avec l'installation, à partir du Ier siècle, de comptoirs commerciaux le long de la côte sud de l'actuel Vietnam, alors habitée par des Cambodgiens. Ces comptoirs servaient d'escales aux navires marchands qui naviguaient entre le golfe du Bengale et les provinces de Chine méridionale. Le plus vaste de ces royaumes naissants, appelé Funan par les Chinois, s'étendait peut-être de Ba Phnom, dans la province de Prey Veng, à Oc-Eo, dans celle de Kien Giang (sud du

CHRONOLOGIE **100**

L'indianisation commence : les religions, la langue et la sculpture indiennes s'implantent au Cambodge

600

Les premières inscriptions gravées dans la pierre donnent aux historiens des informations sur la période préangkorienne

Vietnam). Sans doute était-il contemporain du Champasak, alors nommé Kuruksetra, dans le sud du Laos, et d'autres fiefs voisins de moindre importance.

Funan, un nom chinois, pourrait être la translittération de l'ancien mot khmer *bnam* (montagne). L'histoire du Funan est mal connue mais il semble avoir exercé une influence considérable dans le Sud-Est asiatique.

Entre le Ier et le VIIIe siècle, le Cambodge était probablement composé de petits États, dirigés chacun par une élite locale qui souvent renforçait une alliance par un mariage stratégique ou partait en guerre contre un voisin. Le Funan faisait partie de ces États et, en tant que grand port maritime, joua certainement un rôle déterminant dans la propagation de la culture indienne à l'intérieur du Cambodge.

Les historiens ont puisé la plupart de leurs connaissances sur le Funan dans des sources chinoises. Ces témoignages indiquent que le Cambodge d'alors (Ier-VIe siècle) vénérait les divinités hindoues Shiva et Vishnou et pratiquait aussi le bouddhisme. Le symbole phallique du *linga*, objet de nombreux rites et emblème du pouvoir royal, prit encore plus d'importance avec le culte du dieu-roi d'Angkor. Les paysans avaient construit un système d'irrigation rudimentaire pour cultiver le riz et le royaume échangeait des matières premières, comme les épices, avec la Chine et l'Inde.

Fondée par le roi Isanavarman Ier au début du VIIe siècle et nommée à l'origine Isanapura, Sambor Prei Kuk fut la première grande ville-temple du Sud-Est asiatique.

LA PÉRIODE CHENLA

À partir du VIe siècle, l'importance maritime du Funan déclina et la population du Cambodge se concentra progressivement le long du Mékong et du Tonlé Sap (c'est encore le cas aujourd'hui). Ce mouvement résulta peut-être du développement de la riziculture. Du VIe au VIIIe siècle, il semble que le Cambodge se soit divisé en plusieurs royaumes rivaux, dirigés par des rois autocrates qui légitimaient leur pouvoir absolu à travers un système de castes emprunté à l'Inde.

Cette époque est généralement appelée période Chenla. Comme Funan, Chenla est un mot chinois et rien n'indique que le Chenla ait été un royaume unifié dominant le Cambodge. Les Chinois eux-mêmes faisaient en effet référence à deux entités séparées : le "Chenla de l'eau", qui se situait aux abords d'Angkor Borei et du temple de Phnom Da (p. 203), non loin de l'actuelle capitale provinciale de Takeo, et le "Chenla des terres", qui s'étendait sur le cours supérieur du Mékong et à l'est du lac Tonlé Sap, près de Sambor Prei Kuk (p. 237), première ville d'importance dans l'histoire du pays.

Les Chinois connaissaient bien le peuple du Cambodge. Progressivement, la région gagna en cohésion et les royaumes divisés fusionnèrent pour former le plus grand empire du Sud-Est asiatique.

LA PÉRIODE D'ANGKOR

Aujourd'hui haut lieu de pèlerinage pour les Khmers, la montagne sacrée de Phnom Kulen (p. 172), au nord-est d'Angkor, porte une inscription qui indique qu'en 802 Jayavarman II se proclama "monarque universel" ou *devaraja* (dieu-roi). Qui était Jayavarman II ? On pense qu'il passa sa jeunesse à la cour de Shailendras, à Java. Dès son retour, il entreprit de mettre un terme au contrôle du sud du Cambodge par les Javanais. Par le biais d'alliances et de conquêtes, il affirma ensuite son pouvoir sur le pays.

802	889
Jayavarman II met fin à la suzeraineté de Java et donne naissance à l'Empire khmer d'Angkor	Yasovarman Ier déplace la capitale de Roluos à Angkor, à 16 km au nord-ouest

Pour une vue à 360° des temples d'Angkor, jetez un coup d'œil aux incroyables photographies interactives du site www.world-heritage-tour.org/asia/kh/angkor/map.html (en anglais).

Jayavarman II fut le premier d'une longue série de rois qui présidèrent à l'essor et au déclin de cet empire, dont on peut voir l'héritage extraordinaire à Angkor. Les premières descriptions des gigantesques travaux d'irrigation qui permirent la survie de la population d'Angkor datent du règne d'Indravarman Ier (877-889), époque du début de l'art angkorien avec la construction des temples de Roluos, notamment le Bakong (p. 167). Le fils d'Indravarman Ier, Yasovarman Ier (889-910) installa la cour à Angkor même et fit ériger un temple-montagne au sommet de Phnom Bakheng (p. 161).

Au début du XIe siècle, le royaume d'Angkor perdait le contrôle de ses territoires. Suryavarman Ier (1002-1049), un usurpateur, profita de cette vacance du pouvoir et, comme Jayavarman II deux siècles plus tôt, réunifia le royaume à coup de guerres et d'alliances. Il annexa le royaume dravati de Lopburi, en Thaïlande, consolida son emprise sur le Cambodge et repoussa les frontières de l'empire, dont la superficie atteignit sans doute son apogée. Un scénario commençait à se dessiner, qui devait se répéter durant toute la période d'Angkor : une désintégration et des troubles, suivis d'une réunification et d'une expansion accrue sous l'autorité d'un roi puissant. Sur le plan architectural, les époques les plus riches suivirent les périodes troublées, signe que les nouveaux monarques ressentaient le besoin de célébrer, voire de légitimer leur pouvoir par d'importants travaux.

En 1066, Angkor, à nouveau secouée par des conflits, devint la cible de différents prétendants au trône. Le royaume ne retrouva son unité qu'en 1112, avec l'accession au pouvoir de Suryavarman II. Ce dernier se lança dans une nouvelle phase d'expansion, attaquant le Vietnam, notamment le Champa, dans le centre, et noua des liens avec la Chine. Toutefois, il restera dans l'histoire comme le roi qui, en signe de dévotion à Vishnou, entreprit la construction du fabuleux Angkor Vat (p. 147).

L'émissaire chinois Tcheou Ta Kouan passa une année à Angkor en 1296. Les *Mémoires sur les coutumes du Cambodge de Tcheou Ta Kouan*, (éditions Maisonneuve, 1997), offrent un aperçu fascinant de la vie quotidienne à l'apogée de l'empire.

Suryavarman II avait soumis le Champa, le réduisant au rang de vassal, mais, en 1177, les Cham lancèrent une expédition navale sur le Mékong et le lac Tonlé Sap. Ils s'emparèrent par surprise de la ville d'Angkor et tuèrent le roi Dharanindravarman II. Un an plus tard, un cousin de Suryavarman II rassembla une armée et défit les Cham au terme d'un autre combat naval. Le nouveau souverain fut couronné en 1181 sous le nom de Jayavarman VII.

Adepte fervent du bouddhisme mahayana, Jayavarman VII construisit la ville d'Angkor Thom (p. 153) et bien d'autres monuments : la plupart de ceux que l'on visite aujourd'hui furent érigés sous son règne. Toutefois, Jayavarman VII était un homme de contradictions. Les bas-reliefs du Bayon (p. 153), par exemple, le représentent au cœur de batailles d'une terrible violence, tandis que des statues le montrent méditatif et paisible. Son programme d'édification de temples et de travaux publics fut exécuté en grande hâte, sans doute au prix de durs labeurs pour les ouvriers, accélérant ainsi le déclin de l'empire. Le souverain était animé du désir de légitimer son pouvoir face à d'autres prétendants proches de la lignée royale, et d'introduire une nouvelle religion au sein d'une population essentiellement hindouiste.

Pour plus de renseignements sur la période d'Angkor, reportez-vous p. 132.

924

L'usurpateur Jayavarman IV transfère la capitale à Koh Ker, sans tenir compte des ressources en eau

1112

Suryavarman II commence la construction du grandiose Angkor Vat

LE DÉCLIN ET LA CHUTE

Selon certains historiens, le déclin s'annonçait à l'époque de l'édification d'Angkor Vat, alors que l'empire était à son apogée. Des signes indiquent une surexploitation du réseau d'irrigation et le début de son envasement en raison d'une déforestation massive dans les régions les plus peuplées, au nord et à l'est d'Angkor. Des projets de construction démesurés, comme ceux d'Angkor Vat et d'Angkor Thom, pesaient très lourdement sur les finances royales et sur le peuple, écrasé d'impôts et de travail. Après le règne de Jayavarman VII, la construction de temples fut interrompue, en grande partie à cause de l'épuisement des carrières de grès locales et de la lassitude de la population.

Un autre aspect important de cette époque fut le déclin de l'influence politique du Cambodge sur les marches de l'empire. Parallèlement, les Thaïlandais, ayant migré du sud du Yunnan pour échapper à Kublaï Khan et à ses hordes mongoles, étaient en plein essor. Les royaumes de Sukothai, puis d'Ayuthaya multiplièrent les incursions à Angkor et finirent par saccager la cité en 1431, enlevant des milliers d'intellectuels, d'artisans et de danseurs attachés à la cour royale. Pendant cette période, attirée peut-être par les possibilités de commerce maritime avec la Chine et inquiète du bellicisme accru des Thaïlandais, l'élite khmère commença à se réfugier dans la région de Phnom Penh. La capitale changea plusieurs fois d'emplacement au cours du XVIe siècle avant de s'établir définitivement à Phnom Penh.

Ouvrage de référence, *Les monuments du groupe d'Angkor* de Maurice Glaize, publié pour la première fois en 1944 à Saigon, a été réédité en 2005 par les éditions Maisonneuve.

LES ANNÉES SOMBRES

De 1600 à l'arrivée des Français en 1863, le Cambodge fut dirigé par une succession de rois qui, affaiblis par d'incessantes querelles intestines, durent demander la protection, intéressée, de la Thaïlande ou du Vietnam. Au XVIIe siècle, ils obtinrent l'aide des seigneurs Nguyen du Vietnam méridional contre l'autorisation de s'installer dans le delta du Mékong, qui faisait alors partie du Cambodge et que les Khmers continuent d'appeler Kampuchéa Krom (Bas-Cambodge).

À l'ouest, les Thaïlandais s'approprièrent les provinces de Battambang et de Siem Reap à partir de 1794 et, à la fin du XVIIIe siècle, contrôlaient fermement la famille royale cambodgienne. Un roi fut même couronné à Bangkok et placé sur le trône à Udong (p. 107) avec l'aide de l'armée thaïlandaise. Le Cambodge réussit à conserver son identité au XVIIIe siècle grâce aux préoccupations de ses voisins : tandis que les Thaïlandais consacraient leur énergie et leurs ressources à combattre les Birmans, les Vietnamiens se déchiraient dans des luttes internes.

Ho Chi Minh-Ville (Saigon), l'actuelle métropole commerciale du Vietnam, était en 1600 un petit village cambodgien appelé Prey Nokor.

LA PÉRIODE FRANÇAISE

La suzeraineté alternativement thaïlandaise ou vietnamienne sur le Cambodge cessa en 1864, lorsque les canonnières françaises forcèrent le roi Norodom Ier (1860-1904) à signer un traité de protectorat. Au début, les Français n'interférèrent guère dans les affaires internes du Cambodge, qu'ils considéraient comme négligeable à côté de leurs intérêts coloniaux au Vietnam. Chose plus importante, la présence française mit un terme aux visées expansionnistes de ses voisins et favorisa le maintien sur le trône de Norodom malgré les ambitions de ses demi-frères.

1177

Les Cham pénètrent dans le pays par le Tonlé Sap, écrasent les Khmers et occupent Angkor pendant quatre ans

1181

Les Cham sont chassés alors que Jayavarman VII, le plus grand roi d'Angkor et le bâtisseur d'Angkor Thom, accède au trône

Dans les années 1870, les responsables français au Cambodge s'intéressèrent de plus près à la gestion du royaume. En 1884, Norodom dut signer un traité qui faisait de son pays une colonie virtuelle. Il s'ensuivit une rébellion de deux ans, unique mouvement anti-français d'importance jusqu'à la fin de la Seconde Guerre mondiale. Le soulèvement prit fin lorsque le roi promit aux rebelles le retour à la situation antérieure en échange du dépôt des armes.

Pendant les vingt années suivantes, de hauts responsables cambodgiens, qui trouvaient certains avantages à la présence française, abandonnèrent l'administration quotidienne du pays aux Français. Dans le même temps, ces derniers entretenaient la cour de Norodom dans un faste inégalé depuis l'apogée d'Angkor, accroissant ainsi la fonction symbolique de la monarchie. En 1907, les Français obtinrent de la Thaïlande la restitution des provinces du Nord-Ouest – Battambang, Siem Reap et Sisophon –, en échange de concessions sur le territoire laotien. Ainsi, le Cambodge put rétablir sa souveraineté sur Angkor, perdue depuis plus d'un siècle.

Sisowath (1904-1927), puis Monivong (1927-1941) succédèrent à Norodom Ier. À la mort du roi Monivong, l'amiral Jean Decoux, gouverneur général de l'Indochine française occupée par les Japonais, plaça sur le trône le prince Norodom Sihanouk, alors âgé de 19 ans. Il pensait que le jeune homme se révélerait malléable, une erreur de jugement qui devait coûter cher aux Français (voir l'encadré p. 28-29).

Durant la Seconde Guerre mondiale, les forces nippones occupèrent la majeure partie de l'Asie, et le Cambodge ne fit pas exception. La collaboration du gouvernement de Vichy avec les Allemands conduisit

LE ROI SIHANOUK

Norodom Sihanouk a traversé tous les bouleversements politiques du Cambodge. Homme hors du commun, enthousiaste et versatile, il parvint à mettre fin au colonialisme français, dirigea le Cambodge en autocrate, fut emprisonné par les Khmers rouges qu'il avait un temps rejoints et, après un exil doré, fit un retour triomphal en tant que roi, pour finir par abdiquer en 2004. Personnage aux multiples facettes, caméléon politique, il a en tout cas prouvé sa capacité à survivre.

Fils unique du prince Norodom Suramarit et de la princesse Sisowath Kossamak, Sihanouk naquit en 1922. Les Français, pensant que le jeune prince serait un monarque malléable, le firent couronner en 1941, à l'âge de 19 ans, alors qu'il n'avait pas achevé ses études. Pendant les quatre années qui précédèrent l'arrivée des Japonais et la rapide libération du Cambodge, il répondit entièrement aux espérances de la France.

Après le départ des colons, Sihanouk s'empressa d'abolir deux lois françaises, rétablissant l'écriture khmère et le calendrier lunaire traditionnel. Ce fut son seul défi en cinq mois d'indépendance, preuve de la prudence du monarque dans le domaine politique.

Sihanouk accepta calmement le retour de la domination française en 1945, mais, en 1952, entreprit sa "croisade royale" pour l'indépendance. Il congédia le gouvernement élu, se désigna lui-même Premier ministre et annonça l'indépendance du pays dans un délai de trois ans. Il orchestra une campagne de ralliement et de publicité en France et aux États-Unis, passa une brève période d'exil en Thaïlande et parraina une milice civile de quelque 100 000 volontaires. Les Français quittèrent le Cambodge à la fin de l'année 1953.

En 1955, Sihanouk prit l'une de ces décisions imprévisibles qui le caractérisent et choisit d'abdiquer. Il n'avait pu réviser la Constitution pour conférer au trône des pouvoirs plus étendus et ne voulait se voir confiné à un rôle de représentation. Le "croisé royal" devenu le "citoyen Sihanouk" fit le serment de ne jamais remonter sur le trône, qu'il céda à son père. Ce coup de maître lui offrit à la fois l'autorité royale et le pouvoir politique.

Perturbées par de violentes intimidations et des fraudes, les élections de 1955 apportèrent la victoire au Sangkum Restr Niyum (Parti socialiste populaire) de Sihanouk, avec 83% des suffrages. Sa carrière politique était alors bien lancée et il s'était découvert une passion pour la rhétorique.

Au milieu des années 1960, Sihanouk était le maître suprême du Cambodge depuis une décennie. Après d'innombrables liaisons amoureuses, il avait finalement épousé Monique Izzi, une jeune femme de père franco-italien et de mère cambodgienne. Tandis que la guerre faisait rage au Vietnam et que la gauche cambodgienne manifestait un mécontentement croissant, Sihanouk entama une carrière cinématographique de metteur en scène et d'acteur.

Il semble qu'il ait fini par croire au dicton populaire "Sihanouk est le Cambodge" et à sa propre invincibilité. Pourtant, alors qu'il consacrait de plus en plus de temps au cinéma, le pays se trouvait inexorablement impliqué dans la guerre du Vietnam, tandis que les troupes gouvernementales devaient affronter une insurrection de gauche dans les campagnes ; l'économie s'effondrait et Sihanouk finit par être considéré comme un handicap. Son engouement pour le cinéma (p. 55) et ses déclarations publiques, proclamant le Cambodge "une oasis de paix", témoignaient d'un homme qui avait non seulement renoncé au trône, mais aussi à la réalité.

Au début de l'année 1970, alors que l'opposition se renforçait, Sihanouk songea brièvement à remonter sur le trône. Finalement, il préféra partir pour la France. Le 18 mars, l'Assemblée nationale vota sa destitution. Peu après, le Cambodge devint une république et il fut condamné à mort par contumace.

Sihanouk s'exila à Pékin et choisit le camp des communistes. C'était une décision opportuniste. Les communistes cherchaient en effet à renverser le gouvernement de Lon Nol, ce qui convenait parfaitement à Sihanouk. Quand les Khmers rouges entrèrent dans Phnom Penh le 17 avril 1975, Sihanouk publia une déclaration pour annoncer une grande victoire sur l'impérialisme.

Dans Phnom Penh déserte, Sihanouk, rappelé pour participer à la "reconstruction", se retrouva assigné à résidence dans le Palais royal, prisonnier des nouveaux dirigeants. Il y resta jusqu'au début de l'année 1979 quand, à la veille de l'invasion vietnamienne, on le fit monter dans un avion à destination de Pékin. Les Khmers rouges tuèrent la plupart des enfants, petits-enfants et parents de Sihanouk mais, sans doute sur ordre de Pékin, épargnèrent le patriarche.

Plus de dix ans s'écoulèrent avant qu'il retourne enfin au Cambodge. Pendant ce temps, contre toute attente, il retrouva le centre de la scène, donnant les ordres et nouant des relations avec les Khmers rouges, qu'il annulait peu après. Il n'avait tiré aucune leçon de son soutien désastreux à cette faction. Après les élections de mai 1993, Sihanouk annonça brusquement qu'il formait un gouvernement de coalition dont il serait président, Premier ministre et chef militaire. Cet ambitieux projet capota.

Homme d'État, général, président, metteur en scène, homme du peuple, Sihanouk ne renonça jamais à être le personnage central du Cambodge. Le 24 septembre 1993, après 38 ans de vie politique, il opta une nouvelle fois pour le rôle de roi. À bien des égards, ce second passage sur le trône s'est révélé une source de frustration. Régnant au lieu de diriger, il a dû s'effacer devant les politiciens. Après avoir réussi à sortir le Cambodge de l'impasse à plusieurs reprises, il a de nouveau abdiqué le 7 octobre 2004. Malgré les raisons officielles (âge, mauvaise santé), la plupart des observateurs ont analysé cette décision comme politique et destinée à maintenir la monarchie car les politiciens tardaient à lui choisir un successeur. Son fils Sihamoni lui a succédé, le Cambodge a traversé une autre crise mais Sihanouk est réapparu sur la scène politique en 2005. Il a en effet accepté de présider le Conseil national supérieur des questions frontalières constitué en avril 2005 et qui doit décider des démarcations des frontières du Cambodge avec ses voisins, la Thaïlande, le Vietnam et le Laos.

1772

Les Thaïlandais réduisent Phnom Penh en cendres, un épisode de plus dans les relations toujours tendues entre les deux pays

1864

Les Français contraignent Norodom Ier à signer un traité de protectorat, qui évite au Cambodge d'être rayé de la carte leurs alliés japonais à laisser la direction des affaires cambodgiennes aux Français. En échange, la Thaïlande (en quelque sorte alliée au Japon) se vit à nouveau concéder une grande partie des provinces de Battambang et de Siem Reap, qui ne furent rendues au Cambodge qu'en 1947. La libération de Paris en 1944 et la confusion de la situation politique française qui en résulta poussèrent les Japonais à prendre le contrôle direct du territoire au début de l'année 1945. Après la Seconde Guerre mondiale, les Français revinrent et firent du Cambodge un État autonome de l'Union française, dont ils gardaient *de facto* le contrôle. La France n'était pas encore résolue à accorder l'indépendance à ses colonies. L'après-guerre fut marquée par des affrontements entre divers groupes politiques et cette instabilité fut aggravée par la guerre contre le Viet Minh qui faisait rage au Vietnam et au Laos, et débordait à l'occasion au Cambodge. Comme ils allaient le faire vingt ans plus tard lors de la guerre contre Lon Nol et les Américains, les Vietnamiens entraînèrent des troupes de Khmers Issarak (Khmers libres) et se battirent à leurs côtés contre les Français.

L'INDÉPENDANCE ET LE RÈGNE DE SIHANOUK

À la fin de l'année 1952, le roi Sihanouk décida de dissoudre le Parlement, déclara la loi martiale et entama ce que l'on appela sa "croisade royale" : une campagne pour obtenir un soutien international à l'indépendance de son pays.

Celle-ci fut proclamée le 9 novembre 1953 et reconnue par la conférence de Genève de mai 1954, qui mit un terme au contrôle français sur l'Indochine. En 1955, peu désireux de se retrouver confiné dans une fonction purement représentative, Sihanouk abdiqua en faveur de son père, Norodom Suramarit. Le "croisé royal", devenu le "citoyen Sihanouk", fit le serment de ne jamais remonter sur le trône. Ce coup de maître lui offrit à la fois l'autorité royale et le pouvoir politique suprême. Son parti nouvellement créé, le Sangkum Reastr Niyum (Parti socialiste populaire), remporta tous les sièges au Parlement lors des élections de septembre 1955 et Sihanouk domina la scène politique cambodgienne pendant les quinze années suivantes.

Les Français ne se soucièrent guère d'encourager l'éducation au Cambodge. À la fin de la Seconde Guerre mondiale, après 70 ans de gouvernement colonial, le pays ne comptait qu'un seul lycée et aucune université.

Malgré sa crainte des communistes vietnamiens, Sihanouk considérait le Sud-Vietnam et la Thaïlande, tous deux alliés des États-Unis (dont il se méfiait) comme les plus grandes menaces pour la sécurité, voire la survie du Cambodge. Il avait été particulièrement bouleversé par le renversement, puis l'assassinat du président Ngo Diem du Sud-Vietnam, fomentés avec le soutien des États-Unis en 1963. Diem avait pourtant été un fidèle allié de Washington, alors à quoi pouvait s'attendre le versatile Sihanouk ? Pour tenter d'écarter ces dangers, il proclama la neutralité du Cambodge dans les affaires internationales et refusa toute autre aide des États-Unis, qui avaient largement financé l'armée cambodgienne. Par ailleurs, il nationalisa de nombreuses industries, dont le commerce du riz. En mai 1965, persuadé que les États-Unis complotaient contre lui et sa famille, il rompit les relations diplomatiques avec Washington et se tourna vers le Nord-Vietnam et la Chine. En outre, il accepta que le Viet-Cong utilise le territoire cambodgien dans sa lutte contre le Sud-Vietnam et les États-Unis.

1942

Les forces japonaises occupent le Cambodge, mais en laissent l'administration aux représentants du gouvernement de Vichy

1947

La Thaïlande restitue les provinces de Battambang, Siem Reap et Sisophon, qu'elle avait annexées pendant l'occupation japonaise

Ces décisions, ajoutées à sa politique économique socialiste, lui aliénèrent le soutien de la droite cambodgienne, en particulier des officiers de l'armée et de l'élite urbaine. Parallèlement, les Cambodgiens de gauche, dont beaucoup avaient fait leurs études à l'étranger, lui reprochaient sa politique intérieure, qui ne tolérait pas la moindre opposition. La position délicate de Sihanouk se trouvait aggravée par l'exaspération de toutes les classes sociales face à la corruption du gouvernement, qui touchait même la famille royale. Bien que la plupart des paysans continuent à le vénérer comme un demi-dieu, une rébellion rurale éclata en 1967 à Samlot, dans la province de Battambang, et Sihanouk dut admettre que la principale menace émanait de la gauche. Cédant aux pressions de l'armée, il instaura une dure répression contre les partisans de la gauche.

Dans les années 1960, le Cambodge était une oasis de paix tandis que la guerre faisait rage au Vietnam et au Laos. En 1970, le pays bascula à son tour dans l'enfer. Pour comprendre cet engrenage, lisez *Une Tragédie sans importance* de William Shawcross (Balland, 1979, ouvrage épuisé mais disponible en bibliothèque).

En 1969, le conflit opposant l'armée et les rebelles de gauche avait pris de l'ampleur, alors que les Vietnamiens se réfugiaient de plus en plus profondément dans le Cambodge. La situation politique de Sihanouk s'était grandement détériorée, d'autant qu'il semblait se passionner davantage pour le cinéma que pour les affaires de l'État. En mars 1970, profitant d'un voyage de Sihanouk en France, son cousin le prince Sisowath Sirik Matak et le général Lon Nol le destituèrent avec le consentement tacite des Américains. Sihanouk s'installa à Beijing (Pékin), où il forma un gouvernement en exil contrôlé par un mouvement révolutionnaire cambodgien, qu'il surnomma lui-même Khmer rouge. Ce fut une période cruciale dans l'histoire cambodgienne contemporaine, car les Khmers rouges profitèrent du soutien de Sihanouk pour attirer de nouvelles recrues au sein de leur petite organisation. Beaucoup d'anciens combattants khmers rouges affirment être "partis dans les collines" (un euphémisme signifiant l'adhésion à l'organisation) pour défendre leur roi, et ne rien savoir alors de Mao et du marxisme.

LE RÉGIME DE LON NOL

Sihanouk fut condamné à mort par contumace, une décision excessive de la part du nouveau gouvernement, qui excluait toute chance de compromis pour les cinq années à venir. Lon Nol lança un ultimatum aux forces communistes vietnamiennes, leur ordonnant de se retirer dans un délai d'une semaine. Ceci revenait pratiquement à une déclaration de guerre, puisque ces dernières ne voulaient absolument pas abandonner les voies de communications vitales reliant le Laos au Vietnam, via le Cambodge. Les Cambodgiens d'origine vietnamienne furent bientôt victimes de véritables pogroms et nombre d'entre eux fuirent le pays.

Dans *Apocalypse Now*, de Francis Ford Coppola, Marlon Brando est un colonel déserteur qui disparaît au Cambodge. Martin Sheen joue le rôle d'un jeune soldat chargé de le ramener. Leur face-à-face permet à Coppola de se livrer à une magistrale dénonciation de la guerre.

Le 30 avril 1970, les forces américaines et sud-vietnamiennes envahirent le Cambodge dans le but de chasser les milliers de soldats vietcong et nord-vietnamiens qui utilisaient leurs bases cambodgiennes pour attaquer le Sud-Vietnam. Cette invasion provoqua une pénétration accrue des communistes vietnamiens dans le pays, qui fragilisa davantage le régime de Lon Nol. La minuscule armée cambodgienne n'avait aucune chance de vaincre et, en l'espace de quelques mois, les troupes vietnamiennes et leurs alliés khmers rouges contrôlaient presque la moitié du pays. L'ultime humiliation se produisit en juillet 1970, lorsque les Vietnamiens s'emparèrent des temples d'Angkor.

1953
La croisade royale de Sihanouk pour l'indépendance aboutit au retrait des Français le 9 novembre

1955
Le roi Sihanouk abdique pour entamer une carrière politique et remporte facilement les élections

En 1969, les États-Unis avaient secrètement commencé à bombarder les régions supposées abriter des bases communistes. Durant quatre ans, jusqu'à l'interdiction des bombardements par le Congrès américain en août 1973, les B-52 déversèrent des tapis de bombes sur la moitié est du Cambodge, faisant des milliers de victimes civiles et des centaines de milliers de réfugiés. Selon des historiens, ces bombardements auraient tué 250 000 Cambodgiens. Une chose est sûre : ces opérations facilitèrent grandement le recrutement de nouveaux Khmers rouges au fur et à mesure que les paysans voyaient leurs familles décimées lors des attaques aériennes. Le bombardement final et le plus meurtrier, en août 1973, retarda peut-être la chute de Phnom Penh, mais sa férocité durcit les positions de nombreux cadres khmers rouges et contribua sans doute à la cruauté ultérieure du régime.

Pol Pot emprunta la piste Ho Chi Minh pour se rendre à Pékin en 1966, au plus fort de la Révolution culturelle. Il fut manifestement inspiré par cette expérience, car les Khmers rouges allèrent bien plus loin que les Gardes rouges dans leur tentative de rompre tout lien avec le passé.

Des combats acharnés éclatèrent dans tout le pays, plongeant des millions de Cambodgiens dans la misère. Beaucoup d'entre eux fuirent les campagnes pour la sécurité relative de Phnom Penh et des capitales provinciales. Entre 1970 et 1975, les combats firent plusieurs centaines de milliers de victimes. Au cours de cette période, les Khmers rouges jouèrent un rôle prédominant dans les tentatives de renversement de Lon Nol. Leur mouvement bénéficia du soutien des Vietnamiens, ce que les dirigeants khmers rouges ne voulurent jamais reconnaître.

Dans les années 1960, les dirigeants khmers rouges, dont Pol Pot et Ieng Sary – jadis étudiants à Paris –, s'étaient enfuis dans la campagne pour échapper à la justice sommaire que la police de Sihanouk réservait alors aux sympathisants de gauche. Ils renforcèrent leur emprise sur le mouvement et commencèrent à lutter contre leurs opposants avant même la prise de Phnom Penh. En 1970, de nombreux communistes cambodgiens, entraînés par les Vietnamiens et basés à Hanoi depuis les accords de Genève de 1954, empruntèrent la piste Ho Chi Minh pour rejoindre les Khmers rouges. En 1975, beaucoup avaient disparu, exécutés sur ordre de la faction antivietnamienne de Pol Pot. De même, les partisans modérés de Sihanouk, ralliés aux Khmers rouges par loyauté envers le monarque déchu plutôt que par idéologie, furent victimes de purges avant l'accession au pouvoir des révolutionnaires. Ce n'était que les prémisses des épurations internes et des exécutions de masse qui finiraient par provoquer la chute des Khmers rouges.

Le major Am Rong, attaché de presse militaire de Lon Nol, était connu pour ses conférences de presse fantaisistes qui brossaient un tableau flatteur d'une situation de plus en plus désespérée. Il faut dire qu'avec son nom (prononcé à l'anglaise, celui-ci signifie "j'ai tort"), il était difficile de le prendre au sérieux.

L'ampleur inégalée de sa cupidité et de sa corruption provoqua rapidement le rejet du gouvernement de Lon Nol. Les États-Unis finançant sans compter l'effort de guerre, de hauts fonctionnaires et des militaires en profitèrent grassement, gonflant le nombre de soldats pour empocher leurs soldes, revendant des armes à l'ennemi, etc. Lon Nol, dirigeant inefficace, mystique et superstitieux, perdit encore en crédibilité après une attaque d'apoplexie en 1971. Au cours des quatre années suivantes, son emprise sur la réalité sembla diminuer, tandis que Lon Non, son frère corrompu, voyait son pouvoir s'accroître.

Malgré l'aide militaire et économique massive des États-Unis, Lon Nol ne parvint jamais à prendre le dessus sur les Khmers rouges qui, dans les campagnes, menaient une guerre d'usure. De vastes régions rurales tombèrent aux mains des rebelles et plusieurs capitales provinciales se trouvèrent coupées de Phnom Penh. Lon Nol prit la fuite au début du

1963

Pol Pot et Ieng Sary quittent Phnom Penh et se réfugient dans la jungle pour lancer une guérilla contre le gouvernement de Sihanouk

1969

Nixon autorise le bombardement secret du Cambodge qui se poursuit jusqu'en 1973, faisant 250 000 victimes mois d'avril 1975, abandonnant le pouvoir au prince Sirik Matak qui refusa jusqu'au bout de partir. "Je ne peux m'enfuir aussi lâchement... Ma seule erreur a été de croire en vous, les Américains" furent les mots poignants qu'il écrivit à John Gunther Dean, l'ambassadeur américain. Le 17 avril 1975, deux semaines avant la chute de Saigon (aujourd'hui Ho Chi Minh-Ville), les Khmers rouges entraient dans Phnom Penh.

LE RÉGIME KHMER ROUGE

Après la prise de Phnom Penh, les Khmers rouges (vêtus de noir et portant une *krama* – écharpe – à carreaux rouge et blanc) entamèrent la restructuration la plus brutale et la plus radicale qu'une société ait jamais tentée : leur objectif était de transformer le pays en une coopérative agricole maoïste, dominée par les paysans. Quelques jours après leur accession au pouvoir, ils vidèrent la capitale et les villes de province de tous leurs habitants, malades, vieillards et infirmes compris, et les obligèrent à gagner la campagne. Répartis en équipes mobiles et obligés de travailler 12 à 15 heures par jour, ceux-ci furent véritablement réduits en esclavage. Toute désobéissance entraînait une exécution immédiate. À l'avènement du régime khmer rouge, proclamé "Année zéro", la monnaie fut supprimée et les services postaux interrompus. À l'exception d'un vol vers Pékin tous les 15 jours (la Chine fournissait aide et conseillers aux Khmers rouges), le pays se trouva coupé du monde extérieur.

Sihanouk revint à Phnom Penh en septembre 1975 en tant que chef d'État, mais démissionna trois mois plus tard. Il resta dans la capitale, emprisonné dans son palais, et ne dut sa survie qu'aux Chinois, qui le jugeaient utile.

Aux yeux de Pol Pot (Frère n°1), les Khmers rouges ne constituaient pas un mouvement unifié, mais un ensemble de factions qu'il fallait épurer. Ce processus avait commencé par l'élimination des Khmers rouges formés par les Vietnamiens et des partisans de Sihanouk. Après la prise du pouvoir, la violence de Pol Pot s'exerça d'abord contre les représentants de l'ancien régime. Tous les hauts dignitaires du gouvernement et les militaires associés à Lon Nol furent exécutés dans les premiers jours. Puis le pouvoir central concentra son attention sur les campagnes, séparées en zones géographiques. Dirigées par le général unijambiste Ta Mok, les forces loyalistes de la zone Sud-Ouest furent envoyées de région en région pour purifier le peuple, faisant des milliers de victimes.

L'épuration finit par atteindre des proportions grotesques ; la purge finale, la plus sanglante, frappa la zone Est, puissante et indépendante. Généralement considérée comme plus modérée que les autres factions khmères rouges (bien que la notion de "modération" reste toute relative dans ce contexte), cette zone était la plus proche du Vietnam. La faction de Pol Pot consolida son pouvoir dans le reste du pays avant de s'attaquer à elle à partir de 1977. Des centaines de dirigeants furent exécutés avant qu'une rébellion ouverte éclate et se transforme en quasi-guerre civile. De nombreux chefs de la zone Est fuirent au Vietnam, où ils formèrent le noyau du gouvernement qu'instaurèrent les Vietnamiens en janvier 1979. Sans défense et considérés avec suspicion, les habitants – "des corps cambodgiens avec un esprit vietnamien" ou "des derrières de canard avec une tête de poulet" – furent déportés dans le Nord-Ouest et obligés d'arborer une *krama* bleue. Sans l'invasion

Seuls quelques étrangers furent autorisés à entrer au Kampuchéa démocratique durant le régime khmer rouge. La journaliste américaine Elizabeth Becker put s'y rendre à la fin de 1978 ; elle raconte son expérience dans *Les Larmes du Cambodge* (Presses de la Cité, 1988 ; ouvrage épuisé mais disponible en bibliothèque).

François Bizot eut la malchance de se trouver deux fois au mauvais endroit au mauvais moment. D'abord kidnappé par les Khmers rouges, il fut, plus tard, retenu par eux dans l'ambassade de France. Lisez son histoire bouleversante dans *Le Portail* (Folio-Gallimard, 2002).

La Déchirure (1985), film incontournable sur le régime des Khmers rouges, raconte l'histoire d'un journaliste américain, Sidney Schanberg, et de son assistant cambodgien, Dith Pran, pendant et après la guerre.

1970

Sihanouk, renversé par Lon Nol et le prince Sirik Matak, est condamné à mort par contumace ; la guerre civile commence

1973

Sihanouk rend visite à ses alliés khmers rouges à Phnom Kulen, une initiative malheureuse qui renforce la propagande de Pol Pot

FRÈRE DE SANG N°1

Le nom de Pol Pot, Frère n°1 du régime khmer rouge, provoque un frisson d'effroi aussi bien chez les Cambodgiens que chez les étrangers. Pol Pot est en effet devenu le symbole de la folie sanguinaire de la dictature qu'il a dirigée entre 1975 et 1979, provoquant la misère, la souffrance et la mort de millions de ses compatriotes. Même après sa chute en 1979, son ombre continua de planer et, pour la grande majorité du peuple cambodgien, le seul fait de le savoir en vie était un traumatisme. Il est mort le 15 avril 1998.

Pol Pot, Saloth Sar de son vrai nom, naquit dans un petit village des environs de Kompong Thom en 1925. Jeune homme, il obtint une bourse pour étudier à Paris, où il passa plusieurs années avec Ieng Sary, futur ministre des Affaires étrangères du Kampuchéa démocratique. C'est en France qu'il aurait développé sa pensée marxiste radicale, pour adopter ensuite la politique maoïste extrémiste de la révolution agraire. De retour au Cambodge, Saloth Sar devint professeur et n'entra en politique qu'à la fin des années 1950, période sur laquelle on ne dispose que de peu d'informations.

En 1963, la politique répressive de Sihanouk obligea Saloth Sar et ses camarades à se cacher dans les jungles du Ratanakiri. C'est à cette époque qu'il commença à se surnommer Pol Pot. Lorsque les Khmers rouges s'allièrent à Sihanouk, qui venait d'être renversé par Lon Nol en 1970 et s'était exilé à Pékin, les visages de leurs dirigeants devinrent familiers. Cependant Pol Pot resta dans l'ombre, préférant laisser les apparitions publiques à Khieu Samphan et Ieng Sary.

Quand les Khmers rouges entrèrent dans Phnom Penh le 17 avril 1975, rares étaient ceux qui se doutaient de l'enfer qui les attendait. Pol Pot, aidé de ses compagnons, fut l'architecte de l'une des révolutions les plus radicales et les plus brutales de l'histoire de l'humanité. Il proclama 1975 l'"Année zéro" et embarqua le Cambodge sur la voie de l'autodestruction afin de couper tout lien avec le passé.

Pol Pot n'apparut comme figure de proue de la révolution qu'à la fin de l'année 1976, au retour d'un voyage auprès de ses mentors à Pékin. Complètement paranoïaque pour sa sécurité personnelle, il passa le plus clair de son temps à Phnom Penh, changeant sans cesse de résidence. Il n'accordait presque jamais d'interview aux médias étrangers et ne se montrait que dans des films de propagande produits par la télévision d'État. La dernière année du régime, son aura et sa réputation étaient telles qu'un véritable culte de la personnalité se développait autour de lui et qu'apparaissaient des bustes à son effigie.

Pol Pot nourrissait contre les Vietnamiens une haine farouche, exacerbée par le dédain de ces derniers pour la révolution cambodgienne. Ironie du sort, ils devinrent ses plus grands ennemis lorsqu'ils envahirent le Cambodge le 25 décembre 1978 et renversèrent le gouvernement khmer rouge le 7 janvier 1979. Pol Pot et ses partisans se replièrent alors dans la jungle proche de la frontière thaïlandaise, d'où ils lancèrent des attaques contre les positions gouvernementales cambodgiennes au cours de la décennie suivante.

Pol Pot passa l'essentiel des années 1980 dans un bastion en Thaïlande et, avec la complicité de la Chine et de l'Occident, put reconstituer ses troupes et menacer de nouveau la stabilité du Cambodge. Jusqu'en 1998, le mystère autour de son sort ne fit que s'épaissir dans les médias internationaux. Son décès fut annoncé si souvent que lorsqu'il mourut réellement, le 15 avril 1998, beaucoup de Cambodgiens refusèrent d'ajouter foi à la nouvelle et ne furent convaincus qu'en voyant sa dépouille à la télévision ou dans les journaux. Même alors, beaucoup demeurèrent sceptiques et des rumeurs continuent de circuler sur les circonstances exactes de sa mort.

vietnamienne, tous auraient péri car, pour le parti, la krama bleue indiquait un ennemi de la révolution.

On ignore encore le nombre exact de Cambodgiens massacrés par les Khmers rouges pendant les 3 ans, 8 mois et 21 jours que dura ce régime.

1975
Les Khmers rouges entrent dans Phnom Penh le 17 avril et proclament l'Année zéro

1979
Les forces vietnamiennes libèrent le Cambodge du régime khmer rouge et installent un gouvernement provietnamien

Les Vietnamiens font état de 3 millions de morts. Des experts étrangers ont d'abord estimé le nombre des victimes aux alentours de 1 million, mais début 1996, des chercheurs américains l'évaluaient à 2 millions environ.

Des centaines de milliers de personnes furent exécutées par les dirigeants khmers rouges, tandis que des centaines de milliers d'autres périrent de faim et de maladie. Les repas se résumaient à une soupe de riz deux fois par jour, supposée nourrir hommes, femmes et enfants durant une journée de travail épuisant dans les champs. La maladie sévissait dans les camps de travail, où paludisme et dysenterie terrassaient des familles entières. Au vu de l'horreur quotidienne, la mort constituait pour beaucoup un soulagement. Certaine zones furent plus épargnées que d'autres et quelques dirigeants, moins féroces mais, pour la majorité de la population, la vie n'était que misère et souffrances sans fin.

Alors que le pouvoir central éliminait les modérés à tour de bras, l'Angkar (ou "organisation") constituait désormais la seule famille dont le peuple avait besoin. Ceux qui contestaient cet état de fait étaient repérés et "détruits" (les Khmers rouges utilisaient le mot *kamtech*, détruire, plus violent que *samlap*, tuer, car signifiant l'anéantissement total). Le régime priva ainsi les Cambodgiens de ce à quoi ils tenaient le plus : la famille, la nourriture, la terre et la foi. Même les paysans qui avaient soutenu la révolution s'en détournaient. En 1978, les Khmers rouges avaient perdu tout crédit, mais personne n'avait assez d'énergie pour les combattre... à l'exception des Vietnamiens.

Pour comprendre l'horreur du S-21, le centre d'interrogation et de torture mis en place par les Khmers rouges, lisez *S-21 ou le crime impuni des Khmers rouges*, de David Chandler (Autrement, 1999). *La Machine khmère rouge*, de Rithy Panh (Flammarion, 2003), qui reprend les propos de son film réalisé en 2002, met face à face les tortionnaires du S-21 et leurs victimes rescapées et tente de comprendre les mécanismes du génocide.

L'INTERVENTION VIETNAMIENNE

De 1976 à 1978, le gouvernement xénophobe de Phnom Penh déclencha une série d'affrontements frontaliers avec le Vietnam et réclama le delta du Mékong, autrefois partie intégrante de l'Empire khmer. Les incursions des Khmers rouges firent des centaines de victimes civiles dans les provinces vietnamiennes frontalières. Le 25 décembre 1978, le Vietnam envahit le Cambodge et renversa le gouvernement de Pol Pot deux semaines plus tard. Alors que les chars vietnamiens approchaient de Phnom Penh, les Khmers rouges s'enfuirent vers l'ouest, emmenant avec eux tous les civils dont ils purent s'emparer, et se réfugièrent dans les jungles et les montagnes de part et d'autre de la frontière thaïlandaise. Sihanouk fut envoyé à Pékin pour éviter qu'il ne tombe aux mains du nouveau gouvernement ; le soutien de Sihanouk à ses anciens amis vietnamiens aurait immédiatement légitimé le pouvoir en place. Les Vietnamiens installèrent un nouveau gouvernement composé d'anciens officiers khmers rouges, dont Hun Sen, qui s'était réfugié au Vietnam en 1977, et Heng Samrin, qui avait fait de même en 1978. Selon la version officielle, le gouvernement de Heng Samrin prit le pouvoir à la suite d'une rébellion contre le régime de Pol Pot. Les communistes chinois, protecteurs des Khmers rouges, lancèrent un raid de représailles sur la frontière nord du Vietnam début 1979 pour permettre à leurs alliés de gagner du temps. Cette stratégie échoua et les Chinois, totalement défaits, durent se retirer au bout de 17 jours. Les Vietnamiens organisèrent alors un procès-spectacle qui se solda par la condamnation à mort de Pol Pot et Ieng Sary pour génocide.

Si vous lisez l'anglais et que vous voulez tout savoir sur l'histoire du Cambodge, de la préhistoire à nos jours en passant par la splendeur du royaume d'Angkor, procurez-vous *A History of Cambodia* de David Chandler (1994).

L'effondrement social et économique qui accompagna l'invasion vietnamienne, la destruction des stocks de riz et l'absence de récoltes

1980
La famine sévit, car les bouleversements des années précédentes ont empêché la récolte du riz

1985
Les Khmers rouges et leurs alliés sont contraints de se réfugier en Thaïlande

La tragédie cambodgienne en livres

L'abîme dans lequel le Cambodge a plongé en 1975 contraste cruellement avec la splendeur de l'empire d'Angkor. Après une guerre civile de cinq ans qui amena les Khmers rouges au pouvoir, ceux-ci instaurèrent l'un des régimes les plus radicaux et les plus sanglants du monde. Pour comprendre ces événements terribles, voici quelques suggestions de lecture :

- *Cambodge, année zéro*, François Ponchaud (Kailash, 1998)
- *Le Portail*, François Bizot (Folio-Gallimard, 2003)
- *La Machine khmère rouge*, R Panh, C. Chaumeau (Flammarion, 2003)
- *S-21 ou le crime impuni des Khmers rouges*, David Chandler (Autrement, 1999)
- *Le Génocide khmer rouge*, Marek Sliwinski (L'Harmattan, 1995)
- *Le Génocide au Cambodge, 1975-1979*, Ben Kiernan (Gallimard, 1998)
- *D'abord, ils ont tué mon père*, Luong Ung (Plon, 2002)
- *Comment j'ai menti aux Khmers rouges*, Khay Chuth (L'Harmattan, 2004)
- *De la dictature des Khmers rouges à l'occupation vietnamienne : Cambodge, 1975-1979*, Ker Khun (L'Harmattan, 1994)
- *Le Cambodge des Khmers rouges*, Yi Tan Kim Pho (L'Harmattan, 2000)

de part et d'autre (pour éviter de nourrir l'ennemi) provoquèrent une pénurie de riz au début de l'année 1979. Cette situation chaotique réduisit considérablement la plantation du riz pendant l'été 1979 et, au milieu de l'année, une famine généralisée frappait le pays.

Tandis que des centaines de milliers de Cambodgiens se réfugiaient en Thaïlande, l'ONU lançait une collecte internationale pour lutter contre la famine. La communauté internationale souhaitait acheminer son aide par voie terrestre à Poipet, tandis que le nouveau gouvernement de Phnom Penh demandait que l'approvisionnement passe par la capitale, via Kompong Som (Sihanoukville) ou le Mékong. Chaque partie avait de bonnes raisons : le gouvernement ne voulait pas que l'aide tombe aux mains des Khmers rouges, la communauté internationale considérait que le gouvernement ne disposait pas des infrastructures nécessaires à la distribution.

Quelques organisations optèrent pour la distribution lente par Phnom Penh, tandis que d'autres installaient des camps en Thaïlande. Ces derniers attirèrent la moitié des Cambodgiens, qui redoutaient le retour des Khmers rouges ou aspiraient à une nouvelle vie à l'étranger. À grand renfort d'intimidations et de chantages, l'armée thaïlandaise exigea qu'on lui confie la distribution de l'aide et en profita pour reconstituer les forces khmères rouges afin qu'elles résistent efficacement aux Vietnamiens. La Thaïlande posa comme condition au passage de l'aide alimentaire internationale par son territoire qu'une partie en soit réservée aux combattants khmers rouges campés le long de sa frontière. S'ajoutant aux armes fournies par la Chine, cette aide permit aux Khmers rouges de reconstituer leur puissance militaire. Regroupés, nourris et logés grâce aux donateurs, ceux-ci purent continuer à combattre pendant vingt ans.

1985	1989
Hun Sen devient Premier ministre, un poste qu'il occupe toujours aujourd'hui	Le Vietnam annonce le retrait de ses troupes du Cambodge

En juin 1982, sous la pression de la Chine, Sihanouk accepta de diriger un front militaire et politique opposé au gouvernement de Phnom Penh. Cette coalition rassemblait – du moins sur le papier – le Funcinpec (Front uni national pour un Cambodge indépendant, neutre, pacifique et coopératif) qui comprenait un groupe de royalistes fidèles à Sihanouk, le Front national de libération du peuple khmer, un groupement non communiste formé par l'ancien Premier ministre Son Sann, et le parti khmer rouge, officiellement nommé Parti du Kampuchéa démocratique, de loin le plus puissant des trois. Les crimes des Khmers rouges étaient commodément passés sous silence pour ne pas importuner les grandes puissances.

Entre 4 et 6 millions de mines sont éparpillées dans les campagnes cambodgiennes. On estime à 40 000 le nombre des victimes, dont la réinsertion dans la vie sociale coûte 120 millions de dollars US.

Au milieu des années 1980, le gouvernement britannique envoya le Special Air Service (SAS) dans un camp de la jungle malaise pour former les combattants à la pose des mines. Cet entraînement s'adressait officiellement aux factions mineures, mais il ne fait aucun doute que les Khmers rouges en bénéficièrent et qu'ils utilisèrent ces nouvelles compétences pour intimider et terroriser le peuple cambodgien. Dans le cadre de leur campagne de harcèlement et d'isolation de Hanoi, les États-Unis octroyèrent à cette coalition une aide annuelle de plus de 15 millions de dollars US et aidèrent les Khmers rouges à conserver leur siège aux Nations unies. Les responsables du génocide représentaient ainsi leurs victimes sur la scène internationale !

Durant la majeure partie des années 1980, le Cambodge resta fermé au monde occidental, hormis quelques organisations humanitaires. Avec un gouvernement contrôlé par les Vietnamiens, le Cambodge se retrouvait intégré dans le bloc de l'Est. Les étudiants apprenaient le russe et beaucoup partaient étudier à Moscou, Prague ou Varsovie. L'occupation vietnamienne ne fut pas tendre avec les Khmers d'origine chinoise, souvent cibles de brutalités ; il fut même envisagé à une époque de les renvoyer en Chine ! L'économie du pays, alors frappé par un embargo américain (comme le Vietnam), était en pleine déliquescence. Avec l'arrivée au pouvoir de Mikhaïl Gorbatchev en URSS et l'adoption par les Vietnamiens de leur propre *perestroïka*, ou *doi moi*, le Cambodge devint une sorte de laboratoire pour leurs expériences économiques.

En 1985, les Vietnamiens envahirent les principaux camps dissidents sur le sol cambodgien, obligeant les Khmers rouges et leurs alliés à se réfugier en Thaïlande. Les Khmers rouges et, dans une moindre mesure, les deux autres factions, s'engagèrent alors dans une guérilla visant à démoraliser leurs adversaires. Ils utilisaient diverses tactiques, dont le bombardement des villes de garnison, la pose de milliers de mines le long des routes et dans les rizières, l'attaque de transports routiers, le sabotage de ponts, l'enlèvement de chefs de village et l'assassinat de responsables locaux et d'enseignants. Ils forcèrent des milliers d'hommes, de femmes et d'enfants réfugiés dans les camps qu'ils contrôlaient à transporter au Cambodge munitions et autres fournitures à travers des zones frontalières truffées de mines. Afin de tenir les guérilleros à distance, les Vietnamiens installèrent le plus long champ de mines au monde, le K-5, qui s'étendait du golfe de Siam à la frontière laotienne. Pour parer aux embuscades, ils envoyèrent des Cambodgiens dans les forêts pour couper les arbres qui bordaient des

1991

Les accords de paix de Paris sont signés ; tous les partis acceptent la tenue d'élections libres et démocratiques, supervisées par l'ONU

1993

Le parti royaliste Funcinpec remporte les élections, mais le PPC entre de force au gouvernement en menaçant de faire sécession à l'Est tronçons de route isolés. Des centaines, voire des milliers d'entre eux succombèrent aux blessures causées par les mines et aux maladies.

À la fin des années 1980, l'aile militaire du Funcinpec, l'Armée nationale sihanoukiste, comptait 12 000 hommes ; la faction de Son Sann, rongée par des divisions internes, n'en possédait que 8 000 ; enfin, on estimait à 40 000 le nombre de combattants de l'armée nationale du Kampuchéa démocratique des Khmers rouges. Les troupes du gouvernement de Phnom Penh, les Forces armées révolutionnaires du peuple du Kampuchéa, regroupaient 50 000 soldats réguliers et 100 000 hommes et femmes enrôlés dans les milices locales.

L'APRONUC À LA BARRE

En septembre 1989, le Vietnam, en pleine crise économique et soucieux de mettre fin à son isolement sur la scène internationale, annonça le retrait de toutes ses troupes du Cambodge. Après le départ de la plupart des Vietnamiens, la coalition d'opposition, toujours dominée par les Khmers rouges, lança une série d'offensives qui porta le nombre de réfugiés à plus de 150 000 à l'automne 1990.

Les efforts diplomatiques déployés pour mettre un terme à la guerre civile commencèrent à porter leurs fruits en septembre 1990, quand un plan de paix fut accepté à Paris par les cinq membres du Conseil de sécurité de l'ONU (les États-Unis, l'ex-URSS, la Chine, la France et la Grande-Bretagne), le gouvernement de Phnom Penh et les trois factions de la résistance. Il prévoyait la création d'un Conseil national suprême, coalition de toutes les factions, présidé par Sihanouk. Parallèlement,

UNE HISTOIRE DE NOM

Le Cambodge a si souvent changé de nom au cours des dernières décennies qu'une certaine confusion s'est établie. Pour les Cambodgiens, leur pays s'appelle Kampuchéa. Ce nom, qui date du Xe siècle, est dérivé du mot *Kambuja*, qui signifie "ceux qui sont nés de Kambu", le fondateur mythique du pays. Le Camboxa portugais et le Cambodge français, d'où provient le mot anglais Cambodia, sont des adaptations de Kambuja.

Depuis l'instauration de l'indépendance en 1953, le pays a pris bien des noms différents avant de revenir à son appellation d'origine :

- Le royaume du Cambodge
- La République khmère (sous le régime de Lon Nol, de 1970 à 1975)
- Le Kampuchéa démocratique (sous les Khmers rouges, de 1975 à 1979)
- La République populaire du Kampuchéa (sous le gouvernement de Phnom Penh soutenu par les Vietnamiens, de 1979 à 1989)
- L'État du Cambodge (à partir du milieu de l'année 1989)
- Le royaume du Cambodge (depuis mai 1993)

Les Khmers rouges insistaient pour que le monde extérieur utilise le nom de Kampuchéa. Le retour au nom de Cambodge manifeste le désir du gouvernement actuel de se démarquer des sinistres connotations d'un nom que les Occidentaux associent toujours au régime meurtrier des Khmers rouges.

1994

Les Khmers rouges ciblent les étrangers, kidnappant et tuant des touristes qui voyagent vers la côte sud en taxi et en train

1995

Le prince Norodom Sirivudh est arrêté et exilé pour un soi-disant complot visant à assassiner le Premier ministre Hun Sen l'Autorité provisoire des Nations unies pour le Cambodge (Apronuc) devait superviser le fonctionnement du pays pendant deux ans, puis organiser des élections démocratiques.

L'Apronuc parvint à obtenir l'agrément du Conseil national suprême sur la plupart des accords internationaux relatifs aux droits de l'homme ; un grand nombre d'ONG (organisations non gouvernementales) s'installèrent au Cambodge. Plus important encore, des élections eurent lieu le 25 mai 1993, avec un taux de participation de 89,6%. Le résultat fut pourtant loin d'être décisif : le Funcinpec, conduit par le prince Norodom Ranariddh, obtint 58 sièges à l'Assemblée nationale, le Parti du peuple cambodgien (PPC), qui représentait l'ancien gouvernement communiste, en remporta 51 et le Parti démocrate libéral bouddhiste (PDLB), 10. Le PPC avait perdu les élections mais ses dirigeants brandirent la menace d'une sécession des provinces orientales du pays. Le Cambodge se retrouva alors avec deux Premiers ministres : Norodom Ranariddh et Hun Sen.

Pour mieux comprendre l'histoire du Cambodge, lisez *Le Cambodge, une histoire de notre temps* de Philippe Richer (Presses de Sciences Po, 2001).

L'Apronuc plia bagage rapidement après les élections, en se félicitant d'un travail bien fait. Encore aujourd'hui, ce plan reste dans les esprits comme l'une des réussites de l'ONU. En réalité, il s'agissait d'une paix bancale, car la plupart des parties concernées cherchaient avant tout à promouvoir leur propre programme.

Il semble incroyable que les Khmers rouges aient eu voix au chapitre après les atrocités infligées à leurs concitoyens. Cela ressembla sans doute à une farce sinistre pour les Cambodgiens qui avaient perdu tant de leurs proches sous ce régime. Le jeu devint encore plus cruel lorsque le programme de désarmement des Nations unies priva d'armes les milices rurales, longtemps chargées de défendre les provinces contre les Khmers rouges. Des communautés entières furent ainsi laissées sans protection pendant que les Khmers rouges utilisaient la nouvelle légitimité que leur conférait le processus de paix pour reconstruire un réseau de guérilla à travers le territoire. Il n'est pas exagéré d'affirmer qu'en 1994, lorsqu'ils furent enfin déclarés hors-la-loi par le gouvernement, les Khmers rouges n'avaient jamais autant menacé la sécurité du Cambodge depuis 1979.

Bien que l'Apronuc ait eu pour principaux objectifs de "restaurer et maintenir la paix" et de "promouvoir la réconciliation nationale", elle ne réalisa ni l'un ni l'autre. Certes, elle supervisa des élections libres et équitables, mais cette avancée fut bientôt annulée par les agissements des politiciens cambodgiens. Devenu "vache à lait", le pays vit déferler une armée de consultants et de conseillers internationaux grassement payés.

Comme si cela ne suffisait pas, la présence de casques bleus aux soldes confortables encouragea fortement la prostitution et contribua à la propagation du sida. Le Cambodge est actuellement l'un des pays d'Asie les plus touchés par la pandémie.

LE TEMPS DES INTRIGUES

En 1995, deux incidents politiques majeurs laissèrent présager un avenir sombre pour la démocratie. Le premier fut l'éviction de Sam Rainsy, en mai 1995, des rangs du Funcinpec, puis de l'Assemblée nationale un mois plus tard. Comptable formé à Paris, Rainsy avait été un excellent ministre des Finances, mais ses vigoureuses dénonciations de la corruption lui

1997

Le second Premier ministre Hun Sen renverse le premier Premier ministre Norodom Ranariddh lors d'un coup d'État militaire

1998

Pol Pot meurt le 15 juillet 1998, privant à jamais le peuple cambodgien de l'espoir d'obtenir justice avaient coûté son poste au milieu de l'année 1994. Il forma le Parti de la nation khmère (aujourd'hui appelé Parti Sam Rainsy, PSR) et devint rapidement le principal dissident du pays.

L'autre événement politique de 1995 fut l'arrestation et l'exil du prince Norodom Sirivudh, secrétaire général du Funcinpec, ancien ministre des Affaires étrangères et demi-frère du roi Sihanouk, accusé d'avoir comploté pour tuer Hun Sen. Personnage jovial, le prince Sirivudh était connu pour ses bons mots, mais sa plaisanterie sur l'éventuel assassinat de Hun Sen ne fit rire que ce dernier, qui en profita pour se débarrasser d'un adversaire politique encombrant.

Le Documentation Center of Cambodia, un organisme cambodgien créé pour recenser les crimes des Khmers rouges et les faire connaître aux générations futures, possède un site web très documenté, www.dccam.org (en anglais).

LES NÉGOCIATIONS AVEC LES KHMERS ROUGES

Lorsque les Vietnamiens renversèrent le régime de Pol Pot en 1979, les Khmers rouges disparurent dans la jungle. Ils boycottèrent les élections de 1993 et, bien qu'ils aient signé les accords de paix de Paris, rejetèrent les négociations destinées à aboutir à un cessez-le-feu.

La défection de quelque 2 000 soldats khmers rouges au cours des mois qui suivirent les élections permit d'espérer que cette longue insurrection allait s'éteindre doucement. Toutefois, les programmes d'amnistie prévus par le gouvernement n'étaient guère convaincants : réintégrer les soldats khmers rouges dans l'armée régulière et les opposer à leurs anciens camarades en leur offrant un salaire et des conditions de vie déplorables ne les incitait pas à déserter.

En 1994, les Khmers rouges optèrent pour une nouvelle tactique en ciblant des touristes, dont plusieurs trouvèrent la mort. Trois touristes se déplaçant en taxi sur la route de Sihanoukville furent enlevés puis abattus. Quelques mois plus tard, trois autres étrangers furent kidnappés dans un train à destination de la même ville, puis exécutés alors que l'armée cernait les ravisseurs.

Au milieu des années 1990, le gouvernement cambodgien changea son fusil d'épaule et privilégia le système de la carotte plutôt que celui du bâton pour essayer de mettre fin à la guérilla. Le programme d'amnistie et d'incorporation dans l'armée régulière s'intensifia et, peu à peu, des unités khmères rouges isolées changèrent de camp. Les Thaïlandais, qui avaient longtemps soutenu la guérilla khmère rouge, commencèrent à freiner ses mouvements frontaliers, tarissant en théorie ses sources de revenus – la vente des pierres précieuses et du bois.

Le gouvernement parvint à renforcer son contrôle sur certaines provinces mais, à l'échelle nationale, la situation restait dans l'impasse. L'avancée eut lieu en août 1996, quand Ieng Sary, Frère n°3 dans la hiérarchie khmère rouge et ancien ministre des Affaires étrangères de l'Angkar, fut accusé de corruption par Pol Pot. Cette dénonciation provoqua des défections massives dans les rangs des combattants de la région de Pailin, proche de la frontière thaïlandaise, et scella le sort des derniers Khmers rouges. Pailin, riche en pierres précieuses et en bois, fournissait depuis longtemps aux Khmers rouges les moyens de financer leur guérilla. La réduction de ces revenus, ajoutée au fait que les forces gouvernementales pouvaient désormais se concentrer sur un seul front, laissa augurer la fin de la guerre civile.

1999

Le Cambodge rejoint enfin l'Asean après un retard de deux ans

En 1997, des dissensions apparurent au sein de la fragile coalition au pouvoir et la démocratie balbutiante se retrouva une fois de plus en état de siège. Le 31 mars 1997, une grenade fut lancée sur un groupe de partisans de Sam Rainsy qui manifestaient pacifiquement devant l'Assemblée nationale. Beaucoup furent tués et Sam Rainsy échappa de justesse au même sort. Il choisit de s'exiler, accusant Hun Sen et le PPC d'être à l'origine de l'attaque. Cependant, les Khmers rouges réapparurent bientôt à la une des journaux. Pol Pot fit exécuter Son Sen, son ancien ministre de la Défense, et de nombreux membres de sa famille. Un putsch s'ensuivit au sein de l'état-major khmer rouge : le général unijambiste Ta Mok, représentant de la ligne dure, prit la tête du mouvement et traduisit Pol Pot en "justice". À Phnom Penh, des rumeurs laissèrent entendre que le Frère n°1 ne tarderait pas à comparaître devant un tribunal international. Toutefois, l'attention se porta bientôt de nouveau sur la capitale, où la fragile coalition sombrait au milieu de violents combats.

LE COUP D'ÉTAT

Les "événements" de juillet 1997, selon l'euphémisme employé dans le pays, furent précédés d'une longue période durant laquelle le Funcinpec et le PPC courtisèrent les derniers jusqu'au-boutistes khmers rouges, retranchés dans le Nord, pour essayer de gagner leur confiance. Le Premier ministre Norodom Ranariddh, proche de conclure un accord avec les combattants, souhaitait fortement aboutir avant l'entrée du Cambodge dans l'Asean (Association des nations de l'Asie du Sud-Est) ; en effet, rien ne pouvait offrir une entrée aussi glorieuse que l'annonce de la fin de la longue guerre civile. Dans sa hâte, il oublia la prudence et se fit renverser par le second Premier ministre, Hun Sen. Le 5 juillet 1997, les troupes loyales au PPC et celles fidèles au Funcinpec s'affrontèrent dans les rues de Phnom Penh. Les combats les plus violents eurent lieu autour de l'aéroport et des principaux bâtiments administratifs, mais le PPC prit rapidement le dessus. L'homme fort du Cambodge avait fait la démonstration de son pouvoir et il ne faisait plus aucun doute qu'il bénéficiait du soutien de l'armée.

Hun Sen accusa Ranaridh de collusion avec les Khmers rouges et de tentative d'importation illégale d'armes. Ces accusations fallacieuses provoquèrent une réaction internationale rapide et décisive. L'Asean suspendit l'adhésion imminente du Cambodge, tandis que son siège à l'ONU était déclaré vacant et toute nouvelle aide financière gelée. L'économie cambodgienne en souffrit pendant les deux années suivantes.

Après le coup d'État, les ultimes forces du Funcinpec, regroupées à la frontière thaïlandaise autour de la ville d'O Smach, s'allièrent avec les derniers Khmers rouges dirigés par Ta Mok. Si les combats avaient cessé, il n'en fut pas de même pour les morts violentes : plusieurs dirigeants du Funcinpec et des chefs militaires furent sommairement exécutés et, à l'heure actuelle, aucun de ces crimes n'a été jugé. Nombre des membres éminents du Funcinpec partirent à l'étranger, tandis que les généraux continuaient à se battre sur place.

Lorsque Pol Pot mourut, le 15 avril 1998, son corps fut hâtivement incinéré sans autopsie, ce qui conduisit beaucoup de Cambodgiens à penser qu'on l'avait assassiné.

Début 1998, le PPC annonça une grande offensive contre ses ennemis du Nord. En avril, son armée parvint à proximité des bastions

2002

Le Cambodge organise ses premières élections communales, un pas de plus vers la démocratisation du pays khmers rouges d'Anlong Veng et de Preah Vihear. Au cours de ces violents combats, Pol Pot parvint à se soustraire à la justice en mourant sans procès le 15 avril, captif des Khmers rouges. Il fut incinéré peu après sur un bûcher funéraire constitué de pneus. Aucune autopsie officielle ne fut pratiquée, ce qui alimenta les rumeurs qui continuent encore de circuler à Phnom Penh. La chute d'Anlong Veng, en avril, précéda celle de Preah Vihear, en mai ; les trois grands chefs, Ta Mok, Khieu Samphan et Nuon Chea, durent fuir dans la jungle près de la frontière thaïlandaise avec leurs dernières troupes.

Pour vous tenir au courant de l'actualité cambodgienne, consultez le site www.e-khmer.com/fr/news.

LE RETOUR AUX URNES

L'année 1998 fut dominée par les élections, le second scrutin national depuis la guerre. Au vu des tumultueux événements de 1997, de nombreux observateurs se montraient pessimistes quant aux chances de survie de la démocratie. Le réseau du Funcinpec était totalement désorganisé ; nombre de ses dirigeants avaient fui, avaient été tués ou avaient changé de camp. Afin de participer aux élections, l'opposition constitua une alliance de fortune, le Front national uni (FNU), regroupant le Funcinpec et le Parti Sam Rainsy.

Les résultats prouvèrent que le PPC était devenu la principale force politique du pays. Cependant, il n'obtint pas les deux tiers des voix, indispensables pour gouverner seul. L'opposition contesta l'honnêteté du scrutin et le blocage politique entraîna une crise de confiance. Alors que l'opposition lançait une campagne pour la démocratie, de grandes manifestations dans la capitale dégénérèrent en émeutes et en affrontements, suivis de répressions.

Le roi Sihanouk parvint à négocier un accord qui consistait à revenir à la situation précédente : le Funcinpec, très affaibli, accepta de gouverner avec le PPC, majoritaire. La formation d'un nouveau gouvernement de coalition permit aux hommes politiques de se concentrer, une fois encore, sur la fin de la guerre civile.

Le 25 décembre, Hun Sen reçut un cadeau longtemps espéré : Khieu Samphan et Nuon Chea demandèrent à rallier le camp du gouvernement. La communauté internationale commença aussitôt à faire pression pour la constitution d'un tribunal chargé de juger les dirigeants khmers rouges encore en vie.

Après de longues négociations, un accord fut enfin conclu sur la composition de ce tribunal. Le PPC se méfiait d'un procès supervisé par l'ONU, qui s'était rangée du côté de la coalition dominée par les Khmers rouges contre le gouvernement de Phnom Penh, et il souhaitait avoir voix au chapitre quant aux personnes passibles de jugement. Pour sa part, l'ONU doutait, à juste titre, de l'efficacité et de l'impartialité du système judiciaire cambodgien dans un procès d'une telle importance. Finalement, on opta pour un compromis : un tribunal mixte, composé de trois juges internationaux et de quatre juges cambodgiens, requérant la majorité absolue (respectivement 2 et 3).

Plusieurs des dirigeants cambodgiens actuels faisaient partie des Khmers rouges, notamment le Premier ministre Hun Sen et le président du Sénat Chea Sim ; aucune preuve n'indique qu'ils aient participé aux massacres.

Cet accord partit en fumée après la décision de l'ONU de se retirer du processus début 2002. Il semble cependant que ce procès va enfin avoir lieu, un budget ayant été récemment approuvé. Toutefois, il aura lieu 25 ans trop tard, alors que nombre des protagonistes sont morts, et ne seront jugés que

2003

Le PPC remporte les élections législatives, mais les querelles politiques retardent de près d'un an la formation du nouveau gouvernement

MANŒUVRES ÉLECTORALES

Alors que l'ambiance aurait dû s'échauffer graduellement jusqu'aux élections de juillet 2003, des émeutes anti-thaïlandaises secouèrent Phnom Penh en janvier de cette même année. Les relations entre le Cambodge et la Thaïlande ont toujours été tendues pour des raisons expliquées dans ce chapitre. Cette fois, des propos attribués à une célèbre actrice thaïlandaise de feuilletons télévisés mirent le feu aux poudres : elle aurait prétendu qu'Angkor Vat appartenait à son pays. Le Premier ministre Hun Sen rétorqua que la starlette ne valait pas une touffe d'herbe au pied du temple. En quelques jours, l'ambassade de Thaïlande fut incendiée et nombre de sociétés thaïlandaises mises à sac, dont le Royal Phnom Penh Hotel et Camshin, la compagnie de téléphonie mobile appartenant au Premier ministre thaïlandais Thaksin Shinawatra.

Selon de nombreux observateurs sur place, ces événements étaient une manœuvre politique visant à se débarrasser du gouverneur de Phnom Penh, Chea Sophara ; bien qu'absent de la capitale à ce moment-là, il fut le seul à être limogé. Il avait irrité les Thaïlandais en construisant une nouvelle route jusqu'au temple de prasat Preah Vihear, proche de la frontière, et sa popularité dans la capitale gênait Hun Sen. Il ne fait aucun doute que les émeutes ont eu lieu grâce à la complaisance des autorités ; s'il s'était agi de manifestations anti-PPC, elles auraient été immédiatement réprimées ! Selon toute probabilité, un responsable haut placé a orchestré les manifestations, sans envisager qu'elles déraperaient et échapperaient à tout contrôle. Le gouvernement cambodgien s'est engagé à rembourser les dommages causés et, lentement mais sûrement, les relations se sont apaisées entre les deux pays.

quelques dirigeants au lieu d'aller au fond des choses, comme aurait pu le faire une commission de type "Vérité et Réconciliation". Aujourd'hui, seuls sont emprisonnés à Phnom Penh, Douch, le dirigeant du S-21, et Ta Mok.

LES NOUVELLES ÉLECTIONS

Début 2002, les premières élections communales de l'histoire du Cambodge ont constitué une étape importante dans la démocratisation du pays. Le pouvoir étant aux mains du PPC depuis 1993, ce scrutin a permis de desserrer l'emprise de ce dernier au niveau municipal. Toutefois, il n'a été qu'un simple échauffement pour les troisièmes élections législatives de juillet 2003.

Ces dernières ont abouti à un changement dans l'équilibre des pouvoirs : si le PPC a conservé sa mainmise sur le pays, le Parti Sam Rainsy s'est hissé en deuxième position, devant le Funcinpec. Tout était en place pour une nouvelle coalition, mais cette fois les choses ont traîné en longueur. Le Funcinpec et le Parti Sam Rainsy ont formé une nouvelle alliance "indéfectible" et commencé à négocier pour une coalition tripartite. Après près d'un an de tergiversations, le Funcinpec a de nouveau tourné le dos au Parti Sam Rainsy pour entrer au gouvernement. Il semble donc que le Funcinpec soit sur le point de disparaître de la scène politique, laissant face à face un PPC bien décidé à ne pas lâcher prise et un Parti Sam Rainsy en plein essor. Mais la vie politique cambodgienne est très tumultueuse et en février 2005, le Premier ministre Hun Sen a levé l'immunité parlementaire de Sam Rainsy en l'accusant de diffamation. Au moment de la rédaction de ce guide, Sam Rainsy était toujours "exilé" à Paris.

Pour tout savoir sur les derniers ragots politiques, visitez www.khmerintelligence.org, l'une des meilleures sources d'informations sur les rumeurs, vraies ou fausses (en anglais).

Culture et société

LES CAMBODGIENS

Depuis la fin de l'âge d'or de l'empire d'Angkor, le Cambodge a perdu nombre de batailles historiques et ce petit pays a souvent fait figure de proie facile au milieu des requins. Cette situation inconfortable a forgé la mentalité populaire et a engendré les sentiments de crainte, voire d'aversion que les Cambodgiens ressentent vis à vis de leurs puissants voisins, la Thaïlande et le Vietnam.

Les Thaïlandais sont vus d'un mauvais œil en raison de leur condescendance envers le Cambodge, de leur refus de reconnaître leur dette culturelle envers lui et de leur opinion, largement répandue, qu'Angkor leur appartient. La plupart des Khmers les considèrent comme des "voleurs" de culture qui ont favorisé et encouragé le déclin de leur pays.

Vis à vis des Vietnamiens, les Cambodgiens nourrissent des sentiments ambivalents : ils ne les aiment guère, mais éprouvent un certain respect pour ce peuple travailleur qui les a libérés des Khmers rouges en 1979 (p. 35). Lorsque la "libération" s'est transformée en occupation dans les années 1980, les Khmers ont vite retrouvé leur antipathie pour les Vietnamiens, accusés de coloniser leur pays et de voler leurs terres. Toutefois, ils se méfient plus encore des Thaïlandais ; en effet, ayant eux aussi vécu des moments difficiles, les Vietnamiens comprennent les souffrances du peuple khmer.

En surface, le Cambodge donne l'impression d'un pays de gens heureux et souriants, mais un regard un peu plus aiguisé découvre vite les multiples contradictions : douleur et joie, richesse et pauvreté, amour et haine, vie et mort. Le contraste le plus frappant reste celui qui oppose un présent tragique à un brillant passé.

Angkor Vat figure partout : sur le drapeau, les bouteilles de bière, les enseignes des hôtels et des pensions, les paquets de cigarettes. Symbole de la nation cambodgienne et de sa fierté, c'est aussi une façon de rappeler au monde l'histoire illustre du peuple khmer. Presque aussi omniprésent que ses temples, Jayavarman VII, le plus grand roi d'Angkor, celui qui a chassé l'occupant cham et hissé l'empire au summum de sa gloire, est un héros national.

Ce passé contraste avec l'abîme dans lequel le pays a été précipité durant les années noires du régime khmer rouge, qui a laissé une population traumatisée, dissimulant ses plaies derrière un sourire stoïque. Pol Pot, nom maudit, évoque les innombrables tragédies personnelles, les familles décimées et des souffrances qui ont marqué de manière indélébile la plupart des Cambodgiens (voir p. 34). Il faudra plusieurs générations pour que le souvenir de ce cauchemar se dissipe. En attendant, le pays est handicapé par une propension à vivre au jour le jour sans penser au lendemain – il n'y a pas si longtemps, demain était un mot dépourvu de sens. Justice n'a pas été faite, beaucoup de questions demeurent sans réponse et la génération la plus âgée doit continuer à supporter ce traumatisme.

Si Jayavarman VII et Angkor sont vénérés et Pol Pot détesté, le versatile Sihanouk, dernier des dieux-rois, suscite des sentiments mêlés. Nombre de Cambodgiens le considèrent comme le père de la nation et affichent son portrait ; d'autres jugent qu'il a failli à son devoir en s'associant avec les Khmers rouges. À bien des égards, ses contradictions sont celles du Cambodge d'aujourd'hui : le comprendre, lui et les événements qu'il a traversés, c'est comprendre le Cambodge.

NE PAS PERDRE LA FACE

Le concept de "face" revêt une importance extrême dans toute l'Asie. Faire bonne figure est synonyme de prestige, et le prestige est capital au Cambodge. Toutes les familles, même les plus pauvres, doivent dépenser une fortune pour un mariage. Mieux vaut se ruiner que perdre la face.

Colère, cris et insultes sont impolis et ne donnent, généralement, aucun résultat. S'emporter signifie perdre la face et embarrasse fortement les Asiatiques. Si les choses ne fonctionnent pas exactement comme elles le devraient, respirez profondément et conservez votre calme.

MODE DE VIE

Pour beaucoup de Cambodgiens de la vieille génération, la vie tourne autour de la famille, de la foi et de la nourriture, un modèle immuable depuis des siècles. Contrairement au noyau familial occidental, la famille cambodgienne s'étend jusqu'aux cousins au troisième degré et aux vagues tantes, accueillant en fait toute personne pouvant se prévaloir d'un lien de sang. Ses membres se serrent les coudes, résolvent les problèmes ensemble, se reposent sur la sagesse des anciens et mettent leur ressources en commun. La famille étendue se réunit dans les moments de peine ou de joie, à l'occasion d'une fête, d'un deuil ou encore de la réussite ou des déboires de l'un ou l'autre. Que la maison soit petite ou grande, une chose est sûre : elle abrite toujours une nombreuse famille.

La majorité des habitants des campagnes continuent à vivre comme ils l'ont toujours fait. Plusieurs générations partagent le même toit, le même riz et la même religion. Cependant, la guerre et l'idéologie ont bouleversé ce mode de vie dans les années 1970 et 1980. Arrachés à ce qu'ils chérissaient, les paysans durent participer à une guerre civile meurtrière avant de se voir réduits en esclavage. L'Angkar, l'organisation khmère rouge, s'imposa comme le pivot moral et social de l'existence. Les familles furent séparées et leurs membres, opposés les uns aux autres. La confiance qui cimentait autrefois les rapports familiaux fut détruite et ne réapparaît que lentement.

Environ 85% de la population vit en zone rurale, un pourcentage bien supérieur à celui des pays voisins plus développés. Un nombre croissant de Cambodgiens devraient migrer dans les villes au cours des dix prochaines années.

La foi est un autre élément essentiel de la vie de nombreux Cambodgiens âgés qui, après ces années noires, se sont tournés vers le bouddhisme pour essayer de reconstruire leurs existences ravagées. La plupart des maisons cambodgiennes possèdent un petit autel et les *vat* battent tous les records de fréquentation le jour où l'on célèbre la naissance, l'illumination et la mort du Bouddha.

La nourriture revêt pour les Cambodgiens une importance particulière. Le pays a souffert de la famine à la fin des années 1970 et, aujourd'hui encore, la malnutrition et les pénuries sont monnaie courante pendant les périodes de sécheresse. Aliment de base, le riz est servi à tous les repas et beaucoup de conducteurs ne partent pas sans leur ration journalière. Les paysans, qui représentent la majorité de la population, sont très attachés à leurs terres, dont dépend leur survie. Le cycle des récoltes rythme la vie rurale.

Les choses sont différentes pour les jeunes, élevés avec MTV et les feuilletons télévisés dans un pays débarrassé de la guerre et du communisme, où ils jouissent d'une relative liberté. Comme d'autres régions d'Asie avant lui, le pays connaît un bouleversement des mœurs, avec une jeunesse qui revendique un mode de vie différent de celui de ses parents. Le conflit des générations est particulièrement aigu dans les villes, où les jeunes s'habillent comme ils le souhaitent, fréquentent qui ils veulent et sortent jusqu'à l'aube. Pourtant, peu d'entre eux habitent seuls.

Ils continuent de rentrer tous les soirs chez leurs parents qui, consternés de les voir célibataires, les exhortent à fonder un foyer.

Le Cambodge évolue rapidement. Les traditionalistes parviennent encore à résister, malgré l'arrivée massive des karaokés, mais des changements démographiques vont intervenir dans les deux prochaines décennies. Aujourd'hui, 15% seulement de la population vit en zone urbaine, ce qui contraste fortement avec les pays voisins plus développés comme la Malaisie et la Thaïlande. De plus en plus de jeunes partent en ville à la recherche d'une vie meilleure, ce qui va transformer à jamais la société cambodgienne contemporaine. Néanmoins, celle-ci demeure pour l'instant plus traditionnelle qu'en Thaïlande ou au Vietnam, et les étrangers doivent en tenir compte.

Salutations

Les Cambodgiens se saluent par le *sompiah*, une inclinaison du buste accompagnée des mains jointes, semblable au *wai* des Thaïlandais. Plus les mains sont hautes et l'inclinaison profonde, plus le respect est marqué, chose à ne pas oublier lorsque vous rencontrez des officiels ou des personnes âgées. Depuis quelque temps, les hommes ont tendance à pratiquer la poignée de main occidentale, mais les femmes s'en tiennent au salut traditionnel. On tolère que les étrangers serrent la main des Cambodgiens des deux sexes.

Tenue vestimentaire

Hommes et femmes portent le sarong (en coton ou en soie), en particulier chez eux. Les hommes qui peuvent se le permettre préfèrent généralement les sarongs en soie. Dans les villes, la plupart des hommes portent un pantalon et beaucoup de femmes s'habillent à l'occidentale.

Lors des grandes occasions comme les fêtes religieuses et familiales, les femmes arborent souvent un *hol* (sorte de chemise) dans la journée. Le soir, elles revêtent une robe de soie unie appelée *phamuong*, ornée le long des ourlets. Pour un mariage, la couleur des vêtements est fonction du jour de la semaine. Les Cambodgiennes s'habillent généralement de manière pudique, bien que la situation évolue rapidement dans les grands villes.

Les voyageurs en provenance des îles thaïlandaises plus émancipées, telles que Ko Pha Ngan ou Ko Chang, doivent garder à l'esprit qu'en passant la frontière, ils se retrouvent dans un pays plus traditionaliste. Les Khmers n'apprécient pas de voir flâner des hommes torse nu et des femmes en tenue légère au milieu des temples d'Angkor. Quant au nudisme sur la plage, n'y songez même pas !

KRAMA CAMÉLÉON

Les paysans khmers portent presque tous la *krama*, une écharpe à carreaux colorée que l'on voit aussi en ville. Elle peut être en coton ou en soie : les plus belles krama de soie proviennent des provinces de Kompong Cham (voir p.246) et de Takeo.

La krama peut s'utiliser de multiples façons. Les Cambodgiens s'en servent en premier lieu pour se protéger du soleil, de la poussière et du vent, et nombre de touristes les imitent. Elle peut aussi se nouer autour de la taille en mini-sarong, devenir serviette de toilette, transporter un bébé sur le dos ou encore tracter une moto en panne !

Essentielles pour les voyageurs qui circulent en camionnette ou en bateau, les krama sont vendues sur tous les marchés du pays. Devenue symbole du Cambodge, la krama est pour les Khmers un moyen d'affirmer leur identité.

En visite chez les Khmers

Un petit cadeau, symbole de gratitude, est toujours apprécié de la personne à qui l'on rend visite. Avant d'entrer, n'oubliez pas de vous déchausser si les propriétaires le font. Cela vaut également pour certains restaurants et pensions : si vous apercevez une pile de chaussures sur le seuil, ôtez les vôtres.

Visite des pagodes

Les Khmers sont tolérants et ne montreront pas forcément leur désapprobation devant une attitude inappropriée. Veillez cependant à vous habiller et à vous comporter avec le plus grand respect lors de la visite des vat ou d'autres sites religieux. Les règles de l'étiquette dans les pagodes sont essentiellement une question de bon sens.

Contrairement aux coutumes thaïlandaises, une femme peut accepter quelque chose d'un *lok song* (moine), mais ne doit absolument pas le toucher. Respectez aussi les consignes suivantes :

- Ne portez ni shorts ni débardeurs.
- Découvrez-vous en entrant dans le périmètre d'un vat.
- Déchaussez-vous avant d'entrer dans le *vihara* (sanctuaire).
- Si vous vous asseyez devant un bouddha, placez vos pieds de côté plutôt que dans la position du lotus.
- Inclinez-vous légèrement en présence d'un moine de haut rang ou âgé.
- Déposer une petite aumône dans la boîte réservée aux dons sera apprécié des moines et des fidèles.
- Ne désignez jamais du doigt – ni à plus forte raison du pied – un moine ou une représentation du Bouddha.

PAS D'IMPAIR !

Langue des signes

Si vous souhaitez que quelqu'un vienne vers vous, faites signe de la main, paume vers le bas. Un signe de l'index ou de la main, paume vers le haut, peut être interprété comme une invite sexuelle.

Mortelles baguettes

Des baguettes laissées verticalement dans un bol de riz évoquent les bâtons d'encens que l'on brûle pour les morts – un mauvais présage que nul n'apprécie en Asie.

Chapeau bas

Lorsque vous vous adressez à une personne âgée ou à tout autre personne respectée, comme un moine, découvrez-vous et inclinez poliment la tête. En Asie, la tête est considérée comme sacrée ; ne touchez jamais celle des adultes.

Étaler ses cartes

Au Cambodge, la moindre transaction ou relation commerciale donne lieu à un échange de cartes de visite. Faites-en imprimer avant votre départ et distribuez-les abondamment.

La bonne main

Lorsque vous tendez quelque chose à quelqu'un, utilisez vos deux mains ou la main droite uniquement ; la main gauche est réservée aux ablutions intimes.

Du bon usage du cure-dents

Si vous utilisez un cure-dents, il est poli de se couvrir la bouche avec l'autre main.

POPULATION

Lors du recensement de 1998, le premier depuis plusieurs décennies, le Cambodge comptait près de 11,5 millions d'habitants. Avec un taux de croissance de 2,4% par an, la population atteint aujourd'hui les 14 millions et devrait passer la barre des 20 millions en 2020.

Phnom Penh, la plus grande ville, abrite environ un million d'âmes. Parmi les principaux centres urbains figurent Battambang, Siem Reap et Sihanoukville. La province de Kompong Cham est la plus peuplée, avec 14% des habitants du pays.

Moins marqué que dans les années 1980, le déséquilibre entre les hommes et les femmes dû aux années de guerre reste important : 93,1 hommes pour 100 femmes, contre 86,1 pour 100 en 1980. Cependant la disparité la plus criante concerne les groupes d'âge : plus de 40% de la population a moins de 15 ans.

Sur les 24 provinces du Cambodge, celle de Kandal est la plus densément peuplée, avec plus de 300 habitants au km². Le Mondolkiri connaît la plus faible densité (2 habitants au km²).

Khmers

Selon les statistiques officielles, les Khmers représente environ 96% de la population cambodgienne, ce qui en fait l'une des plus homogène du Sud-Est asiatique. En réalité, 10% des habitants sont d'origine cham, chinoise ou vietnamienne.

Les Khmers habitent le Cambodge depuis le début de l'histoire écrite (vers le IIe siècle), bien avant l'arrivée des Thaïlandais et des Vietnamiens dans la région. Au fil du temps, les Khmers se sont mêlés à d'autres groupes vivant au Cambodge, dont les Javanais et les Malais (VIIIe siècle), les Thaïlandais (du Xe au XVe siècle), les Vietnamiens (à partir du début du XVIIe siècle) et les Chinois (depuis le XVIIIe siècle).

Vietnamiens

Les Vietnamiens constituent l'un des groupes non khmers les plus importants. Selon les chiffres officiels, le pays abrite environ 100 000 Vietnamiens. Officieusement, ils seraient plus proches du demi-million. Un climat d'inimitié et de méfiance règne entre Cambodgiens et Vietnamiens, même s'ils vivent au Cambodge depuis des générations. Pour les Khmers, les migrants vietnamiens restent des étrangers, appelés *yuon* – un terme péjoratif signifiant barbares –, tandis que les Vietnamiens méprisent les Khmers qu'ils jugent paresseux car ils n'exploitent pas chaque parcelle de terre disponible, une nécessité dans le Vietnam surpeuplé.

Les Khmers des plaines sont encouragés à migrer vers le Nord-Est, où les terres abondent. Toutefois cette politique risque de marginaliser les minorités ethniques qui peuplent cette région et ignorent tout du concept de "propriété".

Chinois

D'après le gouvernement, 50 000 Chinois vivent au Cambodge, mais des observateurs estiment qu'on en compte au moins 500 000 dans les zones urbaines. Nombre d'entre eux résident au Cambodge depuis des générations et ont adopté la culture, la langue et l'identité khmères. Jusqu'en 1975, les Chinois dominaient la vie économique du pays. Ces dernières années, ils ont recouvré leur puissance financière, principalement grâce aux investissements accrus des Chinois de l'étranger.

Cham

Les Cham musulmans (appelés Khmers Islam) seraient au nombre de 200 000 officiellement et de 400 000 officieusement. Ils habitent des villages situés sur les rives du Mékong et du Tonlé Sap, principalement dans les provinces de Kompong Cham, Kompong Speu et Kompong Chhnang. Cible de persécutions particulièrement cruelles entre 1975 et 1979, une grande partie de la communauté a été exterminée. De nombreuses mosquées, détruites sous le régime des Khmers rouges, ont été reconstruites.

LES KHMERS KROM

Ethniquement Khmers, les Khmers Krom du Vietnam méridional ont été séparés du Cambodge par des traités historiques et l'empiétement vietnamien sur des terres autrefois cambodgiennes. Nul ne connaît leur nombre exact : les estimations varient entre 1 et 7 millions selon les sources.

L'histoire de l'expansionnisme vietnamien en territoire cambodgien figure depuis très longtemps dans les manuels scolaires khmers. Pour complaire à la reine d'origine vietnamienne, le roi Chey Chetha II du Cambodge autorisa, en 1620, les Vietnamiens à s'installer dans la ville cambodgienne de Prey Nokor, aujourd'hui plus connue sous le nom de Ho Chi Minh-Ville (Saigon). Ce fut le début d'un lent grignotage du territoire cambodgien.

Les représentants des Khmers Krom affirment qu'ils conservent leur culture khmère, même s'ils s'habillent comme des Vietnamiens et possèdent des cartes d'identité vietnamiennes. Les tentatives pour détruire leur langue et leur religion (ils sont bouddhistes theravada, tandis que les Vietnamiens pratiquent le bouddhisme mahayana) ont pour la plupart échoué. Même l'assimilation par les mariages mixtes est restée limitée.

De nombreux Khmers Krom souhaiteraient voir le Cambodge jouer un rôle de médiateur dans leur lutte pour une plus grande autonomie et une représentation ethnique au Vietnam. Toutefois, le gouvernement cambodgien est plus préoccupé par l'afflux d'immigrés vietnamiens illégaux et par les rapports faisant état d'empiètement des Vietnamiens à la frontière orientale.

Minorités ethnolinguistiques

Les divers Khmers Leu (Khmers du haut) ou *chunchiet* (minorités) qui peuplent les régions montagneuses comptent de 60 000 à 70 000 âmes.

La plupart des ces tribus habitent les provinces du Ratanakiri, du Mondolkiri, de Stung Treng et de Kratie, dans le nord-est du pays. Les Tompuon (il existe diverses orthographes) constituent le groupe le plus important, avec environ 15 000 personnes. Parmi les autres groupes, on peut citer les Pnong, les Kreung, les Kavet, les Brao et les Jarai.

Les tribus montagnardes ont longtemps vécu à l'écart de la société khmère et l'incompréhension mutuelle perdure. Elles pratiquent une culture nomade et restent rarement plus de 4 ou 5 ans au même endroit. Un ancien de la tribu communique avec les esprits pour décider du nouvel emplacement du village. Rares sont les minorités qui portent des vêtements traditionnels colorés comme en Thaïlande, au Laos et au Vietnam. Moins photogéniques, elles échappent à l'atmosphère de zoo humain qui imprègne les villages tribaux des pays voisins.

Pour en savoir plus sur la société cambodgienne, lisez *Le Cambodge*, de S. Crochet, paru chez Karthala en 1997.

Peu de chercheurs se sont intéressés aux tribus montagnardes du Cambodge et le tourisme commence à peine à pénétrer dans le Nord-Est. On ne peut que redouter l'impact que celui-ci risque d'avoir, de même que le développement et la déforestation, sur les tribus les plus isolées. De plus en plus de Khmers achètent des terres tribales dans ces régions reculées, tandis que des étrangers acquièrent d'anciens totems provenant de cimetières sacrés au Ratanakiri ; ces procédés trahissent le mépris des intérêts à long terme des minorités.

MÉDIAS

À priori, la situation des médias cambodgiens semble satisfaisante car la liberté de la presse est inscrite dans la Constitution. Pourtant, la réalité quotidienne est toute autre. Le Funcinpec et le Parti Sam Rainsy bénéficient d'un accès bien plus limité aux médias que le Parti du peuple cambodgien (PPC), majoritaire, qui contrôle nombre de journaux, radios et stations de télévision. La corruption règne et de nombreux journalistes acceptent volontiers des pots de vin pour écrire des articles à la gloire de certains hommes d'affaires ou politiciens. Les journalistes travaillant pour les organes de presse favorables à l'opposition doivent s'autocensurer pour ne pas courir de risques, car on a enregistré plusieurs assassinats à caractère politique ou motivés par la vengeance.

La télévision est en grande partie aux mains du PPC, notamment la chaîne publique TVK et les chaînes privées Apsara et Bayon, mais même les diffuseurs "indépendants" comme CTN ne le sont pas réellement : il suffit pour s'en convaincre d'examiner leurs sources de financement. Les programmes font une large part aux émissions de variétés, aux feuilletons, aux jeux et aux films policiers violents, importés de Hong Kong et de Chine. Le reste du temps, une propagande politique puérile montre les politiciens faire de bonnes actions aux quatre coins du pays.

En ville, les Cambodgiens se tiennent au courant de l'actualité en regardant des chaînes câblées comme la BBC, CNN ou TV5 ou en écoutant les émissions radio de BBC World Service, de Voice of America ou de RFI. Dans les campagnes, ils doivent se contenter des chaînes nationales.

RELIGION

Hindouisme

L'hindouisme s'épanouit parallèlement au bouddhisme du Ier au XIVe siècle. Durant la période pré-angkorienne, il était symbolisé par la vénération de Harihara (Shiva et Vishnou réunis dans une même divinité). Pendant l'époque d'Angkor, Shiva devint la divinité préférée de la famille royale, mais fut supplanté au XIIe siècle par Vishnou. Aujourd'hui, les cérémonies importantes lors des naissances, des mariages et des décès comportent des éléments hindouistes.

Bouddhisme

Le bouddhisme fut introduit dans le pays entre le XIIIe et le XIVe siècle. Aujourd'hui la majorité des Cambodgiens pratiquent le bouddhisme theravada. Entre 1975 et 1979, les Khmers rouges assassinèrent la plupart des moines bouddhistes et endommagèrent ou détruisirent la quasi-totalité des vat (plus de 3 000). À la fin des années 1980, le bouddhisme redevint religion d'État et l'on croise aujourd'hui de jeunes moines dans tout le pays. De nombreux vat ont été réparés ou reconstruits au cours de la dernière décennie et des quêteurs se tiennent fréquemment au bord des routes pour recueillir des fonds destinés aux travaux.

Le bouddhisme cambodgien s'inspire fortement des religions plus anciennes, incorporant les rites hindouistes qui marquent les naissances, les mariages et les décès, ainsi que les génies et les esprits de l'animisme, antérieur à l'indianisation.

L'école theravada (enseignement des Sages) est une forme de bouddhisme plus ancienne et, selon ses adeptes, moins corrompue que le bouddhisme mahayana. L'école theravada est également dite "du Sud", car elle arriva d'Inde par le sud et pénétra le Sud-Est asiatique, alors que l'école "du Nord" se répandit au Népal, au Tibet, en Chine et au Vietnam. L'école du Sud s'efforça de préserver ou de limiter les doctrines bouddhiques, ce qui explique que l'école du Nord ait qualifié le bouddhisme theravada de hinayana (Petit Véhicule). L'école du Nord se considérait mahayana (Grand Véhicule), car elle enrichissait les premiers enseignements.

L'objectif ultime du bouddhisme theravada est le nirvana, ou "l'extinction" de tout désir et de toute souffrance pour accéder à la dernière étape de la réincarnation. En nourrissant les moines, en faisant des offrandes aux temples et en priant régulièrement au vat, les bouddhistes espèrent améliorer leur sort et acquérir suffisamment de mérites pour réduire le nombre de renaissances.

Chaque homme bouddhiste doit être moine pendant une brève période, idéalement située entre la fin des études et l'entrée dans la vie active ou le mariage. Aujourd'hui, il peut se contenter d'une ou deux semaines de vie monacale pour acquérir des mérites. Les garçons de moins de 20 ans peuvent entrer dans le *sangha* (communauté bouddhiste) comme novices.

Animisme

Provenant de l'autre côté des frontières cambodgiennes, l'hindouisme et le bouddhisme furent progressivement absorbés par les Khmers, fusionnant avec l'animisme déjà présent avant l'indianisation. Les croyances locales ne disparurent pas mais s'intégrèrent dans les nouvelles religions pour former une foi propre au Cambodge. Ainsi, le concept de Neak Ta provient des croyances animistes liées à la terre sacrée et à l'esprit sacré qui nous entoure. Neak Ta peut être assimilé à la Terre nourricière, force énergétique unissant une communauté à son sol et à son eau. Ses représentations prennent de nombreuses formes, de la pierre au bois en passant par les termitières, ou tout élément pouvant symboliser un lien entre le peuple et la fertilité de sa terre.

Les Khmers Leu (voir p. 49) pratiquent la forme la plus pure d'animisme. Certains se sont convertis au bouddhisme, mais la majorité continue de vénérer les esprits de la Terre, du Ciel et de leurs ancêtres.

Islam

Les musulmans du Cambodge descendent des Cham qui émigrèrent de l'actuel Vietnam central après la victoire définitive des Vietnamiens sur le royaume de Champa en 1471. Comme leurs voisins bouddhistes, ils appellent les fidèles à la prière en frappant sur un tambour plutôt que par l'appel du muezzin.

Les Khmers rouges s'acharnèrent sur la communauté musulmane cham, la forçant à manger du porc alors même que les autres Cambodgiens étaient privés de viande. Beaucoup furent exécutés pour avoir refusé d'obéir à cet ordre.

Christianisme

Par comparaison avec le Vietnam, le christianisme fait peu d'émules au Cambodge. Le pays comptait un certain nombre d'églises avant la guerre, mais beaucoup furent détruites par les Khmers rouges, notamment la cathédrale Notre-Dame de Phnom Penh. Dans les années 1980, le christianisme fit une percée dans les camps de réfugiés de la frontière thaïe par l'intermédiaire d'associations caritatives qui distribuaient des repas tout en prêchant la bonne parole. Pour survivre, de nombreux Cambodgiens se convertirent officiellement, puis retournèrent au bouddhisme une fois sortis des camps.

ÊTRE UNE FEMME AU CAMBODGE

Le statut des femmes est en pleine transition, alors que l'ancienne génération cède la place à la nouvelle et que les traditions sont peu à peu remises en question. Autrefois, beaucoup de femmes étaient forcées de jouer les Cendrillon et de se soumettre totalement à leurs époux. Aujourd'hui, il semble que la jeune génération commence à se rebiffer.

Toutefois, alors que 20% des femmes sont chefs de famille et que, dans beaucoup de foyers, elles sont les seules à travailler, les hommes conservent un rôle social dominant au sein de la famille et détiennent la plupart des postes clés dans l'administration.

Si politique et religion ne prêchent pas directement la discrimination, les femmes bénéficient rarement des mêmes chances que les hommes. Dans les années 1990, des lois sur l'avortement, la violence conjugale et le trafic humain ont amélioré leur statut légal, mais n'ont guère changé leur quotidien.

Les petites filles sont traitées à égalité avec les petits garçons mais, en grandissant, leur accès à l'éducation se restreint, particulièrement dans les campagnes, où les filles ne sont pas autorisées à vivre et étudier dans les vat.

Beaucoup de femmes ouvrent un petit commerce dans leur ville ou leur village, mais les choses se compliquent pour celles qui visent plus haut. Elles n'occupent que 10,9% des sièges au Parlement, alors qu'elles représentent 56% des électeurs. Elles ne détiennent que 13% des postes administratifs et de direction et 33% des emplois. La jungle sociopolitique qu'est le Cambodge reste un monde essentiellement masculin.

Les femmes cambodgiennes doivent également faire face à la violence conjugale, à la prostitution et à la propagation des maladies sexuellement transmissibles. La violence conjugale est une coutume répandue, mais la peur et la honte empêchent d'en connaître l'ampleur exacte. La prostitution enfantine et le trafic de prostituées sont également des pratiques fréquentes. Pour plus d'informations sur ce fléau qu'est la prostitution enfantine, reportez-vous à l'encadré p. 283.

Le Cambodge enregistre le plus fort taux de contamination par le HIV en Asie du Sud-Est. De nombreux hommes transmettent le virus à leurs familles à cause de relations extraconjugales. Toutefois, les chiffres commencent à se stabiliser grâce à la mise en place de programmes de sensibilisation.

ARTS

L'acharnement des Khmers rouges contre les arts porta un coup terrible à la culture cambodgienne. Pendant plusieurs années, les Cambodgiens pensèrent que cette dernière était irrémédiablement perdue. Non contents de supprimer les artistes, les Khmers rouges détruisirent tous les objets, statues, instruments de musique et livres susceptibles de rappeler un passé qu'ils voulaient effacer. Rien ne fut épargné à l'exception des temples d'Angkor, symboles de la gloire de l'Empire khmer. Néanmoins, le Cambodge connaît aujourd'hui une résurgence des arts traditionnels et porte un intérêt croissant aux expérimentations dans le domaine de l'art moderne et de la fusion interculturelle. Les activités de l'école des Beaux-Arts de Phnom Penh (p. 83) témoignent de l'importance de cette renaissance.

Danse

Les danseuses sacrées d'Angkor, un livre de photographies de C. Loviny, paru au Seuil en 2002, vous permettra de découvrir l'art des *apsaras* à Angkor.

Plus que tout autre art traditionnel, le Ballet royal du Cambodge évoque la splendeur d'Angkor. Ses traditions remontent à ce passé prestigieux, à l'époque où l'art des *apsaras* (nymphes célestes) faisait écho à la gloire du roi divin. Au début de son règne, le roi Sihanouk libéra le harem traditionnel d'apsaras dont il avait hérité avec la couronne. Cependant, jusqu'à l'arrivée des Khmers rouges, le ballet classique continua d'être enseigné au palais.

La danse connut un sort particulièrement tragique pendant le régime de Pol Pot. Très peu de danseurs et de professeurs survécurent ; il ne restait qu'une vieille femme sachant confectionner les costumes très élaborés que l'on coud pièce par pièce sur les danseurs avant le spectacle. En 1981, avec une poignée de professeurs, l'école des Beaux-Arts rouvrit ses portes et la formation des danseurs reprit.

Après le sac d'Angkor au XVe siècle, les Thaïlandais s'initièrent aux techniques khmères, ce qui explique les nombreuses similitudes entre la danse royale cambodgienne et celles d'Inde et de Thaïlande : mêmes mouvements de main stylisés, mêmes costumes lamés à paillettes, même coiffes en forme de stûpa. Alors que la danse royale était traditionnellement réservée aux femmes (à l'exception du rôle du singe), elle accepte aujourd'hui de plus en plus de danseurs masculins.

Musique

Les bas-reliefs de certains temples d'Angkor représentent des musiciens et des apsaras tenant des instruments de musique semblables à ceux que l'on peut voir aujourd'hui, preuve que le Cambodge possède une longue tradition musicale.

Autrefois, la musique accompagnait toujours un rite ou un spectacle à caractère religieux. Les musicologues ont identifié six variétés d'ensembles musicaux, chacun utilisé dans un cadre différent. Le plus traditionnel, l'*areak ka*, accompagne les mariages. Parmi ses instrument figurent un *tro khmae* (violon à trois cordes), un *khsae muoy* (instrument courbé à une corde) et un *skor areak* (tambour).

Dans les années 1960, le Cambodge possédait une scene musicale dynamique. Certaines chansons de cette époque sont regroupées dans l'excellente compilation *Bayon Rock*, en vente sur les marchés de Phnom Penh.

La musique traditionnelle cambodgienne a quasiment disparu pendant la période de Pol Pot. Les Khmers rouges s'acharnèrent sur les chanteurs célèbres et Sin Sisamuth, le compositeur-interprète le plus réputé du pays, fut exécuté dans les premiers jours du régime.

Après la guerre, nombre de Khmers émigrèrent aux États-Unis, où ils favorisèrent l'essor d'une musique pop khmère. Influencée par la musique américaine et exportée au Cambodge, elle remporte aujourd'hui un succès considérable.

Une nouvelle génération de Khmers de l'étranger, influencée par l'Occident, commence à créer son propre style. *The Khmer Rouge*, excellent album de rap produit par un jeune américano-cambodgien, s'inspire largement du rythme de Public Enemy et de Dr Dre, mâtiné d'une touche khmère caractéristique.

Pour découvrir la musique khmère avant de partir, écoutez la compilation parue chez Prophet en 2004, *Musique khmère au Cambodge*.

Phnom Penh possède sa propre industrie pop florissante, et de nombreux chanteurs connus se produisent dans les immenses restaurants situés de l'autre côté du pont de l'Amitié japonaise. Vous pouvez aussi pousser vous-même la chansonnette dans les innombrables bars à karaoké du pays. La grande vedette masculine du moment est Preap Sovath, que vous ne manquerez pas de voir sur les chaînes de TV locales. Côté féminin, Soun Chantha tient le haut du pavé. Cependant, de nombreuses stars en puissance se pressent au portillon.

Forme de chant propre au pays, le *chapaye*, sorte de blues cambodgien, s'accompagne d'un instrument de bois à deux cordes dont le son rappelle celui d'une basse sans amplificateur. Quelques anciens maîtres, comme Pra Chouen, ont survécu à la révolution et la télévision diffuse souvent du *chapaye* en fin de soirée, avant la fin des émissions.

Littérature

La tradition littéraire cambodgienne, limitée, est étroitement liée au bouddhisme, aux mythes et aux légendes. Le sanscrit, et plus tard le pali, pénétrèrent dans le pays avec l'hindouisme et le bouddhisme ; la plupart des textes sacrés khmers sont exclusivement rédigés dans l'une ou l'autre de ces langues. Les légendes permettent d'illustrer les valeurs essentielles du Cambodge, telles que la famille, la foi et l'obéissance à l'autorité.

La célèbre épopée indienne du *Râmâyana* s'appelle *Reamker* ou *Râmakerti* au Cambodge ; l'École française de l'Extrême-Orient en a publié une traduction enrichie de commentaires : *Râmarkerti II, deuxième version du Râmayana khmer*, (traduction P. Saveros, PEFEO, 1982).

Architecture

L'architecture khmère atteignit son apogée à l'époque d'Angkor (du IXe au XIVe siècle). Angkor Vat et les monuments d'Angkor Thom comptent

Pour découvrir la richesse des légendes cambodgiennes, imprégnées de mythologie indienne et d'animisme, lisez *Contes d'une grand-mère cambodgienne*, réunis et racontés par Yveline Féray (Éditions Philippe Picquier, 2003).

parmi les plus belles réalisations de cette période. Reportez-vous p. 140 pour plus de détails sur les styles architecturaux de cette époque.

Aujourd'hui, dans les campagnes, la plupart des maisons sont construites sur de hauts pilotis de bois (si la famille peut se le permettre) et couvertes d'un toit de chaume. Des nattes de palmes constituent les murs et le sol est fait de lamelles de bambou posées sur des traverses du même matériau. L'espace ombragé entre les pilotis sert de rangement et de lieu de repos dans la journée. Les familles plus aisées possèdent des maisons avec des murs en bois et un toit de tuiles, mais la conception de base reste la même.

Les belles villas et les bâtiments officiels de style néoclassique témoignent de l'époque coloniale française. Phnom Penh en compte de superbes exemples et la plupart des capitales provinciales en abritent au moins un ou deux. La plupart des structures modernes trahissent l'influence de l'architecture "gâteau de mariage" thaïlandaise ou chinoise. Toutefois, nombre de nouveaux édifices sont construits dans un style néocolonial.

L'architecte cambodgien Vann Molyvann participe à la construction du Phnom Penh moderne ; parmi ses réalisations les plus connues figurent le stade olympique, le théâtre Chatomuk et l'hôtel Cambodiana.

Sculpture

Durant les périodes pré-angkoriennes Funan et Chenla, le peuple cambodgien produisait déjà des sculptures d'une merveilleuse sensualité qui s'inspiraient, sans le copier, de l'art indien. Des spécialistes affirment que la sculpture cambodgienne reste inégalée, même en Inde.

Les plus anciennes œuvres qui subsistent datent du VIe siècle et représentent, pour la plupart, Vishnou avec quatre ou huit bras. Habituellement, son visage présente des traits indochinois et ses muscles sont plus prononcés que ceux des sculptures indiennes, souvent plus rondes. À Phnom Penh, le Musée national (p. 83) renferme un grand Vishnou à huit bras de cette période.

Le même musée présente une statue de Harihara, divinité qui associe des aspects de Vishnou et de Shiva, du VIIe siècle. Son aspect fortement égyptien rappelle que les sculpteurs indiens modelèrent leur art sur celui des Grecs, inspirés eux-mêmes par les pharaons.

Parmi les innovations du début de la période d'Angkor, on note des sculptures en ronde-bosse, dépourvues de l'auréole de pierre qui soutenait précédemment les multiples bras des divinités hindoues. Les visages arborent une expression paisible et l'ensemble est plus serein.

Angkor, splendeurs de l'art khmer, de Marilla Albanese (Gründ, 2002) vous fera découvrir Angkor et l'art statuaire khmer.

Le style de Banteay Srei, à la fin du Xe siècle, est considéré comme le summum de l'évolution artistique du Sud-Est asiatique. Le Musée national contient une œuvre superbe de cette période : une statue en grès de Shiva portant son épouse, Uma, sur ses genoux. Au XIe siècle, le style du Baphuon, influencé dans une certaine mesure du précédent, a produit certaines des plus belles sculptures qui subsistent aujourd'hui.

La statuaire de l'époque d'Angkor Vat, plus statique et figée, n'a pas la grâce des sculptures des périodes précédentes. Le génie de cette époque se manifeste essentiellement dans l'architecture et les fabuleux bas-reliefs d'Angkor Vat.

Dernier sommet de la sculpture d'Angkor, la période du Bayon s'étendit de la fin du XIIe siècle au début du XIIIe siècle. Au Musée national, une superbe tête de Jayavarman VII dégage à la fois puissance et sérénité.

Les sculpteurs cambodgiens redécouvrent leur savoir-faire à présent que les touristes représentent un marché tout trouvé. Vous pourrez acheter à Phnom Penh et Siem Reap des copies de célèbres statues et bustes de l'époque d'Angkor.

Artisanat

Au vu de la tradition artisanale qui produisit les temples d'Angkor, il n'est guère surprenant que les Khmers continuent de réaliser des objets en argent, en bois et en pierre finement ciselés. La plupart de ces délicates œuvres d'art s'inspirent de la période angkorienne. La poterie se pratique depuis des lustres et de nombreux fours anciens sont disséminés à travers le pays. Les formes varient, des plus simples aux plus élaborées : bols sculptés en forme d'éléphants, théières en forme d'oiseaux et pots ornés d'images de divinités.

Bophana, une tragédie cambodgienne, de Rithy Panh (1996), raconte l'histoire vraie d'un couple d'intellectuels arrêté par les Khmers rouges, contraint à d'invraisemblables aveux et exécuté.

Cinéma

L'industrie cinématographique cambodgienne a connu un regain de vitalité en 2000, avec la sortie de *Pos Keng Kong* (Le serpent géant). Ce remake d'un classique khmer des années 1950 relate la vie d'une jeune campagnarde dotée de pouvoirs, née de l'union d'une femme et d'un roi-serpent. En dépit d'effets spéciaux douteux, cette belle histoire d'amour a fait recette dans la région. Malheureusement, ce succès a également révélé la fragilité de l'industrie cambodgienne, car des versions piratées n'ont pas tardé a apparaître à travers toute l'Asie.

Actuellement, le cinéma cambodgien produit une douzaine de films par an. La plupart sont cependant des histoires de vampire ou de fantôme, sans grande valeur artistique.

Rithy Panh, un réalisateur cambodgien qui vit en France, a remporté un grand succès avec son film *Neak Sre, les Gens de la rizière*, nominé pour la Palme d'Or du Festival de Cannes en mai 1994. Le film n'aborde que fugitivement le thème des Khmers rouges et dépeint la dure existence d'une famille qui ne survit que grâce à un travail épuisant dans les rizières. *Un soir après la guerre* (1997) raconte l'histoire de deux survivants du régime de Pol Pot, un jeune boxeur démobilisé et une entraîneuse de bar qui tentent désespérément de reconstruire leur vie à Phnom Penh. *Que la barque se brise, que la jonque s'entrouvre* (2000) évoque les tensions entre Khmers et Vietnamiens, qui subsistent même parmi les Cambodgiens émigrés. Parmi les nombreux documentaires réalisés par Rithy Panh et régulièrement primés, citons *Bophana, une tragédie cambodgienne* (1996), le récit du destin tragique et véridique d'un couple d'intellectuels exécutés par les Khmers rouges, *La Terre des âmes errantes* (1999), qui décrit le quotidien de travailleurs itinérants employés à creuser des tranchées pour faire passer un réseau de fibres optiques entre Phnom Penh et Bangkok ;

Le premier grand film tourné au Cambodge fut *Lord Jim* (1964), avec Peter O'Toole.

SIHANOUK ET LE SEPTIÈME ART

Entre 1965 et 1969, Sihanouk écrivit, réalisa et produisit neuf long métrages, un chiffre qui ferait pâlir d'envie le plus prolifique des réalisateurs hollywoodiens. Sihanouk se lança dans la carrière cinématographique avec un grand sérieux, enrôlant sa famille et des membres du gouvernement. Ainsi, le ministre des Affaires étrangères et la princesse Bopha Devi, fille de Sihanouk, interprétèrent les rôles principaux dans son premier film, *Apsara* (1965). Dans le même film, il fit appel à l'armée de l'air et à ses hélicoptères pour une scène de parade militaire.

Sihanouk s'octroyait souvent le premier rôle et on peut ainsi le voir en esprit de la forêt ou en général victorieux. Il n'est guère surprenant, compte tenu de cet engouement du roi pour le cinéma, que le Cambodge ait décidé de rivaliser avec Cannes et Berlin en créant le Festival international du film de Phnom Penh. Ce festival eut lieu à deux reprises, en 1968 et en 1969, et décerna à chaque fois le grand prix à Sihanouk. Celui-ci continua à tourner, et on estime à 28 le nombre de films qu'il a réalisés. Pour plus de détails sur ce sujet, consultez le site web (en anglais) www.norodomsihanouk.org.

S21, la machine de mort khmère rouge (2002), qui confronte trois rescapés du centre de détention à leurs anciens bourreaux et tente de comprendre la soumission de ces derniers à la politique d'élimination. Enfin, *Les Artistes du théâtre brûlé* (2005) réfléchit sur l'avenir de l'art traditionnel au Cambodge, fortement menacé du fait de la pénurie de théâtre ou de salle de spectacle et de l'envahissante télévision.

Film de référence sur la tragédie cambodgienne, *La Déchirure* (1985) raconte l'histoire d'un journaliste américain, Sydney Schanberg, et de son assistant cambodgien, Dith Pran. La plupart des scènes ont été tournées en Thaïlande car, en 1984, le Cambodge était fermé aux Occidentaux, en particulier aux cinéastes.

Environnement

GÉOGRAPHIE ET GÉOLOGIE

La forme du Cambodge moderne a été façonnée par l'histoire, sa superficie se réduisant à mesure que les Vietnamiens avançaient au sud dans le delta du Mékong et que les Thaïlandais pénétraient à l'ouest en direction d'Angkor. Paradoxalement, les Cambodgiens n'ont échappé au sort des Cham, un peuple sans territoire, que grâce à l'arrivée des Français : une fois n'est pas coutume, le protectorat qu'ils instaurèrent a réellement protégé le pays.

Le Cambodge couvre aujourd'hui une superficie de 181 035 km², soit un peu plus de la moitié du Vietnam. Plus large que long, il mesure environ 580 km d'est en ouest et 450 km du nord au sud. Il est bordé à l'ouest par la Thaïlande, au nord par la Thaïlande et le Laos, à l'est par le Vietnam et au sud par le golfe de Siam.

Le point culminant du Cambodge, le Phnom Aural (1 813 m), dans la province de Pursat, n'a rien de vertigineux. Néanmoins, les amateurs d'ascension pourront l'escalader en 2 jours.

Ses deux principales caractéristiques sont le Mékong, large de 5 km par endroits, et le vaste lac Tonlé Sap, un prodige de la nature (voir l'encadré ci-dessous). De nombreux visiteurs empruntent les bateaux express qui sillonnent le Mékong et relient des villes telles que Kompong Cham et Kratie. Le Mékong prend sa source au Tibet, traverse le Cambodge sur près de 500 km, puis le sud du Vietnam avant de se jeter dans la mer de Chine méridionale. À Phnom Penh, il se divise en deux : le haut fleuve (appelé Mékong ou Tien Giang en vietnamien) et le bas fleuve (Tonlé Bassac ou Hau Giang en vietnamien). Les riches sédiments apportés par les

LE CŒUR DU CAMBODGE

Site d'un extraordinaire phénomène naturel, le lac Tonlé Sap, le plus vaste d'Asie du Sud-Est, alimente en poissons et en eaux d'irrigation près de la moitié de la population khmère.

Un chenal de 100 km de long, également appelé Tonlé Sap (*tonlé* signifie "fleuve") relie le lac au Mékong au niveau de Phnom Penh. De la mi-mai à début octobre (saison des pluies), le niveau du Mékong augmente rapidement, refoulant les eaux du Tonlé Sap, qui renverse son cours vers le nord-ouest et se déverse dans le lac. La superficie du lac passe alors de 2 500 km² à 13 000 km², voire plus, et sa profondeur maximale de 2,20 m à plus de 10 m. Vers le début du mois d'octobre, lorsque le Mékong amorce sa décrue, le Tonlé Sap reprend son cours normal et draine le surplus du lac vers le Mékong.

Ce processus extraordinaire fait du lac Tonlé Sap l'une des plus riches réserves de poissons d'eau douce au monde, tandis que les forêts inondées favorisent la fertilité des sols. Selon les spécialistes, la migration des poissons du Tonlé Sap vers le nord contribuerait à repeupler les cours d'eau jusqu'en Chine. L'industrie halieutique fait vivre environ un million de Cambodgiens. En saison sèche, les prises de chaque pêcheur s'élèvent en moyenne de 100 à 200 kg par jour.

Cet écosystème unique a permis au lac d'obtenir le statut de biosphère protégée, ce qui ne suffira sans doute pas à le soustraire à la double menace des barrages en amont et de la déforestation excessive. Les barrages auront des répercussions imprévisibles sur le cours du Mékong et les habitudes migratoires des poissons. Le déboisement illégal favorise le lessivage de la couche arable des hautes terres, charriée par les cours d'eau jusqu'au lac. Les parties les moins profondes du lac risquent de s'envaser, avec des conséquences désastreuses pour le Cambodge et le Vietnam voisin. Reste à espérer que des mesures seront prises rapidement afin de protéger de tout dommage supplémentaire cette exceptionnelle merveille de la nature. Toutefois, avec une population qui s'accroît de 300 000 âmes chaque année, la tâche s'annonce plus que délicate.

Pour plus de renseignements sur le lac et son écosystème exceptionnel, visitez l'exposition consacrée au Tonlé Sap (p. 117) et le Gecko Environment Centre (p. 131), tous deux à Siem Reap.

crues annuelles lors de la saison des pluies fertilisent les terres du centre du Cambodge. La grande majorité des Cambodgiens vit dans cette basse plaine alluviale, pratiquant la pêche et l'agriculture au rythme de la mousson.

Au sud-ouest, la majeure partie de la région située entre le golfe de Siam et le lac Tonlé Sap est occupée par deux massifs montagneux distincts : la Chuor Phnom Kravanh (chaîne des Cardamomes), au sud-ouest de la province de Battambang et dans la province de Pursat, et la Chuor Phnom Damrei (chaîne de l'Éléphant), dans les provinces de Kompong Speu, Koh Kong et Kampot.

Non content de multiplier sa taille par 5 et son volume par 70 tous les ans à la saison des pluies, le Tonlé Sap procure la plus importante pêche de poissons d'eau douce au monde, avec 200 000 tonnes par an.

Au sud de ces montagnes s'étire le littoral cambodgien qui séduit les voyageurs en quête de plages tropicales isolées. D'innombrables îles au large de Sihanoukville (p. 182), Kep (p. 199) et Koh Kong (p. 178) deviendront sûrement des destinations touristiques dans les années à venir.

Le long de la frontière nord avec la Thaïlande, les plaines viennent buter sur un escarpement de grès long de plus de 300 km et haut de 180 à 550 m, qui marque la limite sud des Chuor Phnom Dangkrek (monts Dangkrek). La plupart des visiteurs ne voient ces montagnes qu'à l'occasion d'une excursion au prasat Preah Vihear (p. 233). Dans le nord-est du pays, les plaines cèdent la place au plateau oriental, une région isolée de montagnes et de hauts plateaux densément boisés qui s'étendent vers l'est jusqu'au plateau central du Vietnam et vers le nord jusqu'au Laos. Les provinces sauvages du Ratanakiri (p. 256) et du Mondolkiri (p. 262), où vivent de nombreuses minorités ethniques, attirent de plus en plus de touristes.

FAUNE ET FLORE

Malgré son passé tragique, le Cambodge a réussi à conserver sa faune et sa flore. Quelques espèces ont souffert des années de guerre, mais d'autres ont prospéré dans les jungles reculées du Sud-Ouest et du Nord-Est. Paradoxalement, la paix a fait peser plus de menaces, avec la disparition des habitats due à l'exploitation forestière et à la contrebande du gibier exotique. Après de longues années d'interruption, les chercheurs commencent tout juste à recenser les animaux et les plantes présents dans le pays et pourraient, à cette occasion, découvrir de nouvelles espèces.

Animaux

Le Cambodge abrite des espèces animales étranges et merveilleuses, mais difficiles à observer. La réserve animalière de Phnom Tamao (p. 109), près de Phnom Penh, sert de refuge aux animaux sauvés des braconniers et compte des représentants des principales espèces. Les passionnés d'oiseaux visiteront la réserve ornithologique de Prek Toal (p. 130), sur le lac Tonlé Sap, où se regroupent en grand nombre des grands oiseaux aquatiques parmi les plus rares au monde.

Si vous lisez l'anglais, *Cambodia Bird News*, une publication semestrielle (5 $US) disponible dans les hôtels et les librairies de Phnom Penh et de Siem Reap, vous renseignera sur les oiseaux du Cambodge.

Parmi les grands animaux sauvages, citons les ours, les éléphants, les léopards, les tigres et les buffles. Parmi les espèces de plus petite taille figurent le binturong (surnommé chat-ours), la plus importante population de gibbons à coiffe (*Hylobates pileatus*) de la planète, dans le sud-ouest des Cardamomes) et les loris, des singes paresseux qui se laissent pendre aux arbres toute la journée. Le lion, bien que souvent représenté dans la statuaire d'Angkor, n'a jamais été aperçu dans le pays. Les oiseaux les plus répandus sont le cormoran, la grue, l'aigrette et le pélican. À cela s'ajoute une grande variété de papillons, présents dans tout le royaume. Quatre espèces de serpents sont particulièrement dangereuses : le cobra, le cobra royal, le bongare strié et la vipère de Russell.

ESPÈCES MENACÉES

Le pays compte plusieurs espèces menacées, dont certaines vouées à l'extinction si les forêts continuent de disparaître. On ignore le nombre d'individus que comptent les espèces les plus rares, car elles vivent dans des zones très reculées et non encore explorées par les chercheurs.

La fermeture du pays pendant des années laisse espérer que des espèces disparues ailleurs en Asie survivent ici. Il ne s'agit encore que d'une simple conjecture, mais l'amélioration du système des parcs nationaux laisse présager que les animaux présents, quels qu'ils soient, seront au moins protégés. Le *kouprey* (buffle sauvage) et la chauve-souris *Otomops wroughtoni*, que l'on croyait vivre uniquement dans une région d'Inde, ont récemment été découverts dans la province de Preah Vihear ; ce sont les seuls mammifères cambodgiens inscrits sur la liste des espèces gravement menacées, dernière étape avant l'extinction. La découverte dans le sud-ouest du Vietnam, en 1998, d'un troupeau isolé de rhinocéros de Java, l'un des gros mammifères les plus rares au monde, laisse supposer la présence d'individus dans les provinces voisines du Mondolkiri ou du Ratanakiri, bien que l'on n'en ait encore aucune preuve.

Les morsures de serpent provoquent nombre d'amputations. De nombreux villageois se font soigner par un guérisseur et la blessure s'infecte ou se gangrène.

Parmi les autres mammifères menacés, on peut citer l'éléphant d'Asie, le chat doré d'Asie, le chien sauvage d'Asie, le gibbon noir, la panthère longibande, le chat pêcheur, le chat marbré, l'ours malais et le buffle d'Asie.

La richesse permanente des ressources aquatiques attire un grand nombre d'oiseaux rares. On peut observer de grands oiseaux comme le bec-ouvert indien, le marabout argala, l'ibis géant et le pélican à bec tacheté. Outre la réserve ornithologique de Prek Toal mentionnée plus haut, les amateurs ne manqueront pas de visiter la réserve d'Ang Trapeng Thmor (p. 130), habitat de la rarissime grue antigone, représentée sur les bas-reliefs d'Angkor. L'aigle criard, le faisan prélat et le grand-duc du Népal font également partie des espèces rares.

Le Cambodge abrite quelques-uns des derniers dauphins d'eau douce de l'Irrawaddy, appelés *trey pisau* en khmer. Au nombre de 75 à peine,

SUR LES TRACES DU TIGRE

En 1995, le Worldwide Fund for Nature (WWF) a lancé une souscription pour sauver les tigres d'Indochine. Six ONG (organisations non gouvernementales) internationales conjuguent actuellement leurs efforts pour protéger les derniers de ces félins au Cambodge, où, selon les spécialistes, on n'en compterait plus que 150 en liberté. Études, enquêtes et estimations diverses ont déjà englouti des millions de dollars. Il est désormais temps d'agir car, sans une initiative radicale, les tigres risquent bien de disparaître à jamais.

Sérieusement menacés par les braconniers, ils vivent dans le parc national de Virachay (province du Ratanakiri), dans des parties reculées des provinces du Mondolkiri et de Preah Vihear, et dans les Chuor Phnom Kravanh (chaîne des Cardamomes). Dans toute l'Asie, les pouvoirs magiques (principalement d'ordre sexuel) attribués à certaines parties du tigre augmentent la valeur de sa dépouille. Fort heureusement, quelques chasseurs sont aujourd'hui gardes forestiers, ce qui facilite la sensibilisation des braconniers à l'impact négatif de ce commerce.

La répartition des tigres dans des zones géographiquement très diverses complique leur protection. Les ONG envisagent la création de réserves sur le modèle de celles qui existent en Inde. Cela permettrait de rassembler les derniers individus dans un cadre sécurisé et, à terme, de générer de confortables revenus grâce à l'écotourisme. Les leçons apprises par les écologistes africains dans les années 1970 lors de la lutte pour la sauvegarde des rhinocéros et des éléphants pourraient servir aujourd'hui à une nouvelle génération d'écologistes cambodgiens. Si cette splendide créature disparaissait des forêts cambodgiennes, ce serait un désastre. Pour en savoir plus sur ce sujet, visitez le site web (en anglais) de Cat Action Treasury, www.felidae.org.

ils s'ébattent dans le Mékong, entre Kratie et la frontière laotienne, et on peut les observer à Kampi (p. 252). Mesurant jusqu'à 5 m de long, le poisson-chat géant est également menacé, victime de sa popularité dans les restaurants, de Hong Kong à Tokyo.

La grue antigone, l'un des oiseaux les plus rares au monde, ne vit que dans le delta du Mékong, au Vietnam, et dans la province de Banteay Meanchey, au Cambodge.

Plantes

Le Cambodge possède une couverture forestière plus étendue que la plupart des ses voisins et la mangrove prospère le long de son littoral. La plaine centrale est occupée par des rizières, des cultures comme le maïs et le tabac, des étendues de roseaux et de hautes herbes et des zones faiblement boisées.

Dans le Sud-Ouest, les forêts tropicales poussent jusqu'à 50 m, voire plus, sur les contreforts montagneux humides orientés vers la mer et cèdent ensuite la place à des pinèdes. Dans les forêts de feuillus des montagnes septentrionales, des arbres s'élèvent à 30 m au-dessus d'une épaisse végétation de vigne vierge, de bambous, de palmiers et de divers arbustes et herbacées. Des prairies et des forêts d'arbres à feuilles caduques couvrent les hauts plateaux de l'Est. De nombreuses espèces d'orchidées s'épanouissent dans les forêts en altitude. Toutefois, au cours des vingt dernières années, la déforestation a lourdement affecté l'environnement – pour plus de détails, voir p. 61.

Pour observer des tigres au milieu des temples d'Angkor, allez voir *Deux frères*, le film de Jean-Jacques Annaud. Tourné en 2004, il raconte l'histoire de deux bébés tigres orphelins durant la période coloniale.

Symbole du Cambodge, le palmier à sucre est utilisé pour la construction, ainsi que pour la production de remèdes, de vin et de vinaigre. Au fil des années, l'arbre pousse en hauteur mais le tronc, dépourvu d'écorce, ne s'épaissit pas. Témoins des combats qui se sont déroulés alentour, certains palmiers à sucre, percés de balles, continuent de pousser.

PARCS NATIONAUX

Avant la guerre civile, le Cambodge comptait 6 parcs nationaux couvrant au total 22 000 km², soit environ 12% du territoire. Les longues années de guerre réduisirent à néant ce système, qui ne réapparut qu'en 1993. Par décret royal, 23 zones furent déclarées parcs nationaux, réserves naturelles, paysages protégés ou domaines à fonctions multiples. Trois autres forêts ont récemment été ajoutées, portant la superficie totale à 43 000 km² (23% du pays). On ne peut que s'en réjouir mais, faute de ressources et parfois de volonté, les autorités ne protègent ces zones que sur le papier, en traçant une ligne sur une carte. Le gouvernement, qui peine déjà à payer les gardes des parcs les plus fréquentés, n'a pas les moyens de recruter du personnel supplémentaire pour les réserves reculées.

Les principaux parcs nationaux sont Bokor (p. 196), qui occupe un plateau à 1000 m d'altitude sur la côte sud, au-dessus de Kampot ; Ream (p. 192), qui comprend une réserve maritime et s'étend à proximité de Sihanoukville ; Kirirom (p. 110), à 675 m d'altitude dans les Chuor Phnom Damrei et à 112 km au sud-ouest de Phnom Penh ; et Virachay (p. 262), longtemps le plus grand parc du royaume, niché au nord-est le long des frontières du Laos et du Vietnam. Bokor abrite des éléphants sauvages et offre un hébergement au sommet. Ream propose un circuit touristique, avec une promenade en bateau et des randonnées guidées. Kirirom, fréquenté par les Khmers le week-end, possède une pension rustique. Les infrastructures restent très limitées à Virachay, mais les gardes forestiers, basés à Voen Sai et Siem Pang, accueillent volontiers les visiteurs. Botum Sokor, un parc côtier bordé d'interminables plages de sable blanc, jouit d'un fort potentiel pour l'écotourisme, comme vous le constaterez si vous prenez un bateau entre Krong Koh Kong et Sihanoukville.

De nombreuses minorités combattirent aux côtés des Khmers rouges. Certains de ces combattants se réfugièrent dans le parc national de Virachay et s'y cachèrent pendant 25 ans. En 2004, ils découvrirent que la guerre était finie et les Vietnamiens, partis.

NOS PARCS NATIONAUX PRÉFÉRÉS

Parc	Superficie	À voir	À faire	Meilleure saison	Page
Bokor	1 400 km²	ville fantôme vues, cascades	trekking, vélo, observation de la faune	déc-mai	p. 196
Kirirom	350 km²	cascades, vues, pinèdes	randonnée, observation de la faune	nov-juin	p. 110
Ream	150 km²	plages, îles, mangroves, dauphins, singes	bateau, natation, randonnée, observation de la faune	déc-mai	p. 192
Virachay	3325 km²	jungle inexplorée, cascades, aventure	trekking, observation de la faune	déc-avr	p. 262

Parmi les zones nouvellement créées, la forêt protégée du Mondolkiri, avec ses 4 294 km², est aujourd'hui la plus vaste réserve cambodgienne et jouxte le parc national de Yok Don, au Vietnam. Bordée par les réserves animalières de Phnom Samkos et Phnom Aural, la forêt protégée des Cardamomes (4 013 km²) forme avec elles une immense zone protégée de presque 10 000 km² dans le sud-ouest du pays.

Le Cambodge a été le premier pays du Sud-Est asiatique à créer un parc national, en 1925, pour protéger la forêt autour des temples d'Angkor.

ÉCOLOGIE

Déforestation

La déforestation constitue la plus grande menace pour l'environnement. Au milieu des années 1960, la forêt tropicale humide couvrait environ 75% du territoire. Aujourd'hui, sa superficie est estimée à 30%. Durant l'occupation vietnamienne, l'armée a abattu de nombreux arbres pour prévenir les embuscades des Khmers rouges, mais la situation est devenue vraiment catastrophique dans les années 1990, lorsque le passage d'une économie planifiée à une économie de marché a incité le pays, à court de liquidité, à vendre ses ressources naturelles. La plupart des forêts en dehors des parcs nationaux ont été cédées à des exploitants forestiers sous le premier gouvernement de coalition, avec l'accord des deux Premiers ministres. Tandis que les politiciens comptaient tranquillement les bénéfices dégagés, ces entreprises entreprirent de raser les forêts.

La demande internationale de bois est considérable. Les pays voisins, comme la Thaïlande et le Vietnam, contrôlent bien plus sévèrement l'abattage des arbres tout en déjouant les restrictions plus laxistes du Cambodge. Inutile de se demander pourquoi les entreprises forestières étrangères affluent au Cambodge ! Au plus fort de la déforestation, fin 1997, les concessions couvraient un peu moins de 70 000 km2, soit la quasi-totalité de la forêt cambodgienne, à l'exception des parcs nationaux et des zones protégées. Cependant, même au cœur de ces havres supposés, l'abattage illégal prospérait.

Pour tout savoir sur l'exploitation forestière au Cambodge, légale et illégale, visitez le site web (en anglais) de Global Witness, une association de surveillance écologique (www.globalwitness.org)

L'armée joue un rôle moteur dans la déforestation : au nom de la sécurité, elle aide au déboisement des concessions légales... et exploite illégalement d'autres zones. Les revenus de ces activités alimentent le budget opaque de l'armée, dont le coût officiel absorbe déjà une grande partie des ressources de l'État. Plus récemment, l'armée thaïlandaise a fait son apparition pour construire des routes dans l'ouest du pays. Beaucoup d'entre elles traversent le cœur de la forêt et quantité d'arbres disparaissent, probablement de l'autre côté de la frontière, avant de refaire surface en Europe sous forme de mobilier de jardin.

À court terme, la déforestation contribue à l'aggravation des inondations le long du Mékong. Les répercussions à long terme seront bien plus graves. Une fois les collines déboisées, les pluies des moussons lessiveront inévitablement une grande partie de la couche arable. Il ne fait aucun doute que les conséquences seront catastrophiques pour le lac Tonlé Sap, car le niveau des eaux baisse en cas d'envasement prolongé. Une situation analogue présida à la chute de l'empire d'Angkor (voir p. 27). Combinés à la pêche excessive et à la pollution, ces problèmes risquent d'entraîner la destruction du lac, un véritable désastre pour les générations futures.

Ces deux dernières années, des signes encourageants sont apparus. Fin 2001, sous la pression des bailleurs de fonds et des institutions internationales, tous les contrats d'exploitation forestière ont été gelés dans l'attente de renégociations avec le gouvernement. L'abattage industriel a cessé et les gigantesques camions qui sillonnaient les routes de terre du pays ont disparu. Cependant, l'exploitation illégale à petite échelle se poursuit : l'abattage pour la production de charbon et le défrichement par le feu pour installer des villages continuent de grignoter la couverture forestière. La prochaine grande menace pourrait venir des plantations commerciales qui sont en train de se multiplier et que les entreprises concernées tentent de promouvoir comme la "déforestation pour le développement".

Au début des années 1990, le Cambodge possédait une telle couverture forestière par rapport à ses voisins que certains écologistes demandèrent que le pays tout entier soit classé zone protégée.

Le Cambodge a besoin d'une gestion forestière durable, soucieuse de protéger l'environnement tout en procurant des bénéfices économiques. Il n'est pas trop tard mais, sans une action soutenue, la situation sera bientôt désespérée.

Pollution

Seule Phnom Penh souffre d'une pollution atmosphérique provoquée par le monoxyde de carbone. Ailleurs, le pays rencontre des problèmes dus à un système sanitaire extrêmement rudimentaire dans les zones urbaines et inexistants dans les campagnes – un minuscule pourcentage de la population bénéficie d'installations correctes. L'absence de traitement des déjections humaines favorise le développement et la propagation des maladies. Les épidémies de diarrhée constituent ainsi la première cause

TOURISME RESPONSABLE

Les Cambodgiens sont peu sensibilisés aux problèmes environnementaux et beaucoup d'entre eux ne voient aucun inconvénient à jeter leurs ordures dans la nature. Tâchez de montrer l'exemple en vous débarrassant de vos déchets de la manière la plus écologique possible.

La consommation intérieure et le trafic international menacent gravement les espèces animales. S'il peut vous paraître "exotique" de goûter de la chauve-souris, du cerf et des ailerons de requin – ou d'acheter des produits fabriqués à partir d'animaux et de plantes menacés –, sachez que vous ne ferez que cautionner ces pratiques et les encourager en augmentant la demande.

Les produits ramassés dans les forêts, comme le rotang (qui sert à produire le rotin), les orchidées et les herbes médicinales, disparaissent peu à peu. Pourtant, certaines de ces espèces peuvent être cultivées, ce qui permettrait aux habitants d'augmenter leurs revenus tout en évitant l'exploitation et la dégradation des zones naturelles.

Si vous plongez sur des récifs coralliens ou que vous naviguez à proximité, veillez à ne pas toucher les coraux ni à jeter l'ancre sur eux, car cela freine leur développement. De même, n'achetez pas d'objets en corail.

de mortalité infantile. Bien que ce type de pollution se remarque moins qu'une nappe de brouillard sur une ville, il représente à court terme un bien plus grand danger pour les habitants.

Barrages sur le Mékong

Plus long fleuve du Sud-Est asiatique, le Mékong déroule ses méandres sur 4 200 km et assure la survie de quelque 50 millions de personnes. Seule l'Amazone le dépasse pour la diversité de la faune aquatique. L'augmentation constante des besoins en énergie dans la région pousse un pays pauvre comme le Cambodge à envisager la construction de barrages pour tirer profit de l'énergie hydraulique. Une tentation d'autant plus forte que le Programme des Nations unies pour le développement (Pnud) et l'Asia Development Bank (ADB) financeraient la majeure partie des travaux.

Pour en savoir plus sur le futur du Mékong, lisez le livre de Luc Lacroze, *L'Aménagement du Mékong (1957-1997) : l'échec d'une grande ambition ?* (L'Harmattan, 2000)

Créée par le Pnud et rassemblant le Cambodge, la Thaïlande, le Laos et le Vietnam, la Commission du Mékong (MRC) contrôle tous les projets d'exploitation du fleuve. La grande absente reste la Chine, qui possède environ 20% du Mékong et estime pouvoir agir comme bon lui semble. Elle a déjà achevé un premier barrage sur le cours supérieur du fleuve, et nombre d'écologistes redoutent les conséquences néfastes en aval.

Les projets de barrage de la Chine restent secrets, mais on estime qu'elle en a planifié 15. L'un d'eux est déjà opérationnel, un autre devrait être mis en service prochainement et un troisième vers 2009. De son côté, la MRC a prévu 11 barrages au Laos et au Cambodge.

Les préoccupations des écologistes se concentrent sur plusieurs points. Tout d'abord, même si les barrages sont de petite taille, on pense qu'ils inonderont 1 900 km^2 et déplaceront environ 60 000 personnes. Ensuite, les conséquences sur la migration des poissons restent incertaines : certains affirment que les barrages pourraient réduire de moitié les ressources halieutiques du Mékong, voire du lac Tonlé Sap. Enfin, et plus important peut-être, la crue annuelle du Mékong dépose un riche limon sur les terres agricoles. Une baisse de 1 mètre seulement du niveau du fleuve diminuerait de 2 000 km^2 la surface inondée autour du lac Tonlé Sap, avec des conséquences potentiellement dramatiques pour les agriculteurs cambodgiens. En 2004, du fait de la mise en service du premier barrage chinois et d'une faible pluviosité, le lac a atteint l'un de ses plus bas niveaux depuis des années, tandis que la population de poissons a diminué de moitié. Que se passera-t-il quand une douzaine d'autres barrages seront construits ?

Le Mékong représente une énorme ressource inexploitée. Il est sans doute inévitable qu'il serve à alimenter la région en énergie. Les écologistes espèrent que les décisions seront prises dans le cadre d'un débat ouvert qui tiendra compte des conséquences à long terme. Beaucoup craignent, cependant, que les bénéfices à court terme l'emportent.

Des barrages sont prévus sur d'autres cours d'eau cambodgiens ; certaines cartes ministérielles laissent même penser que le gouvernement veut endiguer le moindre ruisseau du pays. Le projet le plus réaliste porte sur la construction d'un barrage sur l'un des grands fleuves du Nord-Est, qui se jette dans le Mékong à Stung Treng. Le Tonlé San, le Tonlé Sekong et le Tonlé Srepok contribuent pour 10 à 20% au débit total du Mékong au niveau de Kratie. Cependant, l'impact sur la population locale, le parc national de Virachay et les réserves halieutiques n'a jusqu'à présent fait l'objet d'aucune étude – et ne le fera peut-être jamais.

Cuisine cambodgienne

Quand on connaît l'excellence des cuisines thaïlandaise et vietnamienne, on n'est guère surpris de découvrir les délices de la gastronomie cambodgienne. Contrairement à ses deux voisins, le Cambodge reste relativement méconnu sur la scène culinaire internationale, mais cela devrait changer. De même qu'Angkor a permis au pays d'occuper une place de choix sur la carte touristique de l'Asie, l'*amoc* (poisson cuit au four dans une feuille de bananier avec de la noix de coco, de la citronnelle et du piment) lui vaudra bientôt de figurer sur la carte culinaire du monde.

Pour expérimenter vous-même des recettes de cuisine cambodgienne, lisez *L'Art culinaire asiatique* de Charmaine Salomon (Flammarion, 2002)

Le Cambodge offre une belle variété de plats nationaux. Certains ressemblent à des spécialités thaïlandaises ou laotiennes, d'autres évoquent davantage la Chine et le Vietnam, mais tous possèdent une saveur particulière grâce à une herbe ou à un aromate. En général, la cuisine khmère ressemble à la cuisine thaïlandaise, en moins épicée.

Les poissons d'eau douce forment une part importante du régime alimentaire, grâce notamment au lac Tonlé Sap. D'une extraordinaire variété, ils vont du poisson-chat géant du Mékong à la petite friture que l'on grignote en sirotant une bière. Les Français ont laissé leur marque, comme en témoignent le pain national sous forme de baguette et la prédilection des cuisiniers cambodgiens pour les viandes tendres.

Au carrefour des deux grandes civilisations indienne et chinoise, le Cambodge a profité de leurs influences, tant du point de vue culturel que culinaire. Que vous soyez amateur de rouleaux de printemps ou de curries, vous serez comblé. Ajoutez à ceci les mille et une manières d'accommoder les mets et vous serez assuré de découvrir un univers de saveurs aussi riche que partout ailleurs en Asie.

Friends (p. 96), l'un des restaurants les plus connus de Phnom Penh, propose un excellent choix de tapas, milk-shakes et plats du jour, et consacre ses bénéfices à aider les enfants des rues. Son nouveau livre de cuisine, *The Best of Friends*, que vous pourrez vous procurer sur place, regroupe ses meilleures recettes accompagnées d'alléchantes photos.

SPÉCIALITÉS LOCALES

Les rizières luxuriantes et les nombreux cours d'eau fournissent les deux principaux éléments de la cuisine khmère : le riz et le poisson, transformé en *prahoc* (pâte de poisson fermentée). Les racines, les herbes et les tubercules donnent aux salades, en-cas, soupes ou ragoûts leur goût particulier. L'accent est toujours mis sur la fraîcheur des ingrédients et l'équilibre des saveurs et des textures.

Le riz est l'aliment de base. Le verbe "manger", *nam bai*, signifie littéralement "manger du riz". Beaucoup de Cambodgiens, en particulier les chauffeurs, ne peuvent pas se passer de leur dose quotidienne de riz, qui reste leur principale source de sucres lents. La meilleure variété provient de la province de Battambang (p. 210), grenier à riz du pays.

Pour découvrir la cuisine cambodgienne, essayez la *kyteow*, une copieuse soupe de nouilles de riz. Ce repas complet et équilibré ne coûte que 2000 r sur les marchés et 1 $US dans les restaurants. Vous ne voulez pas de nouilles ? Optez pour le *bobor* (porridge de riz), véritable institution nationale servie matin, midi et soir, que l'on peut améliorer avec du poisson frais et un peu de gingembre.

Un repas cambodgien comprend presque toujours une soupe ou *samlor*, servie en même temps que les autres plats. Les plus appréciées sont la *samlor machou banle* (soupe de poisson aigre-douce à l'ananas et aux épices), la *samlor chapek* (soupe de porc parfumée au gingembre), la *samlor machou bawng kawng* (soupe de crevettes proche du *tom yam* thaïlandais) et la *samlor ktis* (soupe de poisson à la noix de coco et à l'ananas).

Les poissons proviennent en majeure partie du lac Tonlé Sap ou du Mékong. Le *trey ahng* (poisson grillé) est une spécialité du pays (*ahng* signifie "grillé" et s'applique à de nombreuses préparations culinaires). Le plus souvent, le poisson est servi en morceaux, roulés dans une feuille de laitue ou d'épinard, que l'on trempe dans une sauce de poisson appelée *teuk trey*. Cette sauce ressemble au *nuoc mam* vietnamien, additionné de cacahuètes pilées.

Les salades cambodgiennes, délicieuses, diffèrent totalement de celles que l'on consomme en Occident. La *phlea sait kow*, composée de bœuf et de légumes, est parfumée avec de la coriandre, des feuilles de menthe et de la citronnelle. Ces trois herbes sont utilisées dans de nombreux plats cambodgiens.

Découvrez les desserts sans vous ruiner dans les marchés de nuit. Les enfants aiment particulièrement le sandwich à la glace : comme son nom l'indique, il s'agit d'une tranche de glace maison glissée dans un morceau de gâteau ou de pain. Le résultat n'est pas mauvais.

La découverte des multiples fruits tropicaux fait partie intégrante du voyage. On trouve à profusion tous les fruits classiques, comme les bananes (*chek*), les ananas (*menoa*) et les noix de coco (*duong*). Parmi les gros fruits, le jaque (*khnau*) pèse souvent plus de 20 kg. Sous sa peau verte, une chair jaune caoutchouteuse offre une saveur très particulière. Énorme lui aussi, le durian (*tourain*) se repère à son odeur pestilentielle. Son écorce verte bardée de piquants cache une substance douce et crémeuse que les Chinois tiennent pour aphrodisiaque.

Les touristes raffolent des mangoustans (*mongkut*) et des ramboutans (*sao mao*). La peau violette du petit mangoustan protège des quartiers de chair blanche au goût exquis. On raconte que la reine Victoria promit une récompense à quiconque parviendrait à rapporter en Angleterre un mangoustan en bon état. Également apprécié, le ramboutan, recouvert d'une écorce aux molles épines rouges et vertes, ressemble au litchi.

On peut manger des mangues (*svay*) toute l'année, mais celles qui arrivent à maturité en avril-mai sont incomparables.

Pour tout savoir sur la cuisine cambodgienne et expérimenter vous-même des recettes, visitez le site CuisineDuCambodge.com, à l'adresse http://oum.romerix.free.fr/. Attention, l'accès aux fiches recettes est payant.

BOISSONS

La grande diversité des boissons aide à supporter la chaleur et l'humidité qui règnent dans le pays. Café, thé, bière, vin, sodas, jus de fruits frais ou "eaux de feu" locales sont largement disponibles. Si le thé reste la boisson nationale, la bière gagne en popularité.

Bières

On trouve facilement de la bière, même dans les villages les plus reculés. Une grande brasserie de Sihanoukville (p. 190) produit l'Angkor, la bière nationale. Assez agréable, elle vaut de 1,50 à 2,50 $US la bouteille de

CHANGEZ VOS HABITUDES

Quelle que soit votre origine, vous rencontrez au cours de votre voyage des aliments inhabituels, étranges, voire répugnants selon vos critères. Farouchement omnivores, les Cambodgiens n'hésitent pas à consommer des insectes, des algues, des vessies de poisson, des fœtus de canard ou encore des araignées. Le vin dans lequel marine un cobra est censé renforcer la virilité.

Pour les Khmers, aucun aliment n'est bizarre pourvu qu'il soit sain, nourrissant et qu'il ait bon goût. Ils sont prêts à goûter de tout... même un hamburger.

Refusez de manger des espèces menacées, sous peine de les voir bientôt disparaître.

660 ml dans la plupart des restaurants et des bars. L'Angkor à la pression, disponible à Phnom Penh et Sihanoukville, coûte moins de 1 $US.

Tout à fait acceptable, la bière Lao (produite au Laos) est l'une des moins chères. La Tiger locale est très appréciée dans la capitale. Dans la plupart des restaurants khmers, des nuées d'hôtesses, les "beer girls", représentant chacune une marque de bière, vous inviteront à goûter leur produit. Toujours charmantes, elles n'insisteront pas si vous refusez. Parmi les marques présentes, citons Angkor, Heineken, Tiger, San Miguel, Stella Artois, Carlsberg, Fosters et Becks. Comptez environ 1 $US la canette dans les restaurants locaux.

À GOÛTER

Grillons

Fœtus de canard

Durian

Prahoc

Araignées

Si les bonnes bières ne manquent pas, la réfrigération laisse à désirer dans les campagnes. Faites comme les Cambodgiens : apprenez à dire *som teuk koh* ("des glaçons, s'il vous plaît") et buvez votre bière *on the rocks* !

Vins et alcools

Les vins locaux sont généralement des vins de riz, particulièrement appréciés des minorités ethniques du Nord-Est. Certains, fermentés plusieurs mois, sont extrêmement forts, d'autres, plus jeunes, ressemblent à un cocktail bizarre. Si on vous invite à en boire dans un village tribal, sachez qu'il est impoli de refuser. Le vin de palmier à sucre ou de gingembre est léger.

Ce qui se rapproche le plus d'un plat national est l'*amoc* (poisson cuit au four dans une feuille de bananier avec de la noix de coco, de la citronnelle et du piment). Il se présente parfois sous forme de soupe, servie dans une coque de noix de coco.

Les supermarchés de Phnom Penh et de Siem Reap vendent des vins et des alcools étrangers à prix très raisonnables, vue la distance parcourue. Vous trouverez des vins européens et australiens à partir de 4 $US et des spiritueux de grande marque entre 3 et 10 $US. Une bouteille de vodka Stolichnaya ne coûte que 3,50 $US !

Mieux vaut éviter les alcools locaux, bien que certains expatriés apprécient le Sra Special, un whisky local. À 1 $US la bouteille, il permet de noyer ses soucis à moindres frais... Le pays connaît un engouement pour les "vins musclés" (un mélange de boisson énergétique et d'absinthe), aux étiquettes ornées d'haltérophiles et répondant aux noms séduisants d'Hercules, Commando Bear Beverage ou Brace of Loma. Ils renferment assez de substances chimiques inconnues pour enfreindre la Convention de Genève sur l'interdiction des armes chimiques et nous ne saurions trop vous les déconseiller.

Thé et café

Le thé chinois (*tai*) fait partie des institutions nationales ; nombre de restaurants khmers et chinois placent systématiquement et gracieusement une théière sur les tables. La plupart des restaurants servent du café *(kaa fey)*, noir ou additionné d'une bonne dose de lait concentré sucré.

Quand un Cambodgien porte un toast, il précise quel pourcentage du liquide contenu dans le verre doit être bu. S'il est d'humeur généreuse, il se contentera de *ha-sip pea-roi* (50%), mais il s'agit le plus souvent de *moi roi pea-roi* (100%).

Eau et sodas

Ne buvez *jamais* l'eau du robinet, en particulier en province. Rarement purifiée, elle peut provoquer des troubles intestinaux (p. 311). Comptez 500 r environ pour une bouteille d'eau minérale locale, mais évitez les eaux les moins chères. Choisissez plutôt les bonnes marques locales, comme Pure Drop et Minere, ou les eaux importées comme Évian.

Tous les sodas connus sont en vente au Cambodge, pour quelque 800/1 500 r la bouteille/canette en boutique. Vous les paierez plus cher dans les restaurants et les bars.

Dans tout le pays, la glace (*teuk koh*) est produite à partir d'eau stérilisée dans des fabriques locales, héritage de l'époque coloniale. Transportée sous forme de gros pains, elle est souvent tirée à même le sol, mais généralement nettoyée.

Boissons aux fruits

Sorte de milk-shake aux fruits, les *teuk kralok* (ou *tukalok*) ponctuent agréablement un repas. Dans tout le pays, des stands s'installent en fin de journée sur les marchés de nuit et les proposent pour 1 000 à 2 000 r. Faites attention à la quantité de sucre ajoutée et, si vous n'aimez pas les boissons trop mousseuses, refusez l'ajout d'un œuf.

Avant que le Cambodge devienne membre de l'OMC, le *copyright* était presque inconnu dans le pays. Aujourd'hui, les fast-foods "de contrefaçon", comme KFC (Khmer Fried Chicken ?), Pizza Hot et Burger Queen, ont tous dû fermer.

PLATS DE FÊTE

Les Cambodgiens adorent les festivités, que ce soit à l'occasion d'un mariage, d'une fête ou d'un match de football. Lors des fêtes, la famille n'hésite pas à dépenser sans compter pour acheter les délices qu'elle ne peut s'offrir le reste du temps, comme le canard, les crevettes ou le crabe. Les invités sont les bienvenus. Une fois les convives assis autour de grandes tables rondes, une infinité de plats apparaissent l'un après l'autre. Tout le monde mange à satiété et boit plus encore. Des toasts sont portés tout au long de la soirée et les verres, vidés d'un trait. Pour tenir le choc, veillez à avoir plus de glaçons que de liquide dans votre verre.

ÉTABLISSEMENTS

Quels que soient vos goûts culinaires, vous trouverez forcément votre bonheur. Le choix ne manque pas, des vendeurs ambulants aux établissements sélects en passant par les marchés et les gargotes de quartier.

Autrefois, les Cambodgiens mangeaient avec les doigts, comme les Indiens. Aujourd'hui, ils utilisent plutôt une fourchette et une cuillère, à l'instar de la Thaïlande et du Laos, ou des baguettes, une coutume importée par la communauté chinoise de Phnom Penh.

Les marchés locaux et les petits restaurants permettent de découvrir la cuisine khmère à peu de frais. Vous dégusterez des plats plus raffinés dans les excellents établissements de Phnom Penh (p. 94) et Siem Reap (p. 123), où l'on peut aussi se régaler de spécialités thaïlandaises, vietnamiennes, chinoises, indiennes, françaises et méditerranéennes. Cuisines chinoise et (dans une moindre mesure) vietnamienne sont également présentes dans les villes de province, où vivent d'importantes communautés originaires de ces pays.

Phnom Penh est jusqu'à présent épargnée par les chaînes de fast-foods occidentales, mais compte quelques imitations locales. Lucky Burger rencontre un vif succès avec ses 4 établissements.

Les heures d'ouverture varient. En règle générale, les stands de rue ouvrent très tôt le matin et ferment tard le soir. La plupart des restaurants accueillent les clients toute la journée ; certains des plus élégants n'ouvrent que midi (de 11h à 14h) et soir (de 17h à 22h).

En-cas

Dans un pays où l'on passe la plus grande partie de sa vie à l'extérieur, les en-cas occupent une place spéciale dans le régime alimentaire. Comme la grande majorité de leurs voisins, les Cambodgiens grignotent toute la journée. Des stands vendent divers snacks à toute heure du jour et de la nuit. Sachez que les œufs durs, à l'allure parfaitement neutre, ont en fait été couvés ; le marchand les écale, les prépare dans une assiette et vous découvrez alors les embryons de poulet ! Les marchés offrent un choix de plats plus variés et la possibilité de s'asseoir pour manger ; un bon moyen de se nourrir à peu de frais dans une ambiance conviviale et de goûter une cuisine authentique.

Dans les campagnes, les paysans distillent du vin de palmier à sucre directement sur les arbres. Vendu dans des récipients en bambou transportés à l'arrière d'un vélo, c'est un breuvage fort, savoureux et bon marché, réservé aux estomacs solides.

VÉGÉTARIENS

Peu de Cambodgiens comprennent le concept du végétarisme strict et nombre d'entre eux affirmeront qu'un plat est végétarien pour faire plaisir au client. Si vous acceptez de consommer des sauces de poisson et autres condiments de ce genre, vous vous nourrirez sans difficulté. Ceux qui mangent du poisson goûteront au meilleur de la cuisine cambodgienne. Dans les principaux sites touristiques, la plupart des restaurants internationaux servent des menus végétariens, mais leurs prix sont élevés. Les pensions pratiquent généralement des tarifs plus raisonnables. Dans les restaurants khmers et chinois, légumes sautés et riz frit végétarien figurent toujours au menu, mais sachez qu'ils auront probablement été cuits dans les woks où l'on prépare aussi poisson et viande. Les restaurants indiens proposent généralement d'authentiques plats végétariens.

La plupart des plats sont préparés dans un grand wok, appelé localement *chhnang khteak*.

AVEC DES ENFANTS

La famille constituant l'un des pivots de la vie cambodgienne, la plupart des restaurants locaux accueillent les enfants à bras ouverts, en particulier les bambins étrangers que le personnel n'a pas souvent l'occasion de rencontrer. Cette attention, parfois trop appuyée, se manifeste par des pincements de joue et des petites tapes affectueuses.

Paradoxalement, ce sont souvent les établissements occidentaux élégants qui réservent un accueil mitigé aux enfants, car fréquentés par des expatriés collet monté qui semblent avoir oublié leur enfance. Cela dit, vous trouverez à Phnom Penh et Siem Reap quantité d'excellents cafés et restaurants familiaux servant de la cuisine occidentale. Rares sont ceux qui proposent des menus enfants, mais les prix sont si bas que cela ne fait pas grande différence.

Vous trouverez sur place la plupart des en-cas que vos enfants mangent habituellement chez vous... et bien d'autres encore. Côté fruits, c'est l'occasion pour eux de découvrir les délicieux mangoustans, les splendides pitayas (ou fruits du dragon) et les étranges ramboutans.

La cuisine cambodgienne contient parfois du glutamate de sodium. Si votre enfant le digère mal, mieux vaut opter pour les restaurants qui sont habitués à recevoir des touristes.

Pour plus de conseils sur le voyage avec des enfants, reportez-vous p. 278.

À TABLE

Si vous entrez dans une cuisine cambodgienne, vous découvrirez qu'il suffit d'un bon feu, d'eau, de quelques couteaux, d'un mortier et d'un pilon et d'un ou deux woks pour préparer des mets savoureux.

Les Cambodgiens font trois repas par jour. Le petit déjeuner se compose de *kyteow* ou de *bobor*. Vous pouvez aussi accompagner un café d'une baguette fraîche, en vente toute la journée.

Le déjeuner se prend à partir de 11h, habituellement en famille. En ville, de nombreux employés optent pour les restaurants et les marchés de quartier.

Le dîner regroupe toute la famille. Les mets sont disposés autour d'un grand plat de riz et chaque convive dispose d'un petit bol. On remplit ce dernier de quelques cuillères de riz, que l'on recouvre de poisson, de viande ou de légumes.

Si vous commandez plusieurs plats dans un restaurant, le serveur les dispose au centre de la table au fur et à mesure qu'ils sont prêts et chacun goûte ce qui lui plaît, même s'il ne l'a pas choisi sur la carte.

Tenue à table

On s'assied devant son bol placé sur une petite assiette, les baguettes ou la fourchette et la cuillère posées à côté. Certains Cambodgiens préfèrent

> **US ET COUTUMES**
>
> - Attendez que votre hôte s'assoie le premier
> - Ne refusez pas la nourriture placée par votre hôte dans votre bol
> - Apprenez à vous servir des baguettes
> - Ne laissez pas vos baguettes plantées dans votre bol en forme de V, symbole de mort
> - Laissez un pourboire de 10% dans les restaurants pour compenser le faible salaire des serveurs
> - Ne laissez pas de pourboire si le service est compris dans l'addition
> - Buvez chaque fois que quelqu'un porte un toast
> - Ne roulez pas sous la table si les toasts durent toute la nuit

les baguettes, d'autres optent pour la fourchette et la cuillère – les deux sont habituellement disponibles. Un deuxième petit bol, pour les sauces, est généralement disposé à droite.

Lorsque vous vous servez dans les plats communs, utilisez la cuillère du plat et non vos propres couverts. Pour manger, approchez le bol de votre bouche avec la main gauche et tenez la cuillère avec la main droite.

De même qu'un hôte doit proposer plus de nourriture que ses invités ne peuvent en absorber, ces derniers ne sont pas censés engloutir tout ce qui se trouve sur la table !

COURS DE CUISINE

Si la gastronomie cambodgienne vous séduit, vous pouvez en apprendre les rudiments en suivant des cours de cuisine. Une fois rentré chez vous, vous aurez le plaisir de confectionner vos plats préférés et d'en régaler vos amis.

Actuellement, seul le Smokin' Pot (p. 213), un excellent petit restaurant de Battambang, offre une introduction à la cuisine khmère pour 7 $US. Ce secteur d'activité semble toutefois promis à un bel avenir à Siem Reap : renseignez-vous sur place.

LES MOTS À LA BOUCHE

Quelques expressions utiles

Où puis-je trouver un(e)...?
... neuv ai naa ? — ...នៅឯណា?

restaurant
resturawn, phowjaniyahtnaan — រេស្តូរង់, ភោជនិយដ្ឋាន

restaurant bon marché
haang baay, resturawn thaok — ហាងបាយ, រេស្តូរង់ហ៊ាថោក

stand de restauration
kuhnlaing loak m'howp — កន្លែងលក់ម្ហូប

marché
psar — ផ្សារ

Avez-vous une carte en anglais ?
mien menui jea piasaa awnglay te ? — មានម៉ឺនុយជាភាសាខ្មែរទេ?

Je suis végétarien. (Je ne mange pas de viande.)
kh'nyohm tawm sait — ខ្ញុំតមសាច់

Puis-je avoir ce plat sans la viande ?
sohm kohm dak sait — សូមកុំដាក់សាច់

Je suis allergique (aux cacahuètes).
kohm dak (sandaik dei) — កុំដាក់(សណ្តែកដី)

Quelle est votre spécialité ?
tii nih mien m'howp ei piseh te ? — ទីនេះមានម្ហូបអីពិសេសទេ?

Pas trop épicé, s'il vous plaît.
sohm kohm twœ huhl pek — សូមកុំធ្វើហិរពេក

C'est délicieux.
nih ch'ngain nah — អានេះឆ្ងាញ់ណាស់

L'addition, s'il vous plaît.
sohm kuht lui — សូមគិតលុយ

Pouvez-vous m'apporter...?
sohm yohk... mao — សូមយក...មក

une assiette
jaan — ចាន

un couteau
kambuht — កាំបិត

une cuillère
slaapria — ស្លាបព្រា

une fourchette
sawm — សម

Glossaire

PETIT DÉJEUNER

beurre	*bœ*	ប៊ឺរ
œufs sur le plat	*pohng moan jien*	ពងមាន់ចៀន
pain	*nohm paang*	នំបុ័ង
porridge de riz	*bobor*	បបរ
soupe de nouilles aux légumes	*kyteow dak buhn lai*	គុយទាវដាក់បន្លែ

DÉJEUNER ET DÎNER

anguille	*ahntohng*	អន្ទង់
bœuf	*sait kow*	សាច់គោ
calamar	*meuk*	មឹក
crabe	*k'daam*	ក្តាម
crevette	*bawngkia*	បង្គា
cuit à la vapeur	*jamhoi*	ចំហុយ
curry	*karii*	ការី
escargot	*kh'jawng*	ខ្យង
frit	*jien, chaa*	ចៀន, ឆា
grenouille	*kawng kaip*	កង្កែប
grillé	*ahng*	អាំង
homard	*bawng kawng*	បង្កង
légumes	*buhn lai*	បន្លែ
nouilles	*mii* (œuf), *kyteow* (riz)	មី, គុយទាវ
poisson	*trey*	ត្រី
poulet	*sait moan*	សាច់មាន់
porc	*sait j'ruuk*	សាច់ជ្រូក
riz	*bai*	បាយ
rouleau de printemps	*naim* (frais), *chaa yaw* (frit)	ណែម, ឆាយ៉
soupe	*sup*	ស៊ុប

FRUITS

ananas	*menoa*	ម្នាស់
annone	*tiep*	ទៀប
banane	*chek*	ចេក
carambole	*speu*	ស្ពឺ

citron	*krow-it ch'maa*	ក្រូចឆ្មារ
durian	*tourain*	ធូរេន
goyave	*trawbaik*	ត្របែក
jaque	*khnau*	ខ្នុរ
litchi	*phlai kuulain*	ផ្លែគូលេន
longane	*mien*	មៀន
mandarine	*krow-it khwait*	ក្រូចខ្វិច
mangoustan	*mongkut*	មង្ឃុត
mangue	*svay*	ស្វាយ
noix de coco	*duong*	ដូង
orange	*krow-it pow saat*	ក្រូចពោធិសាត់
pamplemousse	*krow-it th'lohng*	ក្រូចថ្លុង
papaye	*l'howng*	ល្ហុង
pastèque	*euv luhk*	ឪឡឹក
pitaya	*phlai srakaa neak*	ផ្លែស្រកានាគ
pomme	*phla i powm*	ផ្លែប៉ោម
raisin	*tompeang baai juu*	ទំពាំងបាយជូ
ramboutan	*sao mao*	សាវម៉ាវ

CONDIMENTS

ail	*kh'tuhm saw*	ខ្ទឹមស
citronnelle	*sluhk kray*	ស្លឹកគ្រៃ
gingembre	*kh'nyei*	ខ្ញី
piment	*m'teh*	ម្ទេស
poivre	*m'rait*	ម្រេច
sauce de poisson	*teuk trey*	ទឹកត្រី
sauce de soja	*teuk sii iw*	ទឹកស៊ីអ៊ីវ
sel	*uhmbuhl*	អំបិល
sucre	*skaw*	ស

BOISSONS

bière	*bii-yœ*	បៀរ
café	*kaa fey*	កាហ្វេ
café crème	*kaa fey ohlay (café au lait)*	កាហ្វេអូលេ
café glacé	*kaa fey teuk koh*	កាហ្វេទឹកកក
café noir	*kaa fey kh'mav*	កាហ្វេខ្មៅ
glaçon	*teuk koh*	ទឹកកក
jus de citron	*teuk krow-it ch'maa*	ទឹកក្រូចឆ្មារ
jus d'orange	*teuk krow-it pow sat*	ទឹកក្រូចពោធិសាត់
shake à la banane	*teuk kralok*	ទឹកក្រឡុក
shake aux fruits	*teuk kralok chek*	ទឹកក្រឡុកចេក
thé	*tai*	តែ
thé au lait	*tai teuk dawh kow*	តែទឹកដោះគោ

Phnom Penh

ភ្នំពេញ

Tout à la fois charmante et âpre, Phnom Penh reflète l'Indochine d'hier et l'Asie d'aujourd'hui. Comme dans maintes capitales, la pauvreté extrême côtoie la richesse la plus insolente.

La ville s'étend au confluent du Mékong, du Tonlé Bassac et du Tonlé Sap. Longtemps considérée comme la plus jolie ville française d'Indochine, elle a conservé une partie de son charme, malgré la violence de son histoire récente et l'actuelle férocité des promoteurs immobiliers.

Pauvre en sites touristiques, elle ne retient la plupart des voyageurs que peu de temps et c'est dommage. Une fois accompli le circuit classique, cette cité en pleine renaissance est un endroit merveilleux où flâner. Héritage du protectorat français, certains bâtiments coloniaux sont rénovés avec goût. Les vat (temples-monastères bouddhiques) ont retrouvé toute leur vitalité et des moines en robe safran sillonnent les rues avec leur bol à aumône. D'excellents restaurants constituent un agréable préambule à une soirée animée.

Bordés de palmiers et de drapeaux qui flottent au vent, les quais comptent certainement parmi les plus beaux de cette partie du monde, avec en toile de fond les méandres du Mékong, le fleuve le plus puissant d'Asie. Laissée à l'abandon pendant de longues années, Phnom Penh recommence à vivre et, si elle tire les leçons des erreurs commises par ses grands voisins, elle pourrait redevenir la "perle de l'Asie".

À NE PAS MANQUER

- Le sol couvert de 5 000 dalles d'argent de la **pagode d'Argent** (p. 82), dans l'enceinte du Palais royal
- Un voyage dans le passé au **Musée national** (p. 83), qui renferme une superbe collection de sculptures angkoriennes
- Le chef-d'œuvre Art déco qui abrite le **psar Thmei** (p. 102), le marché central de Phnom Penh
- Le **musée Tuol Sleng** (p. 84), témoignage bouleversant des atrocités commises par les Khmers rouges
- La découverte de la vie nocturne de la capitale : un cocktail au moment de la happy hour, un dîner raffiné et la tournée des **bars** (p. 100)

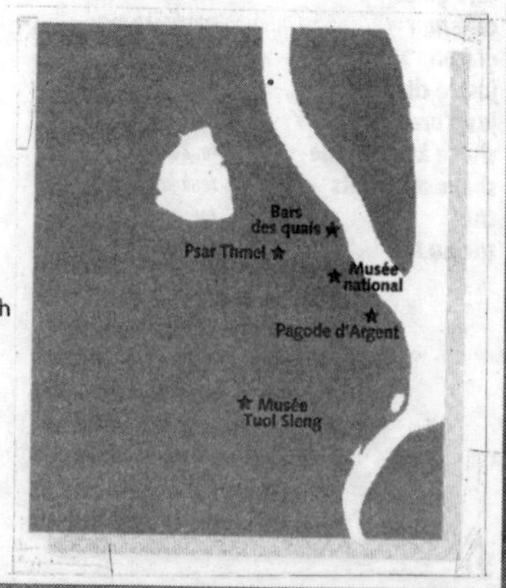

INDICATIF TÉLÉPHONIQUE : 023	POPULATION : 1,2 MILLION	SUPERFICIE : 290 KM²

HISTOIRE

Selon la légende, Phnom Penh fut fondée après qu'une vieille femme, nommée Penh, ait découvert quatre représentations du Bouddha sur les berges du Mékong. Elle les installa sur une colline voisine et la ville qui surgit alentour fut appelée Phnom Penh, la colline de Penh.

L'histoire n'explique pas, en revanche, pourquoi Angkor fut abandonnée dans les années 1430 et la capitale transférée à Phnom Penh. On a souvent vu le signe d'un déclin culturel dans ce déplacement, pourtant assez logique. L'emplacement d'Angkor n'offrait aucun avantage pour le commerce, et la cité était exposée aux attaques du royaume siamois (thaïlandais) d'Ayuthaya. Phnom Penh occupait une position plus centrale dans les territoires khmers et était idéalement située pour le négoce fluvial avec le Laos et la Chine, via le delta du Mékong. Le Tonlé Sap donnait accès aux eaux poissonneuses du lac du même nom.

Au milieu du XVIe siècle, le commerce avait fait de Phnom Penh une puissance régionale qui attirait nombre de marchands indonésiens et chinois. Un siècle plus tard, les incursions vietnamiennes en territoire khmer privèrent la ville de son accès à la mer et les Chinois, chassés vers le sud par la dynastie mandchoue Qing, commencèrent à monopoliser les échanges commerciaux. Enclavé et de plus en plus isolé, le royaume du Cambodge devint une zone tampon entre la Thaïlande et le Vietnam, alors en plein essor. En 1772, les Thaïlandais réduisirent Phnom Penh en cendres. La ville fut reconstruite, mais, jusqu'à l'arrivée des Français en 1863, elle fut ballottée au gré des visées hégémoniques des royaumes voisins. Durant cette période, sa population ne dépassa guère les 25 000 habitants.

Sous le protectorat français, Phnom Penh fut divisée en quartiers selon le plan qu'elle conserve aujourd'hui. Les administrateurs français et les négociants européens habitaient au nord du vat Phnom, entre le boulevard Monivong et le Tonlé Sap ; les commerçants chinois étaient installés sur les quais, du sud du vat Phnom au Palais royal et jusqu'au boulevard Norodom à l'ouest ; les Cambodgiens et les Vietnamiens vivaient aux abords et au sud du Palais royal. Quand ils partirent en 1953, les Français laissèrent des édifices prestigieux, comme le Palais royal, le Musée national, le psar Thmei (le nouveau marché) et d'imposants bâtiments ministériels.

La capitale se développa rapidement durant les années de paix qui suivirent l'indépendance, alors que Sihanouk dirigeait le pays. Quand il fut renversé en 1970, elle comptait environ 500 000 âmes. Avec l'extension de la guerre du Vietnam sur le territoire cambodgien, la ville s'emplit de réfugiés jusqu'à atteindre plus de 2 millions d'habitants en 1975. Les Khmers rouges entrèrent dans Phnom Penh le 17 avril 1975 et, au nom d'un programme social radical, forcèrent la population à partir dans les campagnes. Diverses factions de Khmers rouges furent chargées de l'évacuation des différents quartiers : les habitants demeurant à l'est du boulevard Norodom durent partir vers l'est ; ceux résidant au sud du palais furent envoyés vers le sud et ainsi de suite. Des familles entières furent séparées au cours de ces premiers jours fatidiques de la "libération", et pour des milliers de Cambodgiens leurs conditions de vie sous la férule de l'Angkar dépendirent du quartier de la ville où ils se trouvaient ce jour-là.

Durant la période du Kampuchéa démocratique, des dizaines de milliers de Phnom Penhois, appartenant en majorité à l'élite intellectuelle, furent massacrés. À cette époque, Phnom Penh ne compta jamais plus de 50 000 habitants, hauts responsables du parti, ouvriers ou chefs militaires de confiance.

La ville commença à se repeupler en 1979 avec l'arrivée des Vietnamiens, un processus strictement contrôlé dans les premiers temps par le nouveau gouvernement. Dans les années 1980, on voyait plus de vaches que de voitures dans les rues de la capitale. Il fallut attendre la fin de la décennie et l'abandon par le gouvernement de sa gestion communiste pour que Phnom Penh commence à se développer. Les années 1990 furent lucratives pour certains : l'installation de l'Autorité provisoire des Nations Unies au Cambodge (Apronuc) s'accompagna d'une enveloppe de 2 milliards de dollars US, consacrée pour l'essentiel aux salaires des expatriés. Des résidents bien informés s'empressèrent d'aider les étrangers à se débarrasser de leur argent en augmentant massivement les loyers et les prix. Dans la foulée, les affaires reprirent et les enseignes commerciales poussèrent comme des champignons.

TROUVER LE BON NUMÉRO

Le plan quadrillé mis en place par les Français devait faciliter l'orientation dans les rues de Phnom Penh, mais en l'absence d'une numérotation cohérente, vous aurez parfois du mal à dénicher une pension, un restaurant ou un bureau. L'ancien système n'a pas survécu aux longues années de guerre et d'abandon et, en se réinstallant, les habitants semblent avoir donné des numéros sortis de nulle part. Ainsi peut-on voir se succéder dans une rue 13A, 34, 7 et 26. Pire encore, plusieurs maisons d'une même rue peuvent porter un numéro identique. Ne nous maudissez pas si, croyant arriver devant une pension recommandée dans ce guide, vous découvrez une boutique de *prahoc* (pâte de poisson fermenté). Un peu plus loin dans la rue, la pension recherchée porte probablement le même numéro, à moins qu'elle ne soit reconvertie dans le prahoc !

Quand on vous donne une adresse, demandez toujours des précisions, comme "près du croisement des Ph 107 et 182". Les lettres "EO" mentionnées après le nom de la rue signifient étage zéro (rez-de-chaussée).

De grands changements intervinrent lorsque Chea Sophara devint gouverneur de Phnom Penh. Déterminé à assainir la ville, il fit réparer les rues, installa le tout-à-l'égout, réalisa des parcs et réaménagea les berges. Son action lui valut une grande popularité auprès des Phnom Penhois, au grand déplaisir de Hun Sen. Ce dernier profita des incidents anti-Thaïlandais de juillet 2003 pour le limoger. Néanmoins, Chea Sophara a grandement contribué au nouvel épanouissement de la capitale, où émerge une classe moyenne venue remplacer celle exterminée par les Khmers rouges.

ORIENTATION

La fréquence des changements de nom et de numéro des rues au gré des tendances politiques complique un peu l'orientation. Les dénominations actuelles datent de 1993 et semblent acquises, mais les rues numérotées risquent de changer d'appellation.

Les principaux boulevards, orientés nord-sud, sont parallèles aux rives du Tonlé Sap et du Tonlé Bassac. Le boulevard Monivong coupe le centre-ville à l'ouest du psar Thmei. Sa partie nord constitue le principal quartier commerçant et abrite certains des plus anciens hôtels et agences de voyages. Le boulevard Norodom, qui part du vat Phnom, est bordé de banques au nord et de ministères au sud. Le boulevard Samdech Sothearos longe les quais et passe devant le Palais royal, la pagode d'Argent et l'Assemblée nationale (carte p. 80-81). Nombre de restaurants et de bars très fréquentés bordent le quai Sisowath, qui longe le Tonlé Sap. Les principaux axes est-ouest sont le boulevard de Russie (l'ancien bd Pochentong), au nord, le boulevard Sihanouk, qui passe devant le monument de l'Indépendance et se termine au sud de l'hôtel Cambodiana, et le boulevard Mao Tsé-Toung, une sorte de périphérique qui court du nord au sud dans l'ouest de la ville.

Des centaines de rues numérotées coupent ces boulevards. En règle générale, les rues est-ouest portent un numéro pair, qui va croissant vers le sud, et les rues nord-sud, un numéro impair, qui augmente en se dirigeant vers l'ouest.

La plupart des immeubles sont désignés par deux numéros : celui du bâtiment et celui de la *phlauv* (rue ; abrégé dans ce guide en Ph). Les numéros des bâtiments ne se suivent pas nécessairement, ce qui ne facilite pas la recherche d'une adresse. Lisez l'encadré ci-dessus et plaignez les malheureux facteurs.

La plupart des bus, taxis et pick-up vous déposent au centre-ville, près du psar Thmei. Un court trajet en taxi ou à *moto-dop* (moto-taxi) vous conduira ensuite à la plupart des hôtels ou pensions. La gare ferroviaire se trouve à quelques rues au nord-ouest. Les bateaux en provenance de Siem Reap, des villes riveraines du Mékong, et du Vietnam accostent à l'embarcadère touristique du Tonlé Sap, à l'extrémité est de la Ph 108. Des centaines de moto-dop attendent les arrivants. L'aéroport international de Phnom Penh (p. 289) se situe 7 km à l'ouest du centre-ville.

CARTES

Il existe peu de cartes plus détaillées que celles qui figurent dans ce guide. Toutefois, la *Phnom Penh 3-D Map*, une carte au format de poche très pratique, est disponible gratuitement à l'aéroport, ainsi que dans les bars et les restaurants haut de gamme de la ville.

Le *Phnom Penh Visitors Guide* et le *Phnom Penh Pocket Guide*, des brochures gratuites distribuées dans la capitale, comprennent des cartes et des informations sur les bars et les restaurants.

Les publications locales *Phnom Penh Post* et *Bayon Pearnik* comportent aussi des cartes et des adresses, mais elles sont financées par des annonceurs et bien moins complètes.

RENSEIGNEMENTS

Accès Internet

Phnom Penh dispose maintenant d'excellentes connexions et les tarifs varient de 0,50 à 1 $US l'heure. Les cybercafés abondent dans la ville, notamment sur les quais, mais ceux installés dans les petites rues éloignées du fleuve pratiquent des prix plus bas, surtout pour téléphoner via Internet.

Nombre de pensions bon marché offrent l'accès à Internet. Les centres d'affaires des grands hôtels imposent des tarifs prohibitifs.

Agences de voyages

Hanuman Tourism-Voyages (carte p. 80-81 ; ☎ 218356 ; www.hanumantourism.com ; 128 bd Norodom). Au sud du monument de l'Indépendance, une adresse très fiable pour les réservations d'hôtels, les vols internationaux et les visas pour les pays voisins.

PTM Travel & Tours (carte p. 80-81 ; ☎ 364768 ; 200 bd Monivong). Bien située près du psar Thmei, une bonne adresse pour les billets d'avion à tarif réduit.

Transpeed Travel (carte p. 80-81 ; ☎ 723999 ; 19 Ph 106). Agence locale réputée. Billets internationaux et réservations d'hôtels.

Argent

Pour convertir des espèces en riels, adressez-vous aux bijoutiers installés autour des marchés de Phnom Penh, comme le psar

PHNOM PENH EN...

Un jour

Commencez tôt le matin par une promenade sur les quais, où des séances de taï-chi et d'aérobic ont lieu devant le **Palais royal** (p. 82). Continuez au nord jusqu'à **l'École royale des beaux-arts** (p. 86), pour voir l'entraînement des jeunes danseurs de ballets classiques. Prenez un petit déjeuner dans un café au bord du fleuve avant d'explorer le **Palais royal** et la fabuleuse **pagode d'Argent** (p. 82). Admirez ensuite la prodigieuse collection de sculptures khmères du **Musée national** (p. 82). Déjeunez au **Friends** (p. 96), un restaurant tenu par une ONG qui s'occupe des enfants des rues. Puis, flânez dans le **psar Thmei** (p. 102) et remarquez son architecture Art déco, mais réservez vos achats au **psar Tuol Tom Pong** (p. 102), plus communément appelé marché russe. Visitez enfin le **musée Tuol Sleng** (p. 84), un témoignage bouleversant du passé tragique du Cambodge. Retrouvez un peu de légèreté au moment de la happy hour, avant un bon dîner dans un **restaurant khmer** (p. 94), et rejoignez les noctambules dans les **bars animés** (p. 100).

Deux jours

En deux jours, vous profiterez mieux de la capitale. Le premier jour, suivez l'itinéraire précédent, avec les splendeurs du **Musée national** (p. 83) et du **Palais royal** (p. 82) le matin. Consacrez l'après-midi à l'histoire récente du pays en visitant le **musée Tuol Sleng** (p. 84) et les **charniers de Choeung Ek** (p. 85), où les prisonniers du S-21 étaient exécutés. Au crépuscule, une croisière sur le **Mékong** (p. 87) vous aidera à décompresser en admirant la vue sur le Palais royal.

Le second jour, admirez l'architecture du **psar Thmei** (p. 102) avant de faire vos achats au **psar Tuol Tom Pong** (p. 102), un dédale d'échoppes qui vendent toutes les marchandises imaginables, des textiles à l'artisanat et des DVD aux vêtements à prix cassés. Gardez un peu d'argent pour les **boutiques caritatives** (p. 103), qui proposent de superbes soieries.

L'après-midi, jetez un coup d'œil au **monument de l'Indépendance** (p. 86), inspiré de la tour centrale d'Angkor Vat, et flânez le long des quais jusqu'au **vat Phnom** (p. 85), où les Khmers viennent prier la chance. De là, une courte promenade vous mène à l'**Elephant Bar** (p. 100) de l'hôtel Le Royal ; profitez de la happy hour, agréable préambule à votre dernière soirée dans la capitale.

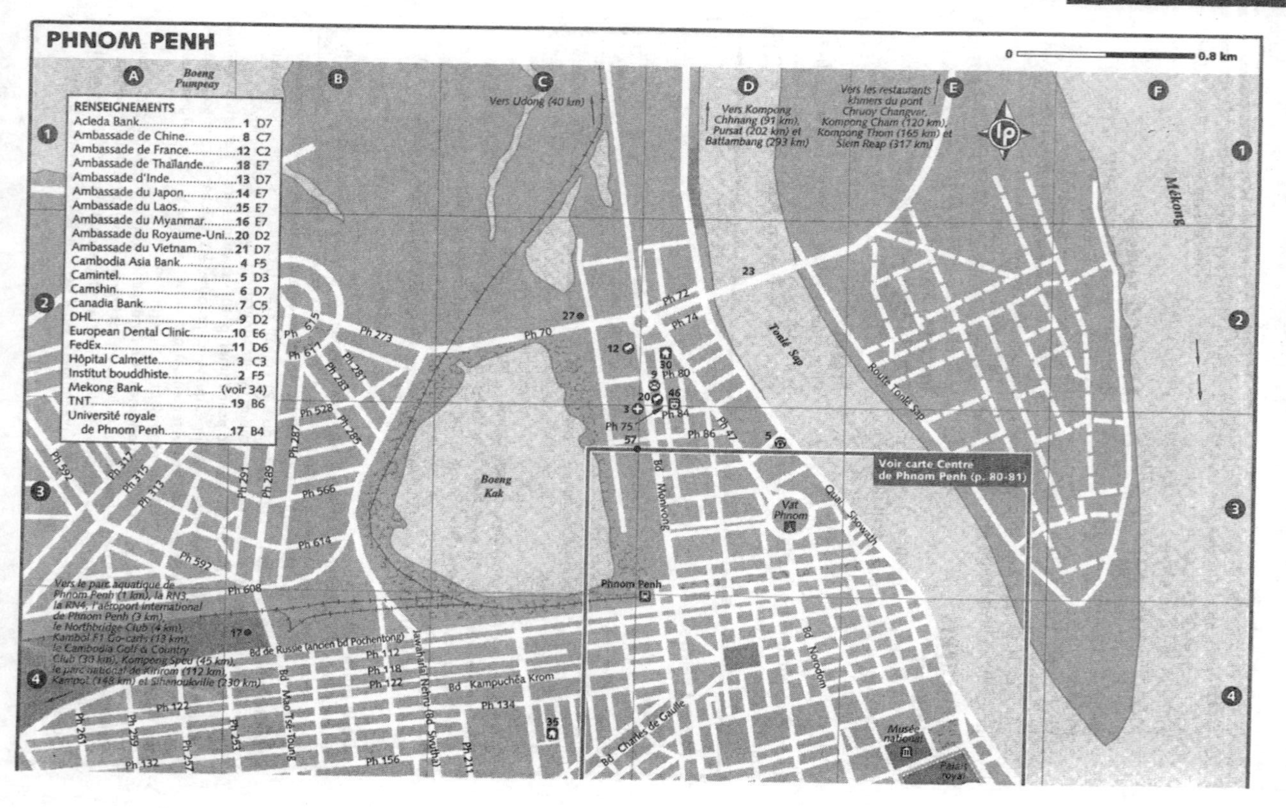
PHNOM PENH
0 — 0.8 km
RENSEIGNEMENTS
Acleda Bank....1 D7
Ambassade de Chine....8 C7
Ambassade de France....12 C2
Ambassade de Thaïlande....18 E7
Ambassade d'Inde....13 D7
Ambassade du Japon....14 E7
Ambassade du Laos....15 E7
Ambassade du Myanmar....16 E7
Ambassade du Royaume-Uni....20 D2
Ambassade du Vietnam....21 D7
Cambodia Asia Bank....4 F5
Camintel....5 D3
Camshin....6 D7
Canadia Bank....7 C5
DHL....9 D2
European Dental Clinic....10 E6
FedEx....11 D6
Hôpital Calmette....3 C3
Institut bouddhiste....2 F5
Mekong Bank....(voir 34)
TNT....19 B6
Université royale de Phnom Penh....17 B4
Boeng Pumpeay
Vers Udong (40 km)
Vers Kompong Chhnang (91 km), Pursat (202 km) et Battambang (293 km)
Vers les restaurants khmers du pont Chruoy Changvar, Kompong Cham (120 km), Kompong Thom (165 km) et Siem Reap (317 km)
Mékong
Tonlé Sap
Route Tonlé Sap
Boeng Kak
Voir carte Centre de Phnom Penh (p. 80-81)
Vat Phnom
Quai Sisowath
Bd Monivong
Bd Norodom
Phnom Penh
Bd Charles de Gaulle
Musée national
Palais royal
Vers le parc aquatique de Phnom Penh (1 km), la RN3, la RN4, l'aéroport international de Phnom Penh (3 km), le Northbridge Club (4 km), Kambol F1 Go-carts (13 km), le Cambodia Golf & Country Club (30 km), Kompong Speu (45 km), le parc national de Kirirom (112 km), Kampot (148 km) et Sihanoukville (230 km)
Bd de Russie (ancien bd Pochentong)
Jawaharlal Nehru (Bd Sivutha)
Bd Kampuchéa Krom
Bd Mao Tsé-Toung
Ph 70
Ph 72
Ph 74
Ph 80
Ph 84
Ph 86
Ph 47
Ph 75
Ph 273
Ph 281
Ph 283
Ph 285
Ph 287
Ph 289
Ph 291
Ph 313
Ph 315
Ph 317
Ph 528
Ph 566
Ph 592
Ph 608
Ph 611
Ph 614
Ph 615
Ph 112
Ph 118
Ph 122
Ph 134
Ph 132
Ph 156
Ph 211
Ph 253
Ph 257
Ph 259
Ph 261

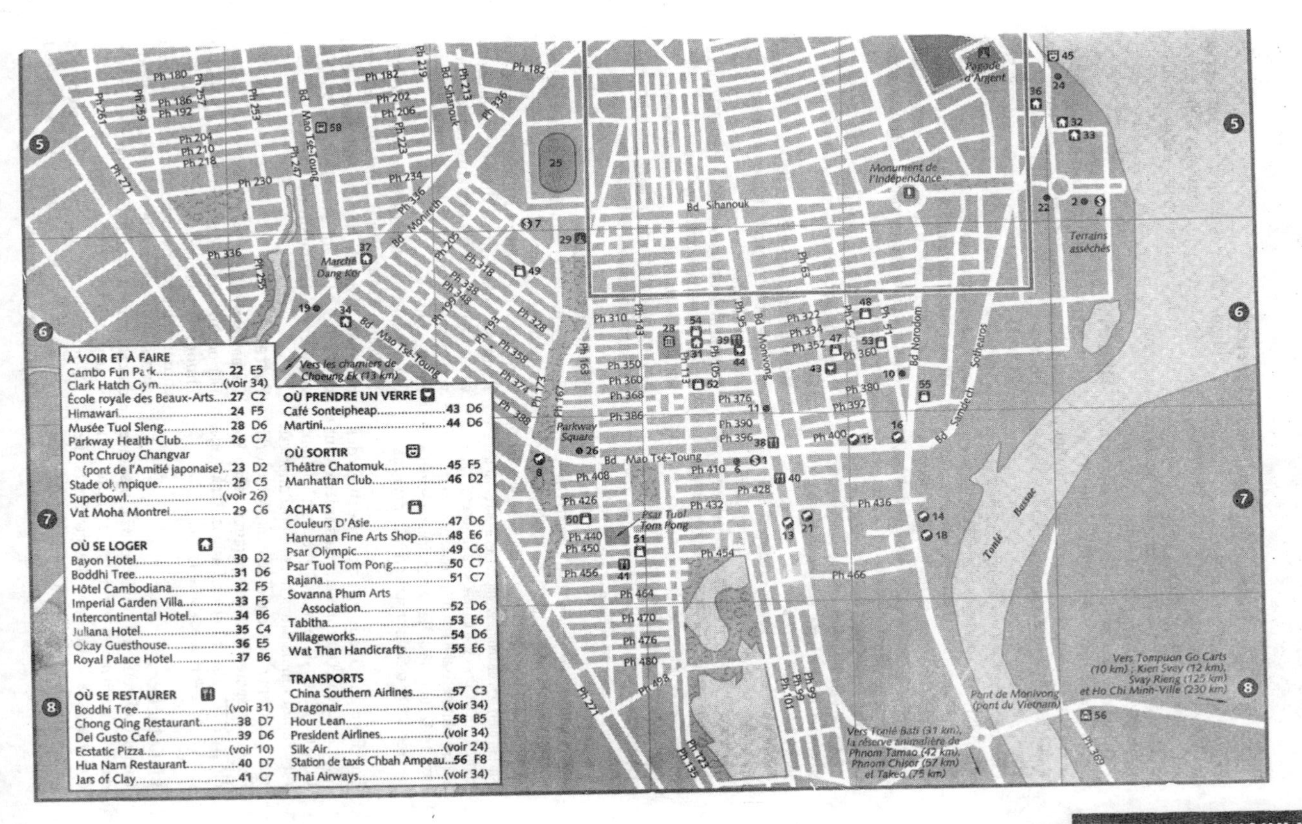
À VOIR ET À FAIRE
Cambo Fun Park....22 E5
Clark Hatch Gym....(voir 34)
École royale des Beaux-Arts....27 C2
Himawari....24 F5
Musée Tuol Sleng....28 D6
Parkway Health Club....26 C7
Pont Chruoy Changvar (pont de l'Amitié japonaise)....23 D2
Stade olympique....25 C5
Superbowl....(voir 26)
Vat Moha Montrei....29 C6
OÙ SE LOGER
Bayon Hotel....30 D2
Boddhi Tree....31 D6
Hôtel Cambodiana....32 F5
Imperial Garden Villa....33 F5
Intercontinental Hotel....34 B6
Juliana Hotel....35 C4
Okay Guesthouse....36 E5
Royal Palace Hotel....37 B6
OÙ SE RESTAURER
Boddhi Tree....(voir 31)
Chong Qing Restaurant....38 D7
Del Gusto Café....39 D6
Ecstatic Pizza....(voir 10)
Hua Nam Restaurant....40 D7
Jars of Clay....41 C7
OÙ PRENDRE UN VERRE
Café Sonteipheap....43 D6
Martini....44 D6
OÙ SORTIR
Théâtre Chatomuk....45 F5
Manhattan Club....46 D2
ACHATS
Couleurs D'Asie....47 D6
Hanuman Fine Arts Shop....48 E6
Psar Olympic....49 C6
Psar Tuol Tom Pong....50 C7
Rajana....51 C7
Sovanna Phum Arts Association....52 D6
Tabitha....53 E6
Villageworks....54 D6
Wat Than Handicrafts....55 E6
TRANSPORTS
China Southern Airlines....57 C3
Dragonair....(voir 34)
Hour Lean....58 B5
President Airlines....(voir 34)
Silk Air....(voir 24)
Station de taxis Chbah Ampeau....56 F8
Thai Airways....(voir 34)
Pagode d'Argent
Monument de l'Indépendance
Terrains asséchés
Bd Sihanouk
Bd Mao Tsé-Toung
Bd Monireth
Bd Monivong
Bd Norodom
Bd Samdech Sothearos
Tonlé Bassac
Parkway Square
Psar Tuol Tom Pong
Marché Dang Kor
Vers les charniers de Choeung Ek (13 km)
Pont de Monivong (pont du Vietnam)
Vers Tompuon Go Carts (10 km) ; Kien Svay (12 km), Svay Rieng (125 km) et Ho Chi Minh-Ville (230 km)
Vers Tonlé Bati (31 km), la réserve animalière de Phnom Tamao (42 km), Phnom Chisor (57 km) et Takeo (75 km)

Thmei (p. 102) et le psar Tuol Tom Pong (p. 102).

Plusieurs hôtels haut de gamme disposent d'un service de change, habituellement réservé aux clients. De nombreuses agences de voyages changent les chèques de voyage et délivrent des avances sur les cartes de crédit, moyennant une commission de 5% minimum. La plupart des banques ouvrent de 8h30 à 15h30 en semaine et de 8h30 à 11h30 le samedi.

Cambodia Asia Bank quai Sisowath (carte p. 80-81 ; ☎ 220381 ; 349 quai Sisowath ; 🕑 7h30-21h) ; Nagaworld (carte p. 76-77 ; ☎ 210900 ; bd Sihanouk ; 🕑 24h/24). Commission de 1% pour les avances sur les cartes Visa, de 2% sur les cartes MasterCard et de 2% sur le change des chèques de voyage.

Cambodian Commercial Bank (CCB ; carte p. 80-81 ; ☎ 426145 ; 26 bd Monivong). Avances sur les cartes MasterCard, JCB et Visa avec une commission de 5 $US jusqu'à 250 $US, 2% au-delà.

Canadia Bank agence principale (carte p. 80-81 ; ☎ 215286 ; 265 Ph 110) ; succursale (carte p. 76-77 ; ☎ 214668 ; 126 Ph 217). Change les chèques de voyage en diverses devises moyennant 2% de commission, délivre sans frais des avances sur les cartes MasterCard et Visa.

Foreign Trade Bank (carte p. 80-81 ; ☎ 723466 ; 3 Ph 114 ; 🕑 7h-15h45 lun-ven). Commission la plus faible sur le change des chèques de voyage en dollars US – 1%.

Mekong Bank siège (carte p. 80-81 ; ☎ 217112 ; 1 Ph 114) ; agence (carte p. 76-77 ; ☎ 424980 ; angle bd Mao Tsé-Toung et bd Monireth ; 🕑 15h30-20h lun-sam, 8h-13h dim). 2% de commission pour les avances sur les cartes de crédit. Dispose d'un guichet à l'aéroport.

Union Commercial Bank (UCB ; carte p. 80-81 ; ☎ 218682 ; 61 Ph 130). Avances sans frais sur les cartes de crédit ; 2% de commission sur les chèques de voyage.

La Foreign Trade Bank effectue des virements internationaux, mais mieux vaut utiliser MoneyGram ou Western Union, plus rapides mais plus chers. Le premier est représenté par la Canadia Bank, le second par la **Singapore Banking Corporation** (carte p. 80-81 ; ☎ 217771 ; 68 Ph 214) et l'**Acleda Bank** (carte p. 76-77 ; ☎ 214634 ; 28 bd Mao Tsé-Toung).

Bibliothèques

La Bibliothèque nationale (p. 87), installée dans un charmant bâtiment, compte peu d'ouvrages à l'intention des étrangers. Le **Centre culturel français** (carte p. 80-81 ; Ph 184) possède une bibliothèque bien fournie.

Laveries

La plupart des pensions offrent un service de blanchisserie pour environ 1 000 r pièce. Les laveries locales sont encore meilleur marché.

Librairies

Les livres neufs sont plus chers qu'ailleurs en Asie, mais Phnom Penh compte quelques librairies d'occasion bien fournies.

D's Books (carte p. 80-81 ; www.ds-books.com ; Ph 240). Dernière librairie d'occasion de la capitale ; succursale bien approvisionnée d'une chaîne thaïlandaise.

International Stationery & Book Centre (carte p. 80-81 ; ☎ 218352 ; 37 bd Sihanouk). Spécialisée dans les dictionnaires et les livres scolaires d'anglais ; ouvrages bon marché sur le Cambodge.

London Book Centre (carte p. 80-81 ; ☎ 214258 ; 51 Ph 240). Grand choix de livres d'occasion en anglais ; achat de livres.

Mekong Libris (carte p. 80-81 ; ☎ 722751 ; 12 Ph 13). En face de la poste principale ; la mieux fournie en ouvrages en français.

Monument Books (carte p. 80-81 ; ☎ 217617 ; 111 bd Norodom). Sans doute la plus importante librairie de la ville. Propose la quasi-totalité des titres concernant le pays et possède une grande succursale dans le terminal international de l'aéroport de Phnom Penh.

Office du tourisme

Faute de moyens financiers, les informations touristiques sont réduites à la portion congrue. À l'aéroport international de Phnom Penh, l'office du tourisme donne des informations sur certains hôtels et peut vous réserver une chambre, mais n'attendez rien de plus.

Le **ministère du Tourisme** (carte p. 80-81 ; ☎ 426876 ; 3 bd Monivong), installé dans un bâtiment blanc de deux étages au coin du boulevard Monivong et de la Ph 232, ne vous sera d'aucune utilité.

Poste

La **poste principale** (carte p. 80-81 ; Ph 13 ; 🕑 7h-19h) occupe un joli bâtiment à l'est du vat Phnom. Elle propose les services courants : courrier, téléphone et fax. Un autre bureau est installé sur le boulevard Monivong, près du croisement avec le boulevard Sihanouk. Voir p. 285 les tarifs postaux.

Pour des envois urgents, adressez-vous aux transporteurs internationaux (p. 285) représentés à Phnom Penh.

Services médicaux

European Dental Clinic (carte p. 76-77 ; ☎ 211363 ; 160A bd Norodom ; ⏲ 8h-19h lun-sam). Clinique dentaire réputée.

Hôpital Calmette (carte p. 76-77 ; ☎ 426948 ; 3 bd Monivong ; ⏲ 24h/24). Administré par des Français, le meilleur hôpital du pays.

International SOS Medical Centre (carte p. 80-81 ; ☎ 21691 ; www.internationalsos.com ; 161 Ph 51 ; ⏲ 8h-17h30 lun-ven, 8h-12h sam). Excellent centre médical à prix élevés. Un dentiste étranger exerce sur place.

Naga Clinic (carte p. 80-81 ; ☎ 211300 ; www.nagaclinic.com ; 11 Ph 254 ; ⏲ 24h/24). Établissement français très fiable.

Pharmacie de la Gare (carte p. 80-81 ; ☎ 526855 ; 81 bd Monivong ; ⏲ 7h-19h). Grande pharmacie où l'on parle français et anglais.

Téléphone et fax

Les kiosques privés, disséminés dans la capitale, offrent les meilleurs tarifs pour les appels nationaux. Quel que soit le numéro composé, vous bénéficierez du prix le plus bas, environ 300 r la minute pour un appel local.

Camintel et Telstra possèdent un réseau de cabines publiques qui fonctionnent avec des cartes téléphoniques, en vente dans les boutiques voisines.

Nombre de cybercafés proposent un service de téléphone à prix raisonnables, ainsi que des appels par Internet, encore moins coûteux mais pénibles en raison des délais de transmission.

Pour plus d'informations sur le téléphone et le fax, voir p. 286.

Urgences

Ambulance (☎ 119)

Pompiers (☎ 118)

Police (☎ 117)

Disponibles 24h/24, deux numéros d'urgence de la **police** (☎ 366841, 012 999999) vous mettent en relation avec des policiers anglophones. De même, des opérateurs anglophones répondent au **service d'ambulance** (☎ 724891, 426948, 012 808915).

En cas d'urgence médicale, on évacue parfois les patients à Bangkok. Voir plus haut la rubrique *Services médicaux*.

DÉSAGRÉMENTS ET DANGERS

Phnom Penh n'est pas aussi dangereuse que beaucoup l'imaginent, mais mieux vaut se montrer prudent. Des vols à main armée se produisent parfois, mais ils ne visent pas les touristes. Les propriétaires des pensions n'hésitent pas à noircir le tableau afin d'inciter leurs clients à dîner dans leur restaurant.

Soyez vigilant dans les bars et boîtes de nuit bondés, surtout au Heart of Darkness. Nombre de rejetons des familles aisées fréquentent les lieux branchés, accompagnés de leurs gardes du corps. Tout se passe bien tant qu'un étranger alcoolisé ne leur écrase pas un orteil, ou qu'ils ne jettent leur dévolu sur une Occidentale non consentante. Là, les problèmes commencent et, avec les gros bras, se terminent forcément mal.

En cas d'agression, ne paniquez pas et, surtout, ne résistez pas ! Levez calmement les bras et laissez votre agresseur prendre ce qu'il veut. *Ne mettez pas* les mains dans les poches, il pourrait croire que vous avez une arme ! Sans doute aussi nerveux que vous, il ne s'intéressera qu'à l'argent liquide et aux objets de valeur et vous aurez de grandes chances de récupérer vos documents par la suite, à votre hôtel ou à l'ambassade. Actuellement, les passeports et les cartes de crédit semblent habituellement restitués. Ne vous promenez pas la nuit avec un sac, vous seriez vite repéré.

Ne vous déplacez pas seul le soir en moto et évitez Tuol Kork, au nord de Boeng Kak. Dans cet ancien quartier de maisons closes, des Khmers éméchés risquent d'échanger des coups de feu dans les bars à karaoké.

Si vous conduisez une moto dans la journée, la police essaiera de vous soutirer de l'argent à la moindre infraction, comme le non-respect d'une interdiction de tourner à gauche ou circuler avec ses feux allumés, alors que les Cambodgiens qui roulent sans lumière la nuit ne sont pas inquiétés. On vous réclamera quelque 5 $US, menaçant de vous amener au poste et de vous faire payer une amende de 20 $US en cas de refus. Avec de la patience et des sourires, vous pourrez vous en sortir contre 1000 r ou quelques cigarettes. L'astuce consiste à ne pas croiser le regard d'un policier pour ne pas se faire arrêter.

Le psar Thmei (p. 102), le psar Tuol Tom Pong (p. 102) et le quartier des quais, en particulier les établissements en terrasse, attirent de nombreux mendiants, mais ils se montrent rarement insistants. Pour plus d'informations, voir p. 277.

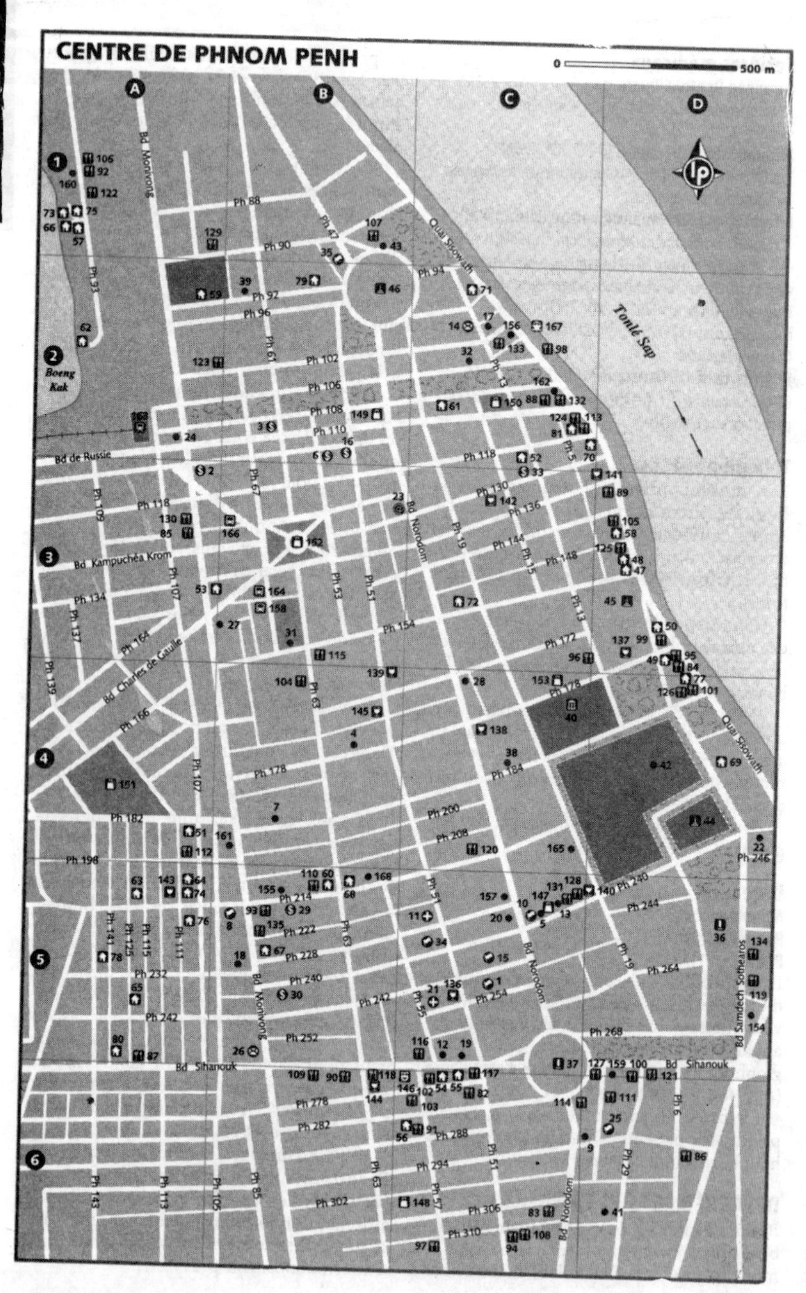
CENTRE DE PHNOM PENH
0
500 m
A
B
C
D
1
2
3
4
5
6
Boeng Kak
Tonlé Sap
Quai Sisowath
Bd Monivong
Bd de Russie
Bd Kampuchéa Krom
Bd Charles de Gaulle
Bd Norodom
Bd Sihanouk
Bd Samdech Sothearos
Ph 88
Ph 90
Ph 92
Ph 94
Ph 96
Ph 102
Ph 106
Ph 108
Ph 110
Ph 118
Ph 130
Ph 136
Ph 144
Ph 148
Ph 134
Ph 154
Ph 164
Ph 166
Ph 172
Ph 178
Ph 182
Ph 184
Ph 198
Ph 200
Ph 208
Ph 214
Ph 222
Ph 228
Ph 232
Ph 240
Ph 242
Ph 244
Ph 246
Ph 252
Ph 254
Ph 264
Ph 268
Ph 278
Ph 282
Ph 288
Ph 294
Ph 302
Ph 306
Ph 310
Ph 47
Ph 61
Ph 67
Ph 93
Ph 109
Ph 107
Ph 137
Ph 139
Ph 53
Ph 51
Ph 19
Ph 15
Ph 13
Ph 5
Ph 63
Ph 141
Ph 125
Ph 115
Ph 111
Ph 55
Ph 57
Ph 29
Ph 6
Ph 143
Ph 113
Ph 105
Ph 85

RENSEIGNEMENTS

Ambassade d'Allemagne 8 B5
Ambassade d'Australie 1 C5
Ambassade de Malaisie 15 C5
Ambassade des États-Unis (à partir de 2006) 35 B1
Ambassade des États-Unis (jusqu'en 2006) 34 C5
Ambassade des Philippines 25 D6
Ambassade d'Indonésie 10 C5
Ambassade du Canada .... (voir 1)
Assemblée Nationale 22 D4
Bureau de poste 26 B5
Cambodia Asia Bank .... (voir 99)
Cambodian Commercial Bank 2 A3
Canadia Bank 3 B2
Centre culturel français 7 B4
City Colour Photo .... (voir 85)
Comité pour le Cambodge 4 B4
D's Books 5 C5
EMS .... (voir 14)
Foreign Trade Bank 6 B2
Hanuman Tourism-Voyages 9 D6
International SOS Medical Centre 11 C5
International Stationery & Book Centre 12 C5
London Book Centre 13 C5
Mekong Bank 16 B2
Mekong Libris 17 C2
Ministère du tourisme 18 B5
Mobitel 19 C5
Monument Books 20 C5
Naga Clinic 21 C5
Online 23 B3
Pharmacie de la Gare 24 A2
Poste principale 14 C2
PTM Travel & Tours 27 B3
Samart 28 C4
Singapore Banking Corporation 29 B5
Singapore Banking Corporation 30 B5
Telesurf .... (voir 19)
TNT 31 B3
Transpeed Travel 32 C2
Union Commercial Bank 33 C3

À VOIR ET À FAIRE

Bibliothèque nationale 39 B2
École royale des Beaux-Arts .... (voir 40)
Écoles de langues 38 C4
Fabriques de bouddhas de Prayuvong .. 41 D6
Le Deauville II .... (voir 167)
Mekong Queen .... (voir 167)
Monument de l'Amitié Cambodge-Vietnam 36 D5
Monument de l'Indépendance 37 C5
Musée national 40 C4
Pagode d'Argent 44 D4
Palais royal 42 D4
Seeing Hands Massage 43 B1
Vat Ounalom 45 D3
Vat Phnom 46 B2

OÙ SE LOGER

Amanjaya 47 D3
Bougainvillier Hotel 48 D3
Bright Lotus Guesthouse 49 D3
California 2 Guesthouse 50 D3
Capitol Guesthouse 51 A4
Dara Reang Sey Hotel 52 C2
Diamond Hotel 53 A3
Floating Island .... (voir 73)
Golden Gate Hotel 54 C6
Golden Sun Hotel 55 C6
Goldiana Hotel 56 C6
Grand View Guesthouse 57 A1
Hôtel Indochine 58 D3
Hôtel Le Royal 59 A2
King Palace Hotel 60 B5
Lakeside Guesthouse .... (voir 66)
Last Home 61 C2
Lazy Fish Guesthouse 62 A2
Lucky Guesthouse 63 A5
Narin 2 Guesthouse 64 A5
Narin Guesthouse 65 A5
Number 9 Guesthouse 66 A1
Princess Hotel 67 B5
Queen Hotel 68 B5
Renakse Hotel 69 D4
River Star Hotel 70 C2
Riverside Hotel 71 C2
Royal Guesthouse 72 C3
Same Same But Different Guesthouse 73 A1
Seng Sokhom Guesthouse 74 A5
Simon's II Guesthouse 75 A1
Spring Guesthouse 76 A5
Star Royal Hotel 77 D4
Sunday Guesthouse 78 A5
Sunshine Hotel .... (voir 58)
Sunway Hotel 79 B2
Tat Guesthouse .... (voir 65)
The King Guesthouse 80 A5
Tiger Feet 81 C2
Tonlé Hotel .... (voir 48)

OÙ SE RESTAURER

Amoc Café 82 C6
Baan Thai 83 C6
Bali Café 84 D3
Bayon Market 85 A3
Boat Noodle Restaurant 86 D6
California 2 Guesthouse .... (voir 50)
Café 151 .... (voir 132)
Chaay Heng Restaurant 87 A5
Chi Cha 88 C2
Chiang Mai Riverside 89 D3
Chit Chat Café 90 B6
Comme a la Maison 91 C6
Curry Pot 92 A1
Dararasmey Restaurant 93 B5
EID Restaurant 94 C6
Foreign Correspondents' Club 95 D3
Friends 96 C3
Garden Center Café 97 C6
Goldfish River Restaurant 98 C2
Hang Chau .... (voir 167)
Happy Herb's 99 D3
Java Café 100 D5
Khmer Borane Restaurant 101 D4
Khmer Restaurant 102 C6
Khmer Surin 103 C6
Kiwi Bakery 104 B4
La Croisette 105 D3
Lazy Gecko Café 106 A1
Le Café du Centre .... (voir 7)
Le Deauville 107 B1
Le Rit's 108 C6
Lucky Burger .... (voir 109)
Lucky Supermarket 109 B6
Lumbini Restaurant 110 B5
Luna D'Autumno 111 D6
Lyon D'or .... (voir 124)
Mama's Restaurant 112 A4
Mekong King .... (voir 167)
Mekong River Restaurant 113 C2
Mex 114 C6
Mondo Burger .... (voir 119)
Mondulkiri Café 115 B3
Nagasaki 116 C5
Nature & Sea 117 C6
Nike's Pizza House 118 B6
Origami 119 D5
Pencil Supermarket 120 C4
Pho Shop 121 D5
Ponlok Restaurant .... (voir 50)
Pop Café .... (voir 95)
Red Corner 122 A1
Restaurant 102 .... 123 A2
Riverhouse Restaurant & Lounge 124 C2
Riverside Bistro 125 D3
Sa 126 D4
Sa Em Restaurant .... (voir 84)
Shiva Shakti 127 D5
Sugar Palm .... (voir 140)
Tamarind Bar 128 C5
Tell Restaurant 129 A1
Thai Huot Supermarket 130 A3
The Shop 131 C5
The Store 132 C2
Tok Thom 133 C2
Topaz 134 D5
Wah Kee Restaurant 135 B5

OÙ PRENDRE UN VERRE

Cambodia Club .... (voir 99)
Cantina .... (voir 99)
Elephant Bar .... (voir 59)
Elsewhere 136 C5
Ginger Monkey 137 D3
Gym Bar 138 C4
Heart of Darkness 139 B4
Howie's Bar .... (voir 139)
Memphis Pub .... (voir 81)
Pink Elephant .... (voir 99)
Rising Sun .... (voir 49)
Rubies 140 D5
Salt Lounge 141 D3
Sharky's 142 C3
Teukei Bar 143 A5
Tom's Irish Pub 144 B6
Walkabout 145 B4

OÙ SORTIR

Centre culturel français .... (voir 7)
Movie Street 146 C6

ACHATS

Ambre .... (voir 4)
Colours of Cambodia .... (voir 95)
Jasmine 147 C5
Kambuja .... (voir 149)
Khemara Handicrafts 148 C6
NCDP Handicrafts 149 B2
Nyemo .... (voir 108)
Orient .... (voir 105)
Psar Chaa 150 C2
Psar O Russei 151 A4
Psar Thmei 152 B3
Reyum 153 C4

TRANSPORTS

Air France 154 D5
An Nam .... (voir 154)
Bangkok Airways 155 B5
Blue Cruiser 156 C2
Bus GST 158 B3
Capitol Transport .... (voir 51)
Embarcadère touristique 167 C2
First Cambodgan Airlines 157 C5
Lao Airlines 159 D5
Lucky Lucky 2 .... 160 A1
Lucky! Lucky! 161 B4
Malaysia Airlines .... (voir 53)
Narin Transport .... (voir 64)
Neak Krorhorm 162 C2
New! New! .... (voir 161)
Phnom Penh 163 A2
Phnom Penh Public Transport 164 B3
Royal Phnom Penh Airways 165 C4
Shanghai Airlines .... (voir 32)
Siem Reap Airways .... (voir 155)
Station de taxis 166 B3
Vietnam Airlines 168 B5

À VOIR

Phnom Penh est une petite ville et la plupart des sites se regroupent au centre. Les principaux, accessibles à pied, se situent près des quais, dans la partie la plus plaisante de la capitale.

Palais royal et pagode d'Argent

ព្រះបរមរាជវាំង/និង វត្តព្រះកែវ

Le **Palais royal** (carte p. 80-81 ; bd Samdech Sothearos ; 3 $US ; 7h30-11h et 14h30-17h), un édifice splendide proche des quais, rappelle celui de Bangkok. Il se dresse sur le site de l'ancienne citadelle, Banteay Kev, et donne sur le boulevard Samdech Sothearos, entre la Ph 184 et la Ph 240. Les visiteurs n'ont accès qu'à la pagode d'Argent et au jardin qui l'entoure. Comptez 2 $US de supplément pour un appareil photo et 5 $US pour un caméscope. Il est interdit de prendre des photos à l'intérieur de la pagode.

PAVILLON CHAN CHAYA

Des spectacles de danse traditionnelle se déroulaient autrefois dans ce pavillon, que les invités traversaient pour entrer dans le Palais royal

SALLE DU TRÔNE

Inaugurée en 1919 par le roi Sisowath, la salle du Trône est surmontée par une tour de 59 m de haut, inspirée par le Bayon d'Angkor. Cette structure en ciment remplace un vaste bâtiment en bois construit en 1869. La salle du Trône était utilisée pour le couronnement des monarques et les cérémonies importantes. La plupart de ses ornements ont été détruits par les Khmers rouges. Dans le jardin, une curieuse **maison de fer** fut offerte au roi Norodom par Napoléon III.

PAGODE D'ARGENT

Ainsi nommée car plus de 5 000 dalles d'argent, pesant 1 kg chacune, couvrent son sol, la pagode d'Argent est également appelée vat Preah Keo (pagode du Bouddha d'émeraude). Construite en bois en 1892 sous le règne du roi Norodom et sans doute inspirée du vat Phra Keo de Bangkok, elle fut rebâtie en 1962.

Les Khmers rouges l'épargnèrent afin de prouver au monde extérieur leur souci de préserver l'héritage culturel du pays. Bien que ses ornements aient alors été détruits à 60%, ce qui subsiste témoigne de l'éclat et de la richesse de la civilisation khmère.

Un escalier en marbre d'Italie mène à la pagode. À l'intérieur, le bouddha d'émeraude, qui serait en cristal de Baccarat, est posé sur un piédestal doré placé sur une estrade. Devant l'estrade, un bouddha d'or grandeur nature, réalisé dans les ateliers du palais entre 1906 et 1907, pèse près de 90 kg ; il est orné de 9 584 diamants, dont un de 25 carats. Devant, protégé par une vitrine, un stûpa miniature d'or et d'argent renferme une relique du Bouddha provenant du Sri Lanka. Un bouddha de bronze de 80 kg et un bouddha d'argent encadrent la vitrine, respectivement à gauche et à droite. Plus à droite, des figurines en or massif relatent l'histoire de Bouddha.

Derrière l'estrade sont disposés un bouddha debout en marbre du Myanmar (Birmanie) et la litière utilisée par le roi le jour du couronnement ; prévue pour être portée par 12 hommes, ses ornements d'or pèsent 23 kg. De part et d'autre se dressent des maquettes en argent du stûpa du roi Norodom et de la bibliothèque du vat Preah Keo. Au fond de la salle, une vitrine abrite 2 bouddhas d'or, chacun serti de diamants pouvant atteindre 16 carats. Celui du bas pèse 4,5 kg, celui du haut 1,5 kg.

Le long des murs, on découvre de remarquables exemples de l'artisanat khmer, dont des masques ornés de pierres précieuses, portés lors des ballets traditionnels, et des dizaines de bouddhas en or, creux ou massif. Les nombreux cadeaux précieux offerts aux monarques cambodgiens par des chefs d'État étrangers semblent bien insipides comparés à la diversité et à l'exubérance de l'art khmer. Sur le mur d'enceinte de la pagode, une fresque superbe, réalisée vers 1900, illustre le récit épique du *Râmâyana* ; l'histoire commence au sud de la porte est.

Les autres bâtiments de cet ensemble sont (dans le sens des aiguilles d'une montre à partir de la porte nord) le *mondap* (bibliothèque), qui abritait autrefois des textes sacrés richement enluminés, rédigés sur des feuilles de palmier ; le tombeau et une statue équestre du roi Norodom (qui régna de 1860 à 1904) ; le tombeau du roi

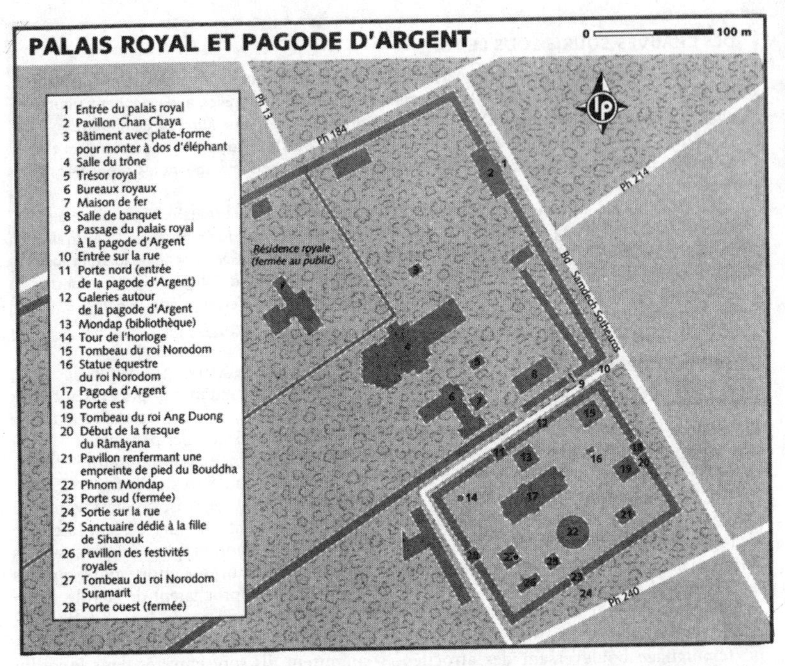

Ang Duong (qui régna de 1845 à 1859) ; un pavillon renfermant une immense empreinte de pied du Bouddha ; Phnom Mondap, une colline artificielle surmontée d'une structure contenant une empreinte de pied en bronze du Bouddha venant du Sri Lanka ; un sanctuaire dédié à l'une des filles du prince Sihanouk ; un pavillon réservé aux festivités organisées par la famille royale ; le tombeau du père du roi Sihanouk, le roi Norodom Suramarit (qui régna de 1955 à 1960) et un campanile dont la cloche annonce l'ouverture et la fermeture des portes.

Musée national
សារមន្ទីរជាតិ

Le **Musée national du Cambodge** (carte p. 80-81 ; 3 $US ; 🕓 8h-17h) renferme la plus belle collection au monde de sculptures khmères. Au nord du Palais royal, il occupe un joli bâtiment traditionnel en terre cuite, construit entre 1917 et 1920.

Le musée comprend quatre salles, ouvertes sur un patio luxuriant. Les œuvres les plus significatives sont exposées dans celles de gauche en face de l'entrée. Parmi les plus belles, citons la statue à huit bras de Vishnou du VIe ou VIIe siècle, celle de Shiva (vers 866-877), et la sublime statue de Jayavarman VII assis (1181-1218), la tête légèrement inclinée dans une posture méditative. Le musée présente aussi des poteries et des bronzes des périodes pré-angkoriennes du Funan et du Chenla (IVe-IXe siècles), de la période Indravarman (IXe-Xe siècles), de l'époque classique d'Angkor (X[e]-XIVe siècles), ainsi que des objets plus récents. Une collection de bouddhas post-angkoriens provient en grande partie d'Angkor Vat ; ces statues furent ôtées du temple au début de la guerre civile afin qu'elles ne soient pas détruites. Voir p. 54 pour plus d'informations.

Les photos sont interdites à l'intérieur du musée. Des guides peuvent commenter la visite en français ou en anglais (à partir de 2 $US, selon l'importance du groupe). Une brochure bien faite, *The New Guide to the National Museum*, est disponible à l'accueil.

Le siège de l'École royale des beaux-arts (p. 86) est installé dans un bâtiment, derrière le Musée national.

DES CHAUVES-SOURIS SOUS LE TOIT

Les courbes élégantes du Musée national forment de belles arabesques à la lueur du soleil couchant. C'est alors que des centaines de chauve-souris s'envolent du toit. Elles appartiennent pour la plupart à une espèce récemment identifiée, la chauve-souris à queue libre du Cambodge.

Certains experts affirment que le musée en abrite plus que tout autre édifice au monde. Leurs déjections corrosives ont traversé les plafonds jusqu'en 1994, endommageant les expositions et nimbant le musée de miasmes fétides.

Grâce au bureau australien d'aide internationale au développement (Aidab), le problème a été résolu. En échange d'une exposition des "trésors du Musée national du Cambodge" à l'Australian National Gallery, l'Aidab s'est engagé à préserver les collections du musée. Jugeant inadéquat sur le plan écologique de déplacer les chauves-souris, on a construit un second plafond destiné à empêcher la chute des déjections à l'intérieur du bâtiment. Jusqu'à présent, il en supporte le poids.

Musée Tuol Sleng
សារមន្ទីរទួលស្លែង

En 1975, les forces de sécurité de Pol Pot investirent le lycée Tuol Svay Prey et en firent la prison de haute sécurité 21, appelée S-21. Ce fut bientôt le plus grand centre de détention et de torture du pays. Entre 1975 et 1978, plus de 17 000 détenus du S-21 furent massacrés au camp d'extermination de Choeung Ek (voir plus loin).

Le S-21 est devenu le **musée Tuol Sleng** (carte p. 76-77 ; Ph 113 ; 2 $US ; 8h-11h30 et 14h-17h30), un témoignage bouleversant des atrocités commises par les Khmers rouges. L'entrée se trouve du côté ouest de la Ph 113 et la visite est habituellement autorisée en dehors des horaires officiels. Moyennant 2 $US, un guide vous accompagnera et vous expliquera l'histoire de ce centre et de quelques unes des victimes. Comptez 5 $US de supplément pour un caméscope.

Les Khmers rouges tenaient des registres méticuleux de leurs exactions. Chaque prisonnier qui arrivait au S-21 était photographié, parfois avant et après la séance de torture. Les murs de plusieurs salles sont entièrement recouverts de clichés en noir et blanc d'hommes, de femmes et d'enfants, presque tous exécutés par la suite. L'année d'une photo peut se déterminer au style de la plaque d'identification du prisonnier. Sont exposés les papiers de plusieurs étrangers, Français, Australiens et Américains, détenus au S-21 avant d'être assassinés.

À mesure que la "révolution" sombrait dans la barbarie, les Khmers rouges se dévoraient entre eux. Des générations de bourreaux ayant officié au S-21 furent tués par leurs successeurs. Au début de 1977, quand l'Angkar entama la purge des cadres de la zone Est, le S-21 revendiquait une moyenne de 100 victimes par jour.

Quand l'armée vietnamienne libéra Phnom Penh au début de l'année 1979, elle ne trouva que sept prisonniers vivants au S-21 ; ils devaient leur survie à leur talent de peintre ou de photographe. Quatorze autres avaient été torturés à mort alors que les Vietnamiens approchaient de la ville. Dans les salles où leurs corps furent retrouvés, des photos témoignent du sort atroce qu'ils connurent. Ils sont enterrés dans le jardin de l'ancien lycée.

La visite de Tuol Sleng est très éprouvante. L'aspect banal du lieu le rend d'autant plus épouvantable : l'environnement urbain, la simplicité des bâtiments scolaires, la pelouse sur laquelle les enfants jouaient au ballon, les lits rouillés, les instruments de torture, les barbelés empêchant les prisonniers de se jeter des balcons et les cellules improvisées évoquent la face la plus terrifiante de l'humanité. Le S-21 révèle les plus sombres instincts enfouis au fond de chacun de nous.

Créé en 1995 par le Cambodian Genocide Program de l'université de Yale et devenu indépendant en 1997, le **Documentation Center of Cambodia** (DC-Cam ; www.dccam.org) se consacre à la collecte de documents sur les horreurs commises par les Khmers rouges. Les chercheurs ont passé des années à traduire les aveux et les rapports trouvés à Tuol Sleng, à localiser les charniers et à conserver les preuves des atrocités commises.

Bophana (1996), le documentaire du réalisateur franco-cambodgien Rithy Panh (voir p. 55), est projeté sur place tous les jours à 10h et 15h (60 min). Si vous lisez l'anglais, procurez-vous le témoignage de Vann Nath, *A Cambodian Prison Portrait, One year in the Khmer Rouge's S-21* (White Lotus, 1998). Vann Nath est l'un des sept survivants du S-21. Il est peintre et ses tableaux décrivent les conditions d'incarcération, les tortures et les exécutions.

Charniers de Choeung Ek

វាលពិឃាតជើងឯក

De 1975 à 1978, environ 17 000 hommes, femmes, enfants et bébés, détenus et torturés au S-21, furent transportés au camp d'extermination de **Choeung Ek** (carte p. 76-77 ; 2 $US ; ⌚ 8h-11h30 et 14h-17h30), où ils furent souvent matraqués à mort afin de ne pas gaspiller de précieuses munitions.

Les restes de 8 985 personnes, pour la plupart ligotées et les yeux bandés, furent exhumées en 1980 des fosses communes creusées dans cet ancien verger de longaniers ; 43 des 129 charniers sont restés intacts. Des fragments d'ossements humains et des lambeaux de vêtements sortent du sol autour des fosses. Plus de 8 000 crânes, classés selon le sexe et l'âge, sont disposés derrière les vitres du stûpa du Souvenir, érigé en 1988. La sérénité de l'endroit contraste avec les horreurs qui s'y sont déroulées.

Bien indiqués en anglais, les charniers de Choeung Ek se trouvent à 15 km du centre de Phnom Penh. Venez à moto ou à vélo, mais n'y allez surtout pas à pied ! Sortez de Phnom Penh en empruntant le boulevard Monireth vers le sud-ouest. Le site est à 13 km du pont proche de la Ph 271. À la bifurcation, prenez la voie de gauche et vous vous retrouvez bientôt en pleine campagne. Repérez un passage voûté sur la gauche et suivez le chemin sur 1 km environ. Une cérémonie du souvenir a lieu tous les ans à Choeung Ek le 9 mai.

Vat Phnom

វត្តភ្នំ

Le **vat Phnom** (carte p. 80-81 ; 2 $US) est juché sur le seul relief de la ville, une butte boisée haute de 27 m. Selon la légende, la première pagode fut érigée en 1373 pour abriter quatre statues du Bouddha, déposées par les eaux du Mékong et découvertes par une femme nommée Penh. On entre par le grand escalier gardé par des lions et flanqué de balustrades en forme de *nâga* (serpent mythique), qui mène à l'entrée principale du vat.

Beaucoup viennent aujourd'hui y prier pour la réussite aux examens ou dans les affaires. Quand un vœu est exaucé, le fidèle revient porter l'offrande promise lors de la supplique – guirlande de jasmin ou régime de bananes, dont les esprits seraient particulièrement friands.

Le *vihara* (sanctuaire) fut reconstruit en 1434, 1806, 1894 et 1926. À l'ouest du vihara, un énorme stûpa renferme les cendres du roi Ponhea Yat, qui régna de 1405 à 1467. Du côté sud du passage entre le stûpa et le vihara, un pavillon contient une statue de Mme Penh, souriante et replète.

Au nord et en contrebas du *vihara*, un sanctuaire hétéroclite est dédié au génie Preah Chau, particulièrement vénéré par les Vietnamiens. À l'entrée de la salle qui abrite sa statue, deux esprits gardiens brandissent des chauve-souris de fer. Devant eux, une table carrelée s'orne de dessins de Confucius et de deux représentations de style chinois des sages Thang Cheng (à droite) et Thang Thay (à gauche). Une statue de Vishnou à huit bras est placée à gauche du maître-autel.

Plus bas sur la butte, des arbres poussent sur le toit d'un stûpa royal. Pour le moment, l'enchevêtrement des racines maintient les briques de la structure mais, quand les arbres mourront, la tour s'écroulera. Si vous ne pouvez pas aller à Angkor (p. 132), ce stûpa vous donnera une idée de la destruction des monuments par la jungle.

Mendiants, gamins des rues, vendeurs de boissons et d'oiseaux en cage (on paie pour les libérer, mais certains affirment qu'ils sont dressés à revenir dans leur cage) sollicitent avec bonne humeur ceux qui viennent escalader la butte. Il est possible de faire le tour de la colline à dos d'éléphant, une courte promenade idéale pour faire des photos.

Loin d'être le plus beau du Cambodge, ce site, symbole de la capitale, est très populaire.

Vat Ounalom

វត្តឧណ្ណាលោម

Ce **vat** (carte p. 80-81 ; bd Samdech Sothearos ; entrée libre ; ⌚ 6h-18h), siège du patriarcat bouddhiste cambodgien, fut fondé en 1443 et comprend

44 structures. Très endommagé pendant la période Pol Pot, il retrouve aujourd'hui son animation d'antan. Le chef de la congrégation bouddhiste cambodgienne y réside, entouré d'un nombre croissant de moines.

Au 2e niveau du bâtiment principal, à gauche de l'estrade, se dresse une statue de Samdech Huot Tat, le quatrième patriarche du bouddhisme cambodgien, assassiné par Pol Pot. Réalisée en 1971 quand le patriarche avait 80 ans, elle fut jetée dans le Mékong par les Khmers rouges et retrouvée en 1979. À droite de l'estrade, on découvre la statue d'un ancien patriarche de la secte Thummayuth, à laquelle appartient la famille royale.

Au 3e niveau du bâtiment, un bouddha birman en marbre fut mis en pièces par les Khmers rouges et restauré par la suite. À l'angle droit de l'estrade, au même étage, un bouddha en ciment a été dépouillé de sa couverture d'argent par les Khmers rouges. De part et d'autre de l'estrade, deux vitrines renferment des drapeaux longs de 20 m, utilisés lors des fêtes bouddhiques. Peintes en 1952 lors de la construction du bâtiment, des scènes de la vie de Bouddha ornent les murs.

Derrière le bâtiment principal, un stûpa contient un cil du Bouddha. Une inscription en pali (ancienne langue indienne) surmonte l'entrée.

Vat Moha Montrei
វត្តមហាមន្ត្រី

Proche du stade olympique, le **vat Moha Montrei** (carte p. 76-77 ; bd Sihanouk ; entrée libre ; ⏱ 6h-18h) fut nommé ainsi en l'honneur de Chakrue Ponn, un ministre du roi Monivong qui ordonna sa construction (*moha montrei* signifie "le grand ministre"). Le vihara en ciment, surmonté d'une tour de 35 m de haut, fut achevé en 1970. Les Khmers rouges l'utilisèrent de 1975 à 1979 pour entreposer du riz et du maïs.

Remarquez les éléments cambodgiens sur les fresques du *vihara*, qui décrivent la vie du Bouddha. Les anges qui l'accompagnent au ciel portent la tenue des danseurs khmers classiques et les dignitaires, l'uniforme militaire blanc de la période Sihanouk. Le long des murs à gauche de l'estrade, un lion de bois peint sert de chaire pour les prêches religieux quatre fois par mois, de même que le trône en bois doré voisin. Tous les bouddhas sont postérieurs à 1979.

Monument de l'Indépendance
វិមានឯករាជ្យ

Parfois appelé monument de la Victoire, le **monument de l'Indépendance** (carte p. 80-81 ; angle bd Norodom et bd Sihanouk) s'inspire de la tour centrale d'Angkor Vat. Érigé en 1958 pour commémorer la fin du protectorat français (1953), il sert aussi de mémorial aux morts de la guerre du Cambodge (du moins, ceux que le gouvernement choisit d'honorer). On y dépose des gerbes lors des fêtes nationales. Tout près, dans le boulevard Samdech Sothearos, le **monument de l'Amitié Cambodge-Vietnam**, au nom optimiste, a été construit en 1979 selon un plan vietnamien, dans un style résolument communiste.

Autres curiosités

Le véritable nom du pont de l'Amitié japonaise, qui enjambe sur 700 m le Tonlé Sap, est le **pont Chruoy Changvar** (carte p. 76-77). Détruit durant les combats de 1975, il devint le symbole de la dévastation du pays, avant d'être reconstruit en 1993 grâce à des fonds japonais. Une précision intéressera ceux qui ont vu le film *La Déchirure* : c'est près d'ici que le correspondant du *New York Times* Sydney Schanberg et quatre de ses compagnons furent arrêtés et menacés de mort par les Khmers rouges le 17 avril 1975, jour de la chute de Phnom Penh.

À l'ouest du pont, l'**École royale des beaux-arts** (carte p. 76-77 ; Ph 70 ; ⏱ 7h-17h) se consacre à la formation de musiciens et de danseurs. Bien qu'il ne s'agisse pas d'un site touristique, on peut assister, tôt le matin, aux répétitions de danse classique khmère dans un pavillon situé derrière l'école. Adressez-vous aux professeurs pour obtenir la permission de regarder les cours et de prendre des photos. Sur place, une école de cirque initie les enfants au trapèze et aux acrobaties ; la finesse des matelas sur lesquels ils atterrissent fait froid dans le dos.

L'**ambassade de France** (p. 271), à l'extrémité nord du boulevard Monivong, servit d'orphelinat des années durant ; ses pensionnaires, réputés chapardeurs, étaient accusés de tous les larcins commis dans le quartier. Le bâtiment, entouré d'un haut mur, a retrouvé sa fonction première. Les Français, revenus en nombre au Cambodge, s'attachent à promouvoir leur langue et leur culture. Lors de la chute de Phnom Penh en 1975, environ 800 étrangers et 600 Cambodgiens se réfugièrent dans l'ambassade. Au bout de 48 heures, les Khmers rouges annoncèrent au vice-consul français que le nouveau gouvernement ne reconnaissait pas l'immunité diplomatique et que tous seraient massacrés si les Cambodgiens ne sortaient pas. Les Cambodgiennes mariées à des étrangers pouvaient rester, contrairement aux Cambodgiens qui avaient une épouse étrangère. Désespérés, les étrangers virent domestiques, collègues, amis, amants et maris franchir les portes sous escorte. Ils disparurent à jamais pour la plupart. À la fin du mois, les étrangers furent expulsés du pays en camion.

De nombreuses **écoles de langue privées** (carte p. 80-81), enseignant le français et l'anglais, se regroupent dans la Ph 184, entre le boulevard Norodom et l'arrière du Palais royal. Entre 17h à 19h, le quartier se remplit d'étudiants qui voient dans l'apprentissage d'une langue étrangère la clef de la réussite dans le Cambodge d'aujourd'hui. C'est un lieu idéal pour rencontrer des jeunes Cambodgiens.

Généralement appelé Complexe national des sports, le **stade olympique** (carte p. 76-77 ; près angle bd Sihanouk et bd Monireth), bel exemple de l'architecture khmère des années 1960, comprend un stade omnisports et des installations pour la boxe, la gymnastique, le volley-ball et d'autres disciplines. Fermé plusieurs années pour des travaux de rénovation, il a rouvert en 2000.

Afin de remplacer les innombrables bouddhas et objets rituels anéantis par les Khmers rouges, de nombreux artisans privés, installés sur le site du vat Prayuvong, réalisent des bouddhas, des *nâga* et de petits stûpas en ciment. Même si ces figurines sans grâce, aux couleurs vives, ne sont pas des œuvres d'art, elles participent à l'effort du peuple cambodgien pour rendre au bouddhisme une place d'honneur dans leur société convalescente. Les **fabriques de bouddhas de Prayuvong** (carte p. 80-81 ; entre Ph 308 et Ph 310) se trouvent à 300 m au sud du monument de l'Indépendance.

La **Bibliothèque nationale** (carte p. 80-81 ; Ph 92 ; 8h-11h et 14h-17h mar-dim) occupe un charmant édifice de 1924, près du vat Phnom. Les Khmers rouges la transformèrent en étable et détruisirent la majorité des ouvrages. Beaucoup furent jetés dans les rues et récupérés par les habitants. Certains les restituèrent à la bibliothèque après 1979, d'autres s'en servirent pour emballer des aliments.

À FAIRE

Bowling

Seul bowling de la capitale, le **Superbowl** (carte p. 76-77 ; bd Mao Tsé-Toung ; 9 $US/heure), à Parkway Square, pratique un tarif horaire pour une piste, quel que soit le nombre de joueurs. La location des chaussures revient à 1 $US.

Course à pied

La Hash House Harriers, communément appelée "Hash" permet de rencontrer des expatriés. Une course/marche est organisée tous les dimanches. Les participants se retrouvent devant la gare ferroviaire à 14h45. Le droit d'inscription (5 $US) comprend les rafraîchissements (en général de la bière) à l'arrivée.

Croisières

Les visiteurs apprécient les escapades fluviales sur le Tonlé Sap ou le Mékong. Sur les quais de Phnom Penh, les bateaux touristiques demandent de 10 à 20 $US l'heure, selon le nombre de passagers et l'habileté à marchander.

Le **Deauville II** (carte p. 80-81 ; ☎ 723474), un bateau élégant, propose une croisière dans la journée, avec déjeuner, pour 15 passagers (25 $US par personne), et une autre au crépuscule, avec apéritif, pour 10 passagers (12 $US par personne).

Le **Mekong Queen** (carte p. 80-81 ; ☎ 990382), un immense cargo reconverti paré de guirlandes lumineuses, offre des sorties de 2 heures l'après-midi (8 $US, 15h30) et le soir (10 $US, 18h30), sandwich et thé ou café compris. Il part de l'embarcadère touristique.

Gymnastique

De nombreuses petites salles, sommairement équipées, facturent moins de 1 $US l'heure. Le Clark Hatch Gym (carte p. 76-77 ; Intercontinental Hotel, angle bd Mao Tsé-Toung et bd Monireth ; 14 $US/jour) dispose d'équipements plus sophistiqués.

Karting

Deux pistes de karting sont aménagées aux alentours de Phnom Penh. Le circuit de Tompuon Go Carts, à 10 km du pont Monivong, est assez petit et les karts ont connu des jours meilleurs. Beaucoup plus professionnel, **Kambol F1 Go-carts** (☎ 210501 ; 7 $US/10 min, casque et combinaison inclus) se trouve à 12 km de l'aéroport et à 2 km de la route de Sihanoukville. Il organise des courses le dimanche ; si cela vous tente, il suffit de se présenter.

Massage

La plupart des innombrables salons de massage servent de devanture à des maisons closes. Les hôtels haut de gamme proposent généralement des massages traditionnels. Adressez-vous plutôt au **Seeing Hands Massage** (carte p. 80-81 ; 4 $US/heure), en face du vat Phnom, dont les bénéfices servent à aider les handicapés de la capitale. Les masseurs aveugles, très expérimentés, viennent à bout de toutes les vieilles douleurs.

Natation

Le stade olympique, fermé pour travaux depuis 2000, a rouvert, mais pas le bassin olympique.

Le Royal Palace Hotel (p. 93 ; 3 $US) possède une piscine assez petite, la moins chère de Phnom Penh. L'hôtel Cambodiana (p. 93), demande 6 $US en semaine et 8 $US le week-end. Le Juliana Hotel (p. 94 ; 8 $US) et l'Intercontinental Hotel (p. 93 ; 10 $US) disposent de plus grands bassins.

Himawari (carte p. 76-77 ; ☎ 426806 ; 313 quai Sisowath) facture 10 $US, avec accès à la salle de gymnastique. Le **Parkway Health Club** (carte p. 76-77 ; ☎ 982928 ; 113 bd Mao Tsé-Toung ; 6 $US), qui comprend une piscine (couverte), un bain de vapeur, un sauna et une salle de gymnastique, et le **Northbridge Club** (☎ 886058 ; près de la NH4 ; 5 $US), vers l'aéroport, offrent le meilleur rapport qualité/prix.

PROMENADE À PIED

Pour cette promenade (carte p. 89) qui vous fera découvrir la ville, partez du **vat Phnom** (**1** ; p. 85), perché au sommet de la seule hauteur de la capitale. Profitez-en pour solliciter les faveurs divines ou priez pour ne pas tomber dans l'un des nombreux égouts à ciel ouvert durant la balade. Jetez un coup d'œil au sud-ouest sur la forteresse en construction qui doit abriter la nouvelle **ambassade des États-Unis (2)** et demandez-vous comment le ministère des Affaires étrangères américain, si obsédé par la sécurité, a pu choisir le seul site dominé par une hauteur !

Poursuivez vers l'ouest le long de la Ph 92 et admirez l'architecture coloniale française de la **Bibliothèque nationale** (**3** ; p. 87), puis l'extraordinaire façade de l'**hôtel Le Royal** (**4** ; p. 94), propriété du groupe Raffles ; retenez l'adresse pour venir savourer un cocktail pendant la *happy hour*, de 16h à 20h. Prenez à gauche le boulevard Monivong, la principale artère commerciale. Vous apercevrez bientôt sur la droite la **gare ferroviaire (5)** de Phnom Penh, un beau bâtiment ancien où stationnent des trains vieillots.

Tournez vers le sud-est, en direction du dôme du **psar Thmei** (**6** ; p. 102). Ce marché propose toutes les marchandises imaginables et même inimaginables, comme les insectes frits ou les grenouilles écorchées. Profitez de la fraîcheur naturelle du lieu pour flâner dans les allées, mais ne vous laissez pas trop tenter ; les vendeurs sont connus pour gonfler les prix. L'endroit est idéal pour un en-cas local à petit prix.

Continuez vers le sud dans la Ph 63 et faites un tour dans l'équivalent moderne du marché central, le **Sorya Shopping Centre (7)**. Plutôt terne après le psar Thmei, il emploie des moniteurs d'escalator qui en expliquent l'utilisation aux débutants !

Suivez la Ph 154 qui sinue vers l'est, puis le boulevard Norodom vers le sud, avant de prendre à gauche la Ph 178, une rue animée, bordée de nombreuses **boutiques d'art** (**8** ; p. 102). Tournez à droite dans la Ph 19, avant de bifurquer vers l'ouest le long de la Ph 240, l'une des artères les plus chic de la ville. Faites une pause dans l'un des nombreux cafés, restaurants ou bars avant d'entamer la seconde partie du parcours.

Suivez de nouveau le boulevard Norodom vers le sud jusqu'au **monument de l'Indépendance** (**9** ; p. 86), inspiré de la tour centrale d'Angkor Vat et construit pour célébrer la fin du protectorat français. De là, faites une boucle vers l'est et le nord pour visiter les principaux sites de la capitale, le remarquable **ensemble du Palais royal et de la pagode d'Argent** (**10** ; p. 82) et le superbe **Musée national** (**11** ; p. 83).

Comptez au moins 1 heure pour explorer le palais et la pagode et autant pour admirer la plus belle collection au monde de sculptures khmers de la période d'Angkor. De ce magnifique bâtiment ancien, marchez

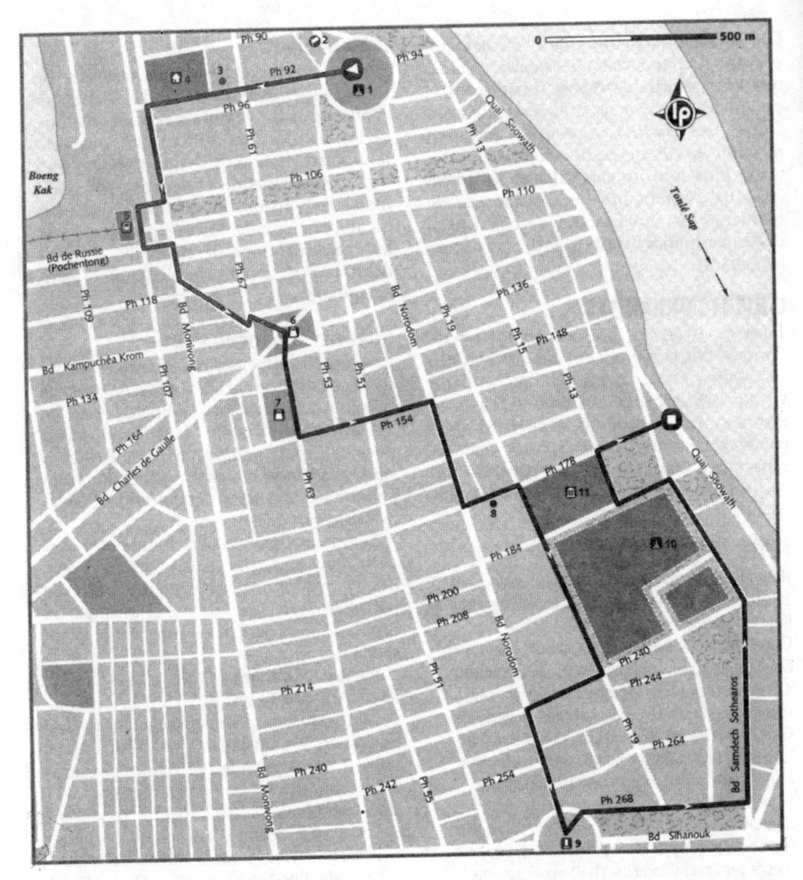

vers l'est jusqu'au fleuve, où la promenade s'achève. Flânez le long du Tonlé Sap ou entrez dans un bar pour un rafraîchissement bien mérité.

AVEC DES ENFANTS

La circulation anarchique, la pénurie de parcs et les égouts à ciel ouvert ne font pas de Phnom Penh la ville d'Asie la plus indiquée pour les enfants. Ils s'amuseront bien plus à Siem Reap (p. 111), aux alentours des temples d'Angkor (p. 132) et sur la plage de Sihanoukville (p. 182). Toutefois, la capitale compte quelques endroits où ils pourront se divertir.

Au sud de l'hôtel Cambodiana, le **Cambo Fun Park** (carte p. 76-77 ; parc Hun Sen ; 🕓 17h-22h), seul parc de loisirs de la ville, est envahi dès 19h par des écoliers impatients de risquer leur vie sur des manèges bringuebalants. La direction annonce avec fierté que le parc a été aménagé en 20 jours. Repérez les manèges les moins risqués, ou tentez les autotamponneuses.

La plupart des grands hôtels possèdent une piscine (p. 88) ouverte aux non-résidents moyennant un droit d'entrée. Le karting (p. 87) séduira les plus grands. Le **parc aquatique de Phnom Penh** (☎ 881008 ; bd de Russie ; 5 $US ; 🕓 8h-18h) remporte un franc succès auprès des plus jeunes grâce à ses toboggans et son bassin à vagues.

Les attractions les plus intéressantes se trouvent hors de la capitale et peuvent faire l'objet d'une excursion d'une journée, qui permet d'échapper au chaos de la ville. La **réserve animalière de Phnom Tamao** (p. 109) est un refuge pour les animaux sauvages. Dans les enclos immenses évoluent notamment des tigres, des éléphants et des ours. Plus loin, le **parc national de Kirirom** (p. 110) s'agrémente de cascades et de températures plus fraîches ; le côté kitsch du **Kirirom Hillside Resort** (p. 110) enchantera les enfants.

CIRCUITS ORGANISÉS

Tous les voyages organisés à destination de Phnom Penh comprennent une visite guidée de la ville. Si vous voyagez en indépendant, vous prendrez plaisir à la découvrir à votre rythme, sans contrainte horaire. Si vous préférez néanmoins un circuit organisé, renseignez-vous auprès des pensions ou contactez l'une des agences recommandées (p. 75).

FÊTES ET FESTIVALS

Nouvel An chinois (fin janvier ou début février). Fête importante à Phnom Penh, où des danses du dragon ont lieu dans toute la ville.

Chaul Chnam (Nouvel An khmer ; mi-avril). Tout s'arrête dans la capitale pour cette grande fête, où l'on s'asperge d'eau et de talc. La foule se presse au vat Phnom. Les voyageuses éviteront les bandes de jeunes Cambodgiens.

Chat Preah Nengkal (début mai). La cérémonie des Labours royaux se déroule devant le Musée national. On affirme que les bœufs royaux savent si la récolte sera bonne ou non.

Bon Om Tuk (Fête de l'Eau ; fin octobre ou novembre). Des courses de pirogues ont lieu sur le Tonlé Sap et 2 millions de personnes affluent dans la ville pour participer aux festivités. Les quais sont pris d'assaut ; réservez votre chambre bien à l'avance.

OÙ SE LOGER

Phnom Penh compte désormais un large éventail de pensions, d'hôtels et de palaces luxueux qui conviennent à tous les budgets.

Des pensions bon marché ont surgi dans toute la ville. Certaines facturent à peine 2 $US la nuit et une petite chambre avec ventil vous reviendra à 5 $US. Les établissements de catégorie moyenne offrent un excellent rapport qualité/prix ; pour quelque 20 $US vous bénéficierez de la clim, d'une TV satellite et d'une jolie sdb. Les hôtels haut de gamme pratiquent des tarifs exorbitants pour le pays.

Petit budget

De nombreux établissements bon marché se regroupent sur la rive est du Boeng Kak et autour de la Capitol Guesthouse, le long de la Ph 182 et de la Ph 111, à l'ouest du boulevard Monivong. Le quartier du Boeng Kak s'est considérablement amélioré, mais les pensions y sont plus rustiques qu'ailleurs en ville. Si vous préférez éviter les concentrations de routards, il existe d'autres petites pensions éparpillées dans la capitale.

QUARTIER DU BOENG KAK

La plupart des pensions en bordure du lac sont construites sur des plates-formes de bois qui surplombent le Boeng Kak, un lac affreusement pollué dans lequel il vaut mieux ne pas tremper un pied. Autrefois simples cabanes branlantes, ces pensions sont aujourd'hui plus solides et dotées d'agréables parties communes.

Selon des rumeurs persistantes et infondées, tout le quartier serait voué à la démolition pour la construction d'un boulevard périphérique. Que vous y séjourniez ou non, ne manquez pas le coucher de soleil sur le lac.

Number 9 Guesthouse (carte p. 80-81 ; ☎ 012 766225 ; 9 Ph 93 ; ch 3-8 $US ; ❄). La plus ancienne pension du lac dispose de 50 chambres. Celles construites sur le lac sont sommaires et attirent les moustiques. Certaines des nouvelles, bâties sur la rive, s'agrémentent de la clim. Des plantes vertes ornent le restaurant et l'espace de détente. La direction propose des casiers fermés pour les objets de valeur.

Lakeside Guesthouse (carte p. 80-81 ; ☎ 012 552901 ; 10 Ph 93 ; ch 2-7 $US). Également appréciée de longue date, elle offre des chambres avec sdb commune à 2 $US et avec TV à partir de 5 $US. Un agréable bar-salle à manger surplombe le lac. Casiers fermés disponibles.

Same Same But Different (carte p. 80-81 ; ☎ 012 263332 ; 11 Ph 93 ; s/d/tr 2/3/4 $US). Semblable à ses concurrents malgré l'enseigne, il possède une salle TV séparée, ce qui rend le restaurant plus convivial.

Floating Island (carte p. 80-81 ; ☎ 990887 ; 11 Ph 93 ; ch 3-9 $US ; ❄). Comptez 1 $US de plus pour une chambre en étage et à partir de 8 $US pour une chambre avec clim. Sa terrasse balayée par la brise et son bar à 2 niveaux sont parfaits pour assister au coucher du soleil.

Simon's II Guesthouse (carte p. 80-81 ; ☎ 012 608892 ; Ph 93 ; ch 8 $US ; ❄). Cette grande villa tarabiscotée possède les plus belles chambres du quartier, avec sdb et TV.

Grand View Guesthouse (carte p. 80-81 ; ☎ 430766 ; Ph 93 ; ch 3-8 $US ; ❄). La frêle et haute structure rappelle Ho Chi Minh-Ville et les chambres exiguës évoquent Bangkok. Cet établissement bien tenu, aux escaliers interminables, jouit de vues superbes sur le lac.

Autres adresses plaisantes à découvrir dans ce quartier :

Lazy Fish Guesthouse (carte p. 80-81 ; ☎ 012 703368 ; 16 Ph 93 ; ch 3-5 $US). Petit établissement pétillant, avec billard gratuit.

Smile Guesthouse (carte p. 80-81 ; ☎ 012 831329 ; ch 2-5 $US). Au bout d'une petite allée. On y parle français.

QUARTIER DU PSAR O RUSSEI

L'autre quartier de pensions bon marché commence près du psar O Russei et s'étend vers le sud dans un réseau de ruelles.

Capitol Guesthouse (carte p. 80-81 ; ☎ 724104 ; capitol@online.com.kh ; 14 Ph 182 ; ch 3-10 $US ; ❄). La plus ancienne pension de la ville offre un grand choix de chambres très diverses (avec sdb commune pour les moins chères). Elle s'est développée et compte plusieurs annexes proches – Capitol 3 est la meilleure. Au rez-de-chaussée, le café-restaurant, très fréquenté, sert de terminus aux bus de Capitol Tour et ressemble un peu à une gare routière.

Narin Guesthouse (carte p. 80-81 ; ☎ 982554 ; touchnarin@hotmail.com ; 50 Ph 12 ; ch 3-7 $US). Également appréciée de longue date et gérée par une famille, elle propose des chambres bien tenues, des douches chaudes et une agréable terrasse. Semblable à un hôtel, la **Narin 2 Guesthouse** (carte p. 80-81 ; ☎ 986131 ; 20 Ph 111 ; ch 3-12 $US ; ❄ 💻), à quelques pâtés de maisons, offre une grande variété de chambres, dont les prix augmentent en fonction des équipements (TV, eau chaude, etc). Quelques-unes, à partir de 7 $US, peuvent accueillir 4 personnes ou plus.

Tat Guesthouse (carte p. 80-81 ; ☎ 986620 ; 52 Ph 125 ; ch 3-5 $US). À côté de la Narin Guesthouse, ce petit établissement sympathique loue des chambres plaisantes. La brise rafraîchit le restaurant sur le toit.

Sunday Guesthouse (carte p. 80-81 ; ☎ 211623 ; 97 Ph 141 ; ch 4-15 $US ; ❄). Le choix s'étend de la chambre spartiate, avec ventil (4 $US), à la mieux équipée, avec TV, eau chaude et réfrigérateur. Le personnel accueillant vous aidera à organiser votre voyage.

The King Guesthouse (carte p. 80-81 ; ☎ 220512 ; 74 Ph 14 ; ch 3-25 $US). Outre une grande diversité de chambres, elle comprend un immense restaurant et une agence de voyages au rez-de-chaussée. Vérifiez le contenu de la chambre à partir de la liste fournie.

Autres adresses dans ce quartier :

Seng Sokhom Guesthouse (carte p. 80-81 ; ☎ 012 898726 ; sengsokhom@hotmail.com ; 22 Ph 111 ; s/d 2/3 $US). Très appréciée pour les longs séjours à cause de ses prix très bas.

Lucky Guesthouse (carte p. 80-81 ; ☎ 218910 ; 99 Ph 214 ; ch 6-10 $US ; ❄). Installée dans deux bâtiments. Eau tiède plutôt que chaude.

AUTRES QUARTIERS

Last Home (carte p. 80-81 ; ☎ 724917 ; 47 Ph 108 ; ch 2-8 $US ; ❄). Bien située près du vat Phnom et des quais, elle offre, depuis plus d'une décennie, des chambres simples et correctes. Restaurant et échange de livres au rez-de-chaussée.

Boddhi Tree (carte p. 76-77 ; www.boddhitree.com ; 50 Ph 113 ; ch 8-20 $US ; ❄). En face du musée Tuol Sleng, cette charmante villa de bois renferme des chambres joliment décorées (avec clim. au dernier étage). Un excellent restaurant est installé dans le jardin verdoyant.

Okay Guesthouse (carte p. 76-77 ; 5 Ph 258 ; ch 2-12 $US ; ❄). Bien située au bout d'une rue proche de l'hôtel Cambodiana, à quelques pas des quais, elle dispose d'un choix de chambres, des plus simples, avec sdb commune, aux mieux équipées, avec eau chaude, clim et TV. Au rez-de-chaussée, un petit bar animé jouxte un café, où un panneau affiche quelques phrases utiles en khmer.

Vous pouvez également essayer, sans craintes, les établissements suivants :

Dara Reang Sey Hotel (carte p. 80-81 ; ☎ 428181 ; darareangsey@camnet.com.kh ; 45 Ph 13 ; ch 6-16 $US ; ❄). Des chambres bien aménagées et un restaurant bon marché.

Royal Guesthouse (carte p. 80-81 ; ☎ 218026 ; 91 Ph 154 ; ch 5-12 $US ; ❄). Emplacement commode, entre le boulevard Norodom et les quais, et bon choix de chambres climatisées.

Catégorie moyenne

Les prix varient de 15 à 50 $US la nuit. Pour 15 à 20 $US, vous obtiendrez une double avec clim, sdb, TV satellite et service de blanchisserie. De 30 à 50 $US, vous bénéficierez d'un confort quasiment digne d'un palace.

Les hôtels de catégorie moyenne sont répartis sur plusieurs quartiers. Le plus agréable reste le quai Sisowath. D'autres établissements se regroupent au sud-ouest du monument de l'Indépendance. Ancien quartier des hôtels, le boulevard Monivong, entre le boulevard de Russie et le boulevard Sihanouk, n'est guère plaisant.

QUARTIER DES QUAIS

California 2 Guesthouse (carte p. 80-81 ; ☎ 982182 ; www.cafecaliforniaphnompenh.com ; 317 quai Sisowath ; ch avec petit déj 15-20 $US ; ❄). En plein milieu du quai et d'un excellent rapport qualité/prix, cette petite pension a installé l'eau chaude et la TV satellite dans toutes ses chambres ; les plus chères donnent sur le fleuve. Bar-restaurant fréquenté au rez-de-chaussée.

Hôtel Indochine (carte p. 80-81 ; ☎ 724239 ; indochinehtl@camnet.com.kh ; 251 quai Sisowath ; ch 10-20 $US ; ❄). Superbement situé, il loue des chambres avec eau chaude, TV satellite et réfrigérateur. Mieux vaut choisir les plus belles, avec vue sur le fleuve, car les moins chères semblent un peu fatiguées. L'**hôtel Indochine 2** (☎ 211525 ; 28 Ph 130), sa nouvelle annexe toute proche, offre plus de confort, mais des vues moins dégagées.

Sunshine Hotel (carte p. 80-81 ; ☎ 725684 ; 253 quai Sisowath ; ch 12-20 $US ; ❄). Voisin de l'hôtel Indochine, ses chambres, avec eau chaude, TV satellite et réfrigérateur, présentent un bon rapport qualité/prix depuis qu'il a baissé ses tarifs. Les plus chères donnent sur le fleuve.

Bougainvillier Hotel (carte p. 80-81 ; ☎ 220528 ; www.bougainvillierhotel.com ; 277 quai Sisowath ; ch 44-94 $US ; ❄). Ses chambres ornées de meubles chinois et khmers, d'opulentes tentures de soie et dotées d'équipements pratiques, comme un coffre-fort, en font l'une des meilleures adresses de cette catégorie. Les suites à 67 $US, agrémentées d'un grand salon, sont superbes.

River Star Hotel (carte p. 80-81 ; ☎ 991450 ; www.riverstarhotel.com ; 185 quai Sisowath ; ch 18-28 $US ; ❄). La façade insignifiante ne laisse pas deviner l'élégance intérieure. Toutes les chambres possèdent une terrasse et certaines donnent sur le fleuve. L'hôtel comprend un ascenseur.

Star Royal Hotel (carte p. 80-81 ; ☎ 219436 ; www.starroyalhotel.com ; quai Sisowath ; ch avec petit déj 35-60 $US ; ❄ 💻). Tout aussi peu impressionnant de l'extérieur, il recèle des chambres dignes d'un trois-étoiles ; celles des étages supérieurs bénéficient d'une vue sur le fleuve. Un restaurant est installé sur le toit.

Foreign Correspondents' Club (carte p. 80-81 ; ☎ 210142 ; www.fcccambodia.com ; 363 quai Sisowath ; ch avec petit déj 45-65 $US ; ❄ 💻). Cette adresse connue comprend quatre chambres raffinées, dont deux dotées d'un balcon ouvrant sur le Tonlé Sap. Toutes disposent d'un minibar, garni de bouteilles d'alcool de 1 litre ! Réservation indispensable. Le restaurant (p. 97) du même nom est prisé des expatriés.

Riverside Hotel (carte p. 80-81 ; ☎ 723318 ; riverside-hotel@camnet.com.kh ; angle quai Sisowath et Ph 94 ; ch avec petit déj 25-35 $US). Bien situé, il donne en façade sur le Tonlé Sap et à l'arrière sur le vat Phnom. Ses chambres, avec minibar et coffre-fort, jouissent du confort d'un trois-étoiles. Seul bémol, l'animation et le bruit incessants des nombreux banquets de mariage qui se déroulent dans le restaurant du rez-de-chaussée.

Bright Lotus Guesthouse (carte p. 80-81 ; ☎ 990446 ; 22 Ph 178 ; ch 14-18 $US ; ❄). La vue sur le Musée national, le Palais royal et, en tendant le cou, les quais justifie la montée des escaliers. Toutes les chambres disposent du même confort, mais celles à 18 $US s'agrémentent d'un petit balcon.

Autres adresses :

Lyon D'Or (carte p. 80-81 ; ☎ 217710 ; lyondor@online.com.kh ; 12 Ph 110 ; ch 5-20 $US ; ❄). Un bel éventail de chambres et un restaurant réputé au rez-de-chaussée (p. 97).

Tiger Feet (carte p. 80-81 ; ☎ 012 885188 ; tigerfeetguesthouse@yahoo.com ; 9 Ph 118 ; ch 10 $US ; ❄). Trois chambres élégantes, dont le prix pourrait bientôt augmenter. Réservation conseillée.

Tonlé Hotel (carte p. 80-81 ; ☎ 211296 ; tonle@online.com.kh ; 277 quai Sisowath ; ch 35-55 $US ; ❄). Un nouvel hôtel sélect, orné de boiseries. Chambres immenses en façade.

LE COUP DE CŒUR DE L'AUTEUR

Spring Guesthouse (carte p. 80-81 ; ☎ 222155 ; 34 Ph 111 ; ch 6-9 $US ; ❄). Cet élégant bâtiment isolé ressemble plus à un hôtel qu'à une pension, avec ses chambres récentes d'un excellent rapport qualité/prix. Comptez 2 $US de plus pour l'eau chaude.

CENTRE-VILLE

Golden Gate Hotel (carte p. 80-81 ; ☎ 721161 ; www.goldengatehotels.com ; 6 Ph 278 ; ch 15-40 $US ;). Apprécié de longue date par les expatriés des ONG, cet hôtel d'un bon rapport qualité/prix loue des chambres avec sdb, TV, minibar et service de blanchisserie gratuit. Petit déjeuner compris pour les chambres de luxe. Réservation conseillée.

Golden Sun Hotel (carte p. 80-81 ; ☎ 721317 ; goldensun@online.com.kh ; 6B Ph 278 ; ch 13-15 $US ;). À quelques pas du précédent, ce sympathique hôtel de 20 chambres, de qualité inégale, offre un service de blanchisserie gratuit. La minisuite 14 est particulièrement séduisante.

Goldiana Hotel (carte p. 80-81 ; ☎ 218490 ; goldiana.ht@bigpond.com.kh ; 10 Ph 282 ; ch 28-95 $US ;). Cet hôtel immense comprend une piscine, un centre de remise en forme et des chambres parfaitement équipées. Le petit déjeuner est compris pour les chambres de luxe, plus spacieuses et plus pimpantes. Les prix incluent le transfert de l'aéroport.

King Palace Hotel (carte p. 80-81 ; ☎ 217796 ; 115 Ph 214 ; ch 15-25 $US ;). Ce nouvel hôtel du centre-ville propose de belles chambres à prix modérés. Un ascenseur dessert les étages supérieurs, où l'on domine l'animation de la capitale. Un bar-restaurant fréquenté est installé au rez-de-chaussée.

Diamond Hotel (carte p. 80-81 ; ☎ 217328 ; diamondhotel@bigpond.com.kh ; 172 bd Monivong ; s/d avec petit déj 35/45 $US ;). L'emplacement bruyant permet de maintenir des tarifs compétitifs pour des chambres bien aménagées, avec parquet et coffre-fort.

Autres adresses recommandées :

Queen Hotel (carte p. 80-81 ; ☎ 213001 ; 49 Ph 214 ; s/d 25/30 $US ;). Ses vastes chambres bien équipées en font une adresse prisée des voyagistes.

Princess Hotel (carte p. 80-81 ; ☎ 801809 ; princess@camnet.com.kh ; 302 Ph 228 ; ch 30-35 $US). Ce confortable hôtel d'affaires donne sur le bruyant boulevard Monivong.

AUTRES QUARTIERS

Hôtel Bayon (carte p. 76-77 ; ☎ 430158 ; bayon@online.com.kh ; 2 Ph 75 ; s/d/ste 25/35/45 $US, plus 15% de taxes et service ;). Géré par des Français, il offre des chambres bien tenues, avec magnétoscope et accès à l'impressionnante vidéothèque. Au rez-de-chaussée, le restaurant français raffiné jouit d'une excellente réputation auprès des résidents francophones.

Royal Palace Hotel (carte p. 76-77 ; ☎ 884823 ; royalpalacehotel@online.com.kh ; 93 bd Monireth ; ch/ste avec petit déj 35/60 $US ;). La situation excentrée l'oblige à modérer ses prix, malgré la piscine et des chambres bien meublées.

LE COUP DE CŒUR DE L'AUTEUR

Renakse Hotel (carte p. 80-81 ; ☎ 215701 ; 40 bd Samdech Sothearos ; ch 35-50 $US ;). Laissée à l'abandon de longues années, cette grande bâtisse coloniale, nichée dans un jardin verdoyant face au Palais royal, retrouve son lustre d'antan au fil des rénovations. Les terrasses en bois, les lits à baldaquin et les sdb élégantes ajoutent au charme de l'environnement traditionnel.

Catégorie supérieure

Les hôtels haut de gamme pratiquent des tarifs très élevés par rapport aux standards régionaux. Vous obtiendrez de meilleurs prix en passant par une agence de voyages locale.

Intercontinental Hotel (carte p. 76-77 ; ☎ 424888 ; www.intercontinental.com ; angle bd Mao Tsé-Toung et bd Monireth ; ch 118 $US ;). Plutôt excentré, le premier cinq-étoiles de la ville et plus haut bâtiment de la capitale, est installé dans le bâtiment le plus élevé de la capitale (15 étages). Il comprend un club de remise en forme, une piscine, un centre d'affaires, des salles de conférence et un bar aux coussins moelleux, où se produisent des musiciens.

Hôtel Cambodiana (carte p. 76-77 ; ☎ 426288 ; www.hotelcambodiana.com ; 313 quai Sisowath ; s/d 102/114 $US ;). Cet immense quatre-étoiles reste l'une des meilleures adresses de Phnom Penh et jouit d'un excellent emplacement au bord du Mékong. Commencé en 1967, l'édifice inachevé et son terrain servirent de base militaire au gouvernement de Lon Nol. En 1975, des milliers de réfugiés vivaient dans la structure de béton. Choisissez plutôt une chambre rénovée dans les étages supérieurs, les autres commencent à dater. L'hôtel comporte des restaurants, des bars, une petite piscine, des courts de tennis, un centre de soins, un centre d'affaires et des boutiques.

Imperial Garden Villa (carte p. 76-77 ; ☎ 219991 ; www.imperialgarden-hotel.com ; 315 quai Sisowath ; s/d

LE COUP DE CŒUR DE L'AUTEUR

Hôtel Le Royal (carte p. 80-81 ; ☎ 981888 ; www.raffles.com ; angle bd Monivong et Ph 92 ; s/d 145/155 $US ;). Cet hôtel colonial classique, acheté par la chaîne Raffles, a rouvert en 1997. Meilleur hôtel de Phnom Penh, il rivalise en confort et en élégance avec les autres palaces asiatiques de la célèbre chaîne. Piscine, salle de gymnastique, spa, centre d'affaires, bars et restaurants raffinés figurent au nombre des prestations. Entre 1970 et 1975, la plupart des journalistes travaillant à Phnom Penh y résidèrent.

120/130 $US ;). Voisin du Cambodiana qui le domine, ce trois-étoiles propose des villas et des chambres standard. Dépourvu d'ascenseur, il dispose d'une piscine et de courts de tennis.

Amanjaya (carte p. 80-81 ; ☎ 214747 ; www.amanjaya.com ; 1 Ph 154 ; s/d 108/120 $US, ste à partir de 177 $US ;). Merveilleusement situé sur les quais, cet hôtel de charme possède des chambres spacieuses et élégantes, dont le décor sino-khmer est rehaussé par de somptueuses tentures de soie. La suite, aménagée en angle, donne sur le fleuve. Au rez-de-chaussée, le K-West, un bar-restaurant prisé, attire de nombreux expatriés.

Sunway Hotel (carte p. 80-81 ; ☎ 430333 ; www.sunway.com.kh ; 1 Ph 92 ; s/d 80/95 $US ;). Doté d'une vue imprenable sur le vat Phnom, cet hôtel vise une clientèle d'affaires avec ses chambres pratiques et bien tenues, sans originalité. Il va avoisiner la nouvelle ambassade des États-Unis.

Juliana Hotel (carte p. 76-77 ; ☎ 366070 ; www.julianacambodia.com ; 16 Ph 152 ; s/lits jum 60/70 $US ;). Difficile à trouver, il se cache au bout d'une rue proche du stade olympique. Vous serez récompensé de vos efforts par des prestations haut de gamme à prix abordables. Installé dans un jardin verdoyant, autour de la plus grande piscine de la ville, il comprend un centre de remise en forme, un sauna, un bar et des restaurants.

OÙ SE RESTAURER

Vous n'aurez que l'embarras du choix. Outre la cuisine khmère la plus raffinée, vous pourrez déguster des spécialités chinoises, vietnamiennes, thaïlandaises, indiennes, françaises, italiennes et mexicaines. La plupart des restaurants khmers ouvrent vers 6h30 et servent jusqu'à 21h. Les restaurants internationaux restent ouverts jusqu'à 23h, mais ferment en milieu de matinée ou d'après-midi.

Pour un bon repas à prix doux, allez dans l'un des nombreux marchés, comme le psar Thmei (p. 102), le psar Tuol Tom Pong (p. 102) ou le psar O Russei (p. 102). Si le cadre manque de cachet, la cuisine est toujours savoureuse.

Si les marchés ne vous attirent pas, repérez les vendeurs ambulants qui sillonnent la capitale, leurs préparations portées à l'épaule dans un plateau ou disposées sur un petit chariot.

Les restaurants locaux, plus confortables, restent très bon marché. Les innombrables restaurants internationaux pratiquent des prix prohibitifs pour le pays, mais moins élevés qu'en Occident.

Plusieurs pensions possèdent un restaurant prisé, mais il serait dommage de ne pas profiter de la diversité offerte dans la capitale.

La plupart des grands hôtels disposent de restaurants de diverses cuisines internationales. Toutefois, les additions, grevées de taxes, grimpent rapidement.

Cuisine khmère

De nombreux restaurants khmers, disséminés dans la ville, installent tables et chaises sur le trottoir en soirée. On peut aussi bien y boire une bière que savourer des plats bon marché et délicieux dans une ambiance animée. Vous en trouverez notamment dans la Ph 184 (carte p. 80-81), près du centre culturel français, et dans la Ph 108 (carte p. 80-81), à l'est du boulevard Norodom.

Les Khmers apprécient les établissements où l'on concocte sa soupe soi-même (*soup chhnang dei*), une expérience amusante à plusieurs. Les autres clients vous aideront à la préparer, car il est important de respecter l'ordre et le temps de cuisson des ingrédients. Ces restaurants servent aussi le *phnom pleung* (colline de feu), un barbecue individuel ou l'on fait griller bœuf, crevettes, calamars, etc.

Dararasmey Restaurant (carte p. 80-81 ; 292 Ph 214 ; phnom pleung 3 $US, plats 2-5 $US). Près du boulevard Monivong, le plus fréquenté des restaurants de phnom pleung, très apprécié des Khmers.

Chaay Heng Restaurant (carte p. 80-81 ; angle Ph 125 et bd Sihanouk ; plats 6 000 r). Installé de longue date, il offre un bon choix de spécialités cambodgiennes. Une nuée de "beer girls" proposent leurs différentes marques de bière aux clients.

Goldfish River Restaurant (carte p. 80-81 ; quai Sisowath ; plats 2-4 $US). Perché sur des pilotis au-dessus du Tonlé Sap en face de la Ph 106, il profite de la brise et prépare une authentique cuisine cambodgienne. Régalez-vous d'un délicieux crabe au poivre noir et terminez votre repas par de succulentes bananes flambées.

Sa Em Restaurant (carte p. 80-81 ; 379 quai Sisowath ; plats 1-3 $US). Cette petite gargote au bord du fleuve ne manque pas d'attrait. Elle sert des plats simples, copieux et bon marché, comme du riz sauté et des nouilles, et de grandes bouteilles d'Angkor à 1,50 $US.

Ponlok Restaurant (carte p. 80-81 ; ☎ 212025 ; 319 quai Sisowath ; plats 2-5 $US). Du 3e étage de ce grand restaurant, on découvre une vue panoramique sur les quais. La carte, en anglais, contient tous les classiques de la gastronomie khmère, un peu plus chers qu'ailleurs.

Khmer Surin (carte p. 80-81 ; ☎ 363050 ; 9 Ph 57 ; plats 3-6 $US). Prisé pour ses spécialités cambodgiennes et thaïlandaises, il s'est beaucoup agrandi ces dernières années et comprend à présent trois niveaux. Celui du milieu, avec coussins sur le sol, plantes fleuries et meubles anciens, est le plus séduisant.

Amoc Café (carte p. 80-81 ; 2 Ph 278 ; plats 3-6 $US). Appartenant au propriétaire du Khmer Surin et déclinant le même thème, il porte le nom d'une spécialité nationale. Outre d'innombrables plats khmers et thaïlandais, il prépare un délicieux *amoc* (curry de poisson à la noix de coco servi dans une feuille de bananier).

Sugar Palm (carte p. 80-81 ; ☎ 220956 ; 19 Ph 240). Nouveau venu dans l'élégante Ph 240, ce charmant bar-restaurant mitonne une excellente cuisine khmère dans un cadre raffiné. Prenez un verre au rez-de-chaussée avant de vous installer sur le balcon pour un repas mémorable.

Cuisine chinoise

Phnom Penh compte de nombreux restaurants chinois qui, pour la plupart, proposent une authentique cuisine traditionnelle et portent des noms comme le Pékin ou le Shanghai. Plusieurs établissements bon marché de ce type bordent la Ph 136, en face de la gare routière de Phnom Penh Public Transport.

Chong Qing Restaurant (carte p. 76-77 ; 727 bd Monivong ; plats 2-5 $US). Apprécié des résidents chinois de Phnom Penh, il propose une soupe du Sichuan, préparée à la table du client. Cette dernière comporte deux caquelons, l'un contenant une soupe très épicée et l'autre un bouillon plus neutre, dans lesquels on cuit les ingrédients.

Hua Nam Restaurant (carte p. 76-77 ; ☎ 364005 ; 753 bd Monivong ; plats à partir de 5 $US). Des plats chinois typiques, comme des pattes d'oies et des ormeaux, à prix forts.

Cuisine thaïlandaise

Chiang Mai Riverside (carte p. 80-81 ; 227 quai Sisowath ; plats 2-5 $US). Superbement situé au bord du fleuve, il concocte une excellente cuisine, dont de savoureux curries et terrines de poisson.

Baan Thai (carte p. 80-81 ; ☎ 362991 ; 2 Ph 306 ; plats 3-5 $US). Installé dans une maison khmère classique, il offre le choix entre des coussins au sol ou des tables standard. Au rez-de-chaussée, une cantine sert des repas bon marché à l'heure du déjeuner.

Boat Noodle Restaurant (carte p. 80-81 ; Ph 294 ; plats 2 500-10 000 r). Restaurant thaïlandais le moins cher de la capitale, il attire nombre de Cambodgiens, de Thaïlandais et de touristes. Soupes et nouilles sont à prix dérisoires et, quel que soit votre choix, aucun plat ne vous ruinera.

EID Restaurant (carte p. 80-81 ; Ph 310 ; plats 1-3 $US). Établi de longue date, il a déménagé deux fois au cours des dernières années et devra peut-être bouger de nouveau. Bon choix de plats du jour à 1 $US.

Cuisine vietnamienne

Pho Shop (carte p. 80-81 ; bd Sihanouk ; plats 3 000 r). Au coin du boulevard Sihanouk et de la Ph 21, il sert un délicieux *pho bo* (soupe aux nouilles et au bœuf), avec ses accompagnements, à 3 000 r le bol.

An Nam (carte p. 80-81 ; ☎ 212460 ; 118 bd Samdech Sothearos ; plats 2-5 $US). Restaurant vietnamien le plus élégant de Phnom Penh, il offre un bon choix de spécialités du centre du Vietnam et d'ailleurs.

Cuisine indonésienne

Bali Café (carte p. 80-81 ; ☎ 982211 ; 379 quai Sisowath ; plats 2-4 $US). Cet immense restaurant en étage propose un bel éventail de spécialités indonésiennes, du *nasi goreng* (riz sauté) au *gado gado* (salade de crudités avec une sauce aux cacahuètes), ainsi que des menus.

Cuisines indienne et népalaise

Chi Cha (carte p. 80-81 ; ☎ 366065 ; 27 Ph 110 ; menus 2 $US). Établissement bangladeshi, il mitonne les curries et les *thali* (menus) les moins chers de la ville.

Lumbini Restaurant (carte p. 80-81 ; ☎ 212544 ; 51 Ph 214 ; plats 5 $US). Tenu par des Népalais, il prépare une excellente variété de plats népalais et indiens, dont un *dhal* délicieux et un succulent poulet tikka.

Curry Pot (carte p. 80-81 ; Ph 93 ; plats 2-4 $US). En plein cœur du quartier des routards, il doit sa réputation à ses savoureux curries, plutôt qu'au service un peu lent. Vous pourrez prendre un verre au bar sur le toit.

Shiva Shakti (carte p. 80-81 ; 70 bd Sihanouk ; plats 5-10 $US). Comptez 15 $US pour un repas raffiné dans un cadre somptueux.

Cuisine italienne

Happy Herb's (carte p. 80-81 ; ☎ 362349 ; 345 quai Sisowath ; plats à partir de 4 $US). Véritable institution à Phnom Penh pour ses pizzas spéciales – à commander "*happy*" ou "*very happy*", selon le résultat escompté. Les pizzas sans marijuana sont tout aussi bonnes et laissent l'esprit clair.

Nike's Pizza House (carte p. 80-81 ; 160 Ph 63 ; plats à partir de 4 $US). En dépit de son aspect peu engageant, cette pizzeria est l'une des meilleures de la capitale. Elle propose une cinquantaine de pizzas, ainsi que des pâtes, des salades et des gnocchis. Livraison gratuite.

Ecstatic Pizza (carte p. 76-77 ; ☎ 365089 ; 193 bd Norodom ; plats 3-5 $US). Malgré l'enseigne, ses excellentes pizzas ne contiennent aucun produit litigieux ! Cet établissement réputé se situe au sud du monument de l'Indépendance.

Pop Café (carte p. 80-81 ; 371 quai Sisowath ; 2-6 $US). Ce minuscule café, proche du Mékong, concocte une cuisine italienne authentique – soupes, pâtes et plats régionaux.

Luna D'Autumno (carte p. 80-81 ; ☎ 220895 ; 6C Ph 29 ; plats 4-10 $US). Dans un superbe bâtiment agrémenté d'un jardin luxuriant, le tout nouveau restaurant italien de Phnom Penh comprend une cuisine en plein air, qui sert de succulentes pizzas, et une salle élégante, flanquée d'un immense cellier.

Cuisine japonaise

Comme partout, les restaurants japonais sont chers.

Origami (carte p. 80-81 ; 88 bd Samdech Sothearos ; menus 6-15 $US). Ce charmant restaurant doit

UN REPAS POUR UNE BONNE CAUSE

Plusieurs restaurants de la capitale sont gérés par des associations caritatives et les bénéfices aident à financer leurs programmes sociaux au Cambodge. Vous dégusterez ainsi un bon repas en contribuant à la reconstruction du pays et à la formation du personnel.

Friends (carte p. 80-81 ; ☎ 426748 ; 215 Ph 13 ; tapas 1-2 $US, plats du jour 3-5 $US). Très bien situé près du Musée national, ce restaurant, tenu par l'ONG Mith Samlanh, s'est fait connaître grâce à sa carte de tapas et de plats du jour inventifs. Essayez le poisson à la *salsa verde* ou le succulent curry de poulet. Les milk-shakes sont exquis, de même que les daïquiris à la framboise ou à la mangue. Les bénéfices aident à former les enfants des rues aux métiers de l'hôtellerie.

Le Café du Centre (carte p. 80-81 ; Ph 184 ; plats 2-4 $US). Également géré par Mith Samlanh, ce café est installé dans le patio du centre culturel français. Le choix, plus limité, comprend d'excellents plats du jour, salades et pâtes.

Le Rit's (carte p. 80-81 ; ☎ 213160 ; 14 Ph 310 ; petit déj à partir de 3 $US, menus 5 $US ; ⏲ petit déj et déj lun-sam, dîner mer-dim). Dans un jardin soigné, dégustez le menu de trois plats, français ou thaïlandais, servi midi et soir. Le Rit's appartient à l'ONG Nyemo qui s'occupe de la réinsertion des femmes dans le monde du travail.

The Store (carte p. 80-81 ; ☎ 216944 ; 131 bd Sisowath ; plats 1,50-3 $US ; ⏲ 6h-22h). Nyemo a récemment ouvert ce petit café, qui sert en-cas et boissons.

Café 151 (carte p. 80-81 ; www.theglobalchild.com ; 151 quai Sisowath). Proche du précédent, il propose cafés et milk-shakes. La totalité des bénéfices est consacrée à aider les enfants des rues.

> **LE COUP DE CŒUR DE L'AUTEUR**
>
> **Khmer Borane Restaurant** (carte p. 80-81 ; 389 quai Sisowath ; plats 1,50-3 $US). Près du Palais royal, en bordure de fleuve, ce petit restaurant khmer offre la meilleure sélection de recettes royales. Goûtez le poisson au sucre de palme, la salade de pamplemousse ou le *lok lak* (dés de bœuf grillé, avec sel, poivre et jus de citron).

une partie de son succès à son sympathique propriétaire. Parmi les menus, vous aurez notamment le choix entre l'origami (6 $US), le sushi-sashimi (15 $US) et le tempura, superbement présentés. Des tatamis sont installés dans une petite salle.

Nagasaki (carte p. 80-81 ; ☎ 218394 ; 39 bd Sihanouk ; plats 5-15 $US). Un cadre japonais typique, des salons dotés de tatamis pour les groupes, une bonne cuisine mais des prix élevés.

Cuisine française

Comme à la maison (carte p. 80-81 ; ☎ 360801 ; 13 Ph 57 ; plats 3-8 $US). Comme son nom l'indique, il mitonne une excellente cuisine bourgeoise – steaks succulents, salades copieuses et nombre de plats régionaux. Une adresse de rêve pour les nostalgiques de la gastronomie hexagonale.

Le Deauville (carte p. 80-81 ; ☎ 012 371227 ; Ph 94 ; plats 4-8 $US). Du côté nord du vat Phnom, il accueille principalement des expatriés aisés.

Restaurant 102 (carte p. 80-81 ; ☎ 990880 ; 1A Ph 102 ; plats à partir de 6-20 $US). Si le guide Michelin décernait des étoiles au Cambodge, ce restaurant serait en tête de liste pour ses plats raffinés, comme les escalopes flambées au cognac et les chateaubriands importés. L'addition reflète son excellence !

Cuisine internationale

Les restaurants internationaux se multiplient à mesure que le tourisme se développe et la capitale offre une impressionnante diversité de cuisines.

Foreign Correspondents' Club (FCC ; carte p. 80-81 ; ☎ 724014 ; 363 quai Sisowath ; plats 5-10 $US, menus 10 $US). Le "F", comme les expatriés le surnomment, occupe un superbe bâtiment colonial. Au 3e étage, le bar et le restaurant donnent sur le Tonlé Sap à l'est, et sur le Musée national à l'ouest. Les spécialités du monde entier et les menus satisferont tous les goûts. Le FCC loue en outre quelques chambres (p. 92).

Sa Restaurant (☎ 012 556503 ; 1 Ph 184 ; plats 4-12 $US). Installé dans un charmant édifice, ce petit restaurant comprend un toit-terrasse balayé par la brise, avec vue sur le Palais royal. Il offre des plats essentiellement français, des viandes importées et des entrées inventives.

Au nord du quai, les restaurants internationaux se bousculent.

Riverside Bistro (carte p. 80-81 ; ☎ 213898 ; 273 quai Sisowath ; plats 3-7 $US). Cette ancienne villa coloniale bien située propose de généreuses portions de plats du monde entier, particulièrement d'Europe centrale. Les confortables fauteuils en osier incitent à s'attarder. Bar fréquenté en fin de soirée, il possède deux tables de billard.

La Croisette (carte p. 80-81 ; ☎ 012 418178 ; 241 quai Sisowath ; plats 3-7 $US). Bistrot à la française, il sert des brochettes, des grillades et des poissons d'eau douce, accompagnés de belles salades.

Mekong River Restaurant (carte p. 80-81 ; ☎ 991150 ; angle Ph 118 et quai Sisowath ; plats 2-9 $US). Récemment ouvert, il offre des menus de trois plats, asiatiques ou internationaux, d'un excellent rapport qualité/prix (6 $US), ainsi que des tapas.

Riverhouse Restaurant & Lounge (carte p. 80-81 ; ☎ 212302 ; angle Ph 110 et quai Sisowath ; plats 5-15 $US). Apprécié des résidents étrangers pour sa carte de spécialités françaises et cambodgiennes raffinées, il est bondé le week-end, lorsque les clients terminent la soirée dans le bar, à l'étage supérieur (p. 100).

Lyon D'Or (carte p. 80-81 ; ☎ 217710 ; 12 Ph 110 ; plats 3-10 $US ; ⊠). À côté du Riverhouse, ce bistrot de style français possède une carte interminable de plats européens et asiatiques, dont d'énormes grillades et de copieux couscous.

> **LE COUP DE CŒUR DE L'AUTEUR**
>
> **Wah Kee Restaurant** (carte p. 80-81 ; 296 bd Monivong ; plats 1-5 $US ; ⌚ 18h-6h). Si vous mourez de faim après minuit, vous pourrez vous rassasier d'un plat de nouilles (à partir de 1 $US), d'une délicieuse grillade épicée ou d'un poisson choisi dans les aquariums.

SUR L'AUTRE RIVE

La reconstruction du pont Chruoy Changvar sur le Tonlé Sap a entraîné l'éclosion de dizaines de restaurants sur la rive est, le long de la nationale. Populaires ou sophistiqués, ils restent pour la plupart typiquement cambodgiens. Rendez-vous des Khmers aisés, ils sont littéralement envahis le week-end en soirée. Les cartes comportent facilement 300 plats, de 2 à 4 $US, et une grande bouteille de bière coûte 2 $US. Les restaurants commencent à s'aligner à 1 km du pont, des petites affaires familiales aux grands établissements clinquants, avec néons, fontaines, guirlandes lumineuses et orchestre à demeure.

Les modes fluctuent, mais les suivants connaissent une fréquentation constante et sont bien signalés. Comptez 1 $US le trajet à moto-dop depuis/vers le centre-ville.

Heng Lay Restaurant (☎ 430888). L'un des plus grands, très apprécié des Cambodgiens. Il accueille chaque soir des humoristes célèbres, à défaut d'être subtils. La cuisine, assez chère, est réputée.

Hang Neak Restaurant (☎ 369878). Autre vaste établissement, il possède une grande réplique d'Angkor Vat sur un mur, appréciée des joueurs chinois qui ne s'embarrassent pas à visiter le site. La chère est bonne et la salle assez spacieuse pour se tenir à l'écart de la musique tonitruante.

Rum Chang Restaurant Cette excellente table khmère surplombe le fleuve. L'absence d'orchestre ajoute à son charme.

Boeng Bopha Restaurant Apprécié des jeunes qui viennent y boire un verre, il prépare une cuisine sans grande originalité.

Ta Oeu Restaurant Un restaurant sans prétention, prisé pour sa cuisine authentique et savoureuse à prix raisonnables.

Tok Thom (carte p. 80-81 ; 17 Ph 104 ; plats 3-7 $US ; ⏰ mar-dim). Son nom signifie grande table et tout le monde s'assoit autour de la même pour partager fruits de mer et bons petits plats.

Topaz (carte p. 80-81 ; ☎ 211054 ; 100 bd Samdech Sothearos ; plats 9 $US). Fréquenté par les hommes d'affaires et les diplomates, ce restaurant huppé, à l'ambiance feutrée, propose une excellente cuisine européenne à prix forts.

Tamarind Bar (carte p. 80-81 ; ☎ 012 727197 ; 31 Ph 240 ; plats 3-9 $US). Aménagé dans un ravissant édifice colonial, ce restaurant plein de charme mitonne des spécialités nord-africaines et françaises, ainsi que des tapas. Il possède un bar joliment décoré au rez-de-chaussée et un superbe toit-terrasse où dîner à la saison sèche.

Tell Restaurant (carte p. 80-81 ; ☎ 430650 ; 13 Ph 90 ; plats,5-15 $US). Caché derrière l'hôtel Le Royal, ce restaurant suisse-allemand ne lésine pas sur la quantité. Que vous choisissiez une viande ou un poisson nappé d'une sauce au Pernod, une fondue ou une raclette, ou encore l'un des plats asiatiques, vous aurez droit à une portion gigantesque.

Del Gusto Café (carte p. 76-77 ; ☎ 012 565501 ; 43 Ph 95 ; plats 2-4 $US). Récemment ouvert par le propriétaire du Boddhi Tree (en face), ce café occupe une jolie villa coloniale restaurée, dissimulée par de hautes plantes tropicales. Sur fond de jazz et de musique classique, vous vous régalerez de plats méditerranéens.

Khmer Restaurant (carte p. 80-81 ; ☎ 216336 ; 6 Ph 57 ; plats 2-4 $US). Malgré son nom, il présente une excellente carte occidentale, avec de savoureux sandwiches et salades, des plats du jour et des desserts. Fréquenté depuis longtemps par les employés des ONG.

Nature & Sea (carte p. 80-81 ; ☎ 012 662184 ; 78 Ph 51 ; plats 2-4 $US). Ce minuscule établissement déborde dans la rue en soirée pour accueillir ses nombreux clients venus déguster un milk-shake aux fruits frais, une crêpe de blé complet ou du poisson de mer, tous délicieux.

Fast-foods

Bonne nouvelle, Phnom Penh a été, jusqu'à présent, épargnée par les grandes chaînes internationales et ne compte que quelques imitations, comme le Lucky Burger (carte p. 80-81), près du Lucky Supermarket (p. 99).

Les échoppes de burgers khmères, qui pullulent, attirent principalement les étudiants. Nombre d'entre elles, dont Mondo Burger (carte p. 80-81), bordent le boulevard Samdech Sothearos, au sud du Palais royal.

California 2 Guesthouse (carte p. 80-81 ; ☎ 982182 ; www.cafecaliforniaphnompenh.com ; 317 quai Sisowath ; plats 2-4 $US). Repaire de motards, elle sert quelques steacks, burgers et en-cas mexicains, ainsi que de la bière très bon marché.

Mex (carte p. 80-81 ; ☎ 360535 ; 116 bd Norodom ; plats 1,50-4 $US). Mal famé ces dernières années, il livre gratuitement ses plats mexicains.

Cafés

Garden Center Café (carte p. 80-81 ; ☎ 363002 ; 23 Ph 57 ; plats 3-6 $US). Très prisé des expatriés pour ses petits déjeuners plantureux et sa cuisine maison bien servie, souvent avec une salade. Plats occidentaux, thaïlandais et desserts succulents.

Jars of Clay (carte p. 76-77 ; ☎ 300281 ; 39 Ph 155 ; gâteaux 1 $US, plats 2-3 $US ; mar-sam). Après des achats au psar Tuol Tom Pong (p. 102), faites une pause dans ce petit café et régalez-vous d'une pâtisserie maison ou d'un en-cas, comme l'assiette de fromage ou les pommes de terre farcies, accompagné d'une boisson à la pomme et au gingembre.

Java Café (carte p. 80-81 ; ☎ 987420 ; 56 bd Sihanouk ; plats 2-5 $US). Installez-vous sur le balcon aéré pour déguster une salade, un sandwich, un burger ou le plat du jour. Renommé pour ses boissons, le Java propose aussi des cafés de diverses origines et d'excellents milk-shakes.

The Shop (carte p. 80-81 ; 39 Ph 40 ; plats 2-5 $US). Large choix de sandwiches, de salades et de délicieux pâtés, ainsi que des milk-shakes surprenants, à la banane, aux dattes, à la mélasse, etc.

Une nouveauté remporte un franc succès à Phnom Penh : la tisane à bulles, en fait un milk-shake sucré dans lequel flottent des morceaux de gélatine. On le sert dans les cafés branchés, comme le **Chit Chat Café** (carte p. 80-81 ; ☎ 221535 ; 146 bd Sihanouk) et le **Mondulkiri Café** (carte p. 80-81 ; 84 Ph 63) ; comptez 5 000 r.

Cafés de voyageurs

Mama's Restaurant (carte p. 80-81 ; Ph 111 ; plats 2 000-4 000 r). Il a déménagé un peu plus loin dans la rue, mais continue de servir des plats khmers, thaïlandais, français et même africains à prix dérisoires.

Red Corner (carte p. 80-81 ; Ph 93 ; repas 2-3 $US). Ce bar-restaurant fréquenté prépare des spécialités indiennes et du Sud-Est asiatiques, ainsi que des plats occidentaux, comme le poulet et les grillades.

Lazy Gecko Café (carte p. 80-81 ; 23 Ph 93, Boeng Kak ; plats 2-5 $US). Prisé des résidents des pensions autour du lac, il organise des barbecues et offre une belle diversité de plats occidentaux.

Boulangeries

Kiwi Bakery (carte p. 80-81 ; ☎ 215784 ; 83 Ph 63). Excellente adresse pour le pain frais et les pâtisseries, cette boulangerie a été fondée par une famille khmère revenue de Nouvelle-Zélande. Tartes à la confiture, pain d'épice, éclairs et gâteaux au fromage font partie des délices offerts.

The Shop (p. 99) et Comme à la maison (p. 97) vendent également du pain et des gâteaux.

La plupart des hôtels haut de gamme possèdent leur propre boulangerie. Les pâtisseries, exquises et coûteuses, baissent de moitié après 18h ; à vous d'en profiter ! Les grands supermarchés comprennent un rayon de pains et de gâteaux préparés sur place.

Faire son marché

On fait facilement des courses à Phnom Penh, mais cela revient plus cher que de prendre ses repas dehors. Fruits, légumes, viandes et poissons abondent dans les marchés et les prix sont raisonnables si l'on marchande un peu. La baguette coûte environ 500 r et les supermarchés sont très bien approvisionnés. Les produits d'importation restent accessibles et on trouve du fromage français ou de la charcuterie allemande pour 2 à 4 $US.

Lucky Supermarket (carte p. 80-81 ; 160 bd Sihanouk ; 7h-21h). Malicieusement surnommé "unlucky" par certains, c'est la plus grande chaîne de supermarchés de la ville, très bien fournie et dotée de plusieurs succursales, dont une dans le nouveau Sorya Shopping Mall, dans la Ph 63.

Pencil Supermarket (carte p. 80-81 ; Ph 214 ; 7h-21h). Le plus grand de la capitale, géré par des Thaïlandais et bien approvisionné.

Bayon Market (carte p. 80-81 ; 133 bd Monivong). Plus petit, il offre un excellent choix de produits, dont certains introuvables ailleurs.

Thai Huot Supermarket (carte p. 80-81 ; 103 bd Monivong). Magasin de prédilection des

LE COUP DE CŒUR DE L'AUTEUR

Boddhi Tree (carte p. 76-77 ; 50 Ph 113 ; www.boddhitree.com ; plats 1,50-4 $US). En face du musée Tuol Sleng, installé dans un jardin verdoyant, c'est un lieu idéal pour prendre du recul et réfléchir après la visite du musée. Plats asiatiques, sandwiches, salades, tapas, et desserts sont tous fraîchement préparés et délicieux.

Français, il propose presque exclusivement des produits de l'hexagone.

Nombre de stations-service comprennent une boutique d'articles importés. Aux principaux carrefours, les magasins Starmart des stations Caltex ouvrent généralement 24h/24. Les stations Total se doublent d'un magasin appelé La Boutique.

OÙ PRENDRE UN VERRE

Phnom Penh compte quelques bars excellents où passer une bonne soirée. Beaucoup se regroupent le long du fleuve, mais quelques-uns se nichent dans les petites rues. Au bord du Boeng Kak, les terrasses des pensions se transforment en bars bon marché au coucher du soleil. La plupart des bars ouvrent jusqu'à minuit.

Repérez les établissements qui pratiquent une *happy hour* (2 consommations pour le prix d'une). Comptez de 1 à 2 $US pour une canette de bière et de 1 à 3 $US pour un alcool.

Elephant Bar (carte p. 80-81 ; hôtel Le Royal, angle bd Monivong et Ph 92). Célèbre pour sa *happy hour*, de 16h à 20h, et pour ses cocktails, comme le Singapore Sling.

Foreign Correspondents' Club (FCC ; carte p. 80-81 ; ☎ 724014 ; 363 quai Sisowath ; ⏰ petit déj-tard). Point de ralliement des touristes et des expatriés, qui apprécient le point de vue et la brise venue du fleuve. Cadre colonial, comme au restaurant (p. 97), et happy hour de 17h à 19h.

Cambodia Club (carte p. 80-81 ; 359 quai Sisowath ; ⏰ petit déj-tard). Très bien situé en face du FCC, ce bar s'est agrandi et possède à présent une vaste terrasse donnant sur le fleuve et un night-club bruyant, mais bien insonorisé.

Riverhouse Restaurant & Lounge (carte p. 80-81 ; ☎ 212302 ; angle Ph 110 et quai Sisowath ; ⏰ déj-tard). Au-dessus du restaurant réputé (p. 97), ce bar somptueusement décoré fait le plein en début et fin de soirée. Le week-end, un DJ anime la piste de danse.

Salt Lounge (carte p. 80-81 ; ☎ 012 289905 ; 217 Ph 136). Ouvert récemment, ce petit bar branché, au décor blanc et chrome, est le plus tolérant envers les gays.

Pink Elephant (carte p. 80-81 ; 343 quai Sisowath). L'un des premiers pubs du quartier, il attire une foule joyeuse qui apprécie la musique, la bière bon marché, les plats du jour et le billard gratuit.

Cantina (carte p. 80-81 ; 347 quai Sisowath). Tout proche et tout autant fréquenté, il est renommé, à juste titre, pour sa cuisine mexicaine.

Ginger Monkey (carte p. 80-81 ; 29 Ph 178). Aménagé dans la demeure d'un sculpteur talentueux, ce bar bien situé et animé, orné de copies de bas-reliefs et de sculptures d'Angkor, dispose d'une terrasse. Happy hour de 17h à 21h.

Des bars sont installés ailleurs dans la capitale. Dans la Ph 51, nombre de petits établissements sont devenus des bars à hôtesses, guère plaisants pour les couples.

Heart of Darkness (carte p. 80-81 ; 26 Ph 51). Longtemps le bar de nuit le plus fréquenté, le Heart est à présent plus une boîte de nuit qu'un bar. Bien qu'il ait perdu de son charme, il reste apprécié et ne commence à s'enflammer qu'après 22h. La musique disco, répétitive, devient vite lassante. Très accueillant envers les gays, il est aussi fréquenté par des jeunes Khmers aisés qui, accompagnés de gardes du corps, n'hésitent pas à chercher querelle aux étrangers certains soirs. Le Heart reste en général ouvert jusqu'au départ du dernier client.

Walkabout (carte p. 80-81 ; ☎ 211715 ; angle Ph 51 et Ph 174 ; ⏰ 24h/24). À quelque 200 m du Heart, ce bar immense attire une clientèle d'habitués pendant la journée et une flopée d'hôtesses et de buveurs impénitents en soirée. Le vendredi, le "tirage du joker" peut remplir les poches d'un client chanceux.

Elsewhere (carte p. 80-81 ; 175 Ph 51 ; ⏰ jeu-mar). Plus au sud dans la Ph 51, l'Elsewhere est une oasis de tranquillité comparé au Heart. Installé dans une magnifique villa coloniale entourée d'un jardin somptueux, c'est un endroit idéal où passer une chaude soirée. Les tables basses, les coussins et l'accès libre à la piscine en font une excellente adresse en fin d'après midi, lors de la happy hour.

Rubies (carte p. 80-81 ; angle Ph 240 et Ph 19). Ce petit bar à vins ne manque pas de cachet grâce aux lambris qui ornent la salle. Carte des vins très diversifiée.

Café Sonteipheap (carte p. 76-77 ; 234 Ph 63). L'un des cafés les plus plaisants de Phnom Penh, avec un service sympathique, une ambiance détendue et une excellente musique. Jeu de questions-réponses le lundi, ainsi que des soirées théâtre ou cabaret. Lors de notre passage, il était question qu'il change d'adresse.

Teukei Bar (carte p. 80-81 ; 23 Ph 111 ; lun-sam). Également appelé Gecko Bar, proche de plusieurs pensions appréciées, ce café est renommé pour ses poissons, ses merguez et ses punchs à 1,50 $US. Le reggae en musique de fond incite à l'indolence.

Tom's Irish Pub (carte p. 80-81 ; 170 Ph 63). Prisé des employés des ONG qui habitent le quartier, il n'a guère d'irlandais que le nom.

Sharky's (carte p. 80-81 ; 126 Ph 130). Ce bar rock'n'roll autoproclamé possède de nombreuses tables de billard et propose une carte savoureuse. La prostitution omniprésente en fait néanmoins un lieu plutôt louche.

Martini (carte p. 76-77 ; 45 Ph 95). Déplacé pour cause de tapage nocturne, c'est l'un des plus vieux bars louches de Phnom Penh. Il se compose d'un bar à ciel ouvert, où des films sont projetés sur un grand écran, et d'une piste de danse à peine éclairée. Essentiellement fréquenté par des prostituées et leurs clients, il dégage une atmosphère déprimante. Le bar sert des repas jusque tard dans la nuit.

Autres adresses :

Gym Bar (carte p. 80-81 ; 42 Ph 178). Le seul bar de la capitale qui retransmet du sport sur des écrans géants.

Howie's Bar (carte p. 80-81 ; 30 Ph 51). À quelques pas du Heart, un petit bar apprécié des expatriés.

Rising Sun (carte p. 80-81 ; ☎ 986270 ; 20 Ph 178). À la fois pub anglais et café de routards, sert des plats de brasserie.

OÙ SORTIR

Les programmes des spectacles sont indiqués en dernière page de l'édition du vendredi du *Cambodia Daily*, dans le dernier numéro du *Phnom Penh Post* et dans le mensuel *Bayon Pearnik*.

Clubs et discothèques

Les quelques boîtes de nuit de Phnom Penh attirent surtout la jeunesse aisée de la ville, qu'il vaut parfois mieux éviter. Parmi les bars cités plus haut, on danse tous les soirs au Heart of Darkness (p. 100), le week-end au Riverhouse Lounge (p. 100) et au Cambodia Club (p. 100).

Manhattan Club (carte p. 76-77 ; ☎ 427402 ; Ph 84 ; entrée libre ; jusqu'à l'aube). Cette boîte, la plus ancienne de la capitale, est bondée presque tous les soirs et privilégie la musique techno. Les consommations sont assez chères (5 $US la bière), mais vous pouvez acheter une canette de bière pour 1 $US aux stands installés en face.

Cinémas

Grâce au roi Sihanouk, certaines salles historiques ont été réouvertes en 2001. La plupart des films projetés sont des productions khmères non sous-titrées, racontant des histoires de vampires ou de fantômes.

Movie Street (carte p. 80-81 ; ☎ 012913899 ; 116 bd Sihanouk ; billets 10-12 $US ; 21h-1h). Proche du monument de l'Indépendance, ce magasin de vidéo dispose de salles privées dotées de TV à grand écran. Il propose les derniers films européens et américains.

Centre culturel français (carte p. 80-81 ; Ph 184). Plusieurs fois par semaine, il propose des films français à 18h. Consultez sur place le programme mensuel.

Arts et danse classique

Adressez-vous au **théâtre Chatomuk** (carte p. 76-77 ; quai Sisowath), au nord de l'hôtel Cambodiana, pour connaître son programme. Devenu officiellement un centre de conférences, il accueille de temps à autre des ballets traditionnels, comme le campus de l'École royale des beaux-arts (p. 86), Ph 70, au nord de la ville.

Apsara Arts Association (☎ 990621 ; 71 Ph 598). Le samedi à 19h, elle offre en alternance des danses classiques ou folkloriques (3 $US). Les visiteurs peuvent assister aux répétitions du lundi au samedi, de 7h30 à 10h30 et de 14h à 17h (don à l'entrée).

Sovanna Phum Arts Association (carte p. 76-77 ; ☎ 987564 ; 111 Ph 360). D'extraordinaires spectacles de théâtre d'ombres (à partir de 5 $US, selon le thème) et des représentations de danse classique (5 $US) alternent le vendredi à 19h30.

On peut voir les étudiants répéter à l'École royale des beaux-arts. N'oubliez pas qu'il s'agit d'une école ; ne faites pas de bruit et ne prenez pas de photos au flash.

Musique live

La scène musicale de Phnom Penh est presque inexistante. Plusieurs grands hôtels, comme l'Intercontinental (p. 93) et le Cambodiana (p. 93), accueillent dans leurs salons des groupes philippins sans grand talent.

Memphis Pub (carte p. 80-81 ; 3 Ph 118 ; 17h-1h). Ses portes insonorisées donnent l'impression que la meilleure salle de la ville est fermée. Des musiciens de rock s'y produisent le soir, du mardi au samedi, et une jam session a lieu le mercredi.

Riverside Bistro (p. 97). Autre bonne adresse pour la musique live.

ACHATS

Vous pourrez faire de beaux achats à Phnom Penh, mais n'hésitez pas à marchander dans les marchés. La plupart d'entre eux ouvrent de 6h30 à 17h30. Certaines boutiques ouvrent plus tard.

Art et antiquités

Dans la Ph 178, en face du Musée national, de nombreuses boutiques vendent des toiles de peintres cambodgiens. Une nouvelle génération d'artistes produit des œuvres intéressantes ; n'oubliez pas de marchander. Vous trouverez aussi de multiples reproductions en ciment des statues d'Angkor.

Reyum (carte p. 80-81 ; ☎ 217149 ; www.reyum.org ; 47 Ph 178). Cet institut artistique et culturel, à but non lucratif, accueille régulièrement des expositions sur tous les aspects du Cambodge.

Comme à l'accoutumée, les boutiques et les antiquaires installés dans les hôtels haut de gamme pratiquent des prix prohibitifs. Pour des antiquités authentiques, visitez **Hanuman Fine Arts Shop** (carte p. 76-77 ; ☎ 211916 ; 13b Ph 334), qui offre un large choix de bouddhas classiques, d'objets en argent et de textiles anciens. **Orient** (carte p. 80-81 ; ☎ 215308 ; 245 quai Sisowath) propose des meubles asiatiques et des poteries de Chine et d'ailleurs.

Marchés

PSAR THMEI

ផ្សារថ្មី

Le **psar Thmei** (Nouveau Marché; carte p. 80-81 ; nord de la Ph 63), installé dans un bâtiment Art déco jaune foncé, est également appelé marché central à cause de son emplacement et de sa taille. Le hall central, surmonté d'un dôme immense, ressemble à une ziggourat babylonienne. Ses quatre ailes abritent d'innombrables stands de bijoux en or et en argent, de pièces anciennes et d'articles de contrefaçon (montres, vêtements, etc). La section des produits frais ravira les photographes. Sur le côté ouest, en face du boulevard Monivong, les échoppes de restauration servent des déjeuners à prix très doux.

Le psar Thmei est idéal pour flâner, mais les prix sont trop élevés et mieux vaut faire ses achats ailleurs.

PSAR TUOL TOM PONG

ផ្សារទួលទំពូង

Surnommé "marché russe" par les étrangers (les Soviétiques y faisaient leurs courses dans les années 1980), le **psar Tuol Tom Pong** (carte p. 76-77 ; sud du bd Mao Tsé-Toung) est le meilleur endroit pour acheter des souvenirs et des vêtements. Il offre aussi un grand choix d'antiquités, vraies ou fausses, dont des bouddhas miniatures, des sculptures sur bois, des boîtes à bétel, des soieries, des bijoux en argent, des instruments de musique, etc. Les touristes défilent ici par milliers tous les mois : marchandez ferme !

Vous trouverez aussi des vêtements de marques internationales provenant des fabriques alentour : pantalons, jupes, chemises, tee-shirts, caleçons et chaussures ne valent que 10% environ de leur prix en Occident.

DVD, CD, logiciels et une multitude d'autres marchandises sont également en vente au Marché russe, une adresse incontournable à Phnom Penh.

PSAR O RUSSEI

ផ្សារអូរឫស្សី

À ne pas confondre avec le psar Tuol Tom Pong, le **psar O Russei** (carte p. 80-81 ; Ph 182) vend des produits alimentaires de luxe, des bijoux fantaisie, des accessoires de toilettes importés, des vêtements d'occasion et tout ce que l'on peut imaginer. Véritable labyrinthe, il est installé dans un gigantesque bâtiment moderne et ressemble, de l'extérieur, à une galerie marchande.

DES ACHATS POUR UNE BONNE CAUSE

Plusieurs magasins vendent de l'artisanat et des textiles de qualité afin de financer des projets d'aide aux Cambodgiens défavorisés.

NCDP Handicrafts (carte p. 80-81 ; ☎ 213734 ; 3 bd Norodom). Fondé par le National Centre for Disabled Persons (NCDP : Centre national pour les personnes handicapées), sa gamme de produits s'est étoffé au cours des dernières années : magnifiques soieries (foulards, jetés de lit, sacs, coussins, etc), *krama* (écharpes), chemises, portefeuilles, porte-monnaie, carnets et cartes de vœux.

Wat Than Handicrafts (carte p. 76-77 ; ☎ 216321 ; bd Norodom). Dans l'enceinte du vat Than, il vend les mêmes articles que le précédent, avec un plus grand choix de soieries locales. Aide aux victimes des mines et aux personnes atteintes de poliomyélite.

Tabitha (carte p. 76-77 ; Ph 51). Cette autre ONG participe à l'amélioration de la qualité de la soie nationale. La boutique propose une superbe collection de sacs, de linge de table, de parures de lit et de jouets pour enfants. Aide au développement des communautés rurales et finance des forages de puits.

Colours of Cambodia (carte p. 80-81 ; 373 quai Sisowath). Au-dessous du FCC, cette boutique de souvenirs réputée aide les handicapés. Spécialisée dans la soierie, elle vend aussi des sculptures sur bois, des tee-shirts et des bijoux.

Rajana magasin principal (carte p. 76-77 ; 170 Ph 450) ; succursale (carte p. 76-77 ; psar Tuol Tom Pong). L'association œuvre en faveur de la formation et de salaires décents. Les deux boutiques proposent une superbe sélection de cartes, des objets en métal insolites, des bijoux de qualité, des articles en bambou et un choix de condiments locaux.

Nyemo (carte p. 80-81 ; 33 Ph 310). Aide à la réinsertion des femmes dans le monde du travail. Nyemo vend essentiellement des soies de qualité et possède une succursale près de Rajana, dans le psar Tuol Tom Pong.

Khemara Handicrafts (carte p. 80-81 ; 18 Ph 302). Gérée par une ONG locale et des groupes d'entraide féminins, cette boutique se situe dans un joli jardin, avec un café au rez-de-chaussée et la vente de soieries et d'artisanat à l'étage.

Villageworks (carte p. 76-77 ; 118 Ph 113). En face du musée Tuol Sleng, le magasin propose les inévitables soieries, mais aussi de belles cartes faites main et des ustensiles en coquille de noix de coco. Les sculptures religieuses chrétiennes surprennent dans ce pays bouddhiste.

Vous pourrez aussi faire un tour dans les marchés suivants :

psar Olympic (carte p. 76-77). Marché couvert moderne. Entre autres marchandises, pièces détachées de bicyclettes, vêtements, appareils électroniques et alimentation.

psar Chaa (carte p. 80-81). Dans un bâtiment délabré, des ustensiles ménagers, des vêtements, des bijoux, des petits restaurants et des stands de restauration. Beau choix de fruits frais à l'extérieur.

Soie

Hormis le légendaire psar Tuol Tom Pong (voir plus haut) qui croule sous la soie, la capitale compte plusieurs boutiques spécialisées.

Ambre (carte p. 80-81 ; ☎ 217935 ; 37 Ph 178). Ses élégants vêtements de soie ont conquis les membres de la famille royale et le styliste franco-cambodgien est en train d'acquérir une réputation internationale.

Couleurs d'Asie (carte p. 76-77 ; 19 Ph 360). Spécialisé dans le décor intérieur somptueux, c'est l'adresse où se procurer tentures, dessus-de-lit, etc.

Jasmine (carte p. 80-81 ; 73 Ph 240). Ses tenues de soirées et ses costumes de soie sont essentiellement destinés à l'exportation.

Kambuja (carte p. 80-81 ; 165 Ph 110). Boutique de mode la plus récente de la capitale, elle propose des vêtements originaux taillés dans les plus belles étoffes du Cambodge.

DEPUIS/VERS PHNOM PENH

Avion

Pour des informations sur les vols domestiques et internationaux depuis/vers Phnom Penh, voir p. 289.

Bateau

De nombreuses compagnies de bateaux rapides partent de l'**embarcadère touristique** (carte p. 80-81 ; quai Sisowath), à l'extrémité est de la Ph 106. Des bateaux rallient Siem Reap (p. 111) en remontant le Tonlé Sap et en traversant le lac du même nom, mais aucun bateau ne circule en amont du Mékong au départ de Phnom Penh. Les bateaux à destination de Kratie (p. 251) et Stung Treng (p. 254) partent maintenant de Kompong Cham (p. 246), facilement accessible par la route. Pour plus de détails sur les bateaux qui remontent le Mékong, voir p. 256.

Les bateaux qui desservent Siem Reap (18-25 $US, 5-6 heures) voient leur nombre de passagers diminuer depuis qu'une route excellente relie les deux villes, d'autant que le trajet en bus climatisé coûte seulement 4 $US. Réservez votre expérience fluviale à la navigation sur le Mékong ou pour aller de Siem Reap à Battambang.

Plusieurs compagnies assurent à tour de rôle des services quotidiens qui partent à 7h. La première partie du trajet, le long du fleuve, offre de belles vues, mais une fois sur le lac, le paysage est monotone.

Les services express à destination de Siem Reap sont surchargés et souvent dépourvus d'équipement de sauvetage. La plupart des touristes voyagent sur le toit (chapeau et crème solaire indispensables). Les compagnies vendant deux fois plus de billets que les bateaux ne disposent de sièges, trouver une place à l'intérieur se révèle difficile. Les petites embarcations qui circulent en saison sèche sont dangereusement surchargées et quelques-unes ont chaviré.

Pour toute information sur les compagnies internationales qui relient Phnom Penh et le delta du Mékong, au Vietnam, voir p. 292.

Bus

Les services de bus se sont considérablement améliorés avec la reconstruction des routes et la plupart des grandes villes sont à présent desservies par des bus climatisés au départ de Phnom Penh.

Phnom Penh Public Transport (PPPT ; carte p. 80-81 ; ☎ 210359 ; psar Thmei), la plus ancienne compagnie, rallie Battambang (14 000 r, 5 heures), Kompong Cham (8 000 r, 2 heures), Kompong Chhnang (5 500 r, 2 heures), Kratie (18 000 r, 6 heures), Neak Luong (5 000 r, 2 heures), Poipet (20 000 r, 8 heures), Siem Reap (14 000 r, 6 heures), Sihanoukville (14 000 r, 4 heures) et Takeo (5 500 r, 2 heures).

Mekong Express (carte p. 80-81 ; ☎ 427518 ; 87 quai Sisowath) offre un service plus haut de gamme vers Battambang et Siem Reap, avec hôtesses à bord. Les billets coûtent 6 $US.

Les nombreuses autres compagnies pratiquent des prix identiques pour des temps de trajet similaires.

Capitol Transport (carte p. 80-81 ; ☎ 217627 ; 14 Ph 182). Dessert Battambang, Poipet, Siem Reap et Sihanoukville.

GST (carte p. 80-81 ; ☎ 012 895550 ; psar Thmei). Bus pour Battambang, Poipet, Siem Reap, Sihanoukville et Sisophon.

Hour Lean (carte p. 76-77 ; ☎ 880761 ; Ph 230). Services à destination de Battambang, Kampot, Kompong Cham, Kratie, Poipet, Siem Reap, Sihanoukville, Svay Rieng et Takeo.

Narin Transport (carte p. 80-81 ; ☎ 991995 ; 50 Ph 125). Rallie Siem Reap.

Neak Krohorm (carte p. 80-81 ; ☎ 219496 ; 127 Ph 108). Dessert Battambang, Poipet, Siem Reap et Sisophon.

La plupart des bus à destination de Battambang prennent ou déposent des passagers à Pursat. Quelques bus qui se rendent à Siem Reap font de même à Kompong Thom.

HO CHI MINH-VILLE

Plusieurs compagnies de bus relient Phnom Penh et Ho Chi Minh-Ville (Vietnam). PPPT (voir ci-dessus) propose le seul service direct quotidien, qui part de Phnom Penh à 6h30. **PPPT services** (☎ 08-920 3624 ; 309 Pham Ngu Lao, Ho Chi Minh-Ville) part de Ho Chi Minh-Ville à 6h (9 $US). Capitol Transport et Narin Transport offrent des services moins chers (5-6 $US), avec changement de bus à la frontière. Pour plus de détails, voir p. 292.

Taxi, pick-up et minibus

Les taxis, pick-up et minibus de Phnom Penh desservent tout le pays, mais l'amélioration des routes leur fait perdre leur clientèle, qui préfère emprunter les bus moins chers et plus confortables. Les véhicules pour Svay Rieng et le Vietnam partent de la station de taxis Chbah Ampeau (carte p. 76-77), du côté est du pont Monivong, au sud de la ville. Pour la plupart des autres destinations, ils partent des alentours du psar Thmei. Les itinéraires varient selon le véhicule et l'état de la route. Les taxis collectifs sont plus appréciés que les pick-up inconfortables et les minibus surchargés. Les tarifs indiqués concernent le type de véhicule le plus utilisé sur un

JULIET COOMBE

Dans l'enceinte du Palais royal (p. 82) à Phnom Penh

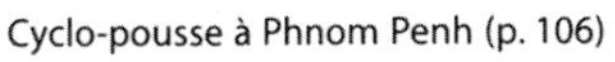

Cyclo-pousse à Phnom Penh (p. 106)

JOHN BANAGAN

RICHARD I'ANSON

Bas-relief du vat Phnom (p. 85) à Phnom Penh

BILL WASSMAN

La pagode d'Argent (p. 82) à Phnom Penh

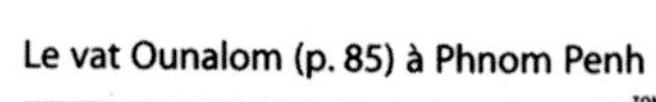

Le vat Ounalom (p. 85) à Phnom Penh

TOM COCKREM

Échoppes en plein air devant le psar Thmei (p. 102) à Phnom Penh

RICHARD I'ANS

trajet donné. Ils sont indicatifs et même les Cambodgiens doivent marchander.

Des taxis collectifs desservent Sihanoukville (10 000 r, 2 heures 30), Kampot (10 000 r, 2 heures), Kompong Thom (10 000 r, 2 heures 30), Siem Reap (20 000 r, 5 heures), Battambang (20 000 r, 4 heures), Pursat (15 000 r, 3 heures), Kompong Cham (10 000 r, 2 heures) et Kratie (25 000 r, 5 heures).

On peut aussi louer un taxi collectif pour la journée. Les prix commencent à 25 $US pour circuler à Phnom Penh et aux alentours, puis augmentent en fonction de la distance et des capacités linguistiques du chauffeur.

Les pick-up effectuent toujours des trajets longue distance vers des destinations comme le Mondolkiri (10 $US, 8 heures), Stung Treng (10 $US, 10 heures), le Ratanakiri et la frontière laotienne.

Prenez plutôt les bus climatisés ou les taxis collectifs que les minibus.

Train

Le train reste très bon marché, même si les étrangers paient trois fois plus que les Cambodgiens, mais la vitesse moyenne ne dépasse pas 20 km/h ! On va plus vite en courant, du moins pendant quelques minutes. Chaque jour, un train circule sur la ligne sud à destination de Sihanoukville et sur la ligne ouest jusqu'à Battambang. Quand le train part de Phnom Penh le lundi, il revient le mardi, et ainsi de suite. Vérifiez les horaires à la gare quelques jours avant le départ.

Un jour sur deux, un train part à 6h20 pour Takeo (3 400 r, 3 heures, 75 km), Kampot (7 500 r, 6 heures, 166 km) et Sihanoukville (12 300 r, 12 heures, 270 km).

Un autre train part également tous les deux jours à 6h20 pour Battambang (12 400 r, 14-16 heures, 274 km) et Pursat (7 500 r, 8 heures, 165 km).

La gare ferroviaire de Phnom Penh (carte p. 80-81) occupe un beau bâtiment colonial à l'extrémité ouest des Ph 106 et 108. Au moment des départs, l'effervescence est à son comble.

COMMENT CIRCULER

Malgré un trafic croissant chaque année, on circule assez facilement dans Phnom Penh, une ville peu étendue. Aux heures de pointe, les embouteillages sont toutefois monnaie courante, notamment aux abords des boulevards Monivong et Norodom.

Depuis/vers l'aéroport

L'aéroport international de Phnom Penh (ancien aéroport Pochentong) se trouve 7 km à l'ouest du centre-ville, via le boulevard de Russie. De l'aéroport au centre-ville, la course en taxi officiel revient à 7 $US et les non officiels n'ont plus le droit de stationner au terminal. Assurez-vous que le chauffeur vous emmène bien là ou vous le souhaitez, et non là où il voudrait vous déposer. Les moto-dop officielles coûtent 2 $US, mais si vous sortez de l'aéroport, vous en trouverez à 1 $US. Le trajet dure 30 min.

Du centre-ville à l'aéroport, comptez 5 $US en taxi et de 1 à 1,50 $US à moto-dop.

Bicyclette

Certaines pensions louent des vélos pour 1 $US la journée environ, mais prenez bien la mesure du trafic anarchique avant de vous aventurer dans les rues. Une fois habitué au chaos, le vélo constitue un moyen agréable de se déplacer, malgré la poussière.

Bus

Phnom Penh ne possède pas de bus urbains. Les Cambodgiens utilisent les moto-dop et les cyclo-pousse.

Voiture et moto

On peut louer une voiture par l'intermédiaire des agences de voyages, des pensions et des hôtels. Comptez à partir de 20 $US pour une berline et au moins 50 $US pour un 4x4 ; les prix augmentent si l'on sort de la capitale.

De nombreux établissements louent des motos. N'oubliez pas que les vols sont fréquents ; si cela arrive, vous serez responsable. Demandez un antivol, utilisez-le et, autant que possible, garez votre moto dans un parking gardé, comme devant les marchés. Pour louer une moto, adressez-vous à **Lucky! Lucky!** (carte p. 80-81 ; ☎ 212788 ; 413 bd Monivong) ou **New! New!** (carte p. 80-81 ; 417 bd Monivong), qui se jouxtent. Comptez de 3 à 4 $US la journée et 20 $US la semaine pour une Honda 100 cm^3 et 7 $US la journée ou 40 $US la semaine

EN ROUTE POUR NULLE PART

Effectuer un trajet à moto-dop ou en cyclo-pousse peut se transformer en casse-tête. Les conducteurs qui attendent près des pensions, des hôtels, des restaurants et des bars se débrouillent souvent en anglais et connaissent bien la capitale, mais c'est loin d'être le cas pour les autres. Si vous hélez une moto-dop ou un cyclo-pousse dans la rue ou à la sortie d'un marché, vous pouvez vous retrouver n'importe où en ville. Vous indiquez votre destination, le conducteur opine avec assurance, ravi de transporter un client étranger qui le paiera un peu plus. Il n'a pas la moindre idée de l'endroit où vous voulez aller, ce qui ne l'empêche pas de démarrer sur les chapeaux de roue en attendant vos instructions. Vous ne lui en donnez pas, persuadé qu'il sait où il va. Avant d'avoir compris la méprise, vous avez fait trois fois le tour de la ville ! Morale de l'histoire : ayez toujours un plan de la ville sur vous et indiquez le chemin au conducteur.

pour une 250 cm^3 tout terrain. Lucky! Lucky! possède une succursale, **Lucky! Lucky! 2** (Ph 93), à Boeng Kak.

Cyclo-pousse

Les cyclo-pousse, encore nombreux dans la capitale, ont perdu du terrain au profit des moto-dop. S'ils restent agréables pour découvrir les sites du centre, ils sont trop lents pour traverser la ville. Une journée de promenade vous reviendra de 6 à 8 $US, en fonction du parcours et du nombre de kilomètres. Évitez ce mode de transport la nuit ; toutefois, peu de conducteurs circulent car, pour la plupart, ils dorment dans leur véhicule. Leurs tarifs sont similaires à ceux des moto-dop ; négociez aux alentours des sites touristiques.

Moto-dop

Les moto-dop sont reconnaissables à la casquette de base-ball que portent leurs conducteurs. Ceux qui travaillent dans les quartiers touristiques parlent généralement anglais et parfois un peu français. Ailleurs, vous aurez du mal à faire comprendre votre destination (voir l'encadré ci-dessus *En route pour nulle part*). Un court trajet coûte en moyenne 1 000 r, plus pour une longue distance ou la nuit. Mieux vaut fixer le prix au départ.

Les conducteurs stationnés devant les pensions et les hôtels fréquentés parlent souvent un bon anglais et peuvent servir de guides pour 6 à 8 $US la journée selon les destinations.

Remorque-moto

Surnommées *tuk-tuk*, ces motos attelées d'une remorque ont fait leur apparition ces dernières années et semblent bien implantées. Il en arrive de Chine, d'Inde et de Thaïlande, de toutes tailles et de toutes formes, et on en fabrique même à Siem Reap. Les tarifs sont deux fois plus élevés que ceux des moto-dop.

Taxi

Les taxis ne sont pas équipés de compteur. **Bailey's Taxis** (☎ 012 890000) et **Taxi Vantha** (☎ 012 855000) fonctionnent 24h/24, mais possèdent peu de véhicules. Ils facturent 5 $US la course de la ville à l'aéroport et 1 $US le kilomètre pour les autres trajets.

Des taxis privés stationnent habituellement devant les boîtes de nuit fréquentées. Négociez le prix avant de démarrer.

ENVIRONS DE PHNOM PENH

Aux alentours de Phnom Penh, plusieurs sites constituent d'agréables excursions d'une journée. Le temple angkorien de Tonlé Bati et la pagode qui coiffe la colline de Phnom Chisor peuvent se visiter en un jour ou au cours d'un circuit vers Takeo (p. 202) ou Kampot (p. 193), au sud. Udong, l'ancienne capitale du Cambodge, s'explore aussi facilement dans la journée, en même temps que Kompong Chhnang (p. 246), une ville cambodgienne "authentique".

PPPT (p. 104) propose des bus confortables et bon marché pour la plupart des destinations décrites ci-après. Les conducteurs expérimentés pourront s'y rendre en moto (p. 105) et visiter les petits villages qui jalonnent la route. Si vous manquez de temps, la location d'un taxi vous reviendra de 25 à 35 $US par jour, selon la destination.

Quelques pensions proposent des circuits à prix raisonnables, avec ou sans guide, vers presque tous les sites décrits ci-dessous.

KIEN SVAY

កៀនស្វាយ

Kien Svay est un lieu de pique-nique très fréquenté au bord d'un petit affluent du Mékong. Les Cambodgiens adorent se retrouver le week-end dans les centaines de cabanes de bambou bâties sur l'eau.

Kien Svay est une institution cambodgienne, qui combine l'engouement universel pour le pique-nique au bord de l'eau et la passion khmère pour la sieste. Pour 5 000 r l'heure, vous louez une cabane ouverte sur le fleuve, tapissée de nattes de roseaux. Ce prix comprend le court trajet en bateau jusqu'à la hutte. La location ne se monte qu'à 2 000 r si vous achetez la nourriture préparée par les propriétaires (poulet grillé, écrevisses, légumes sautés, etc). Mettez-vous d'accord sur le prix avant de louer.

Une cinquantaine de stands de restauration vendent toutes sortes de plats préparés et de fruits, et la concurrence garantit des prix raisonnables, même s'il faut marchander. Pratiquement désert en semaine, Kien Svay offre alors un calme souverain.

Depuis/vers Kien Svay

Kien Svay est un district de la province de Kandal. L'aire de pique-nique se situe avant la bourgade de Koki, à 15 km à l'est de Phnom Penh. De la capitale, empruntez la RN1, qui relie Phnom Penh et Ho Chi Minh-Ville, puis tournez à gauche à l'embranchement qui ressemble à l'entrée d'un vat, à 15 km du pont Monivong. Vous saurez que vous êtes dans la bonne direction quand vous verrez des centaines de voitures et de nombreux mendiants. Des bus (1 500 r) partent régulièrement du psar Thmei. Vous pouvez aussi prendre une remorque-moto (1 000 r) à la station de taxi Chbah Ampeau, à l'est du pont Monivong, un mode de transport lent et divertissant. À moto-dop, comptez 4 $US l'aller-retour.

UDONG

ភ្នំឧត្តុង្គ

Udong (la Victorieuse) fut la capitale du Cambodge de 1618 à 1866. Plusieurs souverains, dont le roi Norodom, y furent couronnés. Les principaux sites sont aujourd'hui les deux collines de Phnom Udong, parsemées de plusieurs stûpas. Toutes deux offrent des vues superbes sur la vallée, couverte de palmiers à sucre. Udong n'est pas un site majeur, mais, en semaine, son calme en fait une destination plaisante ; le week-end, les Phnom Penhois aiment y pique-niquer.

La plus petite colline comporte deux édifices très endommagés et plusieurs stûpas. De la **mosquée Ta San**, orientée à l'ouest en direction de La Mecque, ne subsistent plus que les murs, criblés d'impacts de balles et de shrapnels ; on projette toutefois de la reconstruire. Au sud de la mosquée, au-delà de la plaine, on découvre **Phnom Vihear Leu**, une petite colline surmontée d'un *vihara* flanqué de deux mâts blancs. Le bâtiment à droite du vihara servit de prison sous le régime khmer rouge. La pagode **Arey Ka Sap** se dresse en contrebas, sur la gauche.

La colline la plus haute, Phnom Preah Reach Throap ("colline de la Fortune royale) doit son nom à un roi khmer du XVIe siècle qui y aurait caché le trésor national lors d'une guerre contre les Thaïlandais. De l'édifice le plus imposant, le **Vihear Preah Ath Roes**, ne restent que quelques pans de mur, les bases de huit énormes colonnes, le bras et une partie du côté droit d'un bouddha. Le vihara et le bouddha, consacrés en 1911 par le roi Sisowath, furent détruits par les Khmers rouges en 1977.

Plusieurs petits vihara s'alignent à 120 m au nord-ouest du Vihear Preh Ath Roes. Le premier, le **Vihear Preah Ko**, un bâtiment au toit de brique, abrite une statue de Preah Ko, le taureau sacré ; la statue d'origine fut dérobée par les Thaïlandais il y a bien longtemps. La deuxième structure, le **Vihear Preah Keo**, renferme un bouddha assis. Un toit de chaume recouvre les murs craquelés du troisième, le **Vihear Prak Neak**, dans lequel un *nâga* (*prak neak* signifie "protégé par un *nâga*") protège un bouddha assis.

À l'extrémité nord-ouest de la crête se dressent trois grands stûpas. Le premier, en ciment, **Chet Dey Mak Proum**, contient la dépouille du roi Monivong (qui régna de 1927 à 1941). Orné de *garuda* (créatures mi-oiseau mi-homme), de motifs floraux et d'éléphants, il est surmonté de quatre visages. Le stûpa central, **Tray Troeng**, décoré de carreaux colorés, fut édifié en 1891 par le roi Norodom pour recueillir les cendres de son père, le roi Ang Duong (qui régna de 1845 à 1859). Certains affirment cependant que ce dernier serait inhumé près de la pagode d'Argent, à Phnom Penh. Le troisième, **Damrei Sam Poan**, fut construit par le roi Chey Chethar II (qui régna de 1618 à 1626) pour recevoir les cendres de son prédécesseur, le roi Soriyopor.

Du stûpa du roi Monivong, un escalier orienté à l'est descend la colline. En bas, au nord des premières marches, se trouve un **pavillon** couvert de fresques qui dépeignent les atrocités commises par les Khmers rouges.

Au pied de la colline, près du chemin, un **mémorial** aux victimes de Pol Pot renferme les ossements de quelques-uns de ceux qui furent enterrés dans une centaine de fosses communes, chacune contenant une douzaine de corps. Des instruments de torture ont également été découverts lors des exhumations, en 1981 et 1982.

Où se restaurer

De nombreux stands de restauration sont installés au pied de la colline et des petits restaurants se regroupent au croisement de la RN5. En face du ferry de Prek Kdam, à 9 km sur la route de Phnom Penh, plusieurs restaurants aménagés sur des plates-formes de bois, au-dessus de la plaine inondable, offrent une belle vue sur Phnom Udong. Vous y accèderez facilement si vous disposez de votre propre moyen de transport.

Depuis/vers Phnom Udong

Udong se trouve à 41 km de la capitale. De Phnom Penh, prenez la RN5 vers le nord, continuez sur 5 km après le ferry de Prek Kdam et tournez à gauche (sud) sous le passage voûté. Udong est à 3,5 km au sud du croisement. La route d'accès traverse le village de Psar Dek Krom, longe un mémorial dédié aux victimes de Pol Pot et une structure appelée "Stûpa bleu" avant d'atteindre un petit escalier.

Des bus locaux climatisés partent régulièrement des alentours du psar Thmei, à Phnom Penh, et vous déposent au croisement de la route d'Udong (3 000 r, 1 heure). De là, une moto-dop vous emmènera au pied de la colline pour moins de 1 $US. Les bus depuis/vers Kompong Chhnang (p. 246) s'arrêtent au même endroit ; vous pouvez ainsi combiner la visite des temples et celle d'une ville peu fréquentée par les touristes.

De Phnom Penh, un taxi vous demandera 25 $US pour la journée. À moto-dop, comptez de 8 à 10 $US, mais sachez que la route est très fréquentée et poussiéreuse.

TONLÉ BATI

ទន្លេបាទី

Tonlé Bati (3 $US, 1 boisson comprise) désigne deux vat de l'époque angkorienne et une aire de pique-nique au bord du lac. Ces beaux temples méritent le détour, surtout si vous n'avez pas déjà visité ceux d'Angkor (p. 132).

À voir

TA PROHM

តាព្រហ្ម

Le roi Jayavarman VII (règne de 1181 à 1219) fit construire ce temple en latérite sur le site d'un ancien sanctuaire khmer du VIe siècle. Aujourd'hui en ruine, son environnement luxuriant le rend très photogénique.

Le sanctuaire principal comporte cinq salles, qui renferment chacune un *linga* (symbole phallique), tous endommagés par les Khmers rouges.

À 15 m à droite de l'entrée est, un bas-relief représente une femme et un homme qui s'inclinent devant une autre femme plus grande. La première vient d'accoucher et n'a pas manifesté le respect dû à la sage-femme (la deuxième). La jeune mère est condamnée à porter sur la tête, sa vie durant, une boîte contenant le placenta. L'époux implore le pardon pour sa femme.

La porte nord abrite une statue abîmée du dieu hindou Preah Noreay. Les femmes viennent le prier pour avoir un enfant.

YEAY PEAU

យាយពៅ

Ce temple, qui porte le nom de la mère du roi Prohm, se situe à 150 m au nord de Ta Prohm, sur le terrain d'une pagode moderne. Selon la légende, Peau mit au monde un fils, Prohm. Lorsque celui-ci découvrit que son père était le roi Preah Ket Mealea, il partit vivre auprès de lui. Quelques années plus tard, Prohm retourna voir sa mère, mais ne la reconnut pas. Ébloui par sa beauté, il la demanda en mariage et refusa de la croire lorsqu'elle lui expliqua leur parenté.

Pour convaincre son fils, Peau proposa que chacun construise un temple ; celui qui finirait le premier aurait gain de cause. Peau parvint, à l'aide d'une ruse, à terminer le sien avant Prohm et ce dernier dut reconnaître que Peau était sa mère.

À proximité, le **vat Tonlé Bati**, une structure moderne en ciment, n'a pas résisté à la rage destructrice des Khmers rouges. De toutes les statues qui l'ornaient avant 1975, seule subsiste la tête d'un bouddha en métal, haute de 80 cm.

BORD DU LAC

À 300 m au nord-ouest du Ta Prohm, une longue péninsule étroite s'avance dans le Tonlé Bati. Autrefois envahie le week-end par des stands de restauration et des buvettes, elle est aujourd'hui délaissée par les Phnom Penhois découragés par les prix excessifs. Ceux qui viennent encore apportent un pique-nique. Faites comme eux !

Depuis/vers Tonlé Bati

La route d'accès au Ta Prohm est indiquée sur la RN2, à 31 km au sud de Phnom Penh. Le temple se trouve à 2,5 km de la nationale.

Les bus réguliers à destination de Takeo peuvent vous déposer à l'embranchement (3 000 r). Ils partent toutes les heures de Phnom Penh, entre 7h et 16h. En sens inverse, ils quittent Takeo toutes les heures, de 12h à 16h, et rejoignent Tonlé Bati en 1 heure. Ces bus desservent également la réserve de Phnom Tamao.

RÉSERVE ANIMALIÈRE DE PHNOM TAMAO
ភ្នំតាម៉ៅ

Phnom Tamao (2 $US), la plus grande réserve animalière du pays, accueille des animaux confisqués à des trafiquants ou sauvés des pièges tendus par les braconniers. Elle occupe une vaste superficie au sud de la capitale et les conditions de vie pour les animaux diffèrent, mais s'améliorent rapidement avec l'aide d'ONG comme Wildaid. Mélange de zoo et de parc à safari, la réserve réaménage graduellement son espace pour offrir un meilleur habitat aux grands mammifères. Au rythme des transformations, Phnom Tamao va sans doute devenir l'une des meilleures réserves animalières de la région dans un avenir proche.

Les immenses enclos des tigres et des ours des cocotiers figurent parmi les attractions favorites. Des éléphants participent parfois aux activités. Un parcours à pied traverse le territoire des macaques, des cervidés et d'innombrables animaux. Malheureusement, l'extraordinaire avifaune a payé un lourd tribut à l'épizootie de grippe aviaire de 2004.

Si vous n'aimez pas les zoos, Phnom Tamao ne vous plaira pas. Souvenez-vous toutefois que ces animaux sont des rescapés et qu'ils ont besoin d'un habitat. En payant le droit d'entrée, vous contribuez à la protection de la faune du Cambodge.

Depuis/vers Phnom Tamao

Phnom Tamao se situe à 44 km de Phnom Penh, par la RN2. Tournez à gauche après le panneau indiquant le zoo (37 km), et suivez le chemin sablonneux sur 6 km. Le week-end, vous pouvez faire le trajet en combinant bus climatisé et remorque-moto ; en semaine, mieux vaut louer une moto. Voir dans la rubrique *Tonlé Bati* les horaires et les tarifs des bus.

PHNOM CHISOR
ភ្នំជីសូ

Temple de l'époque angkorienne, **Phnom Chisor** (3 $US) se dresse sur une colline solitaire dans la province de Takeo (p. 201). Visitez-le tôt le matin ou en fin d'après-midi, car la chaleur de la mi-journée rend l'ascension pénible.

Le temple principal se trouve sur le versant est de la colline. En brique et latérite, orné de linteaux de grès sculptés, le complexe est entouré par les murs partiellement en ruine d'une galerie de 2,50 m de large, percée de fenêtres.

Des inscriptions datent du XIe siècle, quand le site s'appelait Suryagiri. Le sanctuaire central renferme des statues de Bouddha ; ses portes de bois, qui ouvrent vers l'est, sont sculptées de personnages juchés sur des porcs.

Dans la plaine qui s'étire à l'est de Phnom Chisor, les sanctuaires de **Sen Thmol**, en dessous de Phnom Chisor, **Sen Ravang**, plus à l'est, et l'ancien étang sacré de **Tonlé Om** se suivent en ligne droite en direction d'Angkor. Lors des cérémonies qui s'y déroulaient il y a 900 ans, le roi, les brahmanes et la cour suivaient cette direction pour gravir un escalier monumental de 400 marches qui menait à Suryagiri.

En face des portes de bois du sanctuaire central, la galerie découverte offre une vue spectaculaire sur les temples et les plaines. Près du temple, un *vihara* moderne accueille des moines.

Deux chemins mènent en 15 min au sommet de la colline, haute de 100 m. Le sentier nord, en pente douce, part d'un pavillon de ciment aux fenêtres en forme de cloche et surmonté d'une réplique miniature d'une tour d'Angkor. L'itinéraire sud, un long escalier raide, commence à 600 m au sud du sentier nord. Pour admirer la vue sous tous les angles, montez par le sentier nord et descendez par l'escalier sud.

Depuis/vers Phnom Chisor

La route d'accès de Phnom Chisor, en direction de l'est, est indiquée sur la gauche à 52 km au sud de la capitale et à 27 km au nord de Takeo. La colline se trouve à 5 km de la nationale.

De Phnom Penh, le moins cher consiste à prendre un bus à destination de Takeo et de descendre à l'embranchement de Phnom Chisor (4 000 r). De là, une moto-dop vous conduira au pied de la colline pour 1 $US. Voir la rubrique *Tonlé Bati* pour les horaires de bus. Vous pouvez aussi visiter Phnom Chisor et Tonlé Bati en taxi (30 $US), ou louer une moto (p. 105) à Phnom Penh.

PARC NATIONAL DE KIRIROM

ឧទ្យានជាតិគិរីរម្យ

La station climatique de Kirirom, blottie au cœur d'une pinède luxuriante à 675 m d'altitude, a été classée parc national. Le week-end, les Phnom Penhois viennent profiter de la fraîcheur relative du climat et pique-niquent auprès des petites **cascades**. Le parc compte plusieurs sentiers de promenade sans difficulté. Pour une randonnée plus sportive, arrangez-vous avec un garde forestier (5 $US environ ; 2 heures) ; il vous conduira jusqu'au sommet du **Phnom Dat Chivit** (mont de la Fin du Monde), où une falaise à-pic offre une vue dégagée à l'ouest sur la **Chuor Phnom Damrei** (chaîne de l'Éléphant) et la **Chuor Phnom Kravanh** (chaîne des Cardamomes). En chemin, il n'est pas rare d'apercevoir des animaux sauvages, notamment des ours bruns rôdant autour des pins à la recherche de miel.

Kirirom est l'un des rares parcs nationaux pourvu d'un programme touristique géré par une communauté. **Mlup Baitong** (☎ 023-214409 ; mlup@online.com.kh), installé près de Chambok, propose la découverte d'une cascade haute de 40 m, des promenades en chars à bœufs et des randonnées dans la nature. Les bénéfices sont reversés à la communauté.

Où se loger

Kirirom compte deux hébergements, aux antipodes l'un de l'autre.

Kirirom Guesthouse (ch 10 $US). Branlante et spartiate, elle offre néanmoins des chambres aux draps propres, avec ventil et sdb.

Kirirom Hillside Resort (www.kiriromresort.com ; ch 40-55 $US ;). À côté de l'entrée du parc national, cet établissement kitsch vise la clientèle des touristes de la région, séduits par un brin de campagne. L'entrée semblable à celle d'un château et les dinosaures de plastique vous surprendront peut-être, mais les bungalows de style scandinave, de formes et de tailles diverses, sont agréablement répartis sur le vaste terrain. Vous apprécierez certainement la piscine.

Depuis/vers Kirirom

Le parc national de Kirirom se trouve à 112 km au sud-ouest de Phnom Penh et à 25 km à l'ouest de la RN4. À moins de disposer de son propre moyen de transport, l'accès reste difficile. Les bus à destination de Sihanoukville peuvent vous déposer à Kirirom ou au parc national de Preah Suramarit Kossomak (le nom complet en khmer), mais vous aurez besoin d'une moto-dop pour circuler dans le parc. Mieux vaut louer une moto (p. 105) à Phnom Penh ou un taxi à plusieurs (50 $US environ). Si vous êtes motorisé, la route d'accès au parc est signalée sur la droite de la nationale, à 85 km de la capitale.

Siem Reap
សៀមរាប

Porte d'Angkor, le cœur spirituel et culturel du pays, Siem Reap (prononcez "ciem rip") n'était il y a quelques années qu'une bourgade paisible et assoupie. Elle s'est aujourd'hui transformée en centre touristique sophistiqué pour accueillir le flux régulier de visiteurs. Si le Cambodge constitue actuellement une destination touristique prisée, Siem Reap est une étape obligée pour quiconque explore le pays.

Le centre de la ville a conservé son charme rural. Vestiges du passé, les anciennes boutiques françaises, les boulevards bordés d'arbres et la rivière qui serpente paresseusement côtoient les signes de l'avenir : hôtels cinq-étoiles, bus climatisés et restaurants internationaux. Hôtels, pensions, bars et restaurants continuent à pousser comme des champignons et, en l'absence d'une direction de l'urbanisme pointilleuse, Siem Reap pourrait vite devenir une horreur architecturale. Des signes encourageants, comme les restrictions sur la hauteur des hôtels et la taille des bus, semblent toutefois montrer qu'on a tiré les leçons des erreurs commises dans d'autres lieux touristiques d'Asie du Sud-Est. Quoi qu'il en soit, le monde a découvert Angkor et Siem Reap n'a pas fini de changer.

Située au nord de la pointe ouest du lac Tonlé Sap, Siem Reap est un endroit idéal pour se détendre plusieurs jours. Séduits par son grand choix d'infrastructures et la gentillesse de ses habitants, nombre de voyageurs y passent une semaine et découvrent ainsi les fabuleux temples d'Angkor sans précipitation.

À NE PAS MANQUER

- La réserve de **Prek Toal** (p. 130), habitat de certains des grands oiseaux aquatiques les plus rares au monde
- La forêt inondée de **Kompong Phhluk** (p. 131) et ses extraordinaires maisons de bambou perchées sur de vertigineux pilotis
- Les temples oubliés d'Angkor, dissimulés derrière les pagodes modernes du **vat Athvea** et du **vat Preah Inkosei** (p. 115)
- Les secrets de **Bar St** (p. 126), épicentre de la vie nocturne
- Un **massage** ou un **spa** (p. 117), remèdes miracles pour les corps endoloris

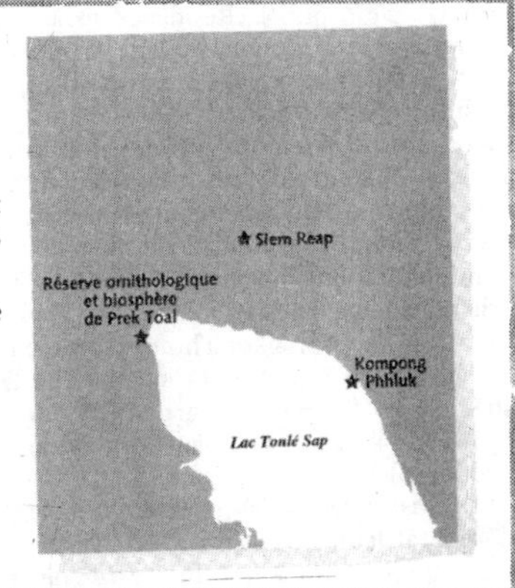

INDICATIF TÉLÉPHONIQUE : 063	POPULATION : 750 000	SUPERFICIE : 10 299 KM²

HISTOIRE

Siem Reap signifie "Siamois vaincus", appellation guère diplomatique pour une ville proche de la frontière thaïlandaise. L'empire d'Angkor comprenait autrefois une grande partie de la Thaïlande actuelle, avant que le royaume, affaibli par des querelles intestines, ne soit à son tour occupé par les Thaïlandais, qui s'approprièrent les provinces de Battambang et de Siem Reap de 1794 à 1907.

Siem Reap n'était qu'un village lorsque des explorateurs français redécouvrirent Angkor au XIXe siècle. Avec le retour d'Angkor dans le giron cambodgien (ou plutôt français) en 1907, Siem Reap commença à s'agrandir pour absorber les premières vagues de touristes. Le Grand Hôtel d'Angkor ouvrit en 1929 et les temples comptèrent parmi les sites majeurs d'Asie jusqu'à la fin des années 1960. La guerre précipita Siem Reap dans un long sommeil dont elle ne s'éveilla qu'au milieu des années 1990. Elle connaît aujourd'hui une croissance fulgurante.

ORIENTATION

Siem Reap reste une petite ville dont on peut faire le tour à pied en une heure ou deux. Le centre s'articule autour du psar Chaa (Vieux marché), tandis que le quartier administratif s'étend sur la rive ouest de la rivière. Les hébergements sont disséminés un peu partout. La Nationale 6 (RN6) traverse le nord de la ville, longe le psar Leu (Marché central) à l'est, puis la Résidence royale et le Grand Hôtel d'Angkor dans le centre, avant de continuer vers l'aéroport et au-delà. La Stung Siem Reap (rivière Siem Reap) coule dans le sens nord-sud en traversant le centre-ville et compte suffisamment de ponts pour passer facilement d'une rive à l'autre. Comme à Phnom Penh, le système de numérotation incohérent complique la recherche d'une adresse.

Angkor Vat et Angkor Thom se trouvent respectivement à 6 et 8 km au nord de la ville, et les temples du groupe Roluos, à 13 km à l'est sur la RN6 (voir la carte p. 134-136).

Les bus et les taxis collectifs déposent en général leurs passagers à la station de taxis située à 2 km à l'est du centre : de là, on rejoint facilement les pensions et les hôtels à moto-dop. Les bateaux rapides en provenance de Phnom Penh et de Battambang accostent à Phnom Krom, à 11 km au sud de la ville ; la plupart des hébergements offrent le transfert gratuit à moto-dop ou en minibus. L'aéroport de Siem Reap, desservi par de nombreux taxis et moto-dop, se trouve à 7 km à l'ouest de la ville ; pour plus de détails, voir p. 129.

RENSEIGNEMENTS

Le *Siem Reap Angkor Visitors Guide*, publié tous les trimestres, regorge d'adresses. Sachez toutefois que la plupart des articles sont des publi-reportages.

Accès Internet

Les cybercafés ont poussé comme des champignons et vous en trouverez sans peine. Ils facturent 1 $US l'heure et presque tous proposent des communications téléphoniques bon marché par Internet. Beaucoup se regroupent le long de la Ph Sivatha et aux alentours du psar Chaa. Nombre de pensions et d'hôtels proposent la connexion à prix raisonnables.

Argent

Pour changer des espèces, les marchés sont plus rapides et plus simples que les banques.

Cambodia Asia Bank (carte p. 114-115 ; ☎ 964741 ; Ph Sivatha ; ⏲ 7h30-21h). Change les chèques de voyages et délivre des avances sur les cartes de crédit moyennant 2% de commission ; longues heures d'ouverture et guichet à l'aéroport.

Cambodian Commercial Bank (CCB ; carte p. 114-115 ; ☎ 964392 ; 130 Ph Sivatha ; ⏲ 9h-16h). Également 2% de commission sur le change des chèques de voyage et les avances sur les cartes de crédit. Possède un kiosque très pratique dans le psar Chaa.

Canadia Bank (carte p. 114-115 ; ☎ 964808 ; psar Chaa). La meilleure offre avec des avances sans frais sur les cartes de crédit ; change les chèques de voyage émis dans les principales devises moyennant une commission de 2%.

Mekong Bank (carte p. 114-115 ; ☎ 964417 ; 43 Ph Sivatha). Avances sur les cartes de crédit avec 5 $US de frais et commission de 2% sur le change des chèques de voyage. Un guichet reste ouvert jusqu'à 19h.

Union Commercial Bank (carte p. 114-115 ; ☎ 963534 ; psar Chaa). Avances sans frais sur les cartes de crédit. Possède une agence à la principale billetterie d'Angkor.

Librairies

Autour des temples, des enfants et des handicapés proposent des livres bon marché sur Angkor et le Cambodge. Les acheter peut être une bonne façon d'aider les plus démunis durant votre voyage.

Le Tigre de papier (☎ 012 808 916 ; près du vieux marché). Librairie francophone (environ 10 000 ouvrages d'occasion en français), également café et restaurant. Des projections de films sont organisées tous les soirs à 20h30.

Lazy Mango (carte p. 114-115 ; ☎ 963875 ; Bar St). Plus grande librairie d'occasion de Siem Reap ; guides, romans et nombreux ouvrages sur le Cambodge.

Monument Books (carte p. 114-115 ; ☎ 963647 ; quartier du psar Chaa). Dernière succursale en date de la chaîne Monument Books, ouverte lors de notre passage. Possède deux autres antennes dans l'aéroport international de Siem Reap.

Office du tourisme

L'office du tourisme de Siem Reap occupe un bâtiment blanc en face du Grand Hôtel d'Angkor. Malgré l'enseigne “Tourist Information”, ne comptez pas trop obtenir de renseignements si vous ne réservez pas de circuit. Les pensions et les hôtels constituent souvent une source d'information plus fiable. Dans le même bâtiment, l'Association khmère des guides d'Angkor propose les services de guides officiels pour visiter les temples (voir p. 145 pour plus de détails).

Poste

La poste centrale borde la rivière, à 500 m au sud du Grand Hôtel d'Angkor. Le service devient plus fiable, mais vérifiez que l'on oblitère bien les timbres de votre courrier. Pour les envois urgents, adressez-vous aux transporteurs internationaux :

DHL (carte p. 114-115 ; ☎ 964949 ; Marché central)
EMS (carte p. 114-115 ; ☎ 760000 ; Poste centrale)
TNT (carte p. 114-115 ; ☎ 963758 ; Ta Prohm Hotel)

Services médicaux

Si vous êtes sérieusement blessé ou gravement malade, mieux vaut vous faire soigner à Bangkok. Évitez à tout prix les hôpitaux de province.

Angkor Children's Hospital (carte p. 114-115 ; ☎ 963409; 24h/24). Hôpital pédiatrique de qualité internationale ; l'endroit où emmener vos enfants s'ils tombent malades.

Naga Medical Centre (carte p. 134-136 ; ☎ 964500 ; RN6 ouest ; 24h/24). Sans doute la meilleure clinique de Siem Reap pour les urgences ou les consultations.

Téléphone et fax

Appeler l'international ne pose aucune difficulté. Le moins cher (à partir de 0,25 $US la minute) consiste à passer par les cybercafés, mais l'écho et le délai de transmission rendent parfois les communications pénibles. Les nombreux kiosques téléphoniques privés proposent de meilleures liaisons à prix modérés et sont les moins chers pour les appels nationaux. La ville compte quelques cabines publiques, notamment aux alentours du psar Chaa ; les cartes téléphoniques sont en vente dans les hôtels et les magasins. Les hôtels surchargent lourdement les communications : vérifiez les tarifs avant de vous servir du téléphone.

Si vous devez envoyer ou recevoir des fax et que votre hôtel n'offre pas ce service, adressez-vous aux cybercafés du quartier du psar Chaa, qui pratiquent des prix raisonnables.

Urgences

Police touristique (carte p. 134-136 ; ☎ 012 969991). Dispose d'un bureau à la principale billetterie du site d'Angkor. C'est là qu'il faut vous adresser si vous avez de sérieux problèmes à Siem Reap, en particulier si vous êtes victime de l'*arnaque au bus* (p. 295) au départ de Bangkok.

DÉSAGRÉMENTS ET DANGERS

Comme dans beaucoup de lieux touristiques, des petits hôtels et des pensions versent une commission aux conducteurs de moto-dop et de taxi qui leur amènent des clients. Pour éviter cette pratique, réservez par e-mail et demandez que l'on vienne vous chercher ou, si vous arrivez de Phnom Penh, rendez-vous dans une pension partenaire. Sinon, suivez le mouvement et négociez avec l'établissement une fois sur place.

Si vous venez de Bangkok par voie terrestre, consultez l'encadré p. 295 pour éviter les escroqueries à la commission.

De nombreux mendiants sont présents à Siem Reap. Si donner n'est jamais une obligation, sachez que dans un pays dépourvu de protection sociale et d'aide gouvernementale, la vie des plus démunis reste très difficile. Dans le cas des enfants, mieux vaut leur acheter de la nourriture, l'argent finissant en général dans les poches de quelqu'un d'autre.

Restez sur les chemins tracés lorsque vous visitez les temples reculés. Des mines

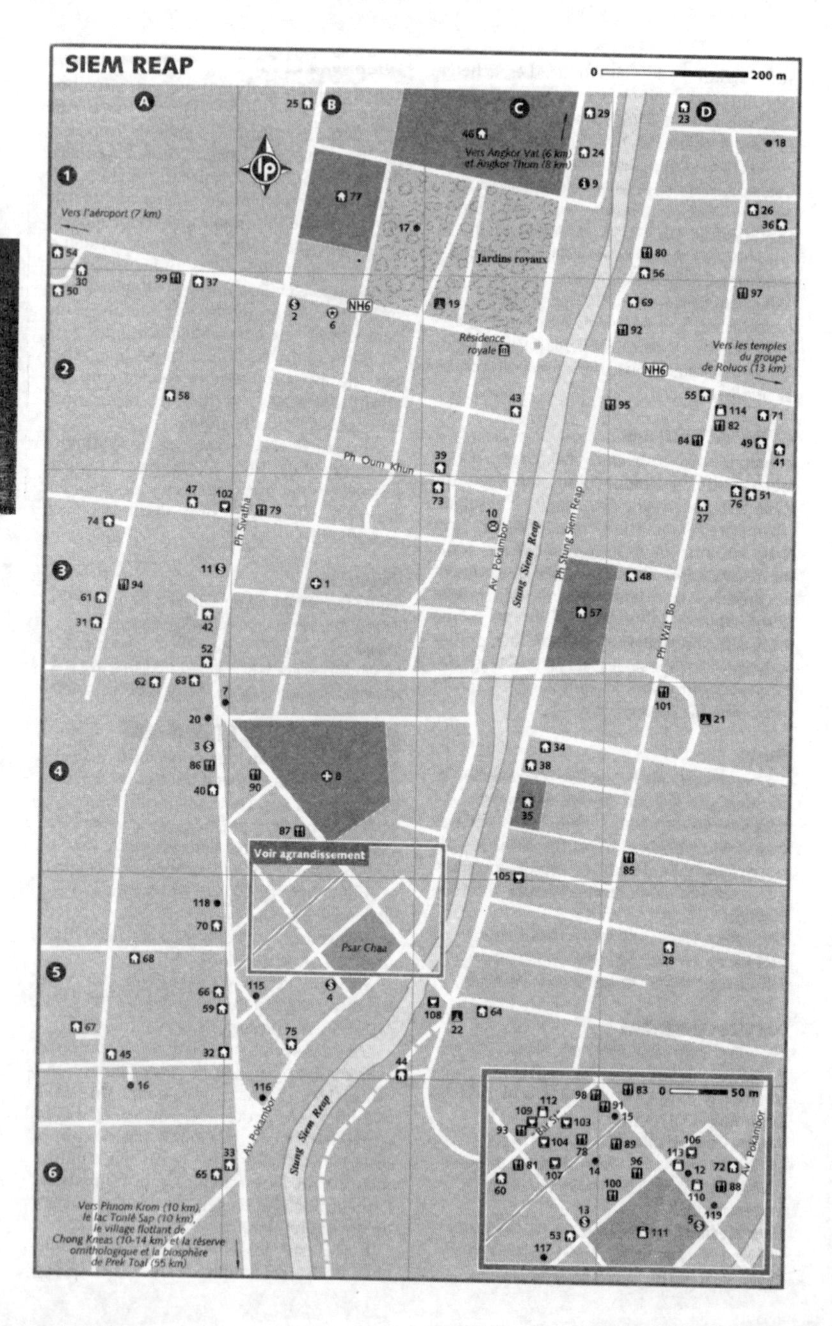
SIEM REAP
0 200 m
Vers Angkor Vat (6 km) et Angkor Thom (8 km)
Vers l'aéroport (7 km)
Jardins royaux
NH6
Résidence royale
Vers les temples du groupe de Roluos (13 km)
Ph Oum Khun
Ph Sivatha
Av. Pokambor
Stung Siem Reap
Ph Stung Siem Reap
Ph Wat Bo
Voir agrandissement
Psar Chaa
Vers Phnom Krom (10 km), le lac Tonlé Sap (10 km), le village flottant de Chong Kneas (10-14 km) et la réserve ornithologique et la biosphère de Prek Toal (55 km)
0 50 m
Bar St
Av. Pokambor

INFORMATION
Angkor Children's Hospital ... 1 B3
Association khmère des guides d'Angkor .. 9 C1
Cambodia Asia Bank ... 2 B2
Cambodian Commercial Bank ... 3 A4
Canadia Bank ... 4 B5
DHL ... 7 A4
EMS ... (voir 10)
Hôpital ... 8 B4
Kiosque de change de la CCB ... 5 D6
Lazy Mango ... (voir 103)
Mekong Bank ... 11 A3
Monument Books ... 12 D6
Poste centrale ... 10 C3
Poste de police central ... 6 B2
TNT ... (voir 75)
Union Commercial Bank ... 13 C6

À VOIR ET À FAIRE
Artisans d'Angkor ... (voir 16)
Dr Feet ... (voir 15)
Frangipani ... 14 C6
Funan Angkor Palace ... (voir 3)
Islands Traditional Khmer Massage ... 15 D6
Les Chantiers Écoles ... 16 A6
Lotus Gardens ... 17 B1
Prasat Preah Ang Charm ... 19 C2
Reproductions miniatures des temples d'Angkor ... 18 D1
Sanctuary Spa ... (voir 73)
Seeing Hands Massage 4 ... 20 A4
Vat Bo ... 21 D4
Vat Dam Nak ... 22 C5
Visaya Spa ... (voir 43)

OÙ SE LOGER
13th Villa ... 23 D1
Amansara ... 24 C1
Angkor Century Hotel ... 25 B1
Angkor Discover Inn ... 26 D1
Angkor Thom Hotel ... 27 D3
Angkor Village ... 28 D5
Angkoriana Hotel ... 29 C1
Apsara Angkor Guesthouse ... 30 A2
Auberge Mont Royal ... 31 A3
Bakong Lodge ... 32 A5
Bequest Angkor Hotel ... 33 B6
Big Lyna Villa ... 34 C4
Bopha Angkor Hotel ... 35 C4
Borann L'Auberge des Temples ... 36 D1
Chenla Guesthouse ... 37 A2
City River Hotel ... 38 C4
Day Inn Angkor Resort ... 39 C2
Dead Fish Inn ... 40 A4
European Guesthouse ... 41 D2
Family Guesthouse ... 42 A3
FCC Angkor ... 43 C2
Golden Banana ... 44 B5
Golden Temple Villa ... 45 A5
Grand Hôtel d'Angkor ... 46 C1
Green Garden Guesthouse ... 47 A3
Green Town Guesthouse ... 48 D3
Happy Guesthouse ... 49 D2
Hello Guesthouse ... 50 A2
Home Sweet Home Guesthouse ... 51 D3
Hôtel de la Paix ... 52 A3
Ivy Guesthouse ... 53 C6
Jasmine Lodge ... 54 A1
Koh Ker Hotel ... 55 D2
La Noria Guesthouse ... 56 D1
La Résidence d'Angkor ... 57 C3
Long Live Angkor Guesthouse ... 58 A2
Mandalay Inn ... 59 A5
Molly Malone's Guesthouse ... 60 C6
Mommy Guesthouse ... 61 A3
Naga Guesthouse ... 62 A4
Orchidae Guesthouse ... 63 A4
Passaggio Hotel ... 64 C5
Popular Guesthouse ... 65 A6
Reaksmey Chanreas Hotel ... 66 A5
Red Lodge ... 67 A5
Red Piano ... 68 A5
Rosy Guesthouse ... 69 D2
Royal Hotel ... 70 A5
Samnark Preah Riem Guesthouse ... 71 D2
Shadow of Angkor Guesthouse ... 72 D6
Shinta Mani ... 73 C3
Smiley Guesthouse ... 74 A3
Ta Prohm Hotel ... 75 B5
Two Dragons Guesthouse ... 76 D3
Victoria Angkor Hotel ... 77 B1

OÙ SE RESTAURER
Amok ... 78 C6
Angkor Market ... 79 B3
Arun Restaurant ... 80 D1
Balcony Café ... 81 C6
Bayon Restaurant ... 82 D2
Blue Pumpkin ... 83 D6
Café Indochine ... (voir 11)
Chivit Thai ... 84 D2
Continental Café ... (voir 72)
CVSG Training Restaurant ... 85 D4
Dead Fish Tower ... 86 A4
Ecstatic Pizza ... 87 B4
Kampuccino Pizza ... 88 D6
Khmer Kitchen Restaurant ... 89 D6
Le Gecko Mayonnaise ... 90 B4
Little India Restaurant ... 91 D6
Pissa Italiana ... (voir 104)
Red Piano ... 93 C6
Sala Bai ... 94 A3
Samapheap Restaurant ... 95 D2
Sanctuary 36.5 C ... 96 D6
Sawasdee Restaurant ... 97 D2
Soup Dragon ... 98 C6
Stands de restauration ... 92 D2
Starmart ... 99 A2
Taj Mahal ... 100 D6
Tell Restaurant ... (voir 40)
Viroth's Restaurant ... 101 D4

OÙ PRENDRE UN VERRE
Abacus ... 102 A3
Angkor What? ... 103 C6
Buddha Lounge ... 104 C6
Butterfly Garden Bar ... 105 C4
Elephant Bar ... (voir 46)
Ivy Bar ... (voir 53)
Laundry Bar ... 106 D6
L'Explorateur ... (voir 77)
Linga Bar ... 107 C6
Martini ... 108 C5
Molly Malone's ... (voir 60)
Temple Bar ... 109 C6

OÙ SORTIR
Théâtre Apsara ... (voir 28)

ACHATS
Made in Cambodia ... 110 D6
Nouveau marché central ... (voir 7)
Psar Chaa ... 111 D6
Rajana ... 112 C6
Senteurs d'Angkor ... 113 D6
Siem Reap Thmei Photo ... 114 D2
Tabitha Cambodia ... (voir 79)
Tara & Kys Art Gallery ... (voir 87)

TRANSPORTS
Caltex Starmart ... (voir 99)
Capitol Transport ... 115 B5
GST ... 116 B6
Helicopters Cambodia ... 117 C6
Hour Lean ... 118 A5
Neak Krohorm ... 119 D6

antipersonnel restent enfouies dans des endroits comme Phnom Kulen et Kbal Spean. Pour plus d'informations sur les mines, voir p. 276.

À VOIR

Les voyageurs viennent à Siem Reap pour visiter Angkor. Les curiosités de la ville et de ses alentours font pâle figure à côté des temples angkoriens, mais ceux qui en ont le temps prendront plaisir à les découvrir.

Vat

Les temples modernes de Siem Reap forment un intéressant contraste avec les anciennes structures de grès d'Angkor. Le **vat Bo** (carte p. 114-115 ; 6h-18h), l'un des plus anciens de la ville, contient une collection de fresques de la fin du XIXe siècle bien préservées retraçant l'épopée du *Reamker*, la version cambodgienne du *Râmâyana*. Le **vat Preah Inkosei** (carte p. 134-136 ; 6h-18h), érigé au nord de la ville sur le site d'un temple de brique du début de la période angkorienne, mérite également le détour.

Construit lui aussi sur le site d'un temple ancien, le **vat Athvea** (carte p. 134-136 ; 6h-18h) se trouve au sud du centre-ville. Bien moins visité que ceux d'Angkor, ce vieux temple a bien supporté les outrages du temps et offre une tranquillité appréciable en fin d'après-midi.

Le **vat Thmei** (carte p. 134-136 ; 6h-18h) comprend un petit mémorial en forme de stûpa qui renferme les crânes et les ossements de victimes des Khmers rouges. Prenez la bifurcation de gauche sur la route d'Angkor Vat.

Palais royal durant le règne de Sisowath (*dam nak* signifie "palais"), le **vat Dam Nak** (carte p. 114-115 ; 6h-18h) abrite aujourd'hui le Centre d'études khmères, un organisme indépendant œuvrant en faveur d'une meilleure connaissance de la culture khmère.

Artisans d'Angkor

Siem Reap est devenue le centre des activités destinées à revitaliser la culture cambodgienne traditionnelle, fortement ébranlée sous le joug des Khmers rouges et durant les années d'instabilité qui ont suivi.

Les Chantiers Écoles (carte p. 114-115) enseignent la sculpture sur bois et sur pierre à de jeunes Cambodgiens issus de milieux défavorisés. Sur place, la superbe boutique **Artisans d'Angkor** (carte p. 114-115 ; ☎ 380354 ; www.artisansdangkor.com) propose toutes sortes d'objets, des reproductions en bois ou en pierre des statues d'Angkor au mobilier. Nichée au bout d'une petite route, l'école n'est pas facile à trouver, mais elle est maintenant bien indiquée à partir du Bakong Lodge (p. 120).

Une deuxième boutique est installée en face d'Angkor Vat, de même que des succursales dans les aéroports internationaux de Phnom Penh et de Siem Reap. Les bénéfices servent à financer l'école et à former d'autres adolescents.

Les Chantiers Écoles possèdent également une **ferme séricicole** à 16 km à l'ouest de Siem Reap, près de la route de Sisophon, dans le village de Puok. Vous y découvrirez toutes les étapes de la fabrication de la soie, de la culture des mûriers à la teinture et au tissage. Les soieries réalisées et vendues ici comptent parmi les plus belles du pays.

Marionnettes de théâtre d'ombres

Les *sbei tuoi* (marionnettes de théâtre d'ombres) en cuir, généralement de la peau de buffle, dont la fabrication est un art traditionnel khmer, constituent de merveilleux souvenirs à rapporter de votre voyage. Elles représentent les dieux et les démons du *Reamker,* mais aussi de ravissants éléphants couverts d'une armure travaillée. La House of Peace Association fabrique ces marionnettes (de 10 à 150 $US selon la taille) dans deux ateliers, l'un dans le vat Preah Inkosei (carte p. 134-136), l'autre (carte p. 134-136) sur la RN6, à 4 km en direction de l'aéroport. La Noria Guesthouse (p. 121) propose des spectacles de théâtre d'ombres.

Reproductions miniatures des temples d'Angkor

L'un des endroits les plus étonnants de Siem Reap est le **jardin** (carte p. 114-115) d'un maître sculpteur qui contient des reproductions d'Angkor Vat, du Bayon et de Banteay Srei. On peut ainsi profiter d'une vue aérienne d'Angkor sans louer un hélicoptère, même si la taille démesurée des insectes au milieu des temples ramène vite le visiteur à la réalité (entrée : 1 $US).

LA GUERRE DES MUSÉES DE LA GUERRE

Fondé par un démineur cambodgien, Aki Ra, le **musée des Mines terrestres** (carte p. 134-136 ; dons acceptés) connaît un grand succès auprès des voyageurs en raison de son intéressante exposition sur le fléau que représentent ces engins dans le pays. Il propose une information très complète sur les différents types de mines utilisées pendant la guerre civile. En 2000, certains ont affirmé que la présence de mines non désamorcées rendait l'endroit dangereux. Prétendant que son musée donnait une image négative du pays, les autorités locales n'ont cessé de créer des ennuis à Aki Ra, qui s'est retrouvé plusieurs fois derrière les barreaux. Les raisons de ce harcèlement sont apparues clairement en 2001, lorsque le **musée de la Guerre** (carte p. 134-136 ; 3 $US ; 8h-17h30), dirigé par un commandant militaire de la région, a ouvert près de l'aéroport. Manifestement, il n'y avait pas de place pour deux musées de ce type à Siem Reap, et Aki Ra a perdu la bataille.

Cependant, celui-ci ne s'est pas laissé abattre et on peut toujours visiter son musée, qui n'en est plus un officiellement puisqu'il n'exige pas de droit d'entrée ; pour cela, suivez la Stung Siem Reap sur 1 km au nord de l'Angkor Conservation. Le nouveau musée de la Guerre, signalé par de multiples panneaux sur la route de l'aéroport, est bien trop cher pour une collection de vieux matériel militaire sans intérêt, récupéré dans les régions autrefois contrôlées par les Khmers rouges.

Exposition sur le Tonlé Sap

Au nord de la ville, Krousar Thmey, une ONG (organisation non gouvernementale) œuvrant en faveur des orphelins (voir p. 273), présente une intéressante **exposition** (carte p. 134-136 ; entrée libre) sur le lac Tonlé Sap. Elle comprend des photos, des maquettes et du matériel de pêche spécifique au lac, ainsi qu'une vidéo instructive. Après la visite, vous pourrez vous offrir un massage (voir ci-après).

À FAIRE

Massages et centres de remise en forme

Digne de soutien, **Seeing Hands Massage 4** (carte p. 114-115 ; ☎ 012 836487 ; 4 $US l'heure), à deux pas de la Ph Sivatha, forme des masseurs aveugles ; une partie des bénéfices est consacrée à aider les aveugles de la province de Siem Reap. Si vous arrivez de Poipet par la route, une séance vous fera le plus grand bien. **Krousar Thmey** (carte p. 134-136 ; 5 $US le massage) emploie aussi des masseurs aveugles dans les locaux de l'exposition sur le Tonlé Sap.

Les massages des pieds remportent un franc succès à Siem Reap, ce qui n'est guère étonnant vu le nombre d'escaliers à monter pour visiter les temples. Si vos orteils vous font souffrir, rendez-vous dans la rue qui part au nord-ouest du psar Chaa, où une demi-douzaine d'établissements demandent 5 $US pour 1 heure de massage. Citons notamment **Islands Traditional Khmer Massage** (carte p. 114-115 ; ☎ 012 836487) et l'échoppe du Dr Feet, au nom subtil !

Voici d'autres adresses plus élégantes :

Chai Massage (carte p. 134-136 ; ☎ 380287 ; Vithei Charles de Gaulle ; 20 $US l'heure). Renommé pour son authentique shiatsu (massage japonais).

Frangipani (carte p. 114-115 ; ☎ 012 982062) Dans une ruelle étroite entre le psar Chaa et Bar St, cet endroit charmant propose des massages et toute une gamme de soins.

Nombre d'hôtels haut de gamme possèdent des centres de remise en forme ouverts aux non-résidents. Parmi les plus réputés figurent l'**Angkor Spa** (carte p. 134-136) du Sofitel Royal Angkor (p. 122), le **Sanctuary Spa** (carte p. 114-115) du Shinta Mani (p. 122) et le **Visaya Spa** (carte p. 114-115) du FCC Angkor (p. 122).

Natation

Faute de piscine publique, les habitants viennent se baigner le week-end dans le Baray occidental (p. 166).

La plupart des grands hôtels de Siem Reap possèdent une piscine et certains acceptent les non-résidents moyennant une contribution. L'**Angkoriana Hotel** (p. 123 ; 6 $US) et le **Day Inn Angkor Resort** (p. 122 ; 5 $US) disposent de piscines assez petites. **Le Meridien Angkor** (p. 123) offre un bon rapport qualité/prix, à 10 $US. Le **Sofitel Royal Angkor Hotel** (p. 122 ; 20 $US) et l'**Angkor Palace Spa Resort** (p. 123) comprennent d'immenses piscines lagons. Le second demande 12 $US boisson comprise, ou 22 $US avec déjeuner ou dîner, une option particulièrement intéressante.

FÊTES ET FESTIVALS

À l'occasion du **Chaul Chnam** (Nouvel An khmer), à la mi-avril, les Cambodgiens affluent à Angkor en bus, en camion, en voiture ou à vélo. L'effervescence règne dans la plupart des temples, où l'on s'asperge d'eau et de talc. Une période à éviter si l'on souhaite découvrir Angkor dans le calme.

Célébrée à la fin octobre ou en novembre, **Bon Om Tuk** (fête de l'Eau) s'accompagne de courses de bateau sur la Stung Siem Reap. Des centaines de personnes investissent la ville pour soutenir leur équipe.

Pour plus de renseignements sur les festivités cambodgiennes, reportez-vous à la p. 278.

OÙ SE LOGER

D'innombrables pensions, tenues par des familles, visent la clientèle des routards, avec des chambres de 3 à 10 $US. En catégorie moyenne, comptez à partir de 15 $US dans une pension haut de gamme et 20 $US au moins dans un petit hôtel. Si vous souhaitez la climatisation à petit prix, vous trouverez plus facilement votre bonheur dans cette catégorie, car les pensions bon marché possèdent peu de chambres climatisées.

Les hôtels de catégories moyenne et supérieure abondent et de nouveaux établissements ne cessent d'apparaître. On peut affirmer sans exagération qu'il y a aujourd'hui plus d'hébergements à Siem Reap que de temples à Angkor.

En basse saison (d'avril à septembre), les hôtels accordent souvent des remises. Les hôtels de luxe affichent habituellement des tarifs haute et basse saisons.

Le site web de la **Siem Reap Angkor Hotel & Guesthouse Association** (www.angkorhotels.org) publie une liste exhaustive des pensions et hôtels.

Petit budget

Les rabatteurs des pensions attendent à la station de taxis, à l'aéroport et à Phnom Krom (le débarcadère du bateau express en provenance de Phnom Penh). Même si vous n'avez pas réservé, ne soyez pas surpris de voir votre nom inscrit sur une pancarte à l'arrivée ; la plupart des pensions de la capitale travaillent en partenariat avec celles de Siem Reap ou leur vendent votre nom ! Ce système implique le trajet gratuit jusqu'à la pension ; si elle ne vous plaît pas, vous pouvez chercher ailleurs, mais vous devrez alors payer la course "gratuite" 1 $US ou plus.

Outre les pensions indiquées ci-dessous, quantité d'adresses offrent des chambres à partir de 3 $US. Nombre d'entre elles consentent une petite réduction pour un long séjour.

QUARTIER DU PSAR CHAA

Shadow of Angkor Guesthouse (carte p. 114-115 ; ☎ 964774 ; ch 6-20 $US ; ❄). Seule pension de cette catégorie située dans le centre au bord de la rivière, elle occupe une demeure coloniale aérée. Elle dispose d'agréables chambres avec ventil ; toutefois, celles avec clim sont plus vastes et mieux décorées. Petit déjeuner et en-cas servis sur la terrasse.

Popular Guesthouse (carte p. 114-115 ; ☎ 963578 ; chom@camnet.com.kh ; ch 3-15 $US ; ❄). Comme son nom l'indique, il s'agit d'une pension appréciée des routards pour son excellent choix de chambres et son sympathique restaurant aménagé sur le toit. Les chambres les moins chères, dans l'ancienne aile, possèdent une sdb. Dans la nouvelle aile, récemment achevée, vous bénéficierez de la clim, d'une TV et de l'eau chaude.

Bequest Angkor Hotel (carte p. 114-115 ; ☎ 963317 ; ch 13 $US ; ❄). Des prestations dignes d'un hôtel au prix d'une pension ! Ses chambres lumineuses avec TV, eau chaude, réfrigérateur et téléphone font le bonheur des clients.

Red Lodge (carte p. 114-115 ; ☎ 012 707048 ; www.redlodgeangkor.com ; ch avec petit déj 6-12 $US ; ❄ 💻). Blottie au bout d'une petite rue, mais largement signalée dans toute la ville, cette pension, aménagée dans une villa moderne, offre des chambres avec sdb, ventil ou clim. Le thé et le café gratuits ainsi que les vélos mis gracieusement à disposition en font une option intéressante. Son site web est une bonne source d'informations touristiques.

QUARTIER DE LA PHLAUV SIVATHA

Family Guesthouse (carte p. 114-115 ; ☎ 760077 ; familygh@everyday.com.kh ; ch 3-15 $US ; ❄). Autrefois, toutes les pensions de Siem Reap lui ressemblaient – une maison de bois de deux étages aux parquets grinçants – mais l'espèce se raréfie depuis l'arrivée du béton. Ventil et petits prix dans l'ancien bâtiment, clim dans la nouvelle. Comme son nom l'indique, l'endroit est tenu par une famille.

Naga Guesthouse (carte p. 114-115 ; ☎ 963439 ; ch 2-4 $US). L'une des plus anciennes pensions de la ville, elle reste fidèle à ses origines et ne compte que des chambres très rudimentaires avec ventil dans une grande bâtisse en bois, haute de plafond. Un restaurant et une table de billard occupent le rez-de-chaussée.

Mommy Guesthouse (carte p. 114-115 ; ☎ 012 941755 ; ch 2-6 $US). Autre pension traditionnelle tenue par une famille chaleureuse, cet endroit accueillant propose des chambres avec ventil et sdb et prévoit d'installer la clim dans certaines. Son bar en façade est l'un des moins chers du quartier.

Smiley Guesthouse (carte p. 114-115 ; ☎ 012 852955 ; ch 4-15 $US ; ❄ 💻). Plutôt hôtel pour petit budget que pension, la Smiley loue des chambres dotées de différents niveaux de confort, de la simple sdb à la TV satellite, l'eau chaude et la baignoire. Elle s'agrémente d'un restaurant apprécié qui sert des spécialités khmères et occidentales.

LE COUP DE CŒUR DE L'AUTEUR

Jasmine Lodge (carte p. 114-115 ; ☎ 760697 ; www.jasminelodge.com ; ch 2-15 $US; ❄). Cette excellente petite pension, attentive à vos moindres désirs, propose des chambres propres avec ventil ou clim. Sur le toit, le restaurant met gracieusement à disposition une table de billard.

Royal Hotel (carte p. 114-115 ; ☎ 012 552491 ; ch 5-12 $US; ❄). Installé de longue date, il commence à accuser son âge mais ses chambres présentent un bon rapport qualité/prix. Comptez 7 $US pour une chambre avec eau chaude, 10 $US avec clim et 12 $US avec réfrigérateur.

Voici d'autres adresses :

Long Live Angkor Guesthouse (carte p. 114-115 ; ☎ 760286 ; ch 5-6 $US). Bien tenue ; TV dans toutes les chambres ; 1 $US de supplément pour l'eau chaude.

Orchidae Guesthouse (carte p. 114-115 ; ☎ 012 849716 ; ch 2-10 $US ; ❄). À quelques pas de l'artère principale, une petite pension animée qui propose un bon choix de chambres.

QUARTIER DE LA RN6 OUEST

Hello Guesthouse (carte p. 114-115 ; ☎ 012 920556 ; ch 2-8 $US ; ❄). Partenaire de l'Okay Guesthouse (p. 91) à Phnom Penh, elle pratique des prix intéressants, à 2 $US la chambre avec ventil et sdb commune (à partir de 7 $US avec clim). Quelques phrases khmères utiles sont affichées dans son grand restaurant.

Chenla Guesthouse (carte p. 114-115 ; ☎ 963233 ; 012835488@mobitel.com.kh ; ch 6-20 $US ; ❄). Ouverte de longue date, elle réinvestit ses bénéfices dans des travaux d'agrandissement. Les voyageurs japonais apprécient particulièrement son large choix de chambres.

Earthwalkers (carte p. 134-136 ; ☎ 012 967901 ; www.earthwalkers.no ; dort 4 $US, s 10-13 $US, d 12-15 $US ; ❄ 💻). Tenue par un groupe de jeunes Norvégiens tombés amoureux du Cambodge, cette élégante pension à la propreté impeccable dégage une atmosphère internationale. Les dortoirs coûtent plus cher qu'ailleurs mais il se peut que vous soyez seul dans le vôtre et le petit déjeuner est compris. Au rez-de-chaussée, le bar est une excellente source d'informations pour les voyageurs. Remise de 10% sur les réservations par Internet.

Autres options :

Apsara Angkor Guesthouse (carte p. 114-115 ; ☎ 012 779678 ; ch 2-20 $US ; ❄). Sa gamme de prix contribue à sa popularité.

Sidewalk Guesthouse (carte p. 134-136 ; ☎ 012 893468 ; meanchanthon@bigpond.com.kh ; ch 2-4 $US). Petite pension sur la route de l'aéroport. Ses atouts : prêt de vélos et thé et café gratuits.

RIVE EST DE LA RIVIÈRE

13th Villa (carte p. 114-115 ; ☎ 012 756655 ; ch 3-12 $US ; ❄). Cette pension moderne comprend des chambres spacieuses – simples avec sdb commune pour les moins chères, ou avec eau chaude pour 7 $US.

Two Dragons Guesthouse (carte p. 114-115 ; ☎ 012 630297 ; ch 6-15 $US ; ❄). Au sud de la 13th Villa, au milieu du quartier des pensions, cette nouvelle adresse loue de jolies petites chambres dans une maison à un étage. Le propriétaire gère l'un des meilleurs sites web sur le tourisme au Cambodge et vous donnera des informations fiables.

Samnark Preah Riem Guesthouse (carte p. 114-115 ; ☎ 760378 ; preahriem@camnet.com.kh ; ch 6-15 $US ; ❄). Un nom un peu difficile à prononcer, mais cet effort vous permettra de profiter des chambres douillettes à l'étage. Celles en bois, avec ventil, coûtent 8 $US, les plus chères bénéficient de la clim et de l'eau chaude.

Home Sweet Home Guesthouse (carte p. 114-115 ; ☎ 963245 ; sweethome@camintel.com ; ch 10-15 $US ; ❄). Elle fait partie d'une série de pensions impeccables, comme la **European Guesthouse** (carte p. 114-115), toute proche, et propose des chambres spacieuses et confortables, réparties dans trois bâtiments.

Angkor Thom Hotel (carte p. 114-115 ; ☎ 964862 ; ch 10-13 $US ; ❄). Cet hôtel se détache du lot grâce à ses chambres élégantes, digne d'un deux-étoiles. TV satellite, réfrigérateur et eau chaude font partie des standards et des photos d'Angkor ornent les corridors.

D'autres adresses :

Green Town Guesthouse (carte p. 114-115 ; ☎ 964974 ; ch 3-12 $US ; ❄). Près de la rivière, une vaste pension d'un bon rapport qualité/prix. Tarifs imbattables pour les chambres situées dans l'ancienne maison.

Happy Guesthouse (carte p. 114-115 ; ☎ 973623 ; monoroyal@yahoo.com ou dara_theman@hotmail.com ; ch 5-12 $US ; ❄). Un établissement sympathique, avec un café animé dans le jardin et un bon choix de chambres.

Rosy Guesthouse (carte p. 114-115 ; ☎ 965059 ; ch 7-15 $US ; ❄). Nouvelle direction occidentale. Chambres impeccables et bar fréquenté au rez-de-chaussée.

PLUS LOIN

Angkorian Lodge (carte p. 134-136 ; ☎ 012 840033 ; ch avec petit déj 7-15 $US ; ❄). À quelques centaines de mètres au nord de l'Angkor Conservation, sur la rive opposée de la Stung Siem Reap, il propose des bungalows répartis dans un cadre boisé et tranquille.

Garden Village (carte p. 134-136 ; ☎ 012 858647 ; gardenvillage@asia.com ; ch 2-12 $US ; ❄). Proche de la ville, cette pension donne l'impression de s'en trouver à des kilomètres. Elle remporte un succès croissant grâce à ses prix raisonnables et au charmant restaurant installé dans le jardin.

7th Paradise Resort (☎ 012 996152 ; ch 5-10 $US ;). Très excentré, ce minicomplexe hôtelier aurait besoin d'un bon coup de peinture, mais où trouver une autre piscine à ce prix ? À 10 km de Siem Reap en direction de la Thaïlande, il ne conviendra pas aux noctambules.

Catégorie moyenne

Le nombre d'établissements de cette catégorie s'est multiplié et la concurrence joue en faveur des clients. La plupart d'entre eux offrent un transfert gratuit de l'aéroport ou du débarcadère. N'hésitez pas à tester les hôtels de la rubrique *Plus loin*, qui comprend certaines des meilleures adresses.

QUARTIER DU PSAR CHAA

Ivy Guesthouse (carte p. 114-115 ; ☎ 012 800860 ; ch 15-25 $US ;). En déménageant (plus loin dans la même rue), l'Ivy a changé de catégorie. Les chambres bien équipées et joliment décorées comprennent TV et eau chaude. Le bar (p. 127) reste proche.

Molly Malone's Guesthouse (carte p. 114-115 ; ☎ 963533 ; ch 20-45 $US ;). Le premier pub irlandais de Siem Reap (p. 127), comprend quelques chambres agrémentées de lits à baldaquin. Le prix dépend de la taille et du style ; celle à 40 $US possède un balcon avec vue sur le centre-ville.

Ta Prohm Hotel (carte p. 114-115 ; ☎ 380117 ; taprohm@camintel.com ; s/d 45/50 $US ;). L'un des plus anciens hôtels de la ville a fortement baissé ses tarifs au cours des dernières années et présente un très bon rapport qualité/prix vu sa situation centrale. Apprécié des groupes, il domine la rivière et offre un confort trois-étoiles, mais manque de cachet.

QUARTIER DE LA PHLAUV SIVATHA

Bakong Lodge (carte p. 114-115 ; ☎/fax 963419 ; www.bakong-guesthouse.com ; 1 Ph Sivatha ; s/d 15/20 $US ;). Tenue par une famille, cette jolie pension haut de gamme, l'une des premières de Siem Reap, conserve des prix stables. Les chambres bénéficient du confort habituel et un petit restaurant est installé dans le hall.

Red Piano (carte p. 114-115 ; ☎ 963240 ; www.redpianocambodia.com ; ch 18-30 $US ;). Cette pension réputée a récemment déménagé dans une villa moderne rouge vif, située dans une rue tranquille. Les chambres ont conservé leur décoration originale, avec lits en bois sculpté et tentures colorées, et comportent TV et eau chaude. Le restaurant du même nom (p. 125) se trouve à proximité.

Golden Temple Villa (carte p.114-115 ; ☎ 012 943459 ; ch 8-30 $US ;). Au bout d'une petite rue, près des Artisans d'Angkor, cette élégante pension, ornée de boiseries et d'art angkorien, dispose de chambres confortables et d'un bar animé au rez-de-chaussée.

Dead Fish Inn (carte p. 114-115 ; ☎ 963060 ; www.talesofasia.com/cambodia-deadfish.htm ; ch 5-25 $US ;). Doté d'un bon sens de l'humour, le propriétaire a baptisé ses chambres du nom de chaînes hôtelières de luxe, comme Hilton et Sofitel. Toutes sont aménagées différemment, avec lits en hauteur ou minisuites. Les moins chères ressemblent un peu à une cellule.

Auberge Mont Royal (carte p. 114-115 ; ☎ 964044 ; mont-royal@mobitel.com.kh ; s/d standard 25/30 $US, de luxe 45/50 $US ;). Un peu à l'écart de l'artère principale, cette jolie villa de style colonial, à l'ambiance agréable, propose des chambres raffinées, avec sdb et minibar. Ajoutez 10% de taxes et 2,50 $US pour le petit déjeuner.

Green Garden Guesthouse (carte p. 114-115 ; ☎ 963342 ; 012 890363@mobitel.com.kh ; ch 15-25 $US ;). Cette pension a fait des efforts pour améliorer ses chambres, qui s'agrémentent aujourd'hui de dessus-de-lit et de rideaux en soie. Le jardin luxuriant ajoute à son charme.

Parmi les nombreuses autres adresses, citons :

Funan Angkor Palace (carte p. 114-115 ; ☎ 012 971676 ; 560 Ph Sivatha ; 10-18 $US ;). Dans cet établissement élégant, les immenses chambres à 18 $US méritent le coup d'œil.

Mandalay Inn (carte p. 114-115 ; ☎ 963960 ; 148 Ph Sivatha ; s/d/tr 15/20/25 $US ;). Tenue par des Birmans, cette auberge loue de vastes chambres bien équipées (avec sèche-cheveux).

Reaksmey Chanreas Hotel (carte p. 114-115 ; ☎ 963557 ; 330 Ph Sivatha ; ch 15-40 $US ;). Récemment rénové et d'un bon rapport qualité/prix pour les chambres les moins chères.

QUARTIER DE LA RN6 OUEST

Moon Inn (carte p. 134-136 ; ☎ 760334 ; ch 15-30 $US ; ❄). Cette grande villa récente, tenue par une famille, renferme de jolies chambres décorées de soieries et impeccablement propres. Au dernier étage, vous ne paierez que 15 $US. Facile à manquer si vous ne guettez pas les panneaux sur la nationale, la Moon Inn se trouve au nord de la RN6 ouest.

Secret of the Elephants (carte p. 134-136 ; ☎ 964328 ; info@angkor-travel.com ; RN6 ouest ; ch avec petit déj 30-40 $US ; ❄). Doté de plus de charme que de confort, ses chambres les moins chères ne disposent que d'un ventil au plafond. Les gadgets modernes, comme la TV ou le réfrigérateur, ne font pas partie de l'offre. Recommandé à ceux qui apprécient un décor inventif.

RIVE EST DE LA RIVIÈRE

Plusieurs hôtels répertoriés ci-dessous se situent au bord ou près de la rivière, dans un quartier plaisant et ombragé.

La Noria Guesthouse (carte p. 114-115 ; ☎ 964242 ; www.angkor-hotel-lanoria.com ; lanoria@bigfoot.com ; s/d 29/39 $US ; ❄ 💻 🏊). Ce ravissant complexe, installé dans un jardin luxuriant, s'agrémente d'une piscine. Les petits bungalows, joliment décorés, disposent d'une terrasse individuelle. Sur place, un excellent restaurant (p. 126) prépare des spécialités khmères et françaises.

Appartenant au même propriétaire, le **Borann L'Auberge des Temples** (carte p. 114-115 ; ☎ 964740 ; www.borann.com ; borann@bigfoot.com ; s/d 33/44 $US ; ❄ 💻 🏊) offre une ambiance familiale détendue. Entouré d'un grand jardin tropical, il loue de vastes bungalows, ornés de meubles anciens, qui peuvent accueillir 3 lits. Un restaurant est à la disposition des hôtes.

Angkor Discover Inn (carte p. 114-115 ; ☎ 762727 ; www.angkorinn.com ; s/d/lits jum US$25/35/45 ; ❄ 💻). Nouvelle venue sur la scène hôtelière, cette élégante auberge aux finitions de bois et latérite propose des chambres décorées avec goût. Préférez une chambre à lits jumeaux car les simples et les doubles sont un peu petites.

Bopha Angkor Hotel (carte p. 114-115 ; ☎ 964928 ; www.bopha-angkor.com ; Ph Stung Siem Reap ; ch 38-62 $US ; ❄). Se targuant d'offrir un service cinq-étoiles à des prix trois-étoiles, il se révèle plus agréable que sa façade vieillotte ne le laisse supposer. La culture khmère a inspiré le décor des chambres et, parmi les extras, vous trouverez le soir votre lit préparé pour la nuit. Le restaurant jouit d'une excellente réputation.

Big Lyna Villa (carte p. 114-115 ; ☎ 964807 ; bec@camintel.com ; ch 13-25 $US ; ❄). Dans une maison de bois traditionnelle, les chambres spacieuses font la part belle à l'artisanat local. Comptez au moins 20 $US pour bénéficier de l'eau chaude.

Koh Ker Hotel (carte p. 114-115 ; ☎/fax 963234 ; kohker@camintel.com ; s/lits jum 30/35 $US ; ❄). La façade un peu sévère dissimule de jolies chambres d'un bon rapport qualité/prix, avec TV, minibar, coffre-fort et baignoire.

Autres options :

City River Hotel (☎ 763000 ; www.cityriverhotel.com ; ch 35-50 $US ; ❄). Un nouvel hôtel élégant qui surplombe la rivière et pratique des tarifs intéressants.

Passaggio Hotel (☎ 760324 ; www.passaggio-hotel.com ; ch 35-55 $US ; ❄ 💻). Tenu par des Suisses, il comprend 2 suites élégantes et de belles chambres standard.

LE COUP DE CŒUR DE L'AUTEUR

Golden Banana (carte p. 114-115 ; ☎ 012 885366 ; www.golden-banana.com ; ch 18-22 $US ; ❄). Un nom et un endroit que vous n'oublierez pas de sitôt. Aménagées dans le style d'une pagode sino-khmère, les chambres de ce B&B, tenu par un Australo-cambodgien, sont meublées avec imagination et comprennent une douche chaude. Un restaurant surélevé et un petit bar complètent l'offre. Les gays sont les bienvenus.

PLUS LOIN

Hanumanalaya (carte p. 134-136 ; ☎ 760582 ; www.hanumanalaya.com ; ch 35-65 $US ; ❄ 💻). Tout près de l'Angkor Conservation et de la rivière, cette maison de bois traditionnelle est joliment décorée d'antiquités et d'artisanat cambodgiens. Les chambres disposent de tout le confort moderne, comme la TV satellite et un minibar ; le petit déjeuner, asiatique ou occidental, est compris. Les clients ont accès gratuitement à la piscine du Sofitel Royal Angkor.

La Villa Loti (carte p. 134-136 ; ☎ 012 888403 ; www.lavillaloti.com ; ch 35-50 $US ; ❄). Également appelé Coconut House, ce charmant hôtel s'agrémente de finitions en matériaux locaux. Les chambres en étage bénéficient

LE COUP DE CŒUR DE L'AUTEUR

La Résidence d'Angkor (carte p. 114-115 ; ☎ 963390 ; www.pansea-angkor.com ; Ph Stung Siem Reap ; ch 280 $US ;). Cet hôtel traditionnel en bois déploie un luxe discret, avec sa réception aux lignes minimalistes et sa belle piscine centrale. Les chambres, charmantes et immenses, suivent un plan ouvert et disposent de baignoires fabuleuses, en marbre et de la taille d'un Jacuzzi.

d'une belle vue et le prix plus élevé des suites spacieuses se justifie.

Pavillon Indochine (carte p. 134-136 ; ☎ 012 849681 ; www.pavillon-indochine.com ; ch 25-33 $US, bungalows 25 $US ;). Pension la plus proche des temples d'Angkor, cette belle propriété à l'ambiance agréable loue des chambres joliment meublées dans le style chinois et khmer. Bar et restaurant sur place.

Peace of Angkor Villa (carte p. 134-136 ; ☎ 760475 ; www.peaceofangkor.com ; ch 15-35 $US ;). Une spacieuse villa moderne gérée par des Anglais, avec des chambres bien tenues et des photos ornant les murs et les corridors. Les propriétaires organisent des circuits d'aventure.

Catégorie supérieure

La plupart de ces hôtels ajoutent 10% de taxes à leurs tarifs et parfois 10% de service. Toutefois, le petit déjeuner est inclus. La concurrence commence à faire baisser les prix et réserver par l'intermédiaire d'une agence de voyages vous fera bénéficier de conditions préférentielles. Entre novembre et mars, il est indispensable de réserver.

Grand Hotel d'Angkor (carte p. 114-115 ; ☎ 963888 ; www.raffles-grandhoteldangkor.com ; s/d 310/360 $US ;). Pour retrouver l'ambiance de l'époque coloniale, difficile de trouver mieux que cet hôtel, le plus luxueux de la ville, ouvert depuis 1929. Propriété du groupe Raffles, il offre des chambres somptueuses, avec lits élégants et baignoires à l'ancienne, mais le service est un peu guindé et austère.

Victoria Angkor Hotel (carte p. 114-115 ; ☎ 760428 ; www.victoriahotels-asia.com ; s/d 285/320 $US ;). Pour un œil non averti, ce splendide hôtel semble dater de la même époque que son grandiose voisin, mais il n'a ouvert qu'en 2003. Le hall raffiné conduit à l'une des plus belles piscines de Siem Reap, installée dans un jardin avec un bar en terrasse. Les chambres sont parfaitement équipées, mais les grands *barang* (étrangers) trouveront les baignoires un peu petites.

Amansara (carte p. 114-115 ; ☎ 760333 ; www.amanresorts.com ; s/d pension complète 700/775 $US ;). La chaîne Aman est synonyme de luxe partout où elle est implantée et Siem Reap ne fait pas exception. Occupant l'ancien pavillon des invités du prince Sihanouk, les suites comptent parmi les vastes de la ville et donnent sur une petite piscine. L'architecture évoque fortement les années 1960, notamment l'étonnant restaurant circulaire. Les prix comprennent une promenade dans Angkor en remorque-moto.

FCC Angkor (carte p. 114-115 ; ☎ 760280 ; www.fcccambodia.com ; av. Pokambor ; s/d 140/160 $US ;). Ce nouvel hôtel de charme connaît un succès croissant. Bâti à côté de son élégant restaurant (p. 126), il comporte des chambres au style minimaliste mais très confortables, toutes dotées d'un accès Internet haut débit. La piscine, carrelée de noir, et le spa invitent à la détente.

Day Inn Angkor Resort (carte p. 114-115 ; ☎ 760500 ; www.dayinnangkor.com ; Ph Oum Khun ; s/d 80/90 $US ;). Ce nouveau complexe hôtelier se blottit dans une petite rue, derrière la poste. Les chambres entourent un jardin verdoyant et une piscine de bonne taille. Ses prestations quatre-étoiles et les réductions fréquemment consenties en font un excellent choix.

Shinta Mani (carte p. 114-115 ; ☎ 761998 ; www.sanctuaryresorts.com/shintamani ; Ph Oum Khun ; s/d 144/160 $US ;). Établi en tant qu'institut de formation en vue de l'ouverture de l'hôtel de la Paix (voir ci-après), cet établissement propose 18 chambres dotées d'élégantes sdb et de lits traîneaux. Ne vous laissez pas rebuter par l'aspect extérieur quelconque ; l'intérieur et le spa sont très bien conçus. Le restaurant jouit d'une bonne réputation.

Sofitel Royal Angkor (carte p. 134-136 ; ☎ 964600 ; www.sofitel.com ; Vithei Charles de Gaulle ; s/d 280/320 $US ;). Premier cinq-étoiles de Siem Reap, le Sofitel apporte un parfum d'îles thaïlandaises sur la route d'Angkor. Outre les chambres classiques de la chaîne, il possède une magnifique piscine lagon, un bar flottant et un spa luxueux.

Le Meridien Angkor (carte p. 134-136 ; ☎ 963900 ; www.lemeridien.com ; s/d 290/310 $US ;). Grand complexe hôtelier le plus proche d'Angkor, il ressemble à une forteresse d'Extrême-Orient, mais à peine le seuil franchi, on plonge dans une oasis de confort. Les chambres comprennent une sdb à deux niveaux et tout le confort d'un cinq-étoiles. La piscine fait le bonheur des enfants. À cela s'ajoute un authentique restaurant italien.

Angkor Century Hotel (carte p. 114-115 ; ☎ 963777 ; www.angkorcentury.com ; Ph Sivatha ; s/d 220/235 $US ;). Plus fonctionnelles que sophistiquées, les chambres (et la façade) affichent un sérieux que viennent adoucir une piscine lagon et un jardin magnifiques. Les amateurs de cigares apprécieront l'humidificateur.

Angkoriana Hotel (carte p. 114-115 ; ☎ 760274 ; www.angkorianahotel.com ; ch 65-90 $US ;). L'un des moins chers de cette catégorie, il occupe un emplacement animé, sur la route d'Angkor. Une piscine et un bar séduisants compensent les chambres trois-étoiles standard.

Angkor Village (carte p. 114-115 ; ☎ 965561 ; www.angkorvillage.com ; ch 96-159 $US ;). Réputé au-delà des frontière comme une oasis de calme et de tranquillité, il a réparti ses bungalows de bois autour d'un restaurant, dans un jardin aquatique délicatement élaboré. Si les chambres sont très confortables, les prix reflètent l'ambiance plutôt que les prestations. Le nouvel **Angkor Village Resort** (carte p. 134-136 ; ☎ 963561 ; Ph Phum Traeng ;) , hors de la ville en direction d'Angkor, comprend une piscine qui traverse toute la propriété comme une rivière et des chambres plus spacieuses, avec douche et toilettes séparées. Réservation indispensable.

Angkor Palace Spa Resort (carte p. 134-136 ; ☎ 760511 ; www.angkorpalaceresort.com ; s/d 125/145 $US ;). Près de la route de l'aéroport, sur une superficie deux fois plus grande que celle du Sofitel, cet élégant complexe hôtelier possède un splendide hall en bois et l'une des plus grandes piscines de la ville. Les vastes chambres s'agrémentent d'une sdb ouverte et de lits classiques. Les tarifs sont très raisonnables par rapport à d'autres cinq-étoiles.

La Maison d'Angkor (carte p. 134-136 ; ☎ 965045 ; www.lamaisondangkor.com ; RN6 ouest ; ch 55-70 $US ;). Installé dans un jardin, ce joli complexe venait d'ouvrir lors de notre passage. Les bungalows blanchis à la chaux, répartis autour d'une piscine attrayante, comportent des lits doubles, une TV, un réfrigérateur et un coffre.

Damnak Angkor Village (carte p. 134-136 ; ☎ 760032 ; www.damnakangkor.com ; s/lits jum/tr 90/100/115 $US ;). Ce petit complexe hôtelier plein de charme se niche au bout d'une route secondaire sur le chemin de l'aéroport, au nord de la RN6 ouest. Il rappelle un peu l'Angkor Village avec ses boiseries et ses jolis meubles.

Lotus Angkor Hotel (carte p. 134-136 ; ☎ 965555 ; www.lotusangkor.com ; ch 80-90 $US ;). L'un des hôtels les plus récents sur la route de l'aéroport, il loue des chambres bien équipées, avec parquets et de belles sdb. Ses tarifs intéressants lui valent la faveur des groupes. La piscine de bonne taille séduira les nageurs.

D'autres établissements haut de gamme devraient ouvrir prochainement : le **Royal Angkor Resort** (carte p. 134-136 ; RN6 ouest), copie quasi conforme du vénérable hôtel Le Royal de Phnom Penh, et l'**hôtel de la Paix** (carte p. 114-115 ; www.sanctuaryresorts.com/delapaix ; Ph Sivatha), qui fait partie du groupe Sanctuary Resorts.

OÙ SE RESTAURER

Comme les hôtels, les restaurants se multiplient et l'on peut désormais goûter des cuisines originaires des quatre coins du monde. Beaucoup d'établissements ayant pignon sur rue accueillent les groupes et, si la qualité reste excellente, l'ambiance en pâtit.

Certaines pensions pour petit budget proposent un choix de plats cambodgiens et occidentaux. N'hésitez pas toutefois à sortir de votre hôtel pour découvrir d'autres adresses.

Plusieurs hôtels de catégorie moyenne et tous ceux de catégorie supérieure possèdent des restaurants, dont certains sont décrits dans cette rubrique. Comme il se doit pour une chaîne française, le Sofitel Royal Angkor détient la palme pour son buffet gastronomique (à des prix astronomiques selon les critères cambodgiens). Le Victoria Hotel jouit aussi d'une bonne réputation. Pour les dîners accompagnés d'un spectacle de danse traditionnelle, consultez la rubrique *Où sortir* (p. 127).

L'encadré p. 142 recense les possibilités de restauration à Angkor.

LE COUP DE CŒUR DE L'AUTEUR

Khmer Kitchen Restaurant (carte p. 114-115 ; ☎ 964154 ; The Alley ; plats 2-3 $US). Niché au bout d'une petite allée animée entre Bar St et le psar Chaa, ce chaleureux petit restaurant propose un choix de savoureux plats khmers et thaïlandais, dont de copieux curries *mussaman* à 2,50 $US. Les tables débordent jusque sur le trottoir et l'endroit a récemment accueilli un certain Mick Jagger.

Cuisine khmère

Amok (carte p. 114-115 ; ☎ 012 800309 ; The Alley ; plats 3-4 $US). Portant le nom du plat national cambodgien et situé en face du Khmer Kitchen Restaurant, ce petit établissement élégant ne manque pas de cachet.

Arun Restaurant (carte p. 114-115 ; ☎ 964227 ; plats 2-3 $US). Établi de longue date et miraculeusement épargné par les groupes, il sert des spécialités khmères et asiatiques, dont un excellent poisson au gingembre. L'Arun se trouve au nord de la RN6 ouest.

Bayon Restaurant (carte p. 114-115 ; ☎ 012 855219 ; Ph Wat Bo ; plats 2-4 $US). Installé dans une cour intérieure, cet immense restaurant, envahi par les groupes, bénéficie d'une réputation méritée pour sa cuisine savoureuse et authentique. Le service rapide témoigne de l'habitude du personnel à s'occuper de dizaines de clients à la fois.

Samapheap Restaurant (carte p. 114-115 ; Ph Stung Siem Reap ; 2-5 $US). Dans un jardin éclairé de guirlandes lumineuses, il concocte l'une des meilleures cuisines de la ville, en particulier des poissons et crustacés au poivre vert. L'adresse est malheureusement connue des groupes. Pour éviter la foule, venez tard dans la soirée ou demandez un pavillon privé.

Banteay Srei Restaurant (carte p. 134-136 ; RN6 ouest ; plats 2-4 $US). Davantage fréquenté par les Cambodgiens que par les touristes, il sert une cuisine khmère authentique dans un agréable jardin. À éviter si vous n'aimez pas le *prahoc* (pâte de poisson fermentée).

Café Indochine (carte p. 114-115 ; Ph Sivatha ; plats 4-7 $US). Dans une élégante villa traditionnelle de l'artère principale, il offre un mélange de saveurs asiatiques et européennes. Les plats khmers semblent plutôt internationaux, mais l'ambiance vous enchantera.

Madame Butterfly (carte p. 134-136 ; ☎ 016 909607 ; RN6 ouest ; plats 4-8 $US). À l'écart de l'agitation de la route de l'aéroport, dans une vieille maison de bois enfouie dans la végétation, ce restaurant plein de charme propose une cuisine inspirée de diverses traditions asiatiques. Souvent occupé par des groupes, il dispose de petites tables sur la véranda.

Viroth's Restaurant (carte p. 114-115 ; ☎ 016 951800 ; Ph Wat Bo ; plats 3-6 $US). Ne se laissant pas abattre par l'adversité, les propriétaires de l'ancien Angkor Café ont ouvert ce charmant restaurant dans un jardin, à l'est de la ville. Sa délicieuse cuisine et son cadre raffiné le promettent à un bel avenir.

Pour manger khmer à petit prix, flânez dans le psar Chaa où une multitude d'échoppes animées possèdent une enseigne et une carte en anglais. Certains plats sont déjà préparés, d'autres, cuits sur commande, mais aucun ne coûte plus de 1 $US. D'autre stands de restauration se regroupent au nord du Pont royal, sur la rive est de la rivière, ainsi qu'en soirée dans la Ph Sivatha, au nord du nouveau marché central. Vous pouvez aussi vous renseigner auprès de votre chauffeur, qui connaît certainement de bonnes adresses bon marché.

Cuisine thaïlandaise

Chivit Thai (carte p. 114-115 ; ☎ 012 830761 ; 130 Ph Wat Bo ; plats 2-4 $US). Sans doute le restaurant thaïlandais le plus charmant de Siem Reap, il est installé dans un jardin verdoyant sous des pavillons de bois traditionnels. Assis

LE COUP DE CŒUR DE L'AUTEUR

Dead Fish Tower (carte p. 114-115 ; Ph Sivatha ; plats 2-4 $US). Dans un incroyable bâtiment à plusieurs niveaux qui évoque un croisement entre une étable et une discothèque, voici une adresse amusante où déguster une cuisine savoureuse. On dîne par terre ou assis à des tables taillées dans des troncs d'arbres. La carte comprend de nombreuses spécialités thaïlandaises et précise que le restaurant "ne sert ni chien, ni chat, ni rat, ni ver" !

à même le sol ou à une table, mettez un peu de piment dans votre vie en commandant quelques spécialités bien épicées.

Sawasdee Restaurant (carte p. 114-115 ; ☎ 012 983510 ; Ph Wat Bo ; plats 2-4 $US). Bonne adresse de cuisine thaïlandaise authentique, il mitonne notamment de savoureuses terrines de poisson et des curries incendiaires.

Krua Thai Restaurant (carte p. 134-136 ; ☎ 963677 ; plats 3-6 $US). Récemment ouvert, il se trouve un peu en dehors de la ville, dans le quartier qui se développe près de l'Angkor Conservation. Attablez-vous dans la maison de bois ou dans le jardin fleuri et, le matin, profitez des petits déjeuners bon marché.

Cuisine vietnamienne

Soup Dragon (carte p. 114-115 ; ☎ 964933 ; Bar St ; plats vietnamiens 1-3 $US, occidentaux 4-6 $US). Au rez-de-chaussée, régalez-vous d'un *pho* (soupe aux nouilles de riz ; 2 500 r) au petit déjeuner. À l'étage, un restaurant chic offre un large choix de plats asiatiques et internationaux. Le poisson épicé en cocotte est un régal. Pour finir sur une note sucrée, commandez une glace maison. Vous pouvez aussi prendre un verre au bar installé sur le toit (il reverse 7% de ses bénéfices à l'Angkor Children's Hospital).

Cuisine japonaise

Ginga (carte p. 134-136 ; ☎ 963366 ; plats 6-15 $US). Succursale de l'un des restaurants japonais les plus connus de Phnom Penh, il fait face au stade et attire des groupes nippons. Dépaysement garanti, à prix forts !

Sanctuary 36.5°C (carte p. 114-115 ; ☎ 964282 ; psar Chaa ; menus à partir de 5 $US). En face du Vieux Marché, ce petit restaurant japonais propose des *bento* (plateaux repas) à prix raisonnables. Plus accueillant et moins guindé que le Ginga.

Cuisine indienne

Taj Mahal (carte p. 114-115 ; ☎ 963353 ; psar Chaa ; plats 2-5 $US). Cet excellent restaurant indien offre un bel éventail de plats du sous-continent. Si vous avez du mal à faire votre choix, optez pour un *thali* (menu).

Little India Restaurant (carte p. 114-115 ; ☎ 012 652398 ; psar Chaa ; plats 2-4 $US). Doyen des restaurants indiens de Siem Reap, il mitonne depuis toujours une cuisine de qualité, dont toutes sortes de plats végétariens.

LE COUP DE CŒUR DE L'AUTEUR

Blue Pumpkin (carte p. 114-115 ; ☎ 963574 ; quartier du psar Chaa ; plats 1,50-5 $US). Installé à une nouvelle adresse, le Pumpkin ne détonnerait pas à Londres ou à Paris. L'étage est décoré dans le style de Philippe Stark, avec des murs blancs, des sièges "lits" et un bar branché. À la carte, en-cas, sandwiches et milk-shakes côtoient des plats plus consistants, ainsi que des pâtisseries succulentes et des glaces.

Cuisine internationale

Red Piano (carte p. 114-115 ; ☎ 963240 ; plats 3-5 $US). Véritable institution au nord-ouest du psar Chaa, il dispose désormais d'une terrasse qui surplombe le centre-ville et d'une vaste salle. Sur la carte figurent toutes sortes de plats cambodgiens ou internationaux. Il se double d'un pub, rendu célèbre par son cocktail "Tomb Raider". Récemment rénovée, la pension du même nom (p. 120) se trouve à quelques pas, dans une rue tranquille.

Balcony Café (carte p. 114-115 ; plats 1-6 $US). À la diagonale du restaurant Red Piano, un autre bâtiment ancien abrite le Balcony. Outre quelques spécialités khmères et occidentales, il sert des milk-shakes énergétiques, mais pas d'alcool. Il consacre 20% de ses bénéfices à la promotion du développement rural.

Tell Restaurant (carte p. 114-115 ; ☎ 63289 ; Ph Sivatha ; plats 1-6 $US ; ❄). L'un des rares restaurants climatisés de la ville, il constitue une halte bienvenue par une chaude journée. Spécialités asiatiques d'un bon rapport qualité/prix et plats d'Europe centrale plus coûteux, le tout copieusement servi.

Kampuccino Pizza (carte p. 114-115 ; ☎ 012835762 ; plats 2-6 $US). Apprécié de longue date, il s'est agrandi le long de la rue, au nord-est du psar Chaa, et affiche une carte comportant des spécialités des quatre coins du monde, ainsi que de bons plats cambodgiens, comme le poulet au gingembre.

Continental Café (carte p. 114-115 ; ☎ 963723 ; plats 3-6 $US). Dans un joli bâtiment au bord de la rivière, au nord-est du psar Chaa, ce bar-restaurant présente une carte éclectique où se côtoient plats cambodgiens, thaïlandais, indonésiens et pizzas. Un havre de tranquillité.

RESTAURANTS-ÉCOLES

Plusieurs restaurants s'efforcent de venir en aide aux adolescents cambodgiens défavorisés en les formant aux métiers du tourisme. En y dînant, vous offrirez aux élèves une bonne occasion de se perfectionner.

Sala Bai (carte p. 114-115 ; salabaiadmin@online.com.kh ; menu déj lun-ven 5 $US). Cette école ouverte par l'ONG française Agir pour le Cambodge (voir p. 274) forme des femmes de chambre, des cuisiniers, des réceptionnistes et des serveurs. Elle offre un menu et quelques chambres à l'étage pour ceux qui souhaitent apporter au projet un soutien plus conséquent.

CVSG Training Restaurant (carte p. 114-115 ; Ph Wat Bo ; plats 1-2 $US). Géré par le Japanese Cambodia Village Support Group (CVSG), il accueille des élèves orphelins ou dont les parents sont handicapés. Les bénéfices servent à financer des projets tels que le forage de puits. Dans un cadre assez spartiate, la cuisine, authentiquement khmère, est délicieuse.

École de tourisme Paul Dubrule (carte p. 134-136 ; ☎ 963672 ; RN6 ouest ; menu déj mar-ven 6 $US). Dans un cadre raffiné, cette école hôtelière propose des menus de 3 plats d'un excellent rapport qualité/prix. Cofondateur du groupe Accor, dont fait partie le Sofitel, Paul Dubrule ne badine pas avec la qualité !

Le Gecko Mayonnaise (carte p. 114-115 ; plats 2-4 $US). Si vous aimez les crêpes, voici l'adresse idéale où déguster galettes salées et sucrées, au nord du psar Chaa.

Ecstatic Pizza (carte p. 114-115 ; ☎ 011 928531 ; plats 3-6 $US). Près du psar Chaa, il propose les meilleures pizzas de la ville. L'Ecstatic porte bien son nom, car les pizzas à la marijuana (ajoutée sur demande uniquement) vous donneront sans doute le même sourire béat que celui qui orne l'enseigne du restaurant !

Pissa Italiana (carte p. 114-115 ; ☎ 012 440382 ; Bar St ; pizzas 3-7 $US). Cet endroit était sur le point d'ouvrir lors de notre passage. Il servira sûrement une authentique cuisine italienne car le propriétaire travaillait auparavant pour le Wayfarers, la pizzeria du Sofitel Royal Angkor.

FCC Angkor (carte p. 114-115 ; ☎ 760280 ; plats 4-10 $US, menu 10 $US). Succursale du célèbre établissement de Phnom Penh, ce bar-restaurant raffiné occupe un magnifique bâtiment des années 1960, non loin du nouvel hôtel du même nom (p. 122). Au rez-de-chaussée, un bar en plein air jouxte un bassin. À l'étage, le bar-restaurant offre une belle variété de spécialités asiatiques et internationales.

La Noria Guesthouse (carte p. 114-115 ; ☎ 964242 ; plats 3-6 $US). Sur une plate-forme surélevée qui donne sur la rivière, le restaurant en bois de cette pension (p. 121) mitonne une excellente cuisine khmère et française. Régalez-vous d'un amoc parfumé avant d'hésiter entre un fondant au chocolat ou une glace maison. Une représentation de théâtre d'ombres a lieu le mercredi soir (menu-spectacle à 12 $US, dont la moitié est reversée à l'ONG Krousar Thmey).

Faire son marché

Fruits et pain frais abondent sur les marchés. Pour des produits plus exotiques, comme le chocolat ou le fromage, essayez les supermarchés. Un repas aux échoppes du marché revient généralement moins cher que de cuisiner, mais vous pourrez acheter de quoi pique-niquer lors d'un long trajet.

Quelques adresses :

Angkor Market (carte p. 114-115 ; Ph Sivatha). Récemment ouvert, il appartient aux propriétaires du Bayon Market de Phnom Penh et propose un excellent choix de produits internationaux.

Starmart (carte p. 114-115 ; Caltex Starmart, RN6 ouest). Bonne sélection de produits d'importation.

OÙ PRENDRE UN VERRE

La vie nocturne de Siem Reap s'est considérablement développée avec l'ouverture d'une multitude de bars. Une rue en compte tellement qu'elle a été surnommée Bar St, une appellation que nous utilisons dans ce guide. Faites au moins une fois la tournée des bars, car chacun possède son propre cachet.

La plupart d'entre eux pratiquent des *happy hours* (deux verres pour le prix d'un), comme les bars des hôtels de luxe, permettant ainsi de goûter à la grande vie quand on ne loge pas sur place. Citons notamment l'Elephant Bar (carte p. 114-115 ; happy hour 16h-20h) du Grand Hôtel d'Angkor (p. 122), l'Explorateur (carte p. 114-115 ; happy hour 21h-23h) du Victoria Angkor Hotel (p. 122) et le FCC Angkor (p. 122 ; happy hour 17h-19h), qui possède une table de billard professionnelle Brunswick.

Angkor What? (carte p. 114-115 ; Bar St). L'un des plus anciens et des plus fréquentés, ce petit bar s'anime vers 21h et reste ouvert jusqu'au départ du dernier client. La musique est bonne, le bar bien fourni et une partie des bénéfices reversée à l'Angkor Children's Hospital. Ainsi, ruiner votre santé aidera un enfant !

Temple Bar (carte p. 114-115 ; Bar St). La façade en latérite et le fronton lui donnent l'allure d'un temple, mais ici les fidèles vouent un culte à la bière. Une clientèle d'habitués plébiscite ses tables disposées sur le trottoir, son rock alternatif et son happy hour de 16h à 21h.

Buddha Lounge (carte p. 114-115 ; Bar St). En face du Temple Bar et dans la même veine, il rappelle un peu le Heart of Darkness (p. 100), célèbre bar de Phnom Penh où travaillait le propriétaire. Décor empreint de spiritualité et spiritueux dans les verres garantissent son succès.

Linga Bar (carte p. 114-115 ; The Alley). Premier et unique bar gay de Siem Reap, il accueille aussi les hétérosexuels dans un cadre détendu et sophistiqué. On apprécie ses excellents cocktails, son petit choix de tapas et son ambiance musicale dance.

Molly Malone's (carte p. 114-115 ; Bar St). Un pub irlandais qui réchauffe le cœur des expatriés nostalgiques (et des autres) avec sa cuisine de bistrot et sa Guinness en canette (prochainement disponible à la pression selon la rumeur).

Ivy Bar (carte p. 114-115 ; psar Chaa). Ce bar anglais prisé, établi de longue date, a déménagé un peu plus loin dans la rue et offre aujourd'hui un cadre spacieux et raffiné pour prendre un verre à n'importe quelle heure. Sa cuisine internationale est l'une des meilleures de la ville.

Laundry Bar (carte p. 114-115 ; psar Chaa). L'un des rares bars doté d'une piste de danse. Somptueusement décoré et faiblement éclairé, il a la faveur des noctambules, surtout le week-end ou lorsque des DJs assurent l'animation.

Abacus (carte p. 114-115 ; près de Ph Sivatha). À la fois restaurant, bar et discothèque, il occupe une élégante villa de bois, entourée d'un vaste jardin. Le bar immense et l'entrain des propriétaires attirent une large clientèle.

Butterfly Garden Bar (carte p. 114-115 ; entrée 1 $US ; 9h-17h). Dans le jardin tropical, des centaines de papillons volettent sous un grand filet. Un endroit paisible où se détendre par une chaude journée, devant un verre ou l'un des plats internationaux figurant sur la carte.

Martini (carte p. 114-115 ; quartier du vat Dam Nak). Il n'a rien à voir avec son homonyme de Phnom Penh (p. 101). Night-club khmer le plus prisé de Siem Reap, il se compose d'un vaste bar en plein air et d'une discothèque plongée dans l'obscurité. Essayez-vous au *rom vong*, une sorte de ronde accompagnée de mouvements de bras ; les Cambodgiens l'exécutent avec beaucoup de grâce.

OÙ SORTIR

Plusieurs restaurants et hôtels organisent des spectacles en soirée, notamment des ballets traditionnels cambodgiens. Loin d'atteindre le degré de raffinement du Ballet royal de Phnom Penh, ces représentations n'en restent pas moins gracieuses et pleines de charme. Les prix incluent un dîner-buffet.

Le **théâtre Apsara** (carte p. 114-115 ; 22 $US) de l'Angkor Village (p. 123) présente l'un des spectacles les plus évocateurs car il se déroule dans un splendide pavillon de bois semblable à un vat. Le Grand Hôtel d'Angkor (p. 122) possède aussi une joli pavillon au bord de la Stung Siem Reap, en face de l'hôtel (spectacle 22 $US).

Le **Tonlé Sap Restaurant** (carte p. 114-115 ; ☎ 963388 ; RN6 ouest ; 12 $US ; 19h30) offre un grand spectacle impersonnel apprécié des groupes. Le buffet se compose de spécialités khmères, malaises, japonaises et européennes.

Réalisée par les jeunes de l'ONG Krousar Thmey (voir p. 273), une représentation de théâtre d'ombres (6 $US reversés à l'association) a lieu le mercredi soir à **La Noria Guesthouse** (voir p. 121). Elle s'ccompagne d'un dîner (menu 6 $US), mais on peu se contenter de prendre un verre.

Beatocello (carte p. 134-136 ; www.beatocello.com), plus connu sous le nom de Dr Beat Richner, joue des musiques pour violoncelle de

Bach le samedi à 19h15 au Jayavarman VII Children's Hospital. L'entrée est libre mais les contributions sont les bienvenues afin de soutenir l'hôpital, qui dispense des soins gratuits aux enfants de Siem Reap.

ACHATS

La plupart des articles vendus sur les marchés de Siem Reap vous seront aussi proposés par les enfants et les marchands ambulants installés aux abords des temples d'Angkor. Certains s'agacent de leur insistance, d'autres s'en amusent et profitent de cette occasion de bavarder avec des Cambodgiens. Quel que soit votre avis, sachez que ce commerce fait vivre des familles qui descendent des premiers habitant d'Angkor et qui ont, plus que tout autre, le droit de tirer un bénéfice de ces monuments spectaculaires.

Certains touristes s'offusquent de la présence des enfants, jugeant qu'ils devraient plutôt être à l'école. Lorsque la famille en a les moyens, sachez que la plupart d'entre eux sont scolarisés au moins à mi-temps.

Parmi les articles proposés, vous trouverez des cartes postales, des tee-shirts, des décalques de bas-reliefs des temples, d'étranges instruments de musique, des couteaux décoratifs et des arbalètes. Marchandez, mais en douceur, et n'oubliez pas que les boutiques de Siem Reap pratiquent des prix fixes.

En ville, le psar Chaa (carte p. 114-115) offre une variété infinie : objets en argent, soieries, sculptures sur bois et sur pierre, bouddhas, tableaux, décalques, billets et pièces de monnaie, tee-shirts, sets de table, etc. Vous pourrez faire de bonnes affaires à condition de marchander avec patience et humour. N'achetez pas de sculptures en pierre venant prétendument d'Angkor : en acquérant ces objets, qu'ils soient authentiques ou pas, vous ne feriez qu'encourager le pillage et ils seront confisqués à la douane. Contentez-vous d'une copie.

Artisans d'Angkor (carte p. 114-115 ; ☎ 380354 ; www.artisansdangkor.com) vend des souvenirs d'excellente facture au profit d'un projet de développement culturel (voir p. 116).

Made in Cambodia (carte p. 114-115 ; en face du psar Chaa) se spécialise dans les articles en soie de qualité, comme les porte-monnaie, les sacs à main, les albums-photos et consacre ses bénéfices à la formation et à l'emploi de Cambodgiens handicapés.

Tabitha Cambodia (carte p. 114-115 ; ☎ 760650 ; Ph Sivatha). Semblable à Made in Cambodia, cette boutique offre de splendides foulards, coussins et couvre-lits en soie. Les profits sont réinjectés dans les projets de l'ONG, comme la construction de maisons et le forage de puits.

Rajana (carte p. 114-115 ; Bar St). On y trouve des objets originaux en métal ou en bois, des bijoux en argent et des cartes faites main, ainsi que des produits locaux, comme la citronnelle, le poivre et le café. L'organisation promeut le commerce équitable et l'emploi de Cambodgiens.

De nombreuses boutiques privées ont récemment ouvert leurs portes, notamment :

Senteurs d'Angkor (carte p. 114-115 ; ☎ 964801). En face du psar Chaa, vend toutes sortes de soieries, de sculptures, des produits de beauté traditionnels et des épices.

Tara & Kys Art Gallery (carte p. 114-115 ; près du psar Chaa). Propose de beaux objets d'art, des cartes postales et des tee-shirts représentant le symbole d'Angkor, Jayavarman VII.

Vous pourrez faire développer vos photos à bon prix et graver vos clichés numériques sur CD. **Siem Reap Thmei Photo** (carte p. 114-115 ; Ph Wat Bo), la meilleure adresse, est un grand laboratoire Fuji.

DEPUIS/VERS SIEM REAP

Avion

Des vols internationaux directs relient Siem Reap à Bangkok en Thaïlande, Vientiane, Luang Prabang et Pakse au Laos, Ho Chi Minh-Ville (Saigon) et Hanoi au Vietnam, Kuala Lumpur en Malaisie, et Singapour. Pour toute information supplémentaire, reportez-vous au chapitre *Transports* (p. 289).

Les vols intérieurs se limitent actuellement à Phnom Penh, desservie par Siem Reap Airways (65/105 $US aller/aller-retour), Royal Phnom Penh Airways (55/100 $US) et President Airlines (65/95 $US). En haute saison, la demande est forte et les vols peu nombreux ; mieux vaut réserver longtemps à l'avance.

Quelques adresses de compagnies aériennes à Siem Reap :

Bangkok Airways (carte p. 134-136 ; ☎ 380191 ; RN6 ouest)

Lao Airlines (carte p. 134-136 ; ☎ 963283 ; RN6 ouest)

Malaysia Airlines (☎ 964136 ; aéroport de Siem Reap)

President Airlines (carte p. 134-136 ; ☎ 963887 ; RN6 ouest)
Siem Reap Airways (carte p. 134-136 ; ☎ 380192 ; RN6 ouest)
Vietnam Airlines (carte p. 134-136 ; ☎ 964488 ; RN6 ouest)

Bateau

Des bateaux rapides circulent tous les jours entre Siem Reap et Phnom Penh (18-25 $US, 5-6 heures) ou Battambang (15 $US, 3-8 heures selon la saison). Pour Phnom Penh, ce mode de transport ne présente guère d'intérêt, car le trajet se fait aussi vite par la route pour un cinquième du prix. Vers Battambang, le parcours est splendide, mais les pannes *très* fréquentes. Reportez-vous aux chapitres *Phnom Penh* (p. 72) et *Battambang* (p. 211) pour plus de détails.

De Siem Reap, les bateaux partent du village flottant de Chong Kneas près de Phnom Krom, à 11 km au sud de la ville. L'embarcadère change d'endroit selon la saison ; lorsque les eaux du lac refluent, en saison sèche, le port et le village flottant se déplacent. Mai est la pire période : le lac, à son étiage, découvre son fond argileux qui se transforme en patinoire à la première pluie.

La plupart des pensions de Siem Reap vendent des billets de bateau. Les compagnies effectuent généralement le trajet à tour de rôle ; ne soyez pas surpris de prendre un transporteur différent à l'aller et au retour. Les billets délivrés par les pensions incluent habituellement la course à moto-dop ou en minibus jusqu'à l'embarcadère. Sinon, comptez environ 1 $US à moto-dop et 5 $US en taxi.

Bus, voiture et taxi

La route de Siem Reap à Phnom Penh est désormais entièrement asphaltée et des bus climatisés l'empruntent quotidiennement. Quelques bus et quantité de taxis collectifs sillonnent la route qui part à l'ouest vers Sisophon, la Thaïlande et Battambang, en mauvais état par endroit.

Plusieurs compagnies de bus relient Phnom Penh et Siem Reap, avec des départs entre 6h30 et 12h30. Le billet coûte en moyenne 4 $US. Vous pouvez l'acheter dans les pensions ou les billetteries installées en ville. Parmi les principales compagnies, citons **Capitol Transport** (carte p. 114-115 ; ☎ 963883), **GST** (carte p. 114-115 ; ☎ 012 777442 ; Ph Sivatha), **Neak Krohorm** (carte p. 114-115 ; ☎ 964924 ; en face du psar Chaa) et **Hour Lean** (carte p. 114-115 ; ☎ 760103 ; Ph Sivatha), cette dernière possédant les bus les plus récents. **Mekong Express** (☎ 963662) propose un service un peu plus haut de gamme, avec hôtesse à bord et en-cas (départs pour Phnom Penh à 7h30 et 12h30, 6 $US). Actuellement, toutes les arrivées et tous les départs se font de la station de taxis, à environ 1 km à l'ouest du psar Leu sur la RN6 en direction de Phnom Penh.

Plus rapides, les taxis collectifs relient Siem Reap et la capitale en 4 heures. Comptez 5 $US par personne ou 35 $US pour le véhicule entier.

Les 152 km de route jusqu'à la frontière thaïlandaise se parcourent en 3 heures, le double, parfois plus, parfois moins, à la saison des pluies. Les bus directs jusqu'à Bangkok font le trajet en 10 à 14 heures (10-12 $US). Vous irez plus vite en prenant une correspondance à la frontière. Des taxis collectifs desservent Poipet (15 000 r par personne, 25 $US pour le véhicule, 3-4 heures) et Sisophon (10 000 r), où l'on peut prendre une correspondance pour Battambang. Pour de plus amples informations sur le trajet Bangkok-Siem Reap et l'*arnaque au bus*, voir p. 295.

Les taxis collectifs et les pick-up partent de la station de taxis située à 2 km de la ville, sur la RN6 en direction de Phnom Penh.

COMMENT CIRCULER

Pour les transports dans le site d'Angkor, voir p. 132. Nous indiquons ci-dessous les modes de transport les plus courants à Siem Reap.

Depuis/vers l'aéroport

L'aéroport international de Siem Reap se trouve à 7 km du centre-ville. Beaucoup d'hôtels et de pensions viennent gratuitement chercher les clients qui ont réservé. Les taxis officiels qui stationnent devant le terminal facturent la course 5 $US. Comptez 1,50 $US à moto-dop.

Bicyclette

Certaines pensions et quelques boutiques proches du psar Chaa louent des vélos pour 1 à 2 $US la journée.

Voiture et moto

La plupart des hôtels et des pensions se chargeront de vous louer une voiture pour 20 à 25 $US la journée. Les hôtels haut de gamme pratiquent des tarifs plus élevés.

Les étrangers ne sont pas autorisés à louer une moto en ville et aux alentours. Si vous voulez circuler à moto, vous devrez en louer une à Phnom Penh et la conduire jusqu'à Siem Reap.

Moto-dop

Les conducteurs demandent de 6 à 8 $US par jour et 1 000 r pour un court trajet en ville, davantage vers les établissements qui jalonnent la route d'Angkor ou l'aéroport. Habituellement, il n'est pas nécessaire de négocier au préalable, mais prenez cette précaution le soir ou si vous logez dans un hôtel de luxe.

Remorque-moto

Ceux qui voyagent à deux apprécieront ces jolies petites motos qui tirent une carriole, mais les conducteurs ont tendance à gonfler les prix. Vous devriez payer 1 $US pour une course en ville et 1,50 $US pour un trajet nocturne hors du centre. Le prix grimpe si vous vous empilez à plusieurs dans la remorque !

ENVIRONS DE SIEM REAP

RÉSERVE ORNITHOLOGIQUE ET BIOSPHÈRE DE PREK TOAL

ជំរកបក្សីព្រែកទាល

Prek Toal est l'une des 3 biosphères du lac Tonlé Sap et sa réserve ornithologique en fait le parc naturel le plus intéressant et le plus plaisant à visiter. Ce paradis pour ornithologues réunit un grand nombre d'espèces rares, dont le marabout chevelu, le marabout argala, le tantale blanc et le pélican à bec tacheté.

En saison sèche (de décembre à mai), la concentration de volatiles vous rappellera le célèbre film d'Hitchcock. Les oiseaux se rassemblent ici lorsque l'eau commence à s'évaporer ailleurs. Le petit matin et la fin de l'après-midi sont les meilleurs moments pour les observer, ce qui oblige à partir très tôt ou à passer la nuit au bureau de l'environnement de Prek Toal, qui propose des lits spartiates à 7 $US.

Pour rejoindre la réserve par vos propres moyens, allez à moto-dop (environ 1 $US) ou en taxi (5 $US) jusqu'au village flottant de Chong Kneas (20 min de trajet), puis prenez un bateau jusqu'au bureau de l'environnement (environ 35 $US l'aller-retour, 1 heure dans chaque sens). De là, un guide vous conduira en petit bateau (20 $US) jusqu'à la réserve, à 1 heure du bureau.

N'oubliez ni chapeau ni écran solaire, car il fait très chaud à la saison sèche. Si vous n'avez pas de jumelles, vous en trouverez sur place. Les véritables passionnés partiront de Siem Reap après le déjeuner pour arriver vers 16h et faire une première visite. Après une nuit au bureau de l'environnement, ils pourront observer les oiseaux au petit matin et seront de retour à Siem Reap pour le déjeuner. Les guides disposent de brochures mentionnant le nom des espèces en anglais et parlent un peu cette langue.

Une organisation de Siem Reap s'efforce de promouvoir le tourisme responsable auprès des Cambodgiens et contribue financièrement à la préservation de la réserve. Cette association à but non lucratif, **Osmose** (☎ 012 832812 ; osmose@bigpond.com.kh), organise des circuits d'une journée à 60 $US par personne (4 participants au minimum). Ce prix, très raisonnable, comprend le transport, le droit d'entrée, les services d'un guide, le petit déjeuner, le déjeuner et la boisson (eau).

Une autre réserve ornithologique, **Ang Trapeng Thmor**, s'étend à 100 km de Siem Reap, dans la province de Banteay Meanchey (région de Phnom Srok). C'est l'un des deux endroits au monde où l'on peut voir la grue antigone, une espèce rarissime représentée sur les bas-reliefs du Bayon. Ces oiseaux au plumage gris se caractérisent par des pattes immensément longues et une tête rouge vif. Suivez la route de Sisophon sur 72 km, puis bifurquez vers le nord. La réserve entoure un réservoir construit sous les Khmers rouges à l'époque du travail forcé et les installations sont très rudimentaires.

VILLAGE FLOTTANT DE CHONG KNEAS

ភូមិបណ្តែតចុងឃ្នាស

Facile à organiser soi-même, la visite de ce célèbre village flottant est très appréciée de ceux qui veulent faire une pause dans la découverte des temples. Si vous arrivez à Siem Reap en bateau, vous l'apercevrez à votre arrivée, à proximité du débarcadère de Phnom Krom. Très pittoresque dans la chaude lumière du petit matin et de la fin de l'après-midi, cette visite peut se combiner avec celle du temple qui surmonte Phnom Krom (voir p. 168). Malheureusement, l'endroit est pris d'assaut par les groupes, entassés sur des bateaux qui se suivent à la queue leu leu.

Dans le village flottant, le **Gecko Environment Centre** (8h30-17h30) présente la flore et la faune de la région, ainsi que des informations sur les communautés qui vivent autour du lac.

Le village se déplace au gré des saisons et vous devez louer un bateau pour le découvrir. Une coopérative locale demande 10 $US par personne, un tarif un peu exagéré pour cette courte promenade.

De Siem Reap au village flottant, comptez 1 $US à moto-dop (20 min) et 5 $US en taxi.

FORÊT INONDÉE DE PHHLUK

កំពង់ភ្លុក

Moins facile d'accès que Chong Kneas, la forêt inondée de Kompong Phhluk vous laissera un souvenir bien plus mémorable. Tous les ans, l'eau submerge la forêt lorsque la crue du Mékong fait monter le niveau du lac ; lors du reflux, les arbres pétrifiés surgissent des flots. Explorer la forêt en pirogue est la meilleure façon de l'apprécier. À l'intérieur des terres, le village de Kompong Phhluk, avec ses maisons bâties sur des pilotis hauts de 6 ou 7 m, ressemble à un décor de cinéma.

Pour rejoindre Kompong Phhluk, vous pouvez louer un bateau (1 heure, 25 $US) au village de Chong Kneas, ou passer par le village de Roluos en combinant moto-dop (environ 5 $US) et bateau (5 $US). Ce dernier trajet prend environ 1 heure 30, mais la proportion route/bateau dépend de la saison.

Temples d'Angkor

Source d'inspiration divine, les temples d'Angkor, capitale de l'ancien Empire khmer, représentent la fusion parfaite de l'ambition créatrice et de la dévotion spirituelle. Les dieux-rois de jadis ont chacun tenté de surpasser leurs prédécesseurs par l'édification de sanctuaires de taille, d'envergure et de symétrie inégalées, tel Angkor Vat, le plus grand édifice religieux de la planète, et le Bayon, l'un des plus mystérieux. Les centaines de temples qui subsistent ne constituent que la partie sacrée de l'immense centre politique, social et religieux d'un royaume qui s'étendait de la Birmanie au Vietnam. À son apogée, Angkor abritait 1 million d'habitants, alors que Londres n'en comptait que 50 000. Les demeures, les édifices publics et les palais, construits en bois, ont disparu depuis longtemps ; la brique et la pierre étaient réservées aux divinités.

Fierté nationale pour les Cambodgiens, qui tentent de reconstruire leur vie après les années de terreur, les temples d'Angkor sont l'âme du royaume. Tous les Khmers y viennent en pèlerinage et les visiteurs étrangers affluent pour admirer leur somptueuse beauté.

On peut passer facilement une semaine à Angkor, ce qui permet de visiter les temples tranquillement, de revenir en admirer certains à divers moments de la journée et de découvrir des sanctuaires plus lointains. Nombre de visiteurs se contentent de 4 ou 5 jours, suffisants pour explorer les principales merveilles. Si vous ne disposez que de 2 jours, vous parviendrez à en faire le tour, à condition de commencer tôt le matin. En revanche, consacrer une seule journée à Angkor est un véritable sacrilège !

À NE PAS MANQUER

- La découverte de l'époustouflant roi des temples, **Angkor Vat** (p. 147)
- Le sourire énigmatique des 216 visages gigantesques du **Bayon** (p. 153), le temple le plus étrange
- Le triomphe de la végétation dans les ruines du **Ta Prohm** (p. 159)
- Les exquises sculptures du minuscule temple de **Banteay Srei** (p. 169)
- La marche dans la jungle jusqu'à la rivière aux Mille Linga, à **Kbal Spean** (p. 171)

HISTOIRE

Débuts d'Angkor

La période d'Angkor, époque de la construction des temples et de l'accession de l'Empire khmer au rang des grandes puissances du Sud-Est asiatique, s'étend de 802 à 1432. Des phases de déclin et de renaissance, ainsi que des guerres contre les puissances rivales du Vietnam, du Siam (Thaïlande) et de la Birmanie (Myanmar) jalonnent ces six siècles. L'aperçu historique que nous proposons décrit la période qui correspond à l'édification des temples d'Angkor.

Cette période commence avec le règne de Jayavarman II (802-850), le premier souverain qui unifia les royaumes rivaux du Cambodge avant l'avènement d'Angkor. Sa cour résida d'abord à Phnom Kulen (p. 172), à 40 km au nord-est d'Angkor, puis à Roluos (p. 167 ; alors appelée Hariharalaya), à 13 km à l'est de Siem Reap.

Jayavarman II créa un précédent qui devint une caractéristique de la période d'Angkor et explique l'impressionnante productivité

LES DIX PLUS GRANDS ROIS D'ANGKOR

Un nombre incroyable de monarques se sont succédés à la tête de l'Empire khmer entre le IXe et le XIVe siècle. Leur nom se termine invariablement par *varman*, qui signifie armure ou protecteur. La liste ci-après recense les souverains les plus puissants, les dates de leur règne et les monuments les plus significatifs construits à leur époque.

- **Jayavarman II** (802-850) Fonda l'Empire khmer en 802
- **Indravarman Ier** (877-889) Fit édifier le premier *baray* (réservoir), le Preah Ko et le Bakong
- **Yasovarman Ier** (889-910) Installa la capitale à Angkor et construisit le Lolei et le Phnom Bakheng
- **Jayavarman IV** (928-942) Roi usurpateur qui transféra la capitale à Koh Ker
- **Rajendravarman II** (944-968) Constructeur du Mebon oriental, du Pre Rup et du Phimeanakas
- **Jayavarman V** (968-1001) Bâtisseur du Ta Keo et contemporain du Banteay Srei
- **Suryavarman Ier** (1002-1049) Agrandit l'Empire jusqu'à ses plus lointaines frontières
- **Udayadityavarman II** (1049-1065) Construisit le Baphuon et le Mebon occidental
- **Suryavarman II** (1112-1152) Architecte légendaire d'Angkor Vat et du Beng Mealea
- **Jayavarman VII** (1181-1219) Le roi des rois, bâtisseur d'Angkor Thom, du Preah Khan et du Ta Prohm

architecturale khmère de cette époque. Il s'autoproclama "dieu-roi" *(devaraja)* ; à sa toute-puissance s'ajoutaient les vertus divines de Shiva. Le séjour de Shiva étant le mythique mont Meru, Jayavarman II édifia un temple-montagne à Phnom Kulen afin que cette montagne sacrée symbolise le centre de l'univers.

Indravarman Ier (877-889), qualifié d'usurpateur, hérita probablement du statut de dieu-roi après une bataille. Il construisit un *baray* (réservoir) de 6,5 km² à Roluos et le temple Preah Ko (p. 167). Le baray fut le premier élément d'un système d'irrigation qui devait arroser toute la région d'Angkor. Il possédait également une signification religieuse, évoquant les lacs qui, selon la légende, entouraient le mont Meru. Comme c'est souvent le cas, l'ouvrage allie harmonieusement utilité et symbolisme. La dernière œuvre d'Indravarman fut le Bakong (p. 167), une représentation pyramidale du mont Meru.

Le fils d'Indravarman Ier, Yasovarman Ier (889-910) fit preuve de plus d'ambition en faisant édifier son propre temple-montagne. Après la construction du Lolei (p. 168), sur une île artificielle au milieu du baray bâti par son père, il entama les travaux du Bakheng au sommet de la colline aujourd'hui appelée Phnom Bakheng (p. 161), un endroit idéal pour admirer Angkor Vat (p. 147) au couchant. Une route surélevée fut tracée pour relier le Bakheng à Roluos, à 16 km au sud-est, et un grand baray fut creusé à l'est de Phnom Bakheng ; aujourd'hui nommé Baray oriental (p. 166), il est totalement envasé. Yasovarman fit également construire les temples-montagnes de Phnom Krom (p. 168) et Phnom Bok (p. 169).

À la mort de Yasovarman Ier, le royaume échut temporairement à un nouvel usurpateur, Jayavarman IV (928-942), qui transféra le centre politique à Koh Ker (p. 231), à 80 km au nord-est d'Angkor. En 944, les souverains d'Angkor reprirent le pouvoir et Rajendravarman II (944-968) fit édifier le Mebon oriental (p. 166) et le Pre Rup (p. 166). On doit au règne de son fils, Jayavarman V (968-1001), les temples de Ta Keo (p. 162) et de Banteay Srei (p. 169), ce dernier ayant été construit par un brahmane.

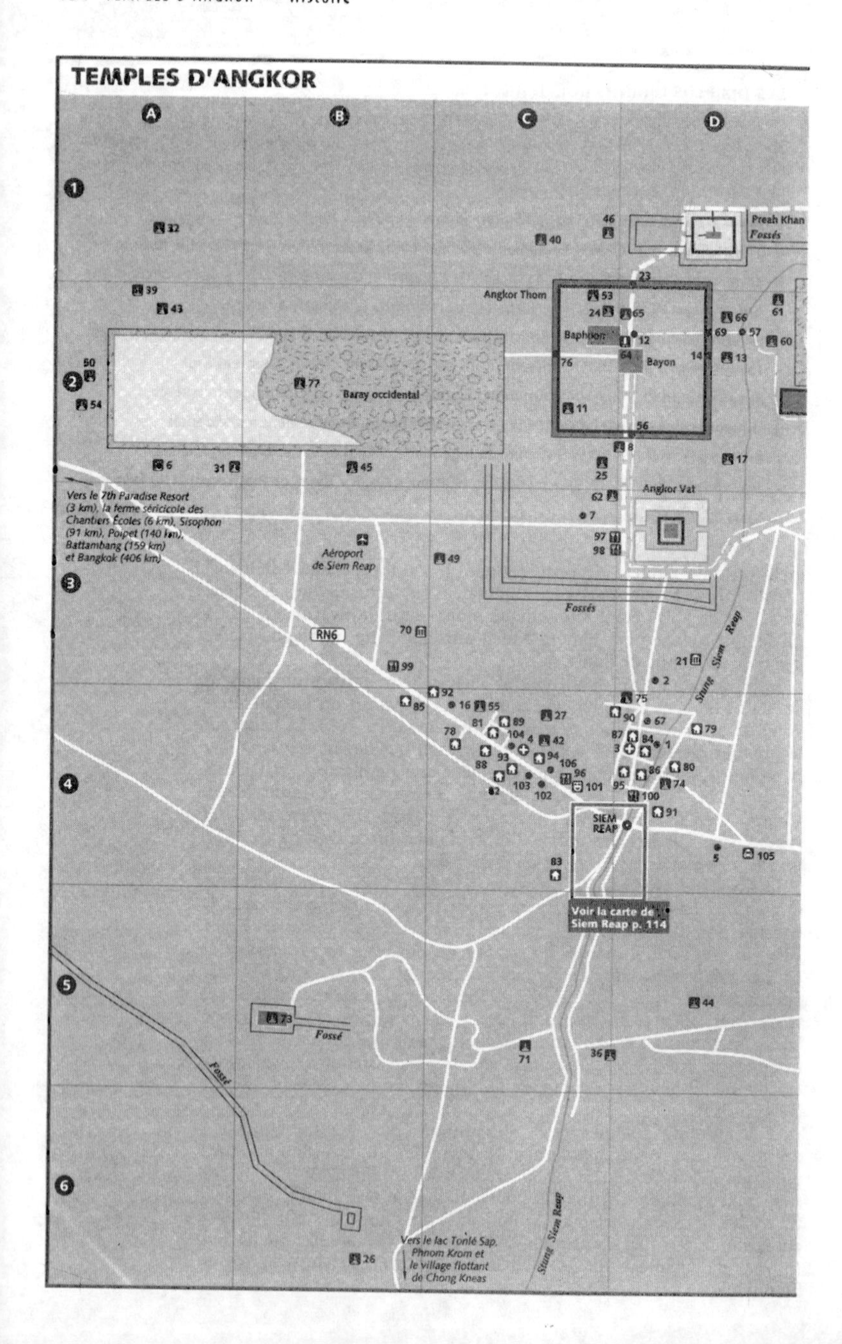
TEMPLES D'ANGKOR
A
B
C
D
1
2
3
4
5
6
Preah Khan
Fossés
Angkor Thom
Baphuon
Bayon
Baray occidental
Vers le 7th Paradise Resort (3 km), la ferme séricicole des Chantiers Écoles (6 km), Sisophon (91 km), Poipet (140 km), Battambang (159 km) et Bangkok (406 km)
Aéroport de Siem Reap
Angkor Vat
Fossés
RN6
Stung Siem Reap
SIEM REAP
Voir la carte de Siem Reap p. 114
Fossé
Fossé
Vers le lac Tonlé Sap, Phnom Krom et le village flottant de Chong Kneas
Stung Siem Reap

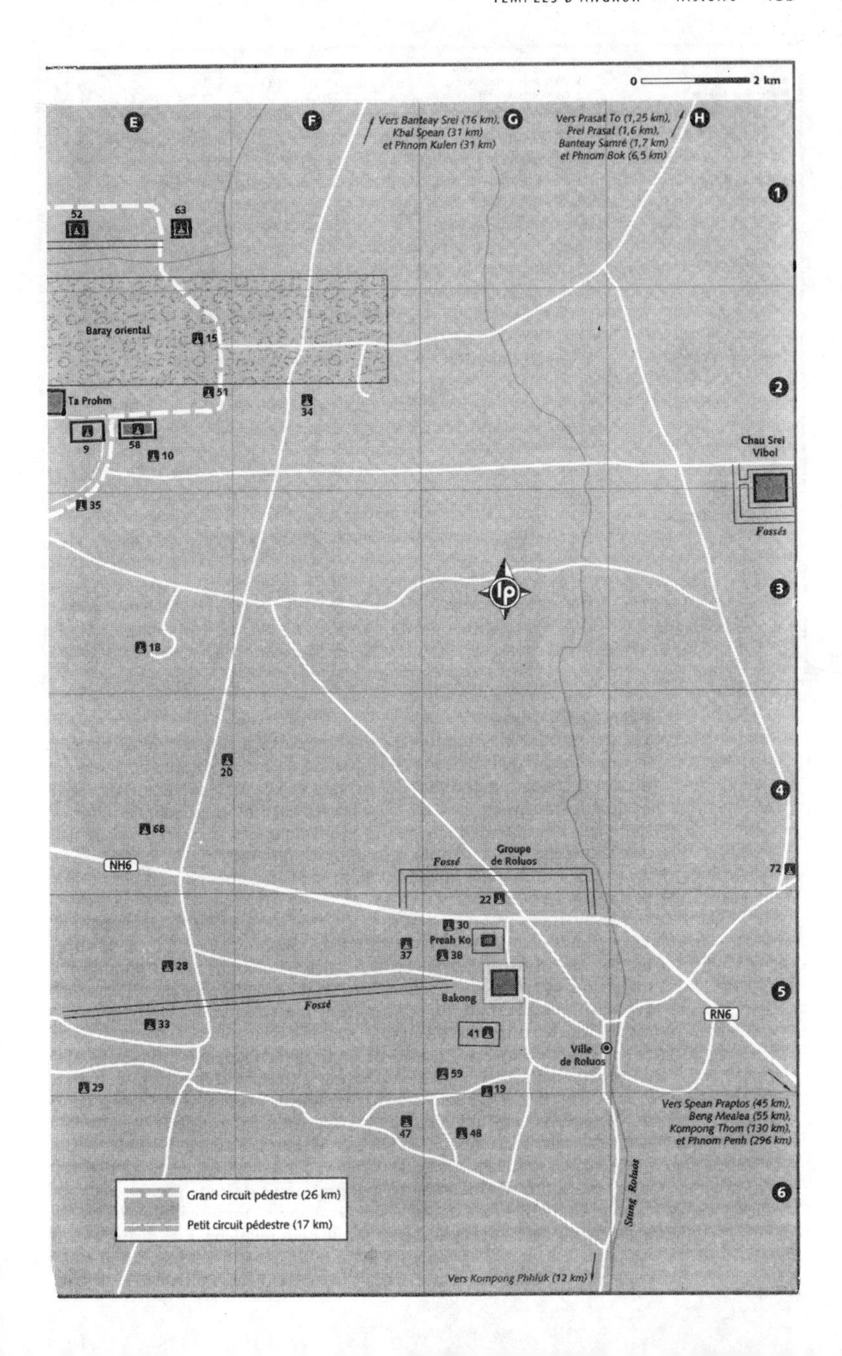
0 2 km
E
F
G
H
Vers Banteay Srei (16 km), Kbal Spean (31 km) et Phnom Kulen (31 km)
Vers Prasat To (1,25 km), Prei Prasat (1,6 km), Banteay Samré (1,7 km) et Phnom Bok (6,5 km)
1
2
3
4
5
6
52
63
Baray oriental
15
51
34
Ta Prohm
9
58
10
35
Chau Srei Vibol
Fossés
18
20
68
NH6
Fossé
Groupe de Roluos
72
22
30
Preah Ko
37
38
28
Bakong
Fossé
RN6
33
41
Ville de Roluos
59
29
19
Vers Spean Praptos (45 km), Beng Mealea (55 km), Kompong Thom (130 km), et Phnom Penh (296 km)
47
48
Stung Roluos
Grand circuit pédestre (26 km)
Petit circuit pédestre (17 km)
Vers Kompong Phhluk (12 km)

RENSEIGNEMENTS
Angkor Conservation 1 D4
Billetterie d'Angkor 2 D3
Jayavarman VII Children's Hospital 3 D4
Naga Medical Centre 4 C4
Police touristique (voir 2)
Psar Leu 5 D4

À VOIR ET À FAIRE
Ak Yom 6 A2
Angkor Balloon 7 C3
Angkor Spa (voir 95)
Artisans d'Angkor (voir 97)
Baksei Chamkrong 8 D2
Banteay Kdei 9 E2
Bat Chum 10 E2
Beng Thom 11 C2
Chai Massage (voir 86)
Chau Say Tevoda 13 D2
Exposition sur le Tonlé Sap 67 D4
House of Peace Association 16 C4
House of Peace Association (voir 74)
Kapilapura 17 D2
Krousar Thmey Massage (voir 67)
Kuk Bangro 18 E3
Kuk Dong 19 G5
Kuk Taleh 20 E4
Lolei 22 G5
Mebon oriental 15 E2
Mebon occidental 77 B2
Musée de la Guerre 70 B3
Musée des Mines terrestres 21 D3
Phimeanakas 24 C2
Phnom Bakheng 25 C2
Phnom Krom 26 B6
Place centrale d'Angkor Thom 12 D2
Porte de la Victoire 69 D2
Porte est d'Angkor Thom 14 D2
Porte nord d'Angkor Thom 23 D1
Porte ouest d'Angkor Thom 76 C2
Porte sud d'Angkor Thom 56 D2
Prasat Chak 27 C4
Prasat Daun So 28 E5
Prasat He Phka 29 E5
Prasat Kandal Doeum 30 G5
Prasat Kas Ho 31 A2
Prasat Kok Po 32 A1
Prasat Kok Thlok 33 E5
Prasat Komnap 34 F2
Prasat Kravan 35 E3
Prasat Kuk O Chrung 36 C5
Prasat O Kaek 37 F5
Prasat Olok 38 G5
Prasat Phnom Rung 39 A2
Prasat Prei 40 C1
Prasat Prei Monti 41 G5
Prasat Reach Kandal 42 C4
Prasat Roluh 43 A2
Prasat Rsei 44 D5
Prasat Ta Noreay 45 B2
Prasat Tonlé Snguot 46 C1
Prasat Totoeng Thngai 47 F6
Prasat Trapeang Phong 48 G6
Prasat Trapeang Ropou 49 C3
Prasat Trapeang Seng 50 A2
Pre Rup 51 E2
Preah Neak Pean 52 E1
Preah Palilay 53 C2
Prei Kmeng 54 A2
Presat Patri 55 C4
Spean Thmor 57 D2
Sra Srang 58 E2
Svay Pream 59 G5
Ta Keo 60 D2
Ta Nei 61 D2
Ta Prohm Kel 62 C3
Ta Som 63 E1
Terrasse aux Éléphants 64 D2
Terrasse du Roi lépreux 65 D2
Thommanon 66 D2
Tram Neak 68 E4
Vat Athvea 71 C5
Vat Bangro 72 H4
Vat Chedei 73 B5
Vat Preah Inkosei 74 D4
Vat Thmei 75 D4

OÙ SE LOGER
Angkor Palace Spa Resort 78 C4
Angkor Village Resort 79 D4
Angkorian Lodge 80 D4
Damnak Angkor Village 81 C4
Earthwalkers 82 C4
Garden Village 83 C4
Hanumanalaya 84 D4
La Maison d'Angkor 85 B4
La Villa Loti 86 D4
Le Meridien Angkor 87 D4
Lotus Angkor Hotel 88 C4
Moon Inn 89 C4
Pavillon Indochine 90 D4
Peace of Angkor 91 D4
Royal Angkor Resort 92 C4
Secret of the Elephants 93 C4
Sidewalk Guesthouse 94 C4
Sofitel Royal Angkor 95 D4

OÙ SE RESTAURER
Banteay Srei Restaurant 96 C4
Blue Pumpkin 97 C3
Chez Sophea 98 C3
École de Tourism Paul Dubrule 99 B3
Ginga 100 D4
Krua Thai Restaurant (voir 84)
Madame Butterfly (voir 93)

OÙ SORTIR
Tonlé Sap Restaurant 101 C4

TRANSPORTS
Bangkok Airways 102 C4
Lao Airlines 103 C4
President Airlines 104 C4
Siem Reap Airways (voir 102)
Station de taxis 105 D4
Vietnam Airlines 106 C4

Période classique

Les temples les plus réputés d'Angkor – Angkor Vat et ceux d'Angkor Thom – datent de la période classique, un terme qui évoque un âge d'or, durant lequel la construction des temples se fit à un rythme plus paisible. Toutefois, si cette époque fut caractérisée par une remarquable productivité, elle connut aussi des heures mouvementées, des conquêtes et des défaites. Ainsi la cité fortifiée d'Angkor Thom doit-elle son existence à la destruction, lors d'une invasion cham, de l'ancienne cité d'Angkor, qui se dressait à cet endroit.

Suryavarman Ier (1002-1049) usurpa le trône grâce à des alliances stratégiques et à des conquêtes militaires. Bien qu'ayant adopté le culte hindou du dieu-roi, on pense qu'il était issu d'un milieu bouddhiste mahayana et aurait favorisé l'expansion du bouddhisme au Cambodge. C'est probablement durant cette période que la sculpture bouddhique se répandit dans la région d'Angkor.

Angkor ne conserve que peu de vestiges du règne de Suryavarman Ier. Cependant, ses succès militaires élargirent le contrôle d'Angkor jusque dans le sud du Siam et du Laos. Son fils, Udayadityavarman II (1049-1065), continua les expéditions militaires et repoussa encore les frontières de l'Empire. Il fit construire le Baphuon (p. 157) et le Mebon occidental (p. 167).

De 1066 à la fin du XIe siècle, Angkor fut à nouveau déchirée par des luttes intestines. Premier monarque important de cette période, Suryavarman II (1112-1152) unifia le pays et étendit l'Empire khmer jusqu'en Malaisie, en Birmanie et au Siam. Sur le plan religieux, il se distingua en adoptant le culte de Vishnou, auquel il consacra le plus grand et sans doute le plus beau des temples angkoriens, Angkor Vat (p. 147).

r ambulant sur la ligne de chemin de
om Penh-Battambang (p. 305)

ANDREW BURKE

JULIET COOMBE

Marchande de boissons près d'Angkor Vat (p. 147)

ines recevant l'aumône à Phnom Penh (p. 72)

COREY WISE

NICK RAY

Un éléphant et son maître dans un village pnong de la province du Mondolkiri (p. 262)

ANDREW BURKE

Passagers sur le toit du bateau rapide entre Phnom Penh et Siem Reap (p. 103)

Un fermier et son bœuf à Kompong Cham (p. 246)

Le règne de Suryavarman II et la construction d'Angkor Vat sont considérés comme l'un des moments phares de la civilisation khmère. Plusieurs signes annonçaient néanmoins le déclin. Il semblerait que le système de réservoirs et de canaux qui irriguait les terres agricoles d'Angkor était surexploité et commençait lentement à s'envaser sous l'effet de la surpopulation et de la déforestation. La construction d'Angkor greva considérablement les finances du royaume et, vers la fin de son règne, Suryavarman II lança une campagne désastreuse contre les Dai Viet (Vietnamiens).

En 1177, les Cham du royaume du Champa (au centre du Vietnam), annexé de longue date par l'Empire khmer, se soulevèrent et mirent Angkor à sac. Ils brûlèrent la cité en bois et pillèrent ses richesses. Quatre ans plus tard, Jayavarman VII (1181-1219) reconquit Angkor et chassa les Cham du Cambodge.

Le règne de ce souverain, qui se démarque de ceux de ses prédécesseurs, a donné lieu à de nombreux débats parmi les historiens. Pendant des siècles, le concept de dieu-roi avait puisé ses sources dans le culte hindouiste de Shiva ou, occasionnellement, de Vishnou. Or Jayavarman VII, optant pour le bouddhisme mahayana, se plaça sous les auspices d'Avalokiteshvara, le bodhisattva de la Compassion. En agissant ainsi, il ne fit que se convertir à un culte déjà populaire parmi ses sujets. On peut également expliquer son choix par le besoin d'insuffler un nouvel élan religieux au culte du dieu-roi, fortement affaibli après la destruction d'Angkor.

Au cours de son règne, Jayavarman VII entreprit la construction d'une myriade de temples autour du Baphuon, le site de la ville ravagée par les Cham. Angkor Thom (p. 153), sa nouvelle cité, fut entourée de remparts et de douves, reliées au système d'irrigation d'Angkor. L'édifice central d'Angkor Thom, le Bayon (p. 153), un temple-montagne orné de visages sculptés, forme avec Angkor Vat le tandem le plus célèbre des temples d'Angkor. On doit aussi à Jayavarman VII le Ta Prohm (p. 159), le Banteay Kdei (p. 162) et le Preah Khan (p. 163). Plus loin, celui qui fut le plus grand bâtisseur parmi les nombreux rois d'Angkor fit reconstruire de vastes ensembles, comme le Banteay Chhmar (p. 220) et le prasat Bakhaeng (également appelé Preah Khan, dans la province de Preah Vihear ; p. 228).

Dans le cadre d'un important programme de travaux publics, il dota son royaume d'un réseau de routes, d'écoles et d'hôpitaux. On voit encore dans tout le pays de nombreux vestiges de ces voies et de leurs ponts magnifiques. Le plus célèbre d'entre eux, le Spean Praptos, se dresse à Kompong Kdei, à 60 km au sud-est de Siem Reap sur la RN6. Bien d'autres sont enfouis dans la jungle, le long de l'ancienne route angkorienne entre le Beng Meala et le grand Preah Khan.

Après la mort de Jayavarman VII, vers 1219, l'Empire khmer entra dans une phase de déclin. L'hindouisme redevint religion d'État pour plus d'un siècle et une grande partie des sculptures bouddhiques ornant les temples hindous furent saccagées ou abîmées. Les Siamois pillèrent Angkor en 1351, puis de nouveau en 1431. La cour des souverains khmers se déplaça alors à Phnom Penh et ne revint que brièvement à Angkor au XVIe siècle. Entre-temps, la nature, les pèlerins et les religieux avaient repris leurs droits sur le site.

Redécouverte d'Angkor

La "découverte" d'Angkor par les Français dans les années 1860 connut un retentissement mondial. Toutefois, malgré tout le romantisme qu'implique le terme, il ne s'agissait pas réellement d'une découverte. Lorsque l'explorateur français Henri Mouhot arriva pour la première fois devant

Angkor Vat, le site comprenait un monastère prospère et actif où vivaient moines et esclaves. Par ailleurs, des voyageurs portugais avaient déjà décrit Angkor au XVIe siècle comme une cité fortifiée. Au XVIIe siècle, un pèlerin japonais avait établi un plan détaillé d'Angkor Vat, qu'il avait malencontreusement situé en Inde.

Il fallut néanmoins attendre la publication en 1868 de l'ouvrage d'Henri Mouhot, *Voyage dans les royaumes de Siam, de Cambodge et de Laos*, avec ses descriptions détaillées, illustrées d'extraordinaires esquisses au stylo et à l'encre, pour porter l'existence d'Angkor à la connaissance d'un public plus large. Bien que Mouhot n'ait jamais revendiqué aucune primeur dans la découverte du site, on lui décerna, dans les années 1870, le titre posthume du premier explorateur de la cité perdue du Cambodge. Le missionnaire français Charles-Émile Bouillevaux, ayant visité Angkor 10 ans avant Mouhot, avait pourtant publié le récit de ses propres découvertes, mais celui-ci était demeuré largement ignoré.

À partir de cette époque, Angkor devint le but d'expéditions financées par la France. Quelques individus isolés se rendirent sur le site, dont le photographe écossais John Thomson, qui fit les premiers clichés des temples et échafauda la théorie d'une représentation symbolique du mythique mont Meru.

La première expédition, placée sous la direction d'Ernest Doudart de Lagrée, avait pour objet de déterminer si le Mékong était navigable jusqu'en Chine. Doudart de Lagrée fit un détour par les temples d'Angkor avant de trouver la mort dans la province chinoise du Yunnan. Ses assistants compilèrent le fruit de ses recherches à Angkor dans un ouvrage, *Voyage d'exploration en Indo-Chine*, qui fourmille de précisions d'une grande valeur archéologique.

Membre de cette expédition, Louis Delaporte en lança une deuxième avec l'idée de dessiner les plans des monuments et de rapporter en France des exemplaires de l'art angkorien. Il emporta quelque 70 pièces, tandis que ses esquisses intéressèrent les architectes parisiens, dont Lucien Fournereau. Ce dernier entreprit un voyage au Cambodge (1887) et en rapporta quantité de plans et de vues en coupe des monuments qui, jusque dans les années 1960, formaient la meilleure iconographie disponible sur le sujet.

En 1901, l'**École française d'Extrême-Orient** (EFEO ; www.efeo.fr) organisa une première expédition au Bayon, inaugurant ainsi une longue série de travaux de coopération. En 1907, Angkor, alors sous la férule du Siam, fut restituée au Cambodge. L'EFEO se vit attribuer la charge de restaurer l'ensemble du site. Cette même année, les temples accueillirent leurs premiers visiteurs (200 en 3 mois). Angkor, fraîchement rescapée de l'emprise de la jungle, se taillait une place de choix dans le monde moderne.

ARCHÉOLOGIE D'ANGKOR

Restaurations

Hormis Angkor Vat qui avait connu, à l'initiative des rois khmers du XVIe siècle, quelques travaux de restauration pour servir de sanctuaire bouddhique, les monuments avaient été abandonnés à la jungle pendant de longs siècles. Nombre de temples étaient en grès, un matériau qui a tendance à se dissoudre sous l'effet de l'humidité. La fiente corrosive des chauves-souris contribuait aux dommages, comme les pillages sporadiques de sculptures et de pierres taillées. Certains temples, comme

TOP 10 DES LIVRES SUR ANGKOR

D'innombrables livres ont été publiés sur Angkor et les merveilleux temples du Cambodge. Nombre d'ouvrages anciens, rédigés en français, sont aujourd'hui épuisés, mais beaucoup devraient être réédités dans les années à venir. De nouveaux livres, en voie de parution, témoignent du nouvel engouement pour ce haut lieu culturel.

- *Voyage dans les Royaumes de Siam, de Cambodge et de Laos,* Henri Mouhot (Olizane, 1999) – le "découvreur" d'Angkor conte dans cet ouvrage ses aventures en Asie
- *Angkor, la forêt de pierre,* Bruno Dagens (Gallimard, 1989) – l'histoire de la "redécouverte" d'Angkor, complétée de somptueuses illustrations
- *Histoire d'Angkor,* Madeleine Giteau (Kailash, 1997) – ouvrage écrit par l'ancien conservateur du Musée national de Phnom Penh
- *Angkor, résidence des dieux,* Claude Jacques, Michael Freeman (Olizane, 2001) – ouvrage rédigé par l'un des plus grands spécialistes d'Angkor ; livre monumental agrémenté de belles photos
- *Angkor, dessins, pastels et aquarelles,* Lorenzo Mattotti (Seuil, 2004) – les carnets de voyage d'un auteur de bande dessinée parti au Cambodge pour un reportage du magazine *Géo.*
- *Angkor, mémoire d'une passion française,* Jean-Bernard Véron (Éd. Du Layeur, 2003) – l'histoire des liens particuliers entre les Français et Angkor à travers des documents parfois inédits et du fond iconographique de l'hebdomadaire *L'Illustration*
- *Des dieux, des rois et des hommes : bas-reliefs d'Angkor Vat et du Bayon,* Albert Le Bonheur, Jaroslav Poncar (Olizane, 1995) – la présentation de huit bas-reliefs sculptés d'Angkor Vat et du Bayon.
- *Angkor, sérénité bouddhique,* Marc Riboud, textes de Jean Lacouture, Jean Boisselier, Madeleine Giteau (Imprimerie Nationale, 1992) – très belles photos et textes inspirés
- *Sanctuaire : les temples d'Angkor,* Steve Mc Curry, John Guy (Phaïdon, 2002) – Angkor Vat vu par un photographe de l'agence Magnum
- *Angkor, temples et monuments,* Jean Laur (Flammarion, 2002) – ouvrage très complet illustré de plans, de reproduction de certains bas-reliefs et enrichis de nombreuses explications historiques et architecturales

le Ta Prohm, étaient tellement envahis par la végétation que les dégager risquait de faire s'effondrer la structure.

Les premières tentatives de déblaiement, menées sous l'égide de l'EFEO se heurtèrent à des obstacles techniques (sitôt élaguée, la jungle reprenait ses droits) et à de multiples querelles sur ce qu'il était raisonnable de restaurer et sur la décision de supprimer ou non les ajouts postérieurs, comme des statues du Bouddha dans les temples hindous.

Il fallut attendre la fin des années 1920 pour trouver une solution cohérente, avec l'adoption de la méthode que les Hollandais avaient instaurée pour la restauration de Borobudur à Java. Cette technique consiste à reconstruire les édifices à l'identique avec les matériaux d'origine. Les restaurateurs ne pouvaient utiliser de nouveaux matériaux que s'il était impossible de retrouver ceux employés originellement et à condition que le remplacement soit discret. On peut voir le résultat de cette méthode sur le côté droit de la chaussée qui conduit à l'entrée d'Angkor Vat (essentiellement l'œuvre des Français).

Les premières restaurations importantes furent entreprises au Banteay Srei en 1930. Le résultat fut une telle réussite que suivirent quantité de travaux de plus grande envergure sur le site. Ils culminèrent avec la restauration d'Angkor Vat dans les années 1960, à grand renfort de grues, de bulldozers et d'une débauche d'instruments topographiques.

Après la victoire des Khmers rouges et pendant l'impitoyable guerre civile, les temples furent plus épargnés que ce que l'on aurait pu craindre, l'EFEO et le ministère de la Culture ayant retiré de nombreuses statues des sanctuaires pour les mettre à l'abri. Les travaux de restauration furent toutefois interrompus, ce qui permit à la jungle de repartir à l'assaut des monuments. Le commerce illégal d'objets d'art a également constitué une grave menace pour Angkor. Aujourd'hui, cette pratique concerne principalement les sites isolés. Depuis 1992, Angkor figure au Patrimoine mondial de l'humanité et, à ce titre, est placé sous la tutelle de l'Unesco. Les efforts, au niveau local et international, se poursuivent pour préserver et restaurer les monuments. Véritable signe d'amélioration, l'Unesco a retiré Angkor de la liste des sites menacés en 2003.

Cependant, Angkor est bien loin d'avoir livré tous ses secrets, la majorité des travaux ayant davantage porté sur la restauration des temples que sur les fouilles archéologiques. Sous le sol se cache encore la véritable histoire de la cité et de ses habitants ; les inscriptions sur les temples ne font que dépeindre un tableau partiel des dieux auxquels les structures étaient consacrées et des rois qui les ont érigées.

STYLES ARCHITECTURAUX

Depuis l'époque des premiers monuments angkoriens de Roluos, l'architecture khmère n'a cessé d'évoluer, généralement à la faveur de l'accession au trône d'un nouveau souverain. Les archéologues classent les monuments selon neuf périodes (voir l'encadré ci-contre), qui portent chacune le nom du temple érigé en modèle du style architectural désigné.

Dans une certaine mesure, l'évolution de l'architecture khmère s'est organisée autour de l'élaboration du temple-montagne, idéalement édifié sur un promontoire naturel. Plus un temple est ancien, plus sa conception se rapproche de cette idée fondamentale. En l'absence de relief naturel, la montagne est représentée par une tour au sommet arasé, construite sur une structure de base en gradins. Au sommet se dresse le sanctuaire central, généralement avec une ouverture à l'est et trois portes fictives aux autres points cardinaux.

CONSERVATION, PROFITS ET POLITIQUE

Branche du ministère de la Culture, l'Angkor Conservation est installée sur les rives de la Stung Siem Reap, à 400 m à l'est du Sofitel Royal Angkor. Elle abrite plus de 5 000 statues, *linga* (symboles phalliques) et autres stèles gravées, ainsi protégés du pillage qui a ravagé des centaines de sites angkoriens. La plus belle statuaire d'Angkor se cache dans ses entrepôts, soigneusement numérotée et cataloguée. Malheureusement, à moins de connaître la bonne personne, vous n'avez aucune chance de les contempler. Il ne reste plus qu'à espérer que certaines d'entre elles soient un jour exposées dans un musée d'Angkor, qui rivaliserait avec le Musée national de Phnom Penh.

Autrefois installée dans les locaux d'Angkor Conservation, l'Apsara Authority (Autorité pour la protection et la direction d'Angkor et de la région de Siem Reap) dispose désormais de ses propres bureaux, répartis à travers Siem Reap. L'organisation est chargée de la recherche, de la protection et de la conservation du patrimoine culturel d'Angkor, de l'urbanisme de Siem Reap et du développement touristique dans la région. L'ampleur du défi est à la mesure de ces attributions, d'autant plus que le gouvernement porte un grand intérêt à ses travaux. Angkor est en effet devenu une mine d'or qui attise la convoitise des dirigeants de Phnom Penh ; les postes clefs sont attribués en fonction des calculs politiques plutôt que des compétences scientifiques. Voilà qui n'est pas de bon augure pour Angkor, où la course au profit pourrait rapidement prendre le pas sur la volonté de préservation.

LES ÉPOQUES DE L'ARCHITECTURE ANGKORIENNE

Style	Période
Preah Ko	875-893
Bakheng	893-925
Koh Ker	921-945
Pre Rup	947-965
Banteay Srei	967-1000
Kleang	965-1010
Baphuon	1010-1080
Angkor Vat	1100-1175
Bayon	1177-1230

À compter de la période du Bakheng, cette configuration initiale fut embellie. Le sommet de la tour centrale se vit couronné de cinq "pics" en quinconce – soit quatre tours aux quatre points cardinaux et la cinquième au centre. Angkor Vat reprend cet ordonnancement, sur une grande échelle. D'autres détails vinrent s'ajouter, dont une tour d'entrée et une chaussée d'accès bordée de balustrades en forme de *nâga* (serpent mythique) ou de sculptures.

À mesure que les temples prenaient de l'ampleur, la tour centrale perdait de son importance, même si elle restait au cœur de l'édifice. Des cours ceinturées de galeries à colonnades richement décorées entourèrent la tour centrale. Des tourelles surmontèrent les portes et les angles des murs ; leur nombre avait souvent une signification religieuse et astrologique.

Ces raffinements et ajouts trouvent leur apogée à Angkor Vat, qui consacre l'évolution du style angkorien. En revanche, l'architecture de la période du Bayon rompt quelque peu avec le modèle traditionnel. L'organisation horizontale des galeries, des passages et des cours des temples comme le Ta Prohm et le Preah Khan semble éclipser totalement la tour centrale.

Dans ces édifices, la surprenante étroitesse des corridors et des portes peut s'expliquer par le fait que les architectes angkoriens ne maîtrisaient pas l'arc-boutant. Ils construisaient les voûtes en posant des blocs les uns sur les autres jusqu'à ce qu'ils se rejoignent en un point central ; ces "fausses voûtes" ne pouvaient donc avoir une grande portée.

ORIENTATION

Les monuments d'Angkor sont disséminés à travers la jungle. De Siem Reap, en allant vers le nord, on arrive d'abord à Angkor Vat, puis à la cité fortifiée d'Angkor Thom. À l'est et à l'ouest de cette dernière, deux grands réservoirs alimentaient Angkor Thom en eau. Plus loin à l'est se dressent d'autres temples, dont le Ta Prohm, le Banteay Kdei et le Pre Rup. Au nord d'Angkor Thom s'étend le Preah Khan et, plus loin au nord-est, on découvre le Banteay Srei, le Kbal Spean, le Phnom Kulen et le Beng Mealea. Au sud-est de Siem Reap, le groupe de Roluos rassemble les premiers temples angkoriens.

Cartes

Plusieurs cartes détaillées de la région d'Angkor ont été publiées et beaucoup figurent dans les ouvrages répertoriés dans l'encadré p. 139. Plusieurs cartes gratuites, dont la *Siem Reap Angkor 3D Map*, sont disponibles dans certains hôtels et restaurants de Siem Reap. Guère plus précises que les cartes proposées dans ce guide, leur format de poche les rend pratiques. Le numéro de mai 1982 du magazine *National Geographic* (vendu dans les librairies d'occasion) contient un excellent plan d'Angkor à son apogée.

RENSEIGNEMENTS

Droits d'entrée

Les droits d'entrée au site sont abordables pour les visiteurs étrangers. Vous avez le choix entre un forfait d'une journée (20 $US), de 3 jours (40 $US) ou d'une semaine (60 $US). Planifiez bien votre visite, car ces forfaits ne peuvent pas se proroger et sont valables pour des jours consécutifs. Ils sont en vente à la billetterie officielle, sur la route d'Angkor Vat. Vous aurez besoin d'une photo d'identité pour un forfait de plusieurs jours ; des photomatons sont installés à l'entrée, mais l'attente peut être longue. Les visiteurs pénétrant sur le site après 17h profitent d'un coucher de soleil gratuit, le billet étant valable à compter du lendemain. L'entrée donne accès à tous les monuments d'Angkor situés dans la région de Siem Reap, à l'exception de la montagne sacrée de Phnom Kulen (gérée comme une entreprise privée par un homme d'affaires local) et des complexes éloignés de Beng Mealea et Koh Ker.

Une compagnie pétrolière cambodgienne, la Sokimex, gère l'accès au site et conserve 15% des recettes. Seuls 10% sont reversés à l'Apsara Authority (voir l'encadré p. 140), l'organisme chargé de la protection et de la conservation des temples. Les 75% restant finissent dans les caisses du ministère des Finances. On ne peut que déplorer cette politique qui privilégie le profit au détriment de la préservation des temples, tout en espérant un changement dans les années à venir. La situation est néanmoins meilleure que par le passé, lorsque les faux billets d'entrée se multipliaient et que la quasi-totalité des recettes était détournée.

Des gardiens en uniforme contrôlent désormais les billets à l'entrée des principaux temples, réduisant ainsi la possibilité de fraude ; certains ne manqueront pas toutefois de souligner que l'accord actuel avec la

L'ART DU DÉJEUNER

La plupart des groupes qui visitent Angkor retournent à Siem Reap pour le déjeuner. Une bonne raison de rester sur place et de profiter du calme pour explorer des sites très fréquentés, avant de savourer un repas cambodgien dans l'une des multiples échoppes. On peut se restaurer aux abords de la plupart des grands temples. Si vous vous déplacez à moto-dop ou en remorque-moto, demandez au conducteur de vous indiquer un endroit bon marché.

C'est en face de l'entrée d'Angkor Vat que vous trouverez le plus grand choix, dont des restaurants khmers à prix prohibitifs. Très commode, une succursale de Blue Pumpkin propose sandwiches, salades et glaces, ainsi que de délicieux milk-shakes, à emporter. **Chez Sophea** (☎ 012 858003), vous vous régalerez de viande ou de poisson grillés, accompagnés d'une délicieuse salade.

Pour un repas rapide, choisissez parmi les dizaines de stands de nouilles, installés au nord du Bayon. Vous pourrez également vous restaurer près des temples centraux, comme le Ta Prohm, le Preah Khan et le Ta Keo. Autour du Banteay Srei, plus lointain, plusieurs petits restaurants sont décorés de meubles en bois. Plus au nord, à Kbal Spean, les stands au pied de la colline préparent du riz sauté et des soupes de nouilles ; l'excellent Borey Sovann Restaurant est un endroit merveilleux pour se détendre avant ou après l'ascension.

Eau et sodas sont en vente partout sur le site et de nombreux vendeurs proposent des rafraîchissements à l'intérieur des temples. Vous les bénirez s'ils arrivent au bon moment, mais leurs sollicitations incessantes peuvent aussi vous agacer. Évitez de vous fâcher, vous perdriez la face !

L'APPEL DE LA NATURE

Le site d'Angkor compte désormais de superbes toilettes. Installées dans des chalets en bois et dotées d'équipements haut de gamme, comme la chasse d'eau électronique, elles ne dépareraient pas dans un hôtel de luxe. Les gardiens se montrent assez réticents à brancher les générateurs qui les alimentent et il faut s'orienter dans l'obscurité. Installées à proximité des principaux temples, les toilettes sont accessibles gratuitement sur présentation de votre forfait d'Angkor.

Dans les sites reculés, souvenez-vous qu'il ne faut en aucun cas s'écarter du chemin : mieux vaut risquer d'être vu dans une position peu glorieuse que de sauter sur une mine.

Sokimex est en soi une gigantesque escroquerie. Si vous êtes contrôlé à l'intérieur des temples sans billet, vous devrez payer une amende de 30 $US. Les petits temples sont moins surveillés et vous ne paierez pas de droit d'entrée pour visiter les villages situés autour et au-delà d'Angkor.

ITINÉRAIRES

Angkor Vat, la cité fortifiée d'Angkor Thom, le Bayon et le Ta Prohm, aux prises avec la jungle, sont les principaux sites d'Angkor et les plus visités ; ils peuvent être bondés à certains moments de la journée. Si vous ne passez qu'un jour sur place, n'essayez pas d'en voir davantage ; vous risqueriez de ne garder de votre passage qu'une succession d'images confuses. Parmi les autres temples à ne pas manquer, on peut ajouter le Preah Khan et ses étonnants couloirs cruciformes, ainsi que le Banteay Srei, orné des sculptures les plus raffinées de l'époque angkorienne.

Depuis les débuts du tourisme à Angkor, à l'orée du XXe siècle, les avis divergent sur la meilleure façon d'explorer le site. L'itinéraire idéal consiste à visiter Angkor Vat, orienté à l'ouest, au couchant, réserver le lever du soleil au Bayon, tourné vers l'est, et consacrer le milieu de la journée au Ta Prohm, protégé du soleil par la végétation. Sachez toutefois que si vous faites la visite dans l'ordre inverse, les temples restent superbes et vous éviterez la foule. L'encadré *Comment éviter la foule* p. 144 comporte d'autres conseils.

À l'origine, pour répondre aux interrogations des visiteurs sur les temples incontournables et l'ordre à suivre pour les découvrir, on avait établi deux circuits, le petit et le grand. Souvent parcourus à dos d'éléphant, ils faisaient partie intégrante de l'expérience angkorienne. Aujourd'hui, rares sont les touristes qui suivent ces parcours à la lettre.

Ces circuits fournissent toutefois une trame utile pour articuler votre visite. Angkor Vat, le Ta Prohm et les principaux monuments d'Angkor Thom rempliront chacun une demi-journée, de même que les sites reculés de Kbal Spean et du Beng Meala, ce dernier pouvant se combiner avec le Banteay Srei pour une excursion d'une journée. On peut aussi visiter le même jour le Banteay Srei, le Banteay Samré et le petit temple de Phnom Bok, peu fréquenté. Se regroupent aussi facilement le Preah Khan, le Preah Neak Khan, le Ta Som, le Mebon oriental et le Pre Rup ; le Chau Sey Tevoda, le Thommanon, le Ta Keo, le Banteay Kdei et le Sra Srang ; les temples du groupe de Roluos, à l'est de Siem Reap.

Petit circuit

Long de 17 km, cet itinéraire commence à Angkor Vat, se dirige vers le nord jusqu'au Phnom Bakheng, au Baksei Chamkrong et à Angkor Thom, où l'on découvre les remparts et les portes, le Bayon, le Baphuon, l'Enceinte royale, le Phimeanakas, le Preah Palilay, le Tep Pranam, le groupe de Preah Pithu, la terrasse du Roi lépreux, la terrasse aux Éléphants, la place centrale, le Kleang nord, le Kleang sud et les 12 tours du prasat. Après avoir quitté Angkor Thom par la porte de la Victoire, dans le mur est, la visite se poursuit par le Chau Say Tevoda, le Thommanon, le Spean Thma et le Ta Keo. L'itinéraire se prolonge au nord-est de la route vers le Ta Nei, où il tourne au sud jusqu'au Ta Prohm, puis continue vers l'est en direction du Banteay Kdei et du Sra Srang. Il revient à Angkor Vat via le prasat Kravan.

Grand circuit

Long de 26 km, le grand circuit est une extension du précédent. Au lieu de quitter la cité fortifiée d'Angkor Thom par la porte est, il emprunte la porte nord et traverse le Preah Khan et le Preah Neak Pean. Il poursuit vers l'est jusqu'au Ta Som, puis vers le sud via le Mebon oriental, et rejoint le Pre Rup. De là, il continue en direction de l'ouest, avant de revenir à Angkor Vat par le sud-ouest.

Un jour

Le mieux consiste à arriver à Angkor Vat au lever du soleil et d'explorer le temple à ses heures les plus tranquilles, avant de rejoindre le Ta Prohm en fin de matinée. Après le déjeuner, faites un rapide détour par l'immense

COMMENT ÉVITER LA FOULE

L'époque où l'on méditait dans la sérénité des temples déserts est définitivement révolue. Angkor fait désormais partie des destinations touristiques et accueille chaque année un nombre croissant de visiteurs. Cependant, en vous organisant un peu, vous parviendrez à échapper à la foule. Sachez toutefois que l'afflux dans un monument au lever ou au coucher du soleil n'est pas dû au hasard, et que suivre le mouvement vaut la peine au moins une fois.

Au lever du soleil, les visiteurs se précipitent à Angkor Vat, en particulier autour des bassins royaux. Également très prisé, le Bayon voit cependant moins de touristes aux premières heures de la journée. Généralement assez tranquille, le Sra Srang offre un beau spectacle quand le soleil se reflète dans ses vastes étendues d'eau. Le Phnom Bakheng, d'où l'on voit le soleil émerger derrière Angkor Vat, constitue une option d'autant plus séduisante que la foule ne s'y presse qu'au crépuscule. Le Phnom Krom est également magnifique, mais reste difficile d'accès à une heure si matinale.

Perché au sommet de la colline, le temple de Phnom Bakheng offre indéniablement les plus beaux couchers de soleil, mais il est chaque jour pris d'assaut par un millier de touristes qui se bousculent autour de la petite structure. Mieux vaut venir à l'aube ou dans les premières heures de la matinée. Au crépuscule, vous pouvez rester dans l'enceinte d'Angkor Vat et profiter du calme après le départ des groupes, qui se précipitent au Phnom Bakheng vers 17h. Des immenses terrasses supérieures, vous bénéficierez d'une belle vue sur la canopée dans la lumière déclinante. Le Pre Rup offre un beau coucher de soleil sur les rizières environnantes, mais commence à être très couru (sans atteindre la foule délirante du Bakheng). Préférez le temple au sommet de Phnom Krom, qui domine le lac Tonlé Sap, sans oublier que vous devrez faire le long trajet jusqu'à Siem Reap à la nuit tombée. Généralement calme au couchant, le Baray occidental reflète les rayons rougeoyants dans sa vaste étendue d'eau.

En milieu de journée, les temples les plus courus se vident, car les groupes rentrent déjeuner à Siem Reap. Toutefois, la chaleur rend pénible la visite des structures relativement exposées, comme le Banteay Srei ou le Bayon. Profitez-en pour découvrir les temples ombragés, tel le Ta Prohm, le Preah Khan et le Beng Mealea, ou les bas-reliefs d'Angkor Vat. L'affluence est à son comble à Angkor Vat entre 6h et 7h et entre 15h et 17h, au Bayon de 7h30 à 9h30, et au Banteay Srei du milieu de matinée au milieu d'après-midi. Dans d'autres sites très fréquentés, comme le Ta Prohm et le Preah Khan, la situation reste imprévisible. Ailleurs, faites preuve de pragmatisme : si vous voyez le parking rempli de bus, partez pour un endroit plus calme. Angkor ne manque pas de temples !

structure du Preah Khan, puis terminez la journée à Angkor Thom, où vous admirerez le Bayon à la lueur du couchant.

Deux jours

Suivez le même itinéraire, en passant plus de temps dans chaque temple. Ajoutez le petit Banteay Srei et ses fabuleuses sculptures, désormais desservi par une route goudronnée. En revenant vers le Preah Khan, visitez le Preah Neak Pean et le Ta Som, deux petits temples pleins de charme, avant de rejoindre le Pre Rup au crépuscule.

De trois à cinq jours

Vous pourrez voir la plupart des temples décrits dans ce chapitre. Une méthode consiste à en visiter le plus possible le premier jour (ou les deux premiers jours), en suivant le parcours ci-dessus, puis à découvrir ensuite d'autres sites, comme Roluos et le Banteay Samré, tout en retournant à ceux que vous préférez. Certains visiteurs choisissent l'approche graduelle, commençant par les temples mineurs et terminant par les plus spectaculaires. On peut aussi opter pour l'approche chronologique et découvrir en premier lieu les temples les plus anciens pour finir par Angkor Thom, suivant ainsi l'évolution de l'architecture et de l'art khmers.

Vous pouvez aussi aller jusqu'à la rivière aux Mille Linga (Kbal Spean), et découvrir ses merveilles créées par la nature et par l'homme. Le Beng Mealea, un grand temple reculé, envahi par la végétation, mérite également le détour. Chacun de ces sites peut se combiner avec le Banteay Srei au cours d'une excursion d'une journée.

Une semaine

Une semaine entière à Angkor représente une véritable aubaine. Vous pourrez non seulement découvrir tous les temples de la région, mais aussi consacrer une journée au shopping ou à la visite de Siem Reap. Inspirez-vous des itinéraires précédents et ralentissez le rythme : vous aurez le temps de tout voir. Éventuellement, explorez des sites plus reculés, comme Koh Ker (p. 231), le prasat Preah Vihear (p. 233) ou le Banteay Chhmar (p. 220).

CIRCUITS ORGANISÉS

Si vous êtes venu au Cambodge en voyage organisé, il vous suffira de suivre le mouvement pour visiter Angkor. Les voyageurs à petit ou moyen budget préfèrent généralement découvrir le site à leur rythme, mais ceux qui ne disposent que d'un jour ou deux, et peuvent se permettre un extra, ont peut-être intérêt à choisir une visite guidée.

Vous pouvez faire appel à un guide officiel à Siem Reap, auprès de l'**Association khmère des guides d'Angkor** (☎ 964347 ; khmerang@camintel.com ; Office du tourisme). Comptez à partir de 20 $US la journée pour un guide francophone ou anglophone, plus pour les autres langues.

Pour ceux qui préfèrent une expérience un peu différente, **Terre Cambodge** (☎ 964391 ; www.terrecambodge.com) propose la découverte de divers sites reculés aux alentours d'Angkor et des promenades en sampan sur le lac Tonlé Sap.

COMMENT S'Y RENDRE ET CIRCULER

Les voyageurs qui se rendent à Angkor, soit la quasi-totalité des étrangers venant au Cambodge, doivent réfléchir au moyen le plus commode de circuler sur le site. Nombre des temples les plus connus se trouvent dans un rayon de quelques kilomètres autour de la cité fortifiée d'Angkor Thom, elle-même à 8 km de Siem Reap, et sont accessibles en voiture, à moto ou par tout autre moyen de transport, y compris de bonnes chaussures de marche. Les touristes en voyage organisé se déplaceront en bus, en minibus ou en voiture, mais les voyageurs indépendants devront choisir parmi un grand nombre de possibilités.

Le fin du fin consiste à combiner plusieurs moyens de transport : une *moto-dop* (moto-taxi) pendant une journée afin d'atteindre les sites les plus reculés, un vélo pendant deux jours pour explorer les temples centraux, puis la marche afin d'apprécier la paix et la sérénité des lieux.

Ces conseils risquent un jour d'être obsolètes car, selon des rumeurs persistantes, une société coréenne aurait décroché un contrat pour fournir des voitures électriques. Pour l'instant, les conducteurs de moto-dop et les transporteurs locaux ont réussi à s'y opposer, mais il semble que la société tente sa chance à Koh Ker.

Les prix indiqués ci-dessous doivent être revus à la hausse pour les temples plus éloignés, comme le Banteay Srei ou le Beng Mealea.

À pied

Si certains temples sont trop éloignés de Siem Reap, Angkor Vat et les temples d'Angkor Thom sont facilement accessibles à pied, et la marche vous permettra de rencontrer les villageois de la région. Si vous souhaitez vous éloigner des routes, une belle promenade de 13 km longe les remparts d'Angkor Thom et permet d'accéder à plusieurs petits temples reculés dans une forêt peuplée d'oiseaux. Le parcours à travers la jungle du Ta Nei au Ta Keo est tout aussi séduisant.

Bicyclette

Écologique et utilisé par la plupart des habitants de la région, le vélo est un excellent moyen de circuler d'un temple à l'autre. Le terrain relativement plat et les routes en bon état permettent à tous de se lancer et de découvrir plus de choses que par la vitre d'une voiture ou à l'arrière d'une moto roulant à vive allure. Nombre d'hôtels et de pensions de Siem Reap louent des vélos pour 1 à 2 $US la journée.

Cyclo-pousse

Certaines agences utilisent des cyclo-pousse pour transporter les touristes d'un temple à l'autre. Cette solution séduira ceux qui ont envie de se déplacer à bicyclette sans pédaler en plein soleil. Louez une *remorque-kang* (remorque tirée par un vélo) à la journée et vous étonnerez plus d'un Cambodgien.

Éléphant

C'est à dos d'éléphant que les premiers touristes découvraient Angkor au début du XXe siècle. On peut ainsi cheminer entre la porte sud d'Angkor Thom et le Bayon (10 $US) en matinée, ou rejoindre le sommet du Phnom Bakheng au coucher du soleil (15 $US). N'espérez pas revivre les sensations des premiers explorateurs, mais la promenade sera sans doute plus amusante pour vous que pour les éléphants, par ailleurs très bien soignés.

Hélicoptère

Helicopters Cambodia (carte p. 114 ; ☎ 012 814500, 016 839565 ; www.helicoptersnz.co.nz), qui possède une agence près du Psar Chaa à Siem Reap, propose aux vacanciers fortunés le survol d'Angkor Vat (68 $US) et des temples aux alentours d'Angkor Thom (120 $US). La compagnie peut aussi vous emmener vers des sites reculés, comme le prasat Preah Vihear ou le Preah Khan, pour 1 200 $US l'heure au minimum, plus 10% de taxe.

Minibus
Plusieurs agences de voyages de Siem Reap louent des minibus de 12 places pour 40 $US par jour et des bus de 25 ou 30 places pour 80 $US.

Montgolfière
Pour une vue aérienne d'Angkor Vat, contactez **Angkor Balloon** (☎ 012 844049), dont le ballon arrimé de 30 places s'élève à 200 m. Comptez 11 $US par personne.

Moto
Nombre de voyageurs indépendants choisissent cette solution. Des conducteurs de moto-dop accostent les touristes dès leur arrivée à Siem Reap et se révèlent généralement compétents et sympathiques. Ils vous déposent et viennent vous chercher à une heure et un endroit précis, et vous donneront quelques indications sur les temples devant lesquels vous passez. Si votre budget est serré, prenez une moto-dop pour aller d'un temple à un autre ; cela vous reviendra sans doute moins cher qu'une moto-dop à la journée (6 $US). Actuellement, la location de motos est prohibée à Siem Reap, mais des voyageurs viennent à moto de Phnom Penh. Si vous conduisez, respectez la limitation de vitesse dans ce site protégé et garez votre moto dans un parking gardé ou confiez-la à l'un des marchands ambulants devant les temples ; vous éviterez ainsi de vous la faire voler.

Remorque-moto
Ces carrioles couvertes, tirées par une moto, connaissent un succès croissant à Angkor. Les visiteurs qui se déplacent à plusieurs peuvent se parler en découvrant le site et sont un peu protégés en cas de pluie. Les conducteurs se révèlent tout aussi agréables que ceux des moto-dop. Les prix débutent à 10 $US la journée et varient selon la destination.

Voiture
Elle protège de la pluie ou du soleil torride. En partageant les frais à plusieurs, la voiture se révèle économique, mais présente l'inconvénient de priver le visiteur de certaines sensations visuelles, sonores et olfactives. Adressez-vous aux hôtels ou agences de Siem Reap et comptez de 20 à 25 $US la journée pour circuler entre les temples centraux.

4x4
La grande majorité des temples d'Angkor sont accessibles avec un véhicule classique. Pour explorer le Preah Khan, Koh Ker ou les sites reculés de la province de Preah Vihear (p. 226), vous devrez louer un 4x4 si vous ne souhaitez pas circuler à moto plusieurs jours durant. Les prix varient en fonction de la distance et du confort du véhicule. Prévoyez au moins 80 $US par jour.

ANGKOR VAT
អង្គរវត្ត

Alliance exceptionnelle de la spiritualité et de la symétrie, Angkor Vat, ce symbole durable de la dévotion de l'homme, est tout simplement unique. Savourez le moment où vous découvrirez cette merveille, le frisson qui vous saisit à l'instant où vous débouchez de la chaussée intérieure. Le plus grand, le mieux conservé et, indéniablement, le plus saisissant des monuments d'Angkor est généralement considéré comme le plus vaste édifice religieux du monde. Il n'a jamais été laissé à l'abandon, et des visites répétées ne suffisent pas à en explorer les moindres détails. Il fut probablement construit comme temple funéraire de Suryavarman II (1112-1152) en l'honneur de Vishnou, divinité hindoue à laquelle le souverain s'identifiait.

Angkor Vat se distingue par de multiples détails spécifiques. Il est orienté vers l'ouest, ce qui est tout à fait exceptionnel. L'ouest symbolisant la mort, de nombreux spécialistes en ont conclu que le temple devait être, à l'origine, un tombeau. Cette idée se trouvait étayée par les splendides bas-reliefs élaborés dans le sens inverse des aiguilles d'une montre, une pratique utilisée dans les anciens rites funéraires hindous. Toutefois, Vishnou étant également souvent associé à l'ouest, il semble désormais acquis qu'Angkor Vat servit à la fois de temple et de mausolée de Suryavarman II.

Angkor Vat est célèbre pour ses ravissantes *apsaras* (nymphes célestes). On en compte plus de 3 000 sculptées sur les murs, chacune présentant un visage unique et une coiffure choisie parmi plus de 30 modèles différents. Nombre de ces apsaras furent abîmées durant les années 1980, lorsque les Indiens tentèrent de nettoyer les temples à l'aide de produits chimiques, mais elles sont aujourd'hui restaurées par les équipes du **German Apsara Conservation Project** (GACP ; www.gacp-angkor.de). Cette organisation possède un petit kiosque d'information à l'angle nord-ouest d'Angkor Vat, près du temple, où vous trouverez de superbes cartes postales en noir et blanc et des photos d'Angkor.

SYMBOLISME

Le visiteur ne manquera pas d'être frappé par la grandeur imposante du monument, mais aussi par la richesse de ses décorations et de ses bas-reliefs.

David Chandler, se fondant sur les recherches d'Eleanor Moron, fait remarquer dans son *History of Cambodia*, que l'organisation spatiale d'Angkor Vat trouve son équivalent dans la durée des quatre âges (*yuga*) de la pensée classique hindoue. Ainsi, le visiteur qui parcourt la chaussée jusqu'à l'entrée principale et traverse plusieurs cours jusqu'à la tour centrale – qui abritait autrefois une statue de Vishnou – accomplit un voyage symbolique dans le temps qui le ramène à l'époque de la création de l'univers.

À l'instar des autres temples-montagnes d'Angkor, Angkor Vat constitue une réplique de l'univers en miniature. La tour centrale symbolise le mont Meru, entouré de pics plus petits (les autres tours), au milieu des continents (les cours inférieures) et des océans (les douves). Le nâga à sept têtes représente l'arc-en-ciel, pont symbolique entre l'homme et la demeure des dieux.

CONFIGURATION ARCHITECTURALE

Angkor Vat, entouré d'une douve large de 190 m, forme un gigantesque rectangle de 1,5 km sur 1,3 km. À l'ouest, une chaussée en grès enjambe le fossé. Les orifices percés dans les pavés contenaient des chevilles en bois, utilisées pour soulever et placer les pierres lors de la construction, puis sciées à la fin des travaux. Les blocs de grès provenaient de carrières du district de Svay Leu, à l'est du Phnom Kulen, à plus de 50 km d'Angkor ; ils étaient transportés en radeau sur la Stung Siem Reap (rivière Siem Reap). À une époque où la moindre construction s'effectue à grand renfort de grues et de camions, on a du mal à imaginer

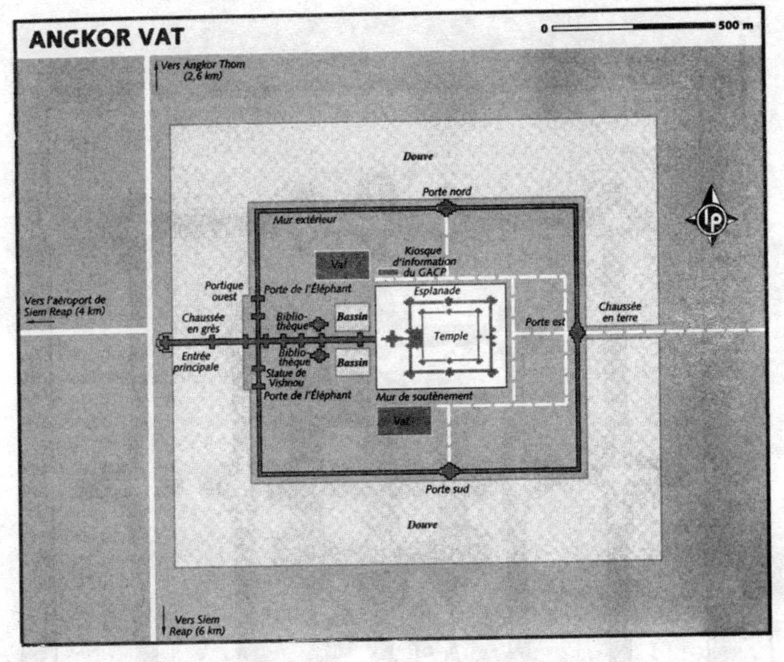

la logistique d'une telle opération, qui impliquait la participation de milliers d'ouvriers.

Le mur extérieur, qui mesure 1 025 m sur 800 m, comprend une porte de chaque côté, l'entrée principale – un porche large de 235 m richement orné – se trouvant du côté ouest. Dans la tour de la porte, à droite en arrivant, une statue de Vishnou, haute de 3,25 m, a été sculptée dans un seul bloc de grès. Les huit bras de la divinité tiennent une massue, une lance, un disque, une conque et d'autres objets. Les mèches de cheveux que vous apercevez à ses pieds sont des offrandes déposées par des fiancés ou par des fidèles en remerciement d'un vœu exaucé.

Une allée longue de 475 m et large de 9,50 m, bordée d'une balustrade en forme de nâga, mène de l'entrée principale au temple central. Elle passe entre deux élégantes bibliothèques – celle du nord est actuellement restaurée par une équipe japonaise –, puis entre deux bassins. Le plan d'eau situé au nord est très prisé des touristes au lever du soleil.

Le temple central se compose de trois terrasses en latérite, disposées autour d'un carré que ceinture un labyrinthe de galeries. Avant la guerre, la galerie aux Mille Bouddhas renfermait des centaines de statues du Bouddha ; nombre d'entre elles ont été déplacées ou dérobées et il n'en reste aujourd'hui que des vestiges brisés.

Des tours coiffées de dômes pointus occupent les angles des deuxième et troisième niveaux. Se dressant 31 m plus haut et à 55 m du sol, la tour centrale donne à l'ensemble sa somptueuse unité. Autrefois, le sanctuaire central contenait une statue en or de Vishnou chevauchant un *garuda* (créature mythique mi-homme mi-oiseau), qui symbolisait le roi-dieu Suryavarman II. Les escaliers qui mènent au dernier niveau

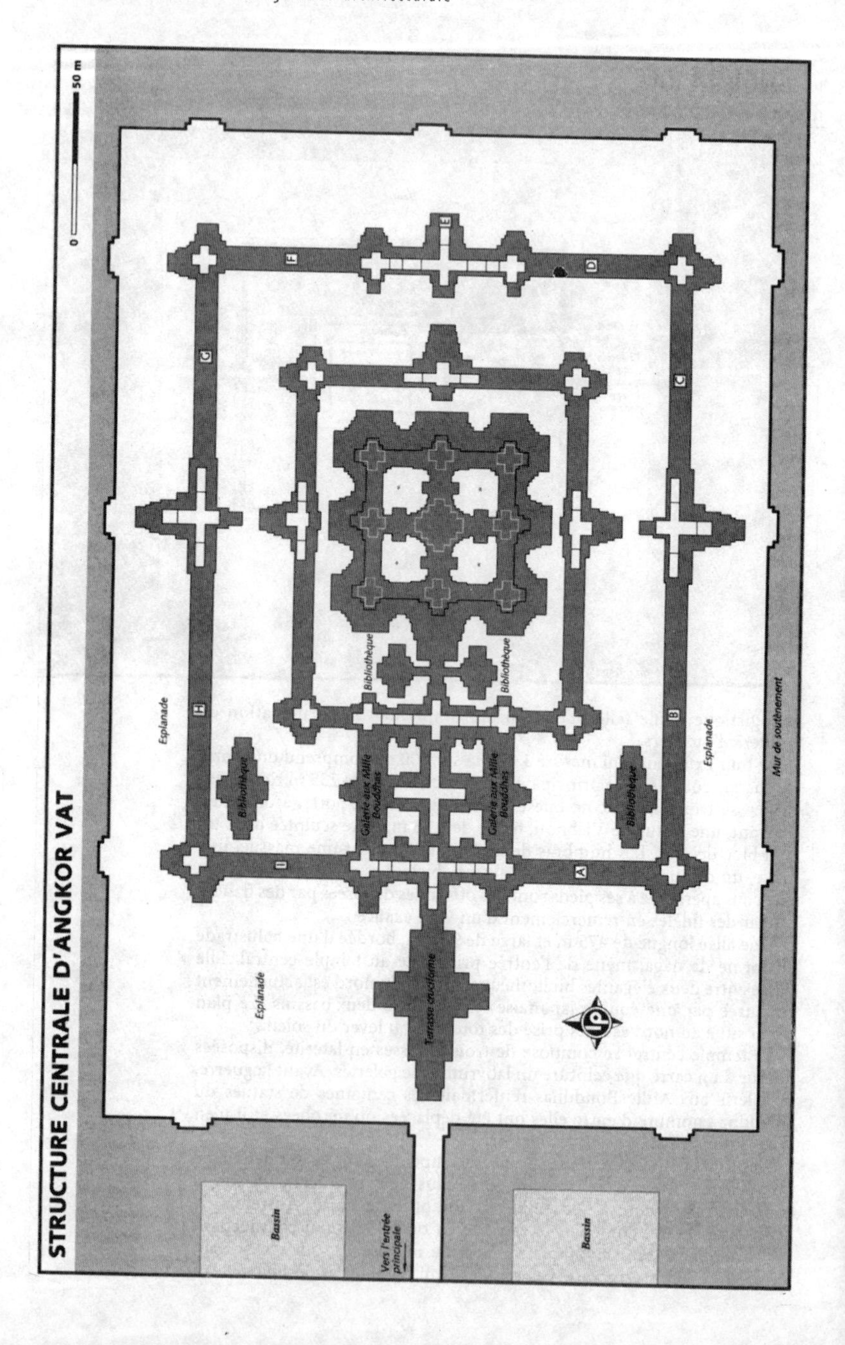
STRUCTURE CENTRALE D'ANGKOR VAT
0
50 m
A
B
C
D
E
F
G
H
I
Bibliothèque
Bibliothèque
Bibliothèque
Bibliothèque
Galerie aux Mille Bouddhas
Galerie aux Mille Bouddhas
Terrasse cruciforme
Esplanade
Esplanade
Esplanade
Mur de soutènement
Bassin
Bassin
Vers l'entrée principale

sont particulièrement raides, une façon de démontrer que parvenir au royaume des dieux n'est pas chose facile. Faites preuve de la plus extrême prudence en montant et en descendant, car ces marches ont déjà fait des victimes.

Une fois parvenu à la tour centrale, le pèlerinage s'achève devant un magnifique panorama. Profitez de la brise et installez-vous dans un endroit paisible pour contempler la symétrie et le symbolisme du plus grand temple au monde.

BAS-RELIEFS

À l'extérieur du temple central, une extraordinaire série de bas-reliefs s'étire sur 800 m. Autrefois, les sculptures étaient protégées par le toit en bois du cloître, dont seule subsiste une poutre d'origine dans la moitié ouest de la galerie nord – les autres parties du toit sont des reconstructions. Ci-dessous figure une brève description de l'épopée relatée dans la galerie des bas-reliefs, qui se suivent en sens inverse des aiguilles d'une montre à partir du côté ouest. Si la plupart de ces bas-reliefs datent du XIIe siècle, plusieurs ont été ajoutés au XVIe siècle afin de compléter les panneaux inachevés.

(A) Bataille de Kurukshetra

La partie sud de la galerie ouest dépeint une scène de bataille extraite du *Mahâbârata*, qui vit l'affrontement violent des Kaurava (venus du nord) et des Pandava (arrivant du sud). En bas du panneau, on voit l'infanterie ; aux 2e et 3e niveaux, les officiers à dos d'éléphant et les chefs de guerre. Parmi les détails les plus intéressants (de gauche à droite) : un chef mort gisant sur un amas de flèches, entouré de ses parents et des hommes d'armes en pleurs ; un combattant sur un éléphant qui, l'arme en berne, reconnaît sa défaite ; un officier mortellement blessé qui tombe de son char dans les bras de ses soldats. Au fil des siècles, les millions de mains qui ont touché certaines parties du bas-relief lui ont donné l'aspect du marbre noir. Le portique à l'angle sud-ouest est orné de sculptures représentant des thèmes du *Râmâyana*.

(B) Armée de Suryavarman II

La section ouest de la galerie sud illustre la progression triomphante des armées de Suryavarman II. À l'angle sud-ouest, à 2 m du sol, Suryavarman, juché sur un éléphant, arbore la tiare royale et une hache d'armes ; protégé par 15 ombrelles, il est éventé par une légion de serviteurs. Plus loin, une procession de soldats en arme et d'officiers à cheval ; leurs chefs à l'allure martiale avancent parmi eux à dos d'éléphant. Peu avant la fin du panneau, on reconnaît l'armée plutôt désorganisée des mercenaires siamois, alors alliée aux forces khmères pour repousser les Cham. Les troupes khmères portent un plastron (cuirasse) carré et sont armées de lances. Les Siamois, reconnaissables à leurs coiffes et à leurs jupes, sont armés de tridents.

Les rectangles vides correspondent à des fragments de scène retirées il y a longtemps en raison des pouvoirs magiques qui leur étaient attribués. Une partie de ce panneau fut endommagée par un tir d'artillerie en 1971.

(C) Paradis et enfer

La moitié orientale de la galerie sud, dont le plafond a été restauré dans les années 1930, dépeint les punitions et les récompenses distribuées dans les 32 enfers et les 37 paradis. À gauche, aux niveaux supérieur et intermédiaire, des hommes et des femmes élégamment parés s'avancent vers Yama aux 18 bras (le juge des morts), assis sur un taureau ; en dessous se tiennent ses assistants, Dharma et Sitragupta. Au bas du panneau, les démons traînent les méchants sur le chemin de l'enfer. À la droite de Yama, la scène est divisée par une ligne horizontale de *garuda* : en haut, les élus vivent dans de belles demeures, servis par des femmes, des enfants et des domestiques ; en bas, les condamnés subissent d'horribles tortures.

(D) Barattage de la mer de lait

La partie sud de la galerie orientale recèle le plus célèbre bas-relief d'Angkor Vat : *Le Barattage de la mer de lait*. Cette sculpture superbement réalisée représente 88 *asura* (démons, sur la gauche) et 92 *deva* (dieux, sur la droite) coiffés d'un cimier, qui fouettent les eaux de mer afin d'en extraire un élixir d'immortalité, convoité par dieux et démons. Les démons tiennent la tête du serpent et les dieux, la queue. Au milieu de la mer, le serpent, lové autour du mont Mandala, est tiré à hue et à dia par les adversaires ; ses mouvements font tourner la montagne, qui bat les eaux. La carapace de Vishnou, incarné en tortue gigantesque, sert de support et de pivot au mont Mandala. Brahma, Shiva, Hanuman (dieu-singe) et Lakshmi (déesse de la Beauté) font tous leur apparition. Au-dessus d'eux, un chœur d'esprits féminins chante et danse en guise d'encouragement. Soutenus par les apsaras, trop nombreuses pour être enlevées par les démons assoiffés de sang, les dieux l'emportent.

(E) Porte de l'Éléphant

Cette porte sans escalier était utilisée par le roi et ceux qui devaient monter ou descendre d'un éléphant directement dans la galerie. Au nord de la porte, une inscription en khmer rappelle l'édification d'un stûpa au XVIIIe siècle.

(F) Vishnou conquiert les démons

La partie nord de la galerie orientale représente le violent combat entre Vishnou, monté sur un garuda, et une multitude de *danava* (démons). Bien évidemment, Vishnou les tue tous. Cette galerie fut achevée plus tard, sans doute au XVIe siècle, et les sculptures sont moins raffinées que l'œuvre originale du XIIe siècle.

(G) Krishna et le roi démon

Dans la partie est de la galerie nord, Vishnou, incarné en Krishna, chevauche un garuda et affronte une cité fortifiée en flammes, la résidence du roi démon, Bana. Le garuda éteint l'incendie et Bana est capturé. Dans la scène finale, Krishna s'agenouille devant Shiva et lui demande d'épargner la vie de Bana.

(H) Bataille entre dieux et démons

Dans sa partie ouest, la galerie nord présente la bataille entre les 21 divinités du panthéon brahmane et divers démons. Les dieux arborent leurs attributs et montures traditionnels. Ainsi, Vishnou, doté de quatre bras, est assis sur un garuda, alors que Shiva chevauche une oie sacrée.

(I) Bataille de Lanka

La moitié nord de la galerie ouest est illustrée de scènes du *Râmâyana*. Au cours de la bataille de Lanka, Rama (sur les épaules d'Hanuman), fort de son armée de singes, se bat contre Ravana, le démon à 10 têtes qui a enlevé sa belle épouse Sita. Ravana conduit un chariot tiré par des monstres et commande une armée de géants.

ANGKOR THOM

អង្គរធំ

La cité fortifiée d'Angkor Thom ("grande ville royale") couvre quelque 10 km². Elle fut construite par le plus grand souverain d'Angkor, Jayavarman VII (1181-1219), qui accéda au trône après la mise à sac de la capitale par les Cham. À son apogée, la région aurait compté 1 million d'habitants. Édifiée autour du Bayon, Angkor Thom est entourée d'un *jayagiri* (rempart carré) de 8 m de haut et de 12 km de long, lui-même ceinturé par un *jayasindhu* (douve) de 100 m de large, alors peuplé de féroces crocodiles. Il s'agit là encore d'une représentation monumentale du mont Meru entouré par les océans.

Cinq portes monumentales percent les remparts, une au nord, une à l'ouest, une au sud et deux à l'est. Hautes de 20 m, elles sont décorées de trompes d'éléphant en pierre et surmontées de quatre gigantesques visages du bodhisattva Avalokiteshvara, tournés chacun vers un point cardinal. Devant chaque porte se tiennent les statues énormes de 54 dieux (à gauche de la chaussée) et 54 démons (à droite), un thème provenant de la légende du barattage de la mer de lait, illustrée sur le célèbre bas-relief d'Angkor Vat. Les visiteurs apprécient particulièrement la porte sud, entièrement restaurée et dont la plupart des statues comportent leur tête (généralement une copie). Située sur la route principale reliant Angkor Vat à Angkor Thom, elle est très fréquentée. Les portes est et ouest, desservies par de mauvaises pistes, sont bien plus calmes. La porte est a servi de cadre pour une scène du film *Tomb Raider*. La chaussée menant à la porte ouest s'est complètement effondrée, ne laissant qu'un amas de pierres anciennes.

Les principaux monuments de la cité – le Bayon, le Baphuon, l'Enceinte royale, le Phimeanakas et la terrasse aux Éléphants – se regroupent au cœur de l'enceinte fortifiée.

BAYON

បាយ័ន

Unique parmi les temples d'Angkor, le Bayon incarne le génie créatif et l'ego hypertrophié de Jayavarman VII, roi légendaire du Cambodge. La structure forme un ensemble de couloirs voûtés, d'escaliers escarpés et compte surtout 54 tours gothiques, ornées de 216 visages monumentaux de Lokesvara (autre nom du bodhisattva Avalokiteshvara) au sourire énigmatique. La ressemblance du bodhisattva avec le grand souverain est évidente. Ces multiples visages, à la fois sévères et compatissants, veillent depuis tous les angles de l'édifice ; ils symbolisent la puissance, l'autorité et la bienveillance, qualités indispensables pour gouverner une population disparate et dispersée dans un vaste empire. Où que l'on soit dans le temple, on est environné de visages, de face, de profil, à hauteur d'homme ou en surplomb.

Il est désormais établi que le Bayon fut construit sous le règne de Jayavarman VII. Comme il était enfoui dans la jungle, les chercheurs mirent longtemps à s'apercevoir qu'il occupait le centre exact de la cité d'Angkor Thom. Bien des mystères restent à élucider, comme sa fonction exacte et son symbolisme, un halo de mystère qui correspond parfaitement aux sourires distants du Bayon.

Selon des historiens cambodgiens, l'Empire khmer était divisé en 54 provinces lors de la construction du Bayon ; ainsi, les multiples yeux

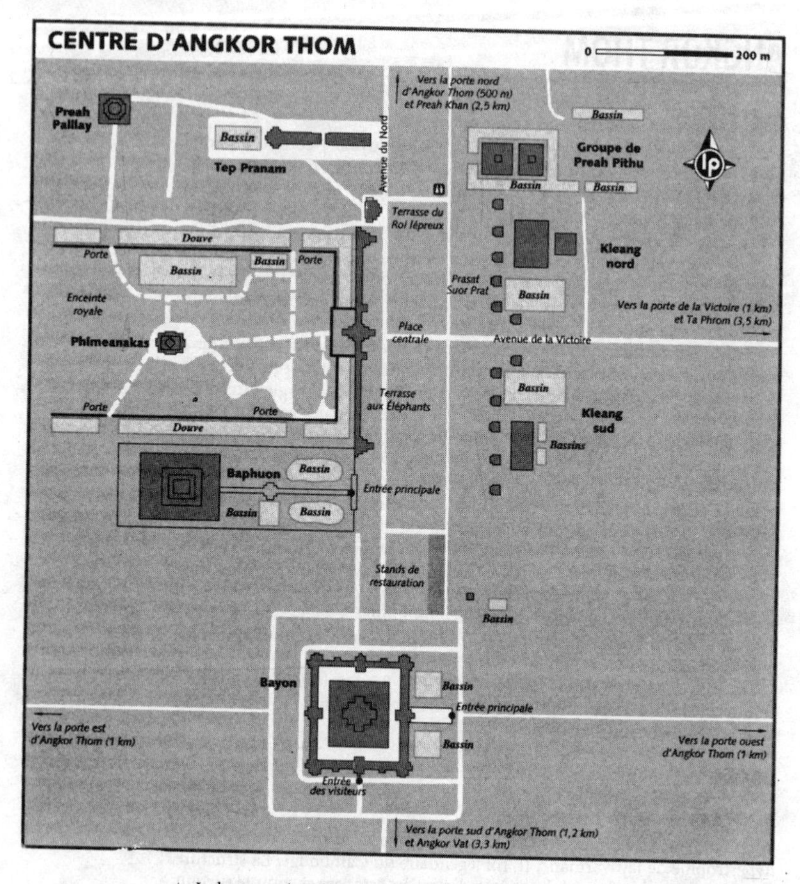

de Lokesvara (ou Jayavarman VII) veillaient sur les sujets jusqu'aux plus lointaines provinces.

Son orientation vers l'est incite les visiteurs à arriver tôt le matin, lorsque le soleil levant éclaire les visages l'un après l'autre. Le Bayon est tout aussi splendide au crépuscule, lorsque la lumière quitte progressivement les visages. Une équipe japonaise restaure actuellement plusieurs parties extérieures du temple.

Configuration architecturale

À la différence d'Angkor Vat, imposant quel que soit l'angle, le Bayon ne ressemble de loin qu'à un tas de décombres. Il faut pénétrer dans le temple et grimper jusqu'à la troisième terrasse pour que la magie opère.

La structure de base, simple, comporte trois niveaux, qui correspondent approximativement aux trois étapes de sa réalisation. Ayant entrepris la construction du temple à un âge avancé, Jayavarman VII n'était pas sûr de le voir achevé et attendait la fin d'une phase de travaux pour entamer la suivante. Les deux premiers niveaux, carrés et ornés de bas-reliefs, mènent au troisième, circulaire, où se dressent les tours aux visages.

Bas-reliefs

D'extraordinaires bas-reliefs se déploient sur 1,2 km et comptent plus de 11 000 personnages. Les célèbres sculptures qui couvrent le mur extérieur du premier niveau dépeignent des scènes de la vie quotidienne au XIIe siècle. Davantage fragmentés, les bas-reliefs qui ornent le second niveau n'ont pas la même dimension épique que ceux du premier ou d'Angkor Vat. Les descriptions ci-après concernent les bas-reliefs du premier niveau ; entrez au Bayon par la porte est et suivez les bas-reliefs dans le sens des aiguilles d'une montre.

(A) FUITE DES CHAM

Au sud de la porte est, on découvre un panorama à trois niveaux. Sur le premier, des soldats khmers partent au combat ; remarquez les éléphants et les chars à bœufs, semblables à ceux utilisés aujourd'hui dans le pays. Le second niveau montre les cercueils rapportés du champ de bataille. Au centre du troisième niveau, Jayavarman VII, à l'ombre de parasols, est représenté à cheval, suivi par des légions de concubines (à gauche).

(B) CULTE DU LINGA

Sur le premier panneau au nord de l'angle sud-est, des hindous prient devant un *linga* (symbole phallique). Cette image, qui représentait probablement le Bouddha à l'origine, fut modifiée par un roi hindou.

(C) BATAILLE NAVALE

Le panneau suivant comporte certaines des plus belles sculptures. Les scènes décrivent une bataille navale entre Khmers et Cham (ces derniers portent des coiffes) et la vie quotidienne sur les rives du lac Tonlé Sap, où se déroule l'affrontement. Des habitants s'épouillent mutuellement, des chasseurs tirent sur le gibier et, à l'extrémité ouest du panneau, une femme accouche.

(D) DÉFAITE DES CHAM

Sur le panneau qui suit, les scènes de la vie quotidienne continuent, et la bataille s'est déplacée sur le rivage, où les Cham sont défaits. Remarquez deux personnages qui jouent aux échecs, un combat de coqs et des femmes qui vendent le poisson au marché. Les scènes de préparation et de service de repas célèbrent la victoire des Khmers.

(E ET F) DÉFILÉ MILITAIRE

La dernière partie de la galerie sud, qui représente un défilé militaire, est inachevée, comme le panneau sur lequel on voit des éléphants descendre des montagnes. Des brahmanes ont été poursuivis dans deux arbres par des tigres.

(G) GUERRE CIVILE ?

Selon certains spécialistes, ce panneau décrit une guerre civile. Des groupes d'individus, dont certains armés, s'affrontent ; la violence atteint son paroxysme lorsque éléphants et guerriers rejoignent la mêlée.

(H) OMNIPRÉSENCE DU ROI

Le combat se poursuit à moins grande échelle. Un gigantesque poisson engloutit une antilope. Parmi les plus petits poissons, se trouve une

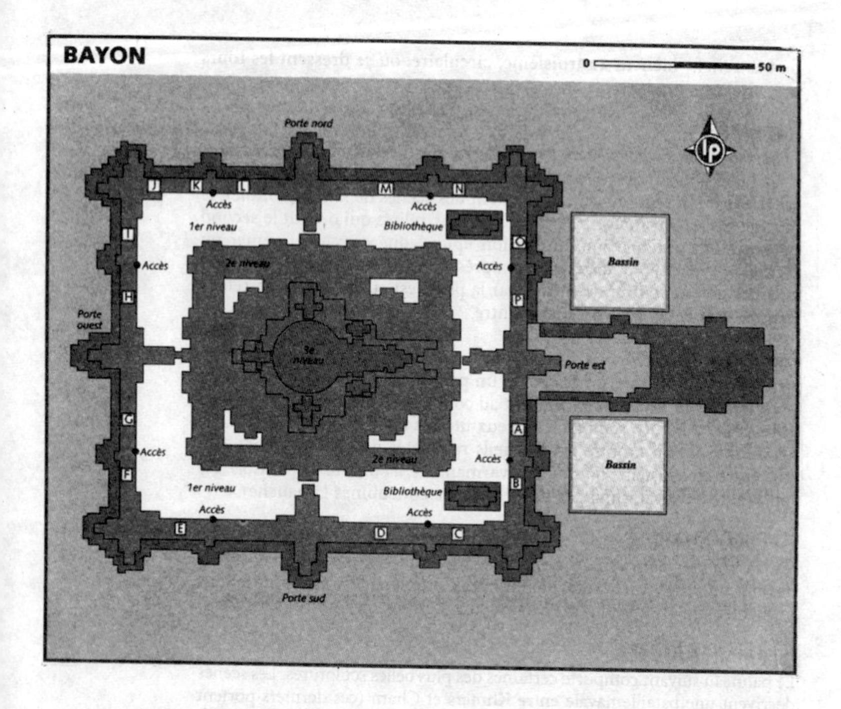

crevette sous laquelle une inscription proclame que le roi fera rechercher ceux qui se cachent.

(I) DÉFILÉ DE LA VICTOIRE

Sur ce panneau, un défilé met en scène le roi portant un arc. Il s'agit probablement de la célébration de sa victoire.

(J) ARRIVÉE DU CIRQUE EN VILLE

À l'angle ouest du mur nord, on découvre un cirque khmer. Un homme fort porte trois nains, alors qu'un autre, allongé sur le dos, fait tourner une roue avec ses pieds. Au-dessus, un groupe de funambules évolue sur un fil. À droite du cirque, la cour royale regarde le spectacle d'une terrasse, au-dessous de laquelle défilent des animaux. Quelques bas-reliefs de cette partie sont inachevés.

(K) TERRE PROSPÈRE

Les deux rivières, l'une à côté du montant de la porte, l'autre à quelques mètres sur la droite, grouillent de poissons.

(L, M ET N) RETRAITE DES CHAM

Dans la partie inférieure de cette scène à trois niveaux inachevée, les armées cham, en déroute, sont expulsées du royaume khmer. Le panneau suivant montre l'avancée de l'armée, puis un panneau très endommagé montre les Cham (à gauche) poursuivant les Khmers.

(O) PILLAGE D'ANGKOR PAR LES CHAM

Ce panneau illustre la guerre de 1177, qui se solda par la défaite des Khmers et la mise à sac d'Angkor par les Cham. Le roi khmer, blessé, est descendu de son éléphant, tandis qu'un général khmer, également touché, est transporté sur un hamac suspendu à un bâton. Au-dessus, des Khmers noient leur désespoir dans une beuverie. Les Cham (à droite) s'acharnent à poursuivre l'ennemi en déroute.

(P) NOUVEL AFFRONTEMENT

Ce panneau décrit un nouvel affrontement des deux armées. Remarquez les porte-drapeaux des troupes cham (à droite). Les Cham furent vaincus au cours de cette guerre, qui s'acheva en 1181, comme le montre le panneau A.

BAPHUON

បាពួន

Le Baphuon, représentation pyramidale du mythique mont Meru, a certainement été l'un des plus beaux temples d'Angkor à son apogée. Sa construction commença probablement sous Suryavarman Ier et fut achevée par Udayadityavarman II (1049-1065). À 200 m au nord-ouest du Bayon, il marquait le centre de la cité qui précéda Angkor Thom.

L'EFEO se consacrait à la restauration du Baphuon lorsque la guerre civile éclata, interrompant les travaux pendant 25 ans. Le temple fut démonté morceau par morceau, selon les principes de la restauration par anastylose, mais tous les registres furent détruits sous le régime des Khmers rouges, laissant les spécialistes face au plus grand puzzle du monde. En 1995, l'EFEO entreprit un nouveau programme de restauration de 10 ans, qui devrait aboutir à la réouverture prochaine de l'édifice au public. Une chaussée en grès surélevée, longue de 200 m, mène au Baphuon, dont la structure centrale s'élève à 43 m.

Sur le côté ouest du temple, le mur de soutènement du deuxième niveau fut façonné, apparemment au XVe ou XVIe siècle, en forme d'un Bouddha couché, long de 40 m. La tête se situe du côté nord du mur et les hanches à hauteur de la porte ; à gauche de la porte, un bras avance en saillie. Vous devrez imaginer les jambes et les pieds, ces derniers ayant complètement disparu. Ce projet d'envergure, entrepris par des fidèles bouddhistes il y a 500 ans, prouve qu'Angkor n'a jamais été totalement abandonnée.

ENCEINTE ROYALE ET PHIMEANAKAS

ភិមានអាកាស

Le Phimeanakas se tient près du centre d'un espace fortifié qui, autrefois, abritait le palais royal. Du palais ne restent aujourd'hui que deux bassins de grès, près du mur nord ; anciennement destinés aux ablutions royales, ils font office de piscine pour les enfants. À l'est, la terrasse aux Éléphants fait face au Phimeanakas. La construction du palais débuta sous le règne de Rajendravarman II. Il fut habité par Jayavarman V et Udayadityavarman Ier, avant d'être agrandi et embelli par Jayavarman II et ses successeurs.

Phimeanakas signifie "Palais céleste". Certains spécialistes affirment qu'il était autrefois surmonté d'une flèche dorée. Aujourd'hui, on ne peut qu'imaginer sa splendeur passée. Le temple, autre représentation pyramidale du mont Meru, comporte trois niveaux. La plupart des ornements ont été détruits ou emportés. Toutefois, grimpez jusqu'au sommet pour la belle vue sur le Baphuon.

PREAH PALILAY

ព្រះប៉ាលីឡៃ

À 200 m au nord de l'enceinte royale, le Preah Palilay ne manque pas de cachet. Érigé sous le règne de Jayavarman VII, ce temple renfermait un bouddha, depuis longtemps disparu. Des arbres énormes ombragent le sanctuaire central, un tableau très photogénique.

TEP PRANAM

ទេពប្រណម្យ

À 150 m à l'est du Preah Palilay, le Tep Pranam, une terrasse cruciforme bouddhique de 82 m sur 34 m, servait autrefois de base à une pagode de construction légère. À proximité, un bouddha de 4,50 m de haut est une reproduction de l'original. Un groupe de nonnes bouddhistes vit dans un bâtiment de bois proche.

GROUPE DE PREAH PITHU

ព្រះពិធូ

De l'autre côté de l'avenue Nord en venant du Tep Pranam, le Preah Pithu désigne un groupe de temples hindous et bouddhiques du XIIe siècle, entourés d'un mur d'enceinte.

TERRASSE DU ROI LÉPREUX

ទីលានព្រះគម្លង់

La terrasse du Roi lépreux, au nord de la terrasse aux Éléphants, est une plate-forme de 7 m de haut. Au sommet, la statue nue et asexuée constitue l'un des nombreux mystères d'Angkor. L'original est conservé au Musée national de Phnom Penh (p. 83) et diverses théories courent quant à sa signification. Selon la légende, au moins deux rois d'Angkor auraient souffert de la lèpre et la statue représenterait l'un d'eux. Une autre théorie, plus vraisemblable, avance qu'il s'agit de Yama, le dieu de la Mort et que la terrasse abritait le crématorium royal.

Les murs de soutènement de la façade portent, sur au moins cinq niveaux, des sculptures méticuleuses d'apsaras assises ; parmi les autres personnages figurent des rois aux diadèmes pointus, armés d'épées à double tranchant et accompagnés de leur cour et de princesses, parées de somptueux colliers de perles. Construite à la fin du XIIe siècle, entre Angkor Vat et le Bayon, cette terrasse soutenait autrefois un pavillon fait en matériaux légers.

Du côté sud de la terrasse du Roi lépreux (en face de la terrasse aux Éléphants), un accès mène à la façade d'une terrasse cachée, recouverte lors de la construction de la structure extérieure – une terrasse dans la terrasse. Les quatre niveaux d'apsaras et d'autres représentations, dont des nâga, semblent avoir été sculptées la veille tant elles sont remarquablement conservées. Certaines arborent des expressions féroces.

TERRASSE AUX ÉLÉPHANTS

ទីលានជល់ដំរី

Longue de 350 m, cette terrasse servait de tribune géante pour les cérémonies publiques. Le roi l'utilisait également comme grande salle d'audience. Imaginez le faste et la grandeur de l'Empire khmer à son apogée, l'infanterie, la cavalerie, les attelages et les éléphants paradant sur la place centrale, avec banderoles et étendards. À l'ombre de parasols élaborés, le dieu-roi, couronné d'un diadème en or, observe le défilé, entouré de notables et de servantes qui portent des ustensiles d'or et d'argent.

La terrasse aux Éléphants compte cinq avancées vers la place centrale, trois au milieu et une à chaque extrémité. La partie centrale du mur de soutènement s'orne de garuda et de lions grandeur nature ; la célèbre parade des éléphants, menée par les cornacs, est représentée à chaque extrémité.

KLEANG ET PRASAT SUOR PRAT

ឃ្លាំង/ប្រាសាទសួព្រត

Sur le côté est de la place centrale, deux groupes de bâtiments, le Kleang nord et le Kleang sud, furent peut-être des palais. Le Kleang nord date du règne de Jayavarman V (968-1001).

Le long de la place centrale, devant les deux Kleang, s'alignent 10 tours en latérite et deux autres, appelées prasat Suor Prat ou temple des Funambules, se dressent à angle droit face à l'avenue de la Victoire. Ces tours, qui auraient été édifiées sous Jayavarman VII (1181-1219), forment une sorte de haie d'honneur le long de la place. Chacune contenait sans doute un linga ou une statue. On raconte que des funambules se produisaient pour le roi sur des cordes tendues entre les tours. Une autre rumeur veut qu'elles aient été utilisées lors de procès publics : lorsqu'un différent surgissait entre deux individus, on les enfermait chacun dans une tour ; si l'un succombait à une maladie, il était déclaré coupable.

AUTOUR D'ANGKOR THOM

TA PROHM

តាព្រហ្ម

Le Ta Prohm est sans nul doute le monument d'Angkor qui dégage le plus de charme et figure parmi les temples plus prisés. Son principal attrait est d'avoir été abandonné à la jungle, donnant ainsi une bonne idée de l'aspect d'Angkor lorsque les explorateurs européens foulèrent le site pour la première fois. Aujourd'hui protégé de la végétation envahissante, il ne conserve que les gros arbres qui enserrent les pierres et n'offre pas l'aspect sauvage du Beng Mealea. Le Ta Prohm reste néanmoins unique au monde. Ombragé par les énormes fromagers, ses tours et ses murs croulants ne tiennent plus que grâce à l'entrelacs de racines. Si Angkor Vat, le Bayon et d'autres temples attestent du génie des anciens Khmers, le Ta Prohm évoque surtout la puissance de la jungle.

Construit vers 1186 et alors appelé Rajavihara (monastère du Roi), le Ta Prohm était un temple bouddhique dédié à la mère de Jayavarman VII. C'est l'un des rares temples de la région d'Angkor dans lequel une inscription livre des informations sur la population qui lui était attachée. Les chiffres sont impressionnants, même s'ils ont peut-être été exagérés dans un souci de glorification du souverain : près de 80 000 personnes entretenaient le temple ou y travaillaient, parmi lesquels plus de 2 700 administratifs et 615 danseurs.

Le Ta Prohm se compose de tours, de cours et de couloirs étroits, souvent comblés par des pierres délicatement sculptées, démantelées par

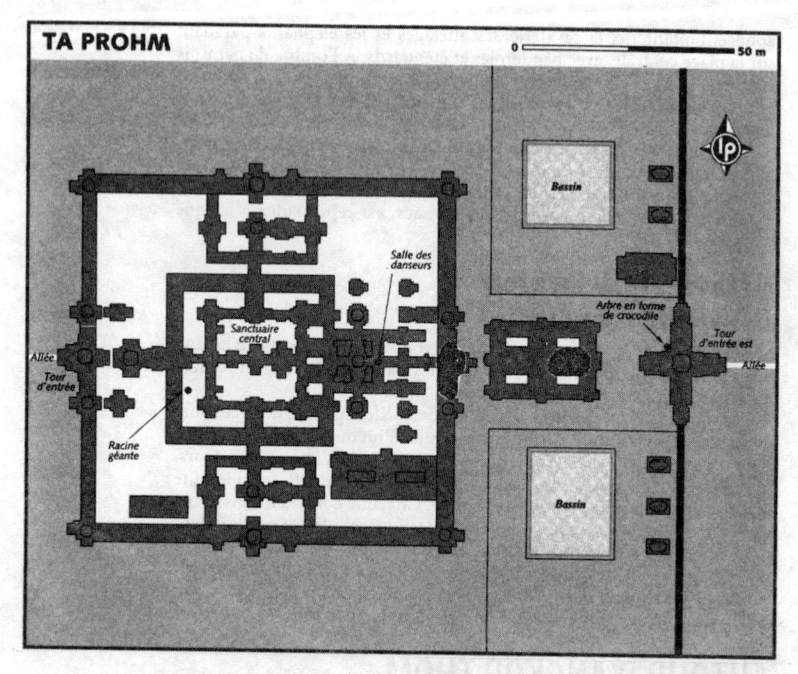

la végétation. Sur les murs ventrus, lichens, mousses et plantes grimpantes recouvrent les bas-reliefs. Des buissons surgissent du sommet des porches monumentaux. Les arbres plusieurs fois centenaires, dont certains soutenus par des arcs-boutants, dominent l'ensemble ; leur feuillage filtre les rayons solaires, ne laissant passer qu'un voile de lumière verte. Le gopura (pavillon d'entrée) situé à l'extrême est de l'enceinte centrale est étranglé par une racine particulièrement spectaculaire. Le site offre toutefois nombre d'autres enchevêtrements stupéfiants. Pour la sauvegarde du monument et des visiteurs, il est désormais interdit de grimper sur les galeries endommagées. Les blocs de pierre qui se balancent dangereusement pèsent souvent plus d'une tonne et leur chute causerait bien des dégâts.

Des enfants se précipitent habituellement pour vous guider dans ce dédale de décombres et de végétation. Si vous ne le souhaitez pas, refusez gentiment et rappelez-vous que c'est la pauvreté qui les pousse à tenter leur chance auprès des touristes. Si vous acceptez, ils vous indiqueront un itinéraire sûr et des endroits photogéniques. Mettez-vous d'accord sur un prix au préalable (2 000 r environ).

BAKSEI CHAMKRONG
បក្សីចាំក្រុង

Au sud-ouest de la porte sud d'Angkor Thom, le Baksei Chamkrong fait partie de ces rares édifices en brique qui subsistent dans le secteur d'Angkor. Ce petit temple aux belles proportions, autrefois décoré d'un mortier à la chaux, ouvre vers l'est comme la quasi-totalité des édifices d'Angkor. Au début du Xᵉ siècle, Harshavarman Iᵉʳ y fit installer cinq statues : deux de Shiva, une de Vishnou et deux de Devi.

PHNOM BAKHENG
ភ្នំបាក់ខែង

La vue sur Angkor Vat au couchant constitue le principal attrait de Phnom Bakheng, à 400 m au sud d'Angkor Thom. Le spectacle attire inévitablement la foule, qui se presse sur le chemin escarpé et se bouscule au sommet. La descente, dans l'obscurité totale, est pire encore. Toutefois, le coucher de soleil sur le lac Tonlé Sap reste magnifique. Pour une bonne photo d'Angkor Vat dans cette chaude lumière de fin d'après-midi, prévoyez au moins un objectif de 300 mm, car le temple est distant de 1,3 km.

Phnom Bakheng abrite le premier des temples-montagnes construits à proximité d'Angkor. Yasovarman Iᵉʳ (889-910) préféra en effet ce site à la région de Roluos, où se trouvait la première capitale.

Amateur d'action, vous apprécierez *Tomb Raider*, le film qui met en scène Lara Croft (Angelina Jolie) au milieu des fabuleux temples d'Angkor !

Le temple-montagne comporte cinq étages, soit sept niveaux avec la base et le sommet. La base comptait 44 tours et chacun des étages en comprenait 12. Le sommet du temple en possédait quatre, une à chaque point cardinal, ainsi qu'un sanctuaire central. Tous ces chiffres ont une signification symbolique. Les sept niveaux représentent les sept paradis hindous ; le nombre total des tours, 108 sans compter le sanctuaire central, est un chiffre porte-bonheur, en corrélation avec le calendrier lunaire.

On peut monter la colline à dos d'éléphant (15 $US l'aller), un trajet mémorable dans un site splendide. Réservez car l'expérience connaît un vif succès auprès des groupes.

PRASAT KRAVAN
ប្រាសាទក្រវ៉ាន់

Les cinq tours en brique du prasat Kravan, alignées dans le sens nord-sud et orientées à l'est, furent édifiées en 921 pour le culte hindou. La structure ne fut pas commandée par un roi, ce qui est très inhabituel et

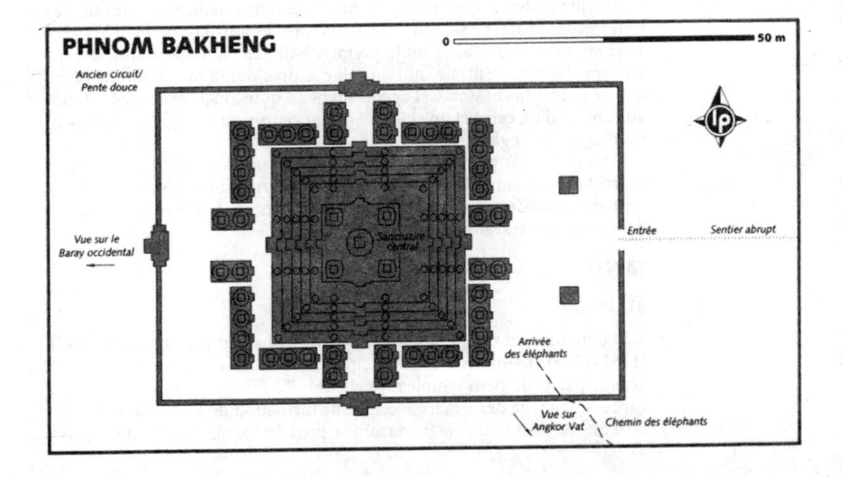

explique sa localisation, un peu à l'écart du centre de la capitale. Les tours se trouvent juste au sud de la route qui relie Angkor Vat au Banteay Kdei.

L'ensemble, en partie restauré en 1968, mérite la visite pour ses superbes bas-reliefs ciselés dans la brique des murs intérieurs. Dans la plus grande tour centrale, Vishnou aux huit bras orne le mur du fond ; sur le mur de gauche, il fait trois pas de géant pour s'approprier le monde et, sur le mur de droite, il chevauche un garuda. Des bas-reliefs représentant Lakshmi, l'épouse de Vishnou, ornent la tour la plus septentrionale.

Le nain Vamana, l'un des avatars préférés de Vishnou, entreprit la conquête du monde possédé par le démon-roi Bali. Le nain demanda au démon un lopin de terre sur lequel il pourrait méditer, arguant qu'il n'avait besoin que d'une parcelle qu'il puisse traverser en trois enjambées. Le démon accepta et vit alors le nain se transformer en géant et arpenter l'univers en trois puissantes foulées. À cause de cette légende, Vishnou est parfois surnommé "la grande enjambée".

BANTEAY KDEI ET SRA SRANG

ពន្ទាយក/ស្រះស្រង់

Le Banteay Kdei, un imposant temple bouddhique de la fin du XIIe siècle, est entouré de quatre murs concentriques. Le mur extérieur mesure 500 m sur 700 m. Chacune des quatre entrées est ornée de garuda qui arborent un des thèmes favoris de Jayavarman VII, les quatre visages de Lokesvara. L'intérieur de la tour centrale ne fut jamais terminé et le temple, hâtivement construit, est délabré. Bien moins fréquenté que le Ta Prohm voisin, il mérite néanmoins le détour.

À l'est du Banteay Kdei, le Sra Srang (bassin aux ablutions) date d'une époque antérieure et mesure 800 m sur 400 m. Au centre, une île minuscule supportait autrefois un temple en bois dont ne subsistent que les fondations en pierre. Ce joli plan d'eau offre un cadre paisible au lever du soleil.

TA KEO

តាកែវ

Ce temple austère, dépourvu d'ornement, aurait certainement été l'un des plus beaux d'Angkor s'il avait été achevé. Érigé sous Jayavarman V (968-1001) et dédié à Shiva, ce fut le premier bâtiment d'Angkor entièrement en grès. La tour centrale, qui culmine à près de 50 m, est entourée de quatre tours plus basses. Cet agencement en quinconce, avec quatre tours aux angles d'un carré et une cinquième au centre, est typique des temples-montagnes d'Angkor.

On ne sait pas pourquoi le temple ne fut jamais terminé, bien que la mort de Jayavarman V soit l'une des causes probables. Certains supposent que la foudre, mauvais présage, a pu toucher le bâtiment et entraîner l'abandon des travaux.

TA NEI

តានី

À 800 m au nord du Ta Keo, le Ta Nei fut construit par Jayavarman VII (1181-1219). La mousse et les racines tentaculaires qui recouvrent une grande partie du petit temple rappellent le Ta Prohm, toutes proportions gardées. Il abrite désormais le centre de formation de l'Apsara Authority et n'est accessible qu'en traversant à pied le barrage construit par les

Français. En venant de Siem Reap, prenez la longue piste sur la gauche, juste après le Spean Thmor.

SPEAN THMOR

ស្ពានថ្ម

Le Spean Thmor (pont de pierre), dont il reste une arche et plusieurs piles, se trouve à 200 m à l'est du Thommanon. Jayavarman VII, le dernier grand bâtisseur d'Angkor, fit construire de nombreuses routes avec d'immenses ponts de pierre enjambant les cours d'eau. Celui-ci est le seul qui subsiste à proximité d'Angkor. Il illustre de manière évidente la baisse du niveau de l'eau au cours des siècles et fournit une autre explication à l'effondrement du vaste système d'irrigation d'Angkor. Au nord du Spean Thmor, vous verrez une grande roue à eau d'une étonnante élégance.

La province de Siem Reap renferme d'autres ponts spectaculaires, notamment le Spean Praptos (19 arches), à Kompong Kdei, sur la RN6 en venant de Phnom Penh, et le Spean Ta Ong, un ouvrage de 77 m orné d'un beau nâga, enfoui dans la forêt à 25 km à l'est de Beng Mealea.

CHAU SAY TEVODA

ចៅសាយទេវតា

À l'est de la porte orientale d'Angkor Thom, le Chau Say Tevoda, dédié à Shiva et à Vishnou, fut probablement construit dans le deuxième quart du XIIe siècle. Une équipe chinoise a œuvré de longues années afin de lui restituer un aspect semblable au Thommanon, son jumeau.

THOMMANON

ធម្មនុន

Au nord du Chau Say Tevoda, le Thommanon était également consacré à Shiva et à Vishnou. Bien qu'unique, il complète son voisin dans la mesure où il fut construit à la même époque selon un plan similaire. Grâce aux travaux de grande ampleur effectués par l'EFEO dans les années 1960, il est en bien meilleur état que le Chau Say Tevoda.

PREAH KHAN

ព្រះខន្ឋ

Dédale de couloirs voûtés, de sculptures raffinées et de pierres couvertes de lichens, le temple de Preah Khan ("épée sacrée") figure parmi les plus grands ensembles d'Angkor. Érigé par Jayavarman VII, il lui servit probablement de résidence pendant la construction d'Angkor Thom. Moins visité que le Ta Prohm, il en rappelle la structure avec ses enceintes couronnées de tours et traversées de couloirs étroits. Il est toutefois dans un meilleur état de conservation et les travaux de restauration conduits par le **World Monuments Fund** (WMF ; www.wmf.org) devraient le consolider.

Le sanctuaire central fut consacré en 1191. Une grande stèle de pierre, autrefois installée dans la première enceinte orientale et aujourd'hui à l'abri dans les locaux de l'Angkor Conservation, a fourni de nombreuses informations sur le rôle de Preah Khan en tant que centre de culte et d'études. Le temple était dédié à 515 divinités et, chaque année, 18 fêtes importantes s'y déroulaient, nécessitant la présence de milliers de serviteurs pour l'entretien du lieu.

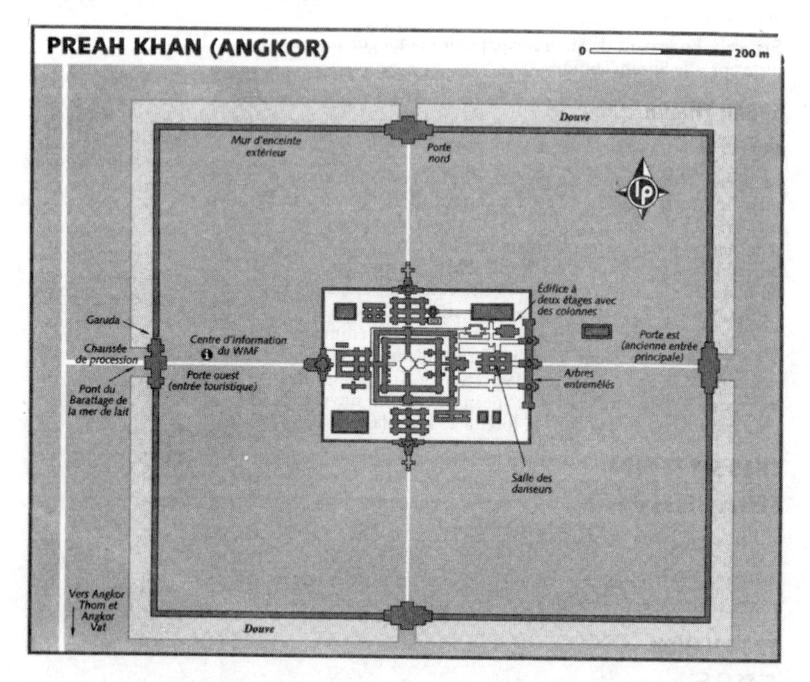

Le site est très étendu, mais le temple lui-même n'occupe qu'un rectangle fortifié de 700 m sur 800 m. Quatre chaussées de procession donnent accès aux portes. Comme à l'entrée d'Angkor Thom, elles sont bordées d'une superbe représentation du barattage de la mer de lait, bien que la plupart des têtes aient disparu. Du sanctuaire central, quatre longues galeries voûtées partent vers les quatre points cardinaux. La plupart des murs intérieurs étaient enduits de plâtre, maintenu grâce à des orifices creusés dans la pierre. Un grand nombre des sculptures raffinées a survécu, notamment des *essai* (sages) et des apsaras.

Comme dans la plupart des temples angkoriens, l'entrée principale se situe du côté est, mais l'usage veut que l'on passe par la porte ouest, près de la route principale. On fait alors le tour du temple jusqu'à porte est, avant de revenir au sanctuaire central et de rejoindre la porte nord (où les chauffeurs attendent en général les visiteurs). Si le génie de la nature ne s'exprime guère à l'entrée ouest, deux arbres entremêlent leurs racines monstrueuses sur le mur de soutènement extérieur de la porte est. Dans l'entrée est, une étonnante structure de style grec à deux étages n'a pas encore livré le secret de sa fonction.

PREAH NEAK PEAN

នាគព័ន្ធ

Ce petit temple bouddhique, aux proportions parfaites, fut construit par Jayavarman VII à la fin du XIIe siècle. Le Preah Neak Pean ("nâga enchevêtrés" ; prononcez *po*-an) comporte un grand bassin carré entouré de quatre bassins plus petits. Au centre du grand bassin, une "île" circulaire est entourée de 2 nâga, dont les queues entremêlées ont donné son nom au temple.

Quatre statues ornaient autrefois le grand bassin. Il n'en reste qu'une, savamment reconstituée à partir des morceaux récupérés par les archéologues français qui ont déblayé le site. Cette étrange statue représente un cheval doté d'un entrelacs de jambes humaines. Elle évoque la légende selon laquelle Avalokiteshvara sauva un groupe de disciples naufragés sur une île de goules en se transformant en cheval volant.

Autrefois, l'eau s'écoulait du bassin central dans les bassins périphériques par des gargouilles ornementales, en forme de têtes d'éléphant, de cheval, de lion et d'homme, toujours visibles dans les pavillons postés à chaque axe du grand réservoir. Ce dernier servait aux rites de purification et l'ensemble était au centre d'un immense baray de 3 km sur 900 m, aujourd'hui asséché et envahi par la végétation.

TA SOM
តាសោម

Autre temple bouddhique construit par Jayavarman VII à la fin du XIIe siècle, le Ta Som se trouve à l'est du Preah Neak Pean. Le World Monument Fund restaure actuellement la partie centrale, très délabrée. Un arbre gigantesque a entièrement envahi le gopura oriental – l'une des photos les plus célèbres d'Angkor.

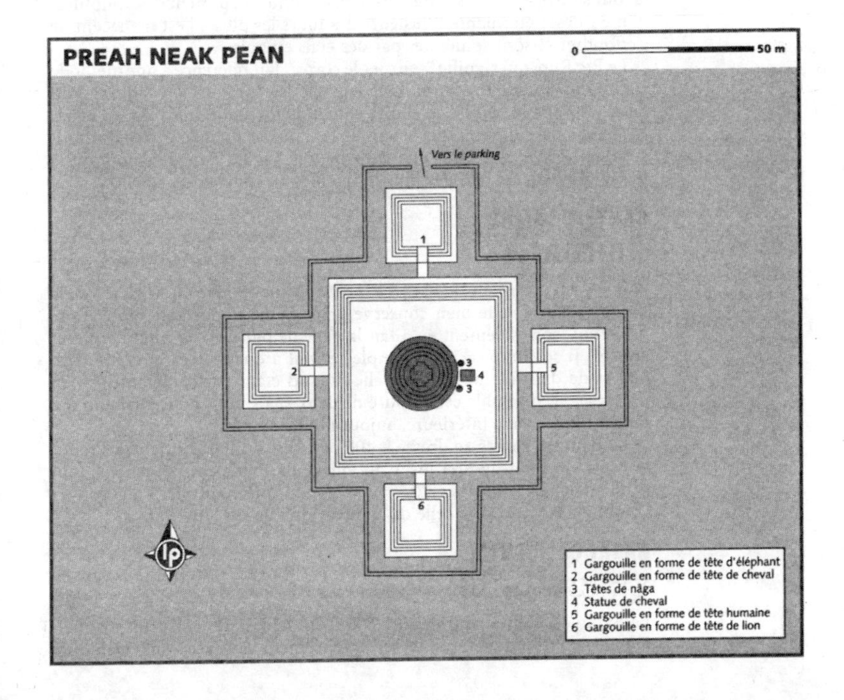

BARAY ORIENTAL ET MEBON ORIENTAL
បារាយខាងកើត/មេបុណ្យខាងកើត

Ce réservoir gigantesque, appelé Baray oriental, fut réalisé par Yasovarman Ier (889-910), qui érigea des stèles aux quatre angles. Ouvrage public le plus important de Yasodharapura, la capitale de Yasovarman Ier, il mesure 7 km sur 1,8 km. Autrefois alimenté par la Stung Siem Reap, il est aujourd'hui entièrement à sec.

Le Mebon oriental fut bâti par Rajendravarman II (944-968) sur ce qui était probablement un îlot au centre du Baray oriental. Ce temple hindou ressemble à une version réduite du Pre Rup, édifié 15 à 20 ans plus tard au sud du Mebon. Conforme au concept de temple-montagne, il est surmonté de tours disposées en quinconce. Les sanctuaires de brique, savamment travaillés, sont parsemés d'orifices qui retenaient l'enduit de plâtre. À la base du temple, un éléphant de pierre harnaché garde chaque angle ; ces statues sont pour la plupart en excellent état.

PRE RUP
ប្រែរូប

Construit par Rajendravarman II, le Pre Rup se trouve à 1 km au sud du Mebon oriental. Comme ce dernier, ce temple-montagne de forme pyramidale comprend cinq sanctuaires carrés disposés en quinconce au dernier de ses trois niveaux. Ici encore, les sanctuaires de brique étaient autrefois couverts d'un enduit de plâtre, dont il reste des fragments sur la tour sud-ouest. Dans cette dernière, des linteaux portent des sculptures d'une finesse étonnante. Plusieurs des tours les plus à l'est menacent de s'effondrer et sont soutenues par des étais en bois.

Le Pre Rup, qui signifie "tourner le corps", fait référence à une méthode traditionnelle de crémation dans laquelle les contours du cadavre sont dessinés dans la cendre, d'abord dans une direction, puis dans l'autre. On peut ainsi supposer que le temple fut l'un des premiers crématoriums royaux. Le site, qui offre une superbe vue sur les rizières entourant le Baray oriental, est l'un des plus fréquentés au coucher du soleil.

BANTEAY SAMRÉ
បន្ទាយសំរែ

Bâti par Suryavarman II (1112-1152) à la même époque qu'Angkor Vat, le Banteay Samré reste bien conservé grâce à une importante rénovation. Toutefois, son isolement en a fait la cible de pillages ces vingt dernières années. Il se compose d'un temple central à quatre ailes, précédé d'un hall et de deux bibliothèques, celle du sud étant particulièrement bien préservée. L'ensemble est entouré de deux épais murs concentriques qui longent une douve intérieure, aujourd'hui asséchée.

Le Banteay Samré se dresse à 400 m à l'est du Baray oriental. Prenez la route du Banteay Srei jusqu'au village de Pradak et poursuivez tout droit au lieu de continuer sur la route goudronnée, à droite. Vous pouvez combiner la visite avec celle du Banteay Srei ou du Phnom Bok.

BARAY OCCIDENTAL
បារាយខាងលិច

Le Baray occidental, qui mesure 8 km sur 2,3 km, fut construit manuellement pour irriguer les terres intensément cultivées aux alentours d'Angkor. Les énormes baray d'Angkor ne furent pas creusés dans le sol, mais réalisés à l'aide d'immenses digues édifiées sur leur pourtour. Au centre du bassin se dresse le Mebon occidental, où l'on trouva la gigantesque statue en bronze de Vishnou exposée au Musée national (p. 83) de Phnom Penh. Le temple, en ruine, est accessible en bateau depuis le barrage de la rive sud. Le baray sert de piscine aux habitants de la région, qui affluent le week-end sur la petite plage situé à l'extrémité ouest (location de cabanes de pique-nique et de chambres à air).

GROUPE DE ROLUOS

រលួស

Les monuments de Roluos, qui constituèrent Haliharalaya, la capitale d'Indravarman Ier (877-889), font partie des premiers grands temples permanents érigés par les Khmers et marquent le début de l'art khmer classique. Avant l'édification de Roluos, on utilisait généralement des matériaux de construction légers et moins durables, comme la brique.

Ces temples se situent à 13 km à l'est de Siem Reap par la RN6, près de l'actuelle ville de Roluos. Le Preah Ko et le Bakong se trouvent respectivement à 600 m et à 1,5 km au sud de la RN6. Le Bakong et le Lolei possèdent des monastères bouddhistes en activité. Les visiteurs dont le voyage se limite à Phnom Penh et Siem Reap apprécieront l'authenticité de la bourgade de Roluos, où ils pourront prendre un verre.

PREAH KO

ព្រះគោ

Érigé par Indravarman Ier à la fin du IXe siècle, le Preah Ko fut dédié à Shiva. Les six *prasat* (tours de pierre), alignées sur deux rangées et ornées de bas-reliefs en grès et en plâtre, font face à l'est. La tour centrale de la première rangée est beaucoup plus grande que les autres. Le Preah Ko comprend des ornements en plâtre très bien conservés et actuellement restaurés par une équipe allemande. Des inscriptions en sanscrit figurent sur le montant des portes de toutes les tours.

Trois *nandi* (taureaux sacrés) en assez mauvais état se dressent devant les tours. En 880, Indravarman Ier consacra le Preah Ko ("taureau sacré") à ses ancêtres divinisés. Les tours de la première rangée sont dédiées aux ancêtres mâles ou dieux, celles de la seconde rangée, aux ancêtres féminins ou déesses. Des lions gardent les escaliers du temple.

BAKONG

បាគង

Le Bakong est le plus grand et le plus intéressant des temples du groupe de Roluos. Un monastère bouddhiste en activité est installé au nord de l'entrée orientale. Édifié et dédié à Shiva par Indravarman Ier, le temple symbolisait le mont Meru et constituait le principal lieu de culte de la cité. L'ensemble, orienté à l'est, se compose d'une pyramide centrale en grès de cinq niveaux, qui couvre 60 m^2 à la base, flanquée de huit tours (ou de leurs vestiges) en brique et grès et de sanctuaires moins importants. Plusieurs tours ont conservé en partie leur enduit de plâtre d'origine.

Une douve et trois murs concentriques entourent l'ensemble. Des éléphants en pierre, bien conservés, ornent chaque angle des trois premiers niveaux du temple central. Douze stupas – quatre de chaque côté – se

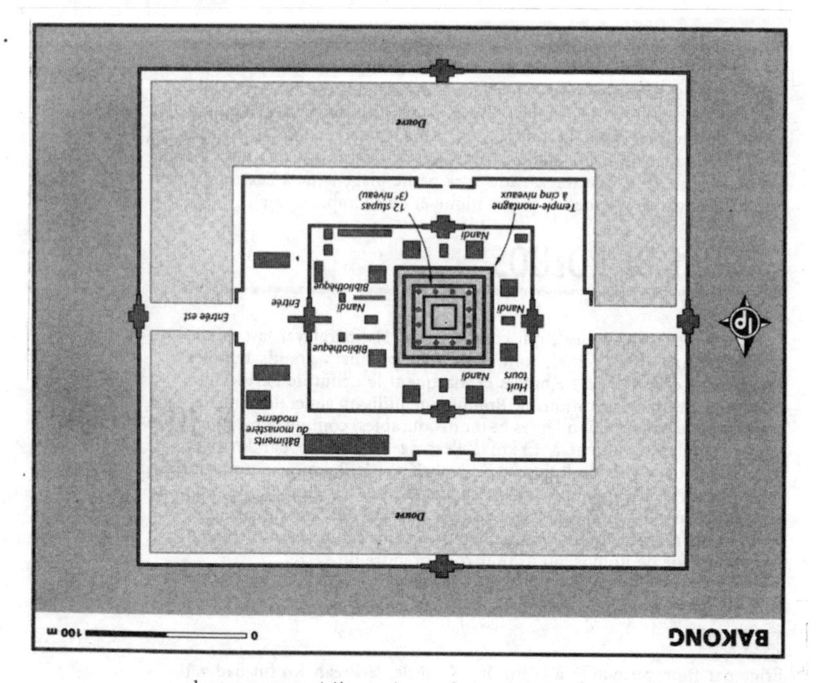

dressent au troisième niveau. Le sanctuaire du cinquième niveau fut érigé dans le style de la tour centrale d'Angkor Vat sous le règne de Suryavarman II.

LOLEI

 លលៃ

Yasovarman Ier (889-910), fondateur de la première cité d'Angkor, fit bâtir ces quatre tours en brique, répliques quasi identiques des tours du Preah Ko. Elles se dressaient sur un îlot, au milieu d'un grand réservoir, aujourd'hui devenu une rizière. Dans les niches des temples, les sculptures en grès méritent le coup d'œil. Des inscriptions en sanscrit figurent sur le montant des portes ; l'une d'elles précise que les quatre tours furent dédiées par Yasovarman Ier à sa mère, son père et ses grands-parents maternels le 12 juillet 893.

ENVIRONS D'ANGKOR

PHNOM KROM

ភ្នំក្រោម

Le temple de Phnom Krom, érigé sur une colline dominant le lac Tonlé Sap à 12 km au sud de Siem Reap, date du règne de Yasovarman Ier. Son nom, "Petite colline", fait référence à sa situation géographique par rapport aux temples de Phnom Bakeng et Phnom Bok. Les trois tours, en ruine, sont dédiées, du nord au sud, à Vishnou, Shiva et Brahma. Ce vat en activité demeure l'un des endroits les plus paisibles pour admirer le coucher du soleil. Les bateaux rapides en provenance de Phnom Penh accostent à proximité, mais on ne voit pas le temple du pied de la colline. Si vous venez à moto-dop ou en voiture, demandez au chauffeur de vous conduire au sommet car la longue montée est pénible.

PHNOM BOK
ភ្នំបូក

Dans un endroit paisible et reculé, le troisième des temples-montagnes édifiés par Yasovarman Ier à la fin du IXe ou au début du Xe siècle voit peu de visiteurs. Le petit temple, en assez bon état, comprend deux tours en ruine au milieu desquelles poussent deux frangipaniers. La vue sur le Phnom Kulen, au nord, et les plaines d'Angkor, au sud, justifie à elle seule le déplacement jusqu'au sommet de cette colline, haute de 212 m. On aperçoit également les vestiges d'un linga de 5 m à l'autre extrémité de la colline et l'on pense que le Phnom Bakheng et le Phnom Krom renfermaient des linga similaires. Le site n'est pas recommandé pour le lever ou le coucher du soleil, car cela implique un long parcours dans l'obscurité.

À 25 km de Siem Reap, le Phnom Bok se repère aisément de la route du Banteay Srei. Sur la route du Banteay Samré, continuez vers l'est sur 6 km. Au retour, vous pouvez rejoindre Siem Reap via les temples de Roluos en vous dirigeant vers le sud et non vers l'ouest ; vous traverserez de charmants villages. Un long sentier sinueux (non praticable à vélo) mène au sommet de la colline en 20 min environ. Évitez la chaleur de la mi-journée et emportez suffisamment d'eau (en vente au pied de la colline).

CHAU SREI VIBOL
ចៅស្រីវិបុល

Peu visité, ce petit temple bâti sur une colline n'est accessible qu'à moto. Un vat moderne avoisine le sanctuaire central, en ruine. Des murs de latérite ceinturent le pied de la colline et comportent chacun un petit hall d'entrée en assez bon état. Prenez la piste qui relie le Phnom Bok et Roluos, puis tournez à l'est à 8 km au nord de la RN6 (ou à 5 km au sud du Phnom Bok). À partir de là, la piste se détériore et traverse plusieurs petits ponts branlants. Elle franchit un petit pont angkorien de la fin du XIIe siècle, aux balustrades en forme de nâga. On s'égare facilement sur ce tronçon, aussi n'hésitez pas à demander votre chemin à chaque carrefour. Vous finirez par arriver à un monastère construit au pied de la petite colline.

BANTEAY SREI
បន្ទាយស្រី

Considéré par beaucoup comme le joyau de l'art angkorien, ce temple hindou dédié à Shiva, taillé dans une pierre rosée, possède des sculptures d'une finesse exceptionnelle. L'un des sites les plus petits d'Angkor, ce qui n'enlève rien à sa splendeur, il est remarquablement conservé, comme nombre de ses sculptures en trois dimensions. Banteay Srei signifie "citadelle des femmes" et l'on affirme que des sculptures si raffinées ne peuvent être l'œuvre d'un homme.

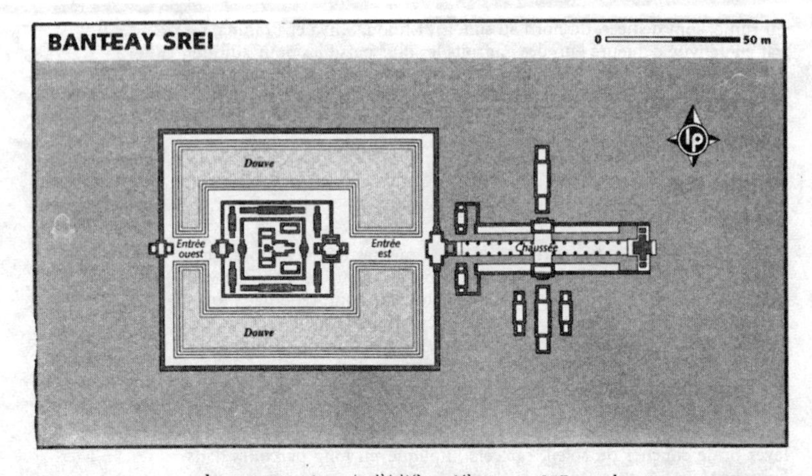

La construction de l'édifice débuta en 967 et, chose rare à Angkor, ne fut pas commandée par un roi mais par un brahmane, peut-être un précepteur de Jayavarman V. Ce quadrilatère comprend des entrées est et ouest et une chaussée à l'est. Vous remarquerez le somptueux décor des bibliothèques et les trois tours centrales, ornées de divinités féminines et masculines et de splendides bas-reliefs en filigrane.

Parmi les sculptures classiques du Banteay Srei, des femmes gracieuses, vêtues de jupes traditionnelles, tiennent à la main des fleurs de lotus et d'extraordinaires scènes du *Râmâyana* ornent les frontons (corniches sculptées au-dessus du linteau) des bibliothèques. La beauté de chaque détail ne saurait faire oublier la splendeur de l'ensemble, dont chaque centimètre, ou presque, est richement orné. Les gardiens mythiques de ces créations d'une totale perfection sont des copies, les originaux étant conservés au Musée national (p. 83).

C'est au Banteay Srei que l'EFEO effectua sa première restauration d'envergure en 1930 suivant la méthode d'anastylose. On constate aujourd'hui la réussite de ce projet, qui ouvrit la voie à d'autres grands programmes de restauration, comme celle du Bayon. Ce n'était cependant pas la première fois que le Banteay Srei faisait la une des journaux : en 1923, bien longtemps avant de devenir ministre de la Culture, André Malraux fut arrêté à Phnom Penh et accusé du vol de statues et de sculptures d'une importance capitale sur le site. Il raconte d'ailleurs cette histoire sous forme de roman dans *La Voie royale*.

À la découverte du Banteay Srei, on estima que l'édifice datait du XIIIe ou du XIVe siècle, en raison des sculptures raffinées qui suggéraient la fin de la période d'Angkor. Par la suite, des inscriptions trouvées sur le site conduisirent à penser que le temple avait été construit en 967. Des spécialistes remettent à nouveau cette date en question, jugeant que le style du temple et ses sculptures ne ressemblent pas aux autres créations du Xe siècle. Selon de nouvelles théories, certains temples angkoriens ont pu, à l'instar des cathédrales d'Europe, être détruits puis reconstruits, ou encore transformés au point d'être méconnaissables. La stèle portant la fameuse inscription ferait alors référence à une structure antérieure et non au joyau que nous découvrons aujourd'hui.

Le Banteay Srei se trouve à 21 km au nord-est du Bayon et à 32 km de Siem Reap. Le site est bien indiqué et la route est désormais totalement asphaltée (comptez 45 min à partir de Siem Reap). Vous pouvez combiner sa visite avec une excursion à la rivière aux Mille Linga à Kbal Spean et au Beng Mealea, ou bien au Banteay Samré et au Phnom Bok. Les touristes affluent le matin. Le calme revient à l'heure du déjeuner, mais il fait très chaud. Le meilleur moment est certainement la fin d'après-midi, avant que le soleil ne disparaisse derrière la jungle. Si vous venez à moto-dop ou en remorque-moto, entendez-vous sur le prix avec le conducteur avant de partir.

KBAL SPEAN

ក្បាលស្ពាន

Enfoui dans la jungle au nord-est d'Angkor, Kbal Spean n'est autre qu'un lit de rivière merveilleusement sculpté. Kbal Spean signifie "tête de pont", une référence à un pont naturel de rochers, mais l'endroit est plus connu sous le nom de rivière aux Mille Linga. Des linga et des représentations de divinités indiennes ont en effet été délicatement taillés au fond du cours d'eau et alentour. Kbal Spean fut découvert en 1969 par Jean Boulbet, un ethnologue de l'EFEO, amené sur place par un *essai* (sage). Le site est peu après devenu inaccessible en raison de la guerre civile et l'est resté jusqu'en 1998.

Un joli sentier qui monte à travers la jungle sur 1,5 km mène aux sculptures, après avoir longé d'intéressantes formations rocheuses. Emportez suffisamment d'eau, car vous n'en trouverez plus après le parking. Le chemin se divise, menant d'un côté à la cascade et de l'autre aux sculptures. Commencez plutôt par ces dernières, avant de redescendre vers la chute d'eau pour vous rafraîchir. Une impressionnante représentation de Vishnou se détache dans la partie supérieure de la rivière, suivie d'une série de sculptures sur la tête de pont (notamment Nandi, la monture de Shiva). Beaucoup ont été sauvagement entaillées par le passé et le site est désormais sécurisé afin d'éviter tout nouvel acte de vandalisme.

En suivant la rivière vers l'aval, vous remarquerez d'autres belles sculptures de Vishnou, de Shiva et de son épouse Uma, avant de découvrir, plus bas, des centaines de linga. Au sommet de la cascade, parmi les nombreux animaux représentés, figurent une vache et une grenouille. Un sentier contourne les rochers jusqu'à un escalier de bois qui conduit au pied de la chute d'eau. La meilleure période de l'année pour visiter le site s'étend de septembre à décembre ; entre février et juin, le niveau de la rivière est au plus bas.

Pour les Khmers, Kbal Spean ne revêt pas la même importance spirituelle que le Phnom Kulen, mais se révèle plus plaisant : le site est plus propre et l'accès est compris dans le forfait d'Angkor (dernière entrée à 15h30).

Kbal Spean se trouve à 50 km au nord-est de Siem Reap et à 18 km après le Banteay Srei. Lors de notre passage, la route à partir du Banteay Srei était impraticable pour la plupart des véhicules, contraints de faire un long détour par le Phnom Kulen. Seules les motos parvenaient à se frayer un chemin, au bout d'une heure ou plus d'efforts. Une fois la chaussée refaite, Kbal Spean ne sera plus qu'à 20 ou 25 min du Banteay Srei. Cette route continue en direction du nord jusqu'à Anlong Veng (p. 223), un ancien bastion khmer rouge.

Les conducteurs de moto-dop vous demanderont sûrement quelques dollars supplémentaires pour vous emmener à Kbal Spean. Vous pouvez

ATTENTION !

Durant la visite de Kbal Spean et du Phnom Kulen, ne quittez sous aucun prétexte les chemins bien tracés. La région est loin d'être déminée !

aussi négocier la journée complète à 10 $US, y compris le trajet au Banteay Srei. Comptez 15 $US en remorque-moto et prévoyez un tarif plus élevé en taxi.

PHNOM KULEN

ភ្នំគូលេន

Aux yeux des Khmers, le Phnom Kulen est la montagne la plus sacrée du Cambodge et un lieu de pèlerinage très fréquenté le week-end et les jours fériés. Le site a joué un rôle important dans l'histoire de l'Empire khmer, car c'est ici que Jayavarman II proclama l'indépendance du royaume par rapport à Java en 802, une date qui marque la naissance du Cambodge moderne. Au sommet de la montagne, un petit vat abrite un grand bouddha, directement taillé dans le rocher de grès qui le supporte. Non loin, des piscines naturelles surmontent une haute cascade et une série de sculptures, dont de nombreux linga, ornent le lit de la rivière. Un entrepreneur a fait construire une route jusqu'au sommet en 1999 et fait payer l'accès 20 $US aux touristes étrangers, une somme ridiculement élevée par rapport aux droits d'entrée à Angkor et dont pas un centime ne sert à la conservation du site. Vous pouvez obtenir le billet pour 12 $US auprès du City Angkor Hotel de Siem Reap, qui appartient – ô surprise ! – au même homme d'affaires.

La route serpente à travers une jungle spectaculaire et débouche sur le plateau après 20 km de montée. On arrive alors à une fourche. L'embranchement de gauche mène à l'aire de pique-nique, aux cascades et aux ruines d'un temple du IXe siècle ; celui de droite passe sur un pont et quelques statues taillées dans la rivière avant d'arriver au bouddha couché. Dans ce lieu de pèlerinage, n'oubliez pas d'ôter vos chaussures et de vous découvrir la tête avant de grimper les marches qui mènent au sanctuaire. Du sommet, qui culmine à 487 m, une vue magnifique embrasse tout le plateau forestier.

La cascade serait séduisante si les alentours n'étaient pas envahis par les détritus des pique-niques du week-end. À proximité, un temple gagné par la jungle, le prasat Krau Romeas, date du IXe siècle.

Le Phnom Kulen compte nombre d'autres édifices angkoriens, dont 20 temples mineurs disséminés sur le plateau. Le plus important d'entre eux, le prasat Rong Chen, fut le premier temple-montagne construit dans la région d'Angkor. Particulièrement impressionnants, les gigantesques animaux de pierre, ou gardiens de la montagne, sont connus sous le nom de Sra Damrei (bassin de l'Éléphant). Accessibles par un chemin impraticable à la saison des pluies et qui traverse des zones minées, ils restent peu visités. Ceux qui se rendent sur place voient leurs efforts récompensés lorsqu'ils découvrent un éléphant de pierre grandeur nature (4 m de long et 3 m de haut), ainsi que des statues plus petites représentant des lions, une grenouille et une vache. Érigés sur le flanc sud de la montagne, ils dominent la plaine en contrebas. Pour vous rendre au Sra Damrei, vous devrez prendre une moto-dop au vat Pre Ang Thom et parcourir 12 km dans une épaisse forêt, sur des chemins très accidentés. Arrivé devant une abrupte paroi rocheuse, vous continuerez à pied dans la forêt pendant

1 km avant d'atteindre les animaux. N'essayez pas de trouver le site seul. En négociant bien, vous paierez environ 6 $US pour le trajet à moto-dop. Emportez suffisamment d'eau, car vous n'en trouverez pas en chemin.

Avant la construction de la route privée du Phnom Kulen, les visiteurs devaient gravir à pied la montagne, puis traverser le plateau pour atteindre le bouddha couché. On peut toujours emprunter cet itinéraire, qui nécessite plus de 2 heures. À 15 km à l'est de la route, le sentier serpente jusqu'au vat Chou, une petite pagode accrochée au flanc de la falaise d'où jaillit une *tuk chou* (source). Les Khmers considèrent cette eau comme sacrée et aiment en rapporter chez eux. Cette source se déverse dans le lac Tonlé Sap et bénit ainsi les cours d'eau du Cambodge.

Le Phnom Kulen forme un immense plateau à 50 km de Siem Reap et à 15 km du Banteay Srei. Si vous voulez emprunter la route à péage, prenez l'embranchement signalé à droite avant le village du Banteay Srei et continuez jusqu'au carrefour. Avant que la route ne commence à grimper, une barrière vous arrêtera et vous devrez payer les 20 $US.

Pour explorer le site à pied, dirigez-vous vers l'est au pied de la montagne au carrefour principal. Après 15 km environ, vous verrez sur la gauche une porte du style de celles des vat et un sentier sablonneux. Suivez celui-ci jusqu'à un hameau, où commence l'ascension de 2 km, y compris le nouvel escalier menant au sommet des dernières falaises ; traversez ensuite le plateau en direction de l'ouest pendant 1 heure ou plus. Emprunté autrefois par les pèlerins, cet itinéraire, bien plus long, ne vous coûtera rien si vous l'empruntez après 12h.

Les conducteurs de moto-dop demandent 15 $US pour ce trajet, qui vous reviendra encore plus cher si vous louez une voiture (plus du double du tarif pour Angkor). L'ascension de la montagne est trop raide pour les remorques-motos.

BENG MEALEA
បឹងមាលា

Complètement envahi par la végétation, le Beng Mealea est l'un des temples les plus spectaculaires et les plus mystérieux d'Angkor. Construit au XIIe siècle sous le règne de Suryavarman II (1112-1152), il suit un plan similaire à celui d'Angkor Vat. Tout autour, une douve imposante, de 1,2 km de long sur 900 m de large, est aujourd'hui quasiment asséchée.

La jungle a littéralement absorbé le temple et, à quelques mètres des arbres, vous aurez du mal à distinguer ce qui se cache en dessous. En entrant par le sud, il faut se frayer un chemin sur les blocs de pierre, à travers de longues salles sombres et entre les lianes pour arriver à la tour centrale, complètement effondrée. Plusieurs sculptures impressionnantes se cachent parmi les décombres et la végétation, ainsi qu'une bibliothèque bien conservée dans l'angle nord-est. Cet endroit très singulier mérite une exploration minutieuse. Une large passerelle en bois, construite pour le tournage du film *Deux Frères* (2004) de Jean-Jacques Annaud, permet désormais d'accéder au centre de l'édifice.

Le Beng Mealea se trouve au milieu d'une ancienne route angkorienne qui reliait Angkor Thom et le prasat Bakhaeng, dans la province de Preah Vihear. Seul vestige du tronçon Beng Mealea-Angkor Thom, un petit pont angkorien se dresse à l'ouest du temple du Chau Srei Vibol. Entre le Beng Mealea et le prasat Bakhaeng, il subsiste en revanche au moins une dizaine de ponts à l'abandon dans la forêt. Si l'aventure vous tente, vous pouvez emprunter cet itinéraire pour rejoindre le temple de prasat Bakhaeng (p. 228), mais ne vous lancez pas à la légère.

Le droit d'entrée au Beng Mealea s'élève à 5 $US, auxquels il faut ajouter un petit supplément pour les voitures et les motos (convenez dès le départ qui paiera ces frais). L'idéal est de prévoir une journée d'excursion en combinant cette visite avec celle de Kbal Spean et du Banteay Srei, ou au moins avec le Banteay Srei (vous passerez pratiquement devant).

Le Beng Mealea se situe à 40 km à l'est du Bayon (à vol d'oiseau) et à 6,5 km au sud-est du Phnom Kulen. Par la route, comptez 80 km depuis Siem Reap (2 heures).

Deux itinéraires desservent le Beng Mealea ; le plus court et le plus rapide passe par la petite ville de Dam Dek, sur la RN6 en direction de Phnom Penh. Tournez au nord juste après le marché et suivez cette route sur 25 km. Continuez tout droit lorsque la route principale part vers la gauche pour rejoindre le Phnom Kulen. Vous arriverez à un carrefour en T.

Pour le deuxième itinéraire, plus long, empruntez la route qui mène au Banteay Srei et prenez l'embranchement de droite en direction du Phnom Kulen, puis à nouveau à droite au grand carrefour situé au pied de la montagne sacrée. Suivez cette route sur 35 km environ, jusqu'à ce que vous ayez dépassé le Kulen et parveniez au carrefour en T.

À ce carrefour, où se rejoignent les 2 itinéraires, prenez à gauche et roulez pendant 10 km en direction du nord-est jusqu'au village de Beng Mealea. Tournez à gauche au principal croisement du village pour rejoindre le temple. Le dernier tronçon de 10 km a été en partie

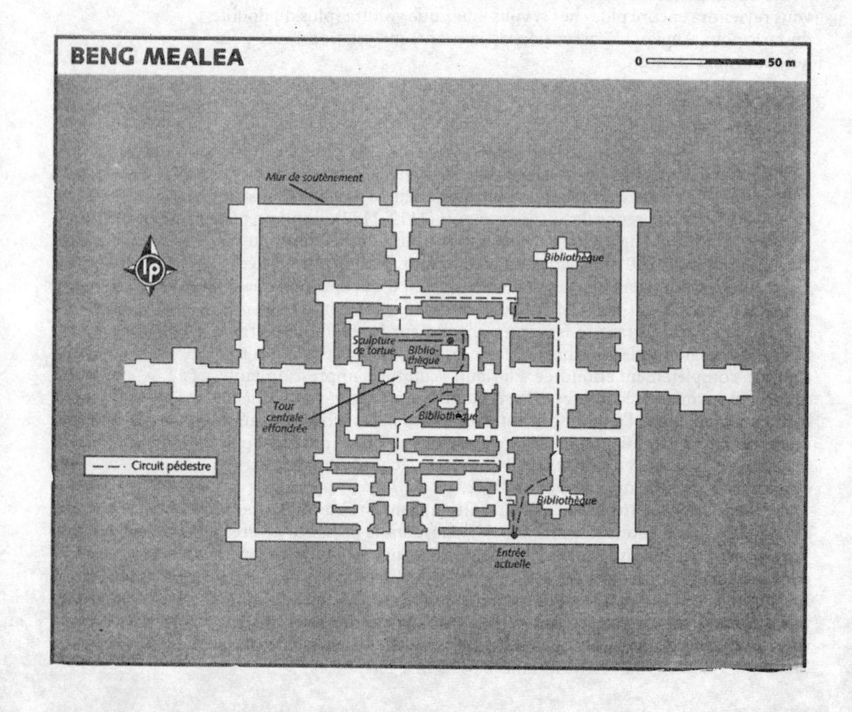

asphalté et fait partie de ces routes privées à péage ; comptez 2,50/1 $US par voiture/moto dans chaque sens.

SITES ANGKORIENS RECULÉS

Pour toute information sur les sites angkoriens reculés du Banteay Chhmar (p. 220), de Koh Ker (p. 231), du prasat Bakhaeng (p. 228) et du prasat Preah Vihear (p. 226), reportez-vous au chapitre *Nord-Ouest*.

Côte sud

Plages tropicales de sable blanc, îles vierges, stations coloniales abandonnées et parcs nationaux contribuent à la popularité croissante de la côte sud. Elle abrite également Angkor Borei, berceau de la civilisation préangkorienne du Ve siècle. Avec un peu d'organisation, vous parviendrez à visiter ses principaux centres d'intérêt en moins d'une semaine.

Des villages de pêcheurs parsèment la majeure partie du littoral. La partie occidentale de la région, sauvage et isolée, englobe la jungle impénétrable de la Chuor Phnom Kravanh (chaîne des Cardamomes), tandis qu'à l'est, densément peuplé, les terres cultivées ont depuis longtemps pris le pas sur la forêt. Les nombreuses îles boisées, aux plages frangées de palmiers, garantissent le développement du tourisme. Si certaines peuvent, sans aucun doute, rivaliser avec les plus belles îles thaïlandaises, elles restent pour l'instant ignorées des promoteurs immobiliers.

Autrefois, les villes de Kampot et de Kep étaient les deux plus grands centres de la région, la première en tant que principal port du pays, la seconde comme station balnéaire majeure. En 1959, la construction du port de Sihanoukville éclipsa Kampot et Kep qui fut détruite systématiquement pendant et après la guerre civile. Sihanoukville devint ainsi la localité côtière la plus prisée du pays. Aujourd'hui, elle demeure le cœur du commerce et des loisirs de la côte sud. Krong Koh Kong, proche de la Thaïlande, est devenu un centre de négoce prospère grâce à la route qui la relie désormais à Hat Lek, le poste-frontière thaïlandais.

À NE PAS MANQUER

- Les plages, les îles tropicales, les fruits de mer et la vie nocturne animée de **Sihanoukville** (p. 182)
- Un périple à travers la jungle jusqu'à la **station climatique de Bokor** (p. 197), avec ses étranges bâtiments abandonnés et ses vues fabuleuses sur la côte cambodgienne
- Une halte à **Kampot** (p. 193), une jolie bourgade fluviale à l'architecture coloniale bien préservée
- L'exploration des villas abandonnées et des îles isolées au large de **Kep** (p. 199), ancienne station balnéaire coloniale qui renaît lentement
- Une excursion en bateau sur des canaux angkoriens jusqu'au temple de **Phnom Da** (p. 203), environné de rizières luxuriantes

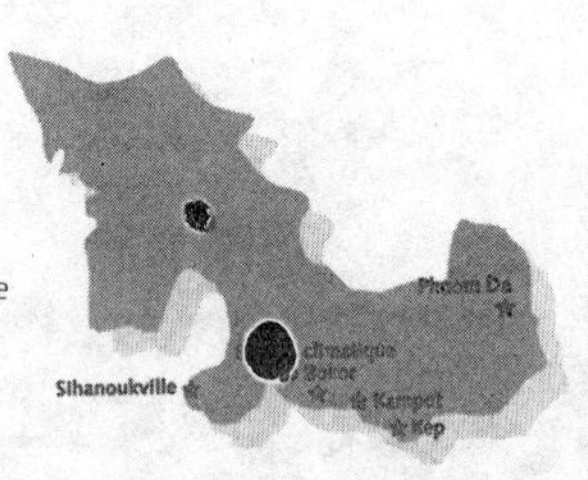

ALTITUDE : 0 -1 800 M	POPULATION : 2,6 MILLIONS	SUPERFICIE : 27 817 KM²

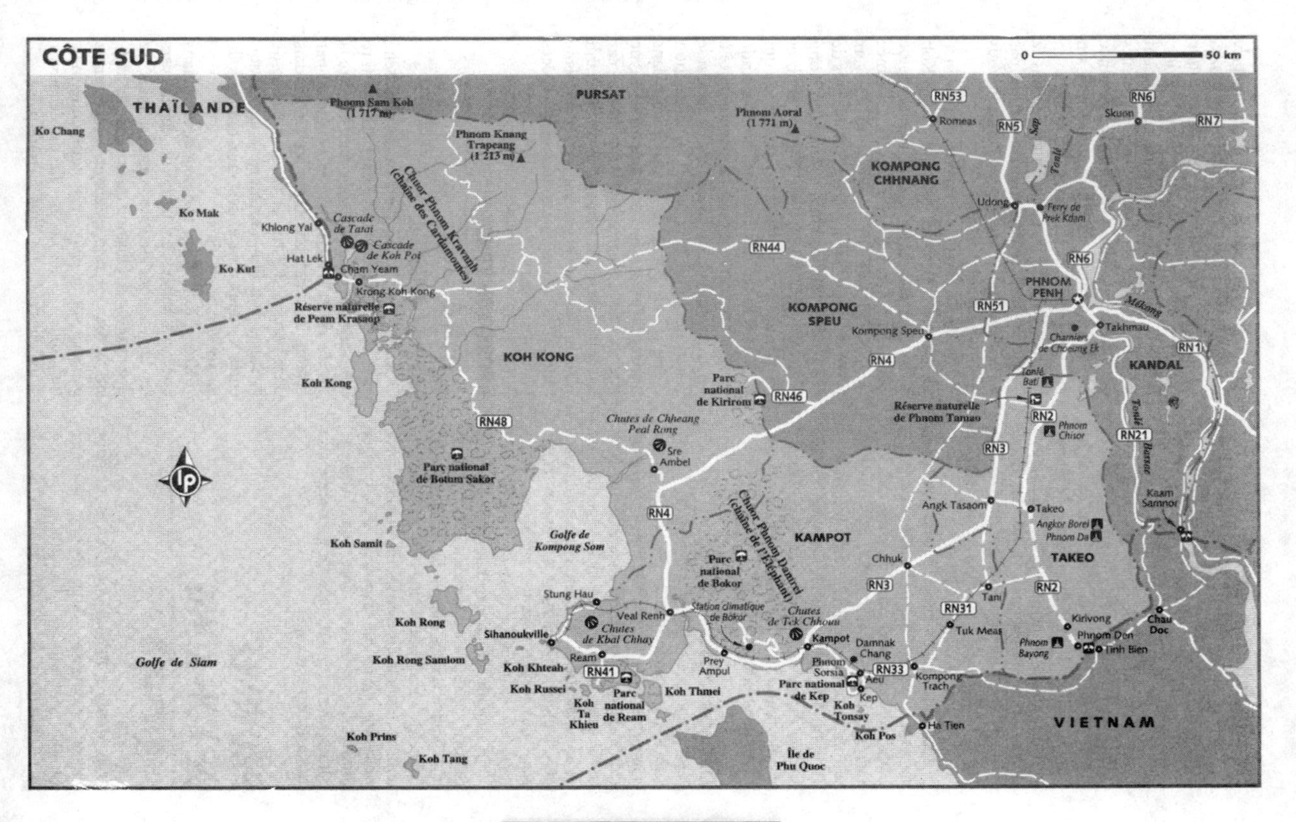
CÔTE SUD
0
50 km
THAÏLANDE
Ko Chang
Ko Mak
Ko Kut
Phnom Sam Koh (1 717 m)
PURSAT
Phnom Knang Trapeang (1 213 m)
Chuor Phnom Kravanh (chaîne des Cardamomes)
Phnom Aoral (1 771 m)
RN53
Romeas
RN5
Tonlé Sap
RN6
Skuon
RN7
KOMPONG CHHNANG
Udong
Ferry de Prek Kdam
Khlong Yai
Cascade de Tatai
Cascade de Koh Poi
Hat Lek
Cham Yeam
Krong Koh Kong
Réserve naturelle de Peam Krasaop
RN44
PHNOM PENH
RN51
KOMPONG SPEU
Kompong Speu
Mékong
Takhmau
Chamiers de Choeung Ek
RN1
KANDAL
Koh Kong
KOH KONG
RN4
Parc national de Kirirom
RN46
Tonlé Bati
Réserve naturelle de Phnom Tamao
RN2
Phnom Chisor
RN21
Tonlé Bassac
RN48
Chutes de Chheang Peal Rong
Sre Ambel
Parc national de Botum Sakor
RN3
Angk Tasaom
Takeo
Kaam Samnor
Angkor Borei
Phnom Da
RN4
Chuor Phnom Damrei (chaîne de l'Éléphant)
KAMPOT
Golfe de Kompong Som
Koh Samit
Parc national de Bokor
Chhuk
TAKEO
Stung Hau
Tani
RN2
Veal Renh
Station climatique de Bokor
Chutes de Tek Chhou
RN31
Chau Doc
Koh Rong
Chutes de Kbal Chhay
Tuk Meas
Kirivong
Sihanoukville
Kampot
Damnak Chang
Phnom Den
Phnom Bayong
Tinh Bien
Golfe de Siam
Koh Rong Samlom
Ream
Koh Khteah
Prey Ampul
Phnom Sorsia
RN33
RN41
Aeu
Kompong Trach
Koh Russei
Parc national de Ream
Koh Thmei
Parc national de Kep
Kep
Koh Ta Khieu
Koh Tonsay
Ha Tien
VIETNAM
Koh Prins
Koh Pos
Koh Tang
Île de Phu Quoc

Depuis/vers la côte sud

Il n'existe actuellement qu'un seul poste-frontière facilement accessible dans la région, celui de Cham Yeam-Hat Lek, qui relie la province de Koh Kong, au Cambodge, et celle de Trat, en Thaïlande. Mieux vaut éviter le poste-frontière entre la province de Takeo et le Vietnam. Selon les rumeurs, il serait bientôt possible de passer la frontière entre la province de Kampot et Ha Tien. Renseignez-vous sur place, car cela constituera une excellente liaison entre la côte sud du Cambodge, le delta du Mékong et l'île de Phu Quoc.

Pour ceux qui n'arrivent pas de Thaïlande par voie terrestre, Phnom Penh reste le point d'accès le plus pratique à la côte sud. Des bus, fréquents et bon marché, sillonnent les nationales entre la capitale, Sihanoukville et Kampot. On peut aussi louer une voiture ou une moto. Une ligne ferroviaire dessert ces destinations, mais les trains sont d'une extrême lenteur.

Comment circuler

Les voyageurs arrivant par bateau de Krong Koh Kong à Sihanoukville peuvent suivre la côte par la route jusqu'à Kampot. Cette bourgade fluviale somnolente constitue une base idéale pour explorer Kep et le superbe parc national de Bokor. De Kampot, la nationale 3 (RN3) mène directement à Phnom Penh, mais vous pouvez faire un détour par Takeo et les temples en ruine d'Angkor Borei.

En venant de la capitale, mieux vaut d'abord visiter les diverses sites avant de se détendre sur les plages de Sihanoukville. Tous les lieux touristiques de la côte sud sont accessibles en transports publics ou à *moto-dop*. Ceux qui disposent d'un budget confortable pourront louer une voiture. L'itinéraire ne posera pas de problème aux motards expérimentés.

PROVINCE DE KOH KONG

ខេត្តកោះកុង

Vaste province du Sud-Ouest aux montagnes encore sauvages, Koh Kong n'abrite qu'une population clairsemée, établie majoritairement sur la côte. Pour la plupart des habitants, la pêche constitue la principale source de revenus. Le tourisme reste limité, la plupart des visiteurs ne faisant que transiter entre la Thaïlande et Sihanoukville. Néanmoins, les superbes plages qui bordent le parc national de Botum Sakor et les îles environnantes, telle Koh Kong (la province et l'île portent le même nom), offrent un fort potentiel de croissance. La plongée en bordure du littoral et l'écotourisme dans la jungle de l'arrière-pays ne manqueront pas de se développer, mais, pour l'instant, vous serez livré à vous-même.

Les déplacements à travers la province se limitent à la route qui relie Krong Koh Kong et le reste du pays ou au bateau rapide qui dessert Sihanoukville. En 2002, l'armée thaïlandaise a construit une route à travers la jungle, entre la frontière et la RN4, près de Sre Ambel. Aujourd'hui, Krong Koh Kong n'est plus qu'à 6 heures de Phnom Penh et de Sihanoukville à la saison sèche, ce qui a changé la vie des citadins. La Thaïlande n'est par renommée pour sa magnanimité à l'égard de ses voisins “inférieurs” et cette aide a sans doute un prix caché : la destruction d'une grande partie de la forêt vierge dans une région préservée. Le coût pourrait même être plus élevé encore pour le Cambodge, car la route traverse la Chuor Phnom Kravanh (chaîne des Cardamomes), un écosystème unique où vivent de nombreuses espèces protégées.

KRONG KOH KONG

កោះកុង

☎ 035 / 29 500 habitants

Si Krong Koh Kong n'est pas la plus belle ville du pays, elle voit passer un nombre croissant de voyageurs qui circulent entre la Thaïlande et le Cambodge par route ou par bateau. La construction par les Thaïlandais d'un pont de 1,9 km de long au-dessus de la Stung Koh Poi a amélioré la circulation entre les deux pays et évite aux touristes de passer la nuit en ville.

Krong Koh Kong pourrait devenir dans quelques années un point de départ vers les îles cambodgiennes voisines, mais ne demeure pour l'instant qu'un lieu de transit. Si vous en avez le temps, vous pourrez paresser sur la plage, peu entretenue mais tranquille, à l'est de la ville ou découvrir deux jolies cascades dans l'arrière-pays.

Devenue une plaque tournante du commerce, légal ou non, Krong Koh Kong attire des immigrants d'autres régions du pays, bien décidés à profiter du boom économique de cette zone frontalière. Les Thaïlandais viennent jouer dans les casinos, florissants et autorisés au Cambodge, mais interdits en Thaïlande.

Orientation et renseignements

Bordée à l'ouest par la Stung Koh Poi et le pont vers la Thaïlande, Krong Koh Kong se déploie vers l'est. La route qui la relie au reste du pays se déroule en direction du nord-est.

Dollars américains et bahts thaïlandais sont acceptés en ville, ces derniers étant de loin la monnaie de prédilection. Vous pourrez facilement changer l'une ou l'autre de ces devises en riels au Psar Leu (marché central) et dans la plupart des pensions. Les banques les plus proches acceptant chèques de voyage et cartes de crédit se trouvent à Sihanoukville ou en Thaïlande.

La ville possède un **bureau de poste** (Ph 3), mais mieux vaut envoyer votre courrier de Thaïlande ou attendre d'arriver à Phnom Penh. De nombreux kiosques de téléphone privés pratiquent des prix raisonnables pour les appels locaux. L'Asean Hotel (p. 180) et le Moto Bar (p. 181) proposent l'accès à Internet.

Un office du tourisme est installé au bord du fleuve, à 1 km au sud de l'embarcadère. Les pensions fréquentées, comme Cheap Charlie's (p. 180) et Otto's (p. 180), vous renseigneront plus utilement. Le site web non officiel de Koh Kong (www.kohkong.com) constitue une autre bonne source d'informations.

À voir et à faire

PLAGES

Plusieurs plages s'étendent aux alentours de Krong Koh Kong. À quelques kilomètres au sud, près de l'estuaire du fleuve, une plage appréciée des habitants loue des pédalos et des jet skis. Tenez-vous à distance de ces derniers, souvent pilotés en dépit du bon sens. D'autre part, la plage semble se trouver sur le trajet des eaux usées. Plus loin, d'innombrables plages sont accessibles à moto-dop ou en bateau. L'île de Koh Kong offre des plages superbes sur sa côte ouest, mais les bateliers tentent de faire payer le prix fort aux touristes. Essayez d'obtenir un bateau pour 800 ou 1 000 B (aller-retour).

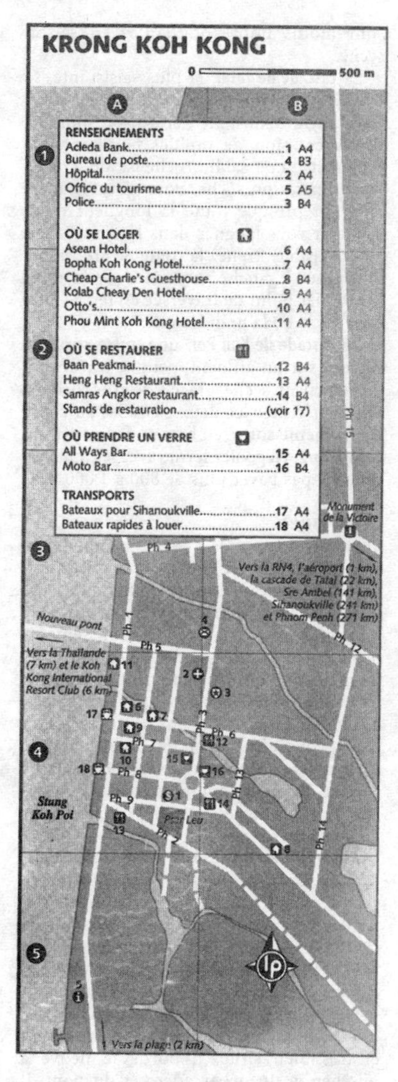

CASCADES

De belles cascades coulent en amont de Krong Koh Kong et leur eau, d'une grande pureté, arrive de la Chuor Phnom Kravanh, une région pratiquement inhabitée. Elles sont moins impressionnantes en saison sèche.

La **cascade de Tatai**, la plus saisissante, se trouve à près d'une heure de la ville, dans une jungle luxuriante ; en saison humide, une succession de rapides bouillonnants plongent d'une saillie rocheuse de 4 m de haut. En saison sèche, vous pourrez marcher sur presque toute la longueur de la saillie et vous baigner dans le cours d'eau alors paisible. Prenez la route de Sre Ambel et tournez à gauche au panneau, peu après le premier point de traversée en ferry. Tatai est à 1 km de la grand-route.

La **cascade de Koh Poi**, une autre série de rapides sur un affluent, peut se traverser à gué en saison sèche, grâce à de gros rochers. On peut visiter les deux cascades au cours d'une même sortie en bateau depuis Krong Koh Kong. Négociez ferme avec le capitaine pour ne pas payer plus de 800 à 1 000 B.

Où se loger

Dans cet ancien "Far West" cambodgien, bien avant que le jeu et la prostitution s'épanouissent à Pailin et Poipet, plusieurs hôtels de la ville faisaient aussi office de maisons closes. Nombre d'établissements offrent une commission aux conducteurs de moto-dop qui leur amènent des clients, incitant ainsi les chauffeurs peu scrupuleux à raconter des fariboles aux touristes. Si l'un d'eux vous affirme qu'un hôtel a fermé, vérifiez d'abord : il s'agit sans doute d'une adresse qui ne le rémunère pas. Aucun des endroits cités ci-dessous n'est fréquenté par les prostituées.

Asean Hotel (☎ 936667 ; Ph 1 ; ch 5-20 $US ; ❄ 💻). Dernier installé dans la ville, ce grand et bel hôtel surplombe le fleuve. Facilement repérable, il offre un éventail de chambres soignées : à partir de 5 $US avec ventil, 10 $US avec clim, 15 $US avec eau chaude et 20 $US avec vue sur l'eau.

Phou Mint Koh Kong Hotel (☎ 936221 ; Ph 1 ; ch 5-15 $US ; ❄). Autre établissement récent et très bien situé, il borde le fleuve à mi-chemin du débarcadère et du pont. Il propose des chambres spacieuses, propres et sans fioritures. Les moins chères disposent d'un ventil. Comptez 12 $US pour la clim et 15 $US pour l'eau chaude.

Cheap Charlie's Guesthouse (☎ 016 853450 ; d avec ventil 50 B). Ses chambres spartiates se réduisent à de petites cellules avec sdb commune, mais la modicité des prix et la gentillesse de l'accueil restent imbattables. Les propriétaires sont une mine d'information pour le voyageur. Un petit restaurant animé prépare de bons plats asiatiques et occidentaux.

Otto's (☎ 936163 ; Ph 7 ; ch 80-120 B). Adresse bon marché la plus proche du débarcadère, cette petite pension en bois loue des chambres correctes à prix raisonnables ; les plus coûteuses s'agrémentent d'une sdb. On peut y glaner des renseignements touristiques. Son restaurant (ci-contre) attire une nombreuse clientèle.

Kolab Cheay Den Hotel (☎ 936211 ; Ph 6 ; ch 150-250 B ; ❄). Dans une rue tranquille, à côté du débarcadère, cet hôtel propre et sympathique comporte de vastes chambres d'un bon rapport qualité/prix, avec ventil ou clim.

Bopha Koh Kong Hotel (☎ 936073 ; s 8 $US, d 13-25 $US ; ❄). Jadis meilleure adresse de la ville, il a été détrôné par les nouveaux hôtels construits au bord de l'eau. Les simples, avec clim, constituent une bonne affaire. Les spacieuses chambres VIP n'ont rien d'extraordinaire.

Koh Kong International Resort Club (☎ 66-39-588173 ; www.kohkonginter.com ; ch 45-105 $US). Une multitude de casinos jalonnent la frontière cambodgienne et aident les joueurs thaïlandais à se débarrasser de leurs bahts (les jeux de hasard sont interdits en Thaïlande). Cet immense complexe hôtelier est l'un des plus grands. En payant votre chambre en bahts, vous économiserez la moitié du prix affiché en dollars. Avant de profiter de son indéniable confort, sachez que le Koh Kong Safari World (qui fait partie du complexe) organise des combats de boxe entre orangs-outans. Dépensez votre argent ailleurs !

Où se restaurer

Si les possibilités de restauration restent assez limitées, les spécialités thaïlandaises sont plus courantes ici que dans le reste du pays. Les gargotes du psar Leu et des alentours offrent des repas bon marché, de même que les stands proches de l'embarcadère.

Baan Peakmai (☎ 011 788771 ; Ph 6 ; plats 50-150 B). Installé dans un jardin, ce restaurant de style thaïlandais est le plus agréable de la ville. La carte interminable compte plus de 30 plats végétariens et un beau choix de fruits de mer.

Samras Angkor Restaurant (Ph 9 ; plats 50-150 B). Ce petit restaurant khmer propose un large choix de spécialités cambodgiennes. La présence de l'inévitable karaoké ne devrait pas vous empêcher de savourer votre repas.

Otto's (plats 60-200 B). Sur la véranda aérée de la pension du même nom (ci-contre), le restaurant de style occidental se révèle idéal pour un petit déjeuner avant d'embarquer pour Sihanoukville. La carte comporte des spécialités thaïlandaises, de copieuses assiettes végétariennes et des plats d'Europe centrale, dont de succulentes *bratwürste* (saucisses).

Heng Heng Restaurant (Ph 2 ; plats 2 000-6 000 r). Dans cet établissement khmer très fréquenté, vous dégusterez un savoureux petit déjeuner chinois ou cambodgien – soupe de nouilles ou *bobor* (porridge de riz). L'absence d'ambiance n'incite pas à y dîner.

Où sortir

Deux bars occidentaux bordent l'artère principale – le **Moto Bar** (☎ 936220 ; Ph 3) et l'**All Ways Bar** – mais ils semblent plutôt viser les expatriés de Pattaya venus renouveler leur visa que les touristes de passage.

Depuis/vers Krong Koh Kong

Aucun vol ne reliait Phnom Penh et Krong Koh Kong lors de notre passage.

Beaucoup de voyageurs empruntent la route construite par les Thaïlandais entre Krong Koh Kong et Sre Ambel. Toutefois, son état conditionne la durée du trajet jusqu'à Phnom Penh ou Sihanoukville : comptez 6 heures en saison sèche et 10 heures au moins en saison humide. On prévoit de la bitumer prochainement et de construire des ponts aux quatre points de traversée en ferry, ce qui améliorera grandement la circulation. Des bus touristiques desservent quotidiennement Phnom Penh et Sihanoukville ; tous deux partent vers 9h et coûtent 10 $US. En taxi collectif, comptez 40 000 r par personne, mais sachez que vous serez facilement quatre à vous entasser à l'arrière ou à l'avant du véhicule.

Une route très accidentée traverse les montagnes jusqu'à Pailin ou Battambang en passant par une région sauvage et reculée, jadis sous contrôle des Khmers rouges. Non desservi par les transports publics, cet itinéraire ne peut être emprunté qu'en saison sèche et uniquement par des conducteurs expérimentés de moto tout-terrain.

Autrement, reste à opter pour la mer. Des bateaux rapides partent tous les matins à 8h pour Sihanoukville (600 B, 4 heures). En sens inverse, ils quittent Sihanoukville à 12h.

Pour plus de détails sur le trajet entre la Thaïlande et Sihanoukville via Krong Koh Kong, voir p. 294.

Comment circuler

La moto-dop est le mode de transport le plus utilisé en ville ; un court trajet revient à 10 B. Le vélo constitue une autre solution ; vous pourrez en louer un à la Cheap Charlie's Guesthouse (ci-contre) pour 50 B par jour.

Compte tenu de la quantité d'eau alentour, les bateaux représentent un des principaux mode de transport. Vous pouvez en louer un pour rejoindre les îles, les plages et les cascades des environs, mais marchandez ferme pour obtenir un prix raisonnable. Depuis l'ouverture du pont, des moto-dop (50 B) et des taxis (100 B) couvrent les 7 km jusqu'à la frontière. Si vous traversez le pont avec votre propre véhicule, prévoyez 10 B de péage.

SRE AMBEL
ស្រែអំបិល

En amont d'un estuaire dans le sud-est de la province de Koh Kong, Sre Ambel ressemble à un port de contrebandiers. Les voyageurs venus de Phnom Penh y prenaient le bateau pour rejoindre Krong Koh Kong, mais l'ouverture de la route a entraîné la suspension de ce service. La route a permis à Sre Ambel de figurer à nouveau sur la carte du circuit commercial, mais il en faudra bien plus pour attirer les touristes. Le meilleur espoir réside dans les **chutes de Chheang Peal Rong**, à 10 km au nord, dans les contreforts de la Chuor Phnom Kravanh. Parmi les plus belles du pays, elles se composent de cinq cascades successives, de 15 à 30 m de haut, qui semblent parfaitement distinctes les unes des autres. Certaines tombent sur d'énormes rochers, d'autres s'écoulent le long de falaises quasiment sculptées. L'accès est difficile, mais d'agréables bassins, propices à la baignade à certaines époques de l'année, récompenseront vos efforts. Ne prenez pas à la légère les avertissements des habitants concernant les crocodiles ; vous êtes à l'orée des étendues sauvages de la chaîne des Cardamomes.

En saison sèche, l'itinéraire le plus facile consiste à quitter Sre Ambel par la route et à franchir la rivière au premier point de traversée en ferry avant de tourner à droite. Continuez cette route qui grimpe dans les montagnes jusqu'à ce que vous aperceviez les chutes sur votre gauche. Toutefois, le nombre de ponts effondrés complique le trajet, qui jouxte une piste forestière abandonnée ; mieux vaut vous faire accompagner d'un habitant qui connaît le chemin. En saison humide, le site ne peut s'atteindre qu'en bateau.

Un minibus à destination de Sre Ambel (6 000 r) part du psar Dang Kor (marché Dang Kor), à Phnom Penh. Louer un taxi collectif vous reviendra à 15 $US.

SIHANOUKVILLE

ក្រុងព្រះសីហនុ

☎ 034 / 155 000 habitants

Première station balnéaire du Cambodge, Sihanoukville reste à mille lieues de la plupart des villes côtières thaïlandaises. La cité compense son absence de charme par de multiples plages de sable blanc, ourlées de palmiers, et plusieurs îles tropicales préservées. Ces dernières années, le nombre de touristes est monté en flèche et le lieu semble promis à un brillant avenir, surtout si le projet de liaison aérienne avec Siem Reap aboutit.

La ville, qui doit son nom à l'ancien roi, émergea de la jungle à la fin des années 1950 pour devenir le premier et unique port en eaux profondes du pays. Les États-Unis financèrent la construction de la RN4 reliant Sihanoukville et Phnom Penh. Durant les années 1960, un petit boom touristique entraîna l'édification de quelques grands hôtels, mais Kep demeurait la station balnéaire la plus prisée. Après le renversement de Sihanouk en 1970, la ville fut rebaptisée Kompong Som et ne redevint Sihanoukville qu'en 1993. Les Cambodgiens utilisent l'un ou l'autre selon leurs penchants politiques ; les royalistes préfèrent Sihanoukville et les anciens communistes privilégient Kompong Som.

Les quatre plages qui bordent le cap constituent ses principaux centres d'intérêt. Aucune ne peut prétendre au titre de plus belle plage de la région, mais en semaine, vous pourrez en profiter quasiment seul. Toutefois, l'augmentation du nombre de visiteurs va certainement changer la situation. Le week-end, les Phnom Penhois aisés affluent à Sihanoukville. Au-delà des plages qui jouxtent la ville s'étendent celles pratiquement désertes du parc national de Ream et d'Otres, ainsi qu'une douzaine d'îles qui ne connaissent que 0,1% de la fréquentation enregistrée par leurs homologues thaïlandaises.

La bataille fait rage autour de l'avenir de Sihanoukville. Des hommes d'affaires cambodgiens et leurs associés venus des pays voisins rêvent de la transformer en une gigantesque station balnéaire, à grand renfort de béton et de casinos. Des expatriés de Pattaya, toute proche, aimeraient en faire un lieu de plaisirs mêlant mer, soleil et sexe. De plus jeunes expatriés voudraient créer une nouvelle Ko Pha Ngan, comme en témoigne la Serendipity Beach ("la plage de l'Heureux Hasard"). Enfin, imaginant de jolis bungalows parmi les palmiers balancés par la brise, d'autres investisseurs se frottent les mains en guettant une ruée comparable à celle de Ko Samui. Quelle que soit l'issue, Sihanoukville se développe rapidement et, à l'instar de Siem Reap, bourdonne d'activités.

ORIENTATION

La péninsule de Sihanoukville s'étend sur plusieurs kilomètres. Le centre-ville, sans grande âme, se trouve à l'extrémité est de la Ph Ekareach, l'artère principale qui relie les différentes plages. Les voyageurs à petit budget délaisseront Weather Station Hill, au-dessus du port, au profit de l'extrémité nord de la plage d'Occheuteal, surnommée Serendipity Beach, au sud du centre-ville. À l'ouest s'étirent la minuscule plage de Koh Pos et Independence Beach, plus vaste et très tranquille en semaine. Les bus en provenance de Phnom Penh arrivent dans le centre, tandis que les bateaux de Krong Koh Kong accostent à 3 km au nord de la ville.

RENSEIGNEMENTS

Sihanoukville change en permanence et vous devrez vous informer sur place. Procurez-vous un exemplaire du *Sihanoukville Visitors Guide*, un répertoire de poche semestriel, disponible dans les hôtels, les

SIHANOUKVILLE

0 — 500 m

A B C D

1 2 3 4 5 6

RENSEIGNEMENTS

Accès Internet......(voir 61)
Acleda Bank......1 D4
Acleda Bank......2 D5
Bureau de poste......8 D5
Canadia Bank......3 D4
Consulat du Vietnam......11 C4
Hôpital......4 D6
Mekong Bank......6 D4
Office du tourisme......9 C3
Poste de police......7 C4
Poste principale......5 B3
Union Commercial Bank......10 D4

À VOIR ET À FAIRE

Claude......(voir 17)
EcoSea Dive......(voir 6)
Scuba Nation Diving Centre......12 B4
Seeing Hands Massage 3......13 D5

OÙ SE LOGER

Angkor Inn Guesthouse......14 C4
Blue Frog Guesthouse......15 B4
Bungalow Village......16 B4
Chez Claude......17 B5
Chez Mari Yan......18 B4
Cloud 9......19 C6
Coasters......(voir 27)
Crystal Hotel......20 D6
Da Da Guesthouse......21 B4
Eden......22 C6
Freedom Hotel......23 D4
Golden Sand Hotel......24 D6
GST Guesthouse......25 D6
Holiday Palace Hotel & Casino......26 B3
House of Malibu......27 C6
Malibu Bungalows......28 C6
Mash Guesthouse......29 B4
Mealy Chenda Guesthouse......30 B4
Mohachai Guesthouse......31 C6
Occheuteal Beachside Bungalows......32 D6
Orchidee Guesthouse......33 D6
Sakal Bungalows......34 B4
Rama Beach Bungalows......35 C6
Sea Breeze Guesthouse......36 B6
Sea Sun Guesthouse......37 C6
Sea View Villa......38 C6
Seaside Hotel......39 D6
Snake House......40 B4
Sokha Beach Resort......41 C6
Sovann Phoum Guesthouse......42 D6
Susaday Guesthouse......43 D6
The Beach......(voir 38)

OÙ SE RESTAURER

Caltex Starmart......44 D4
Espresso Kampuchea......45 D4
Hawaii Seaview Restaurant......46 A4
Indian Curry Pot......(voir 56)
Koh Pos Restaurant......47 D6
La Paillotte......48 B4
Marlin Grill Restaurant......49 D4
Mealy Chenda Restaurant......(voir 30)
Melting Pot......(voir 29)
Mick and Craig's Restaurant......50 C6
Rama Beach Restaurant......(voir 35)
Romduol's Restaurant......51 B4
Sam's Restaurant......52 B4
Samudera Market......(voir 53)
Starfish Bakery......53 D5
Treasure Island Restaurant......54 A5
Unkle Bob's......(voir 22)

OÙ PRENDRE UN VERRE

Angkor Arms......55 C4
Corner Bar......56 B4
Dusk'til Dawn......(voir 55)
Pet's Place......57 B4

OÙ SORTIR

Blue Storm......(voir 59)

TRANSPORTS

Capitol Tours......58 D4
GST......59 C4
GST Location de motos......(voir 59)
Hour Lean......60 D3
Phnom Penh Public Transport......61 C4
Station de taxis......62 D4

Vers le ferry pour Koh Kong (3 km), le port de pêche (5 km) et Stung Hau (26 km)

Vers le parc national de Ream (13 km), les chutes de Kbal Chhay (17 km), Kampot (105 km) et Phnom Penh (230 km)

Victory Beach
Weather Station Hill
Monument de la Victoire
Place de l'Indépendance
Lamherkay Beach
Plage de Koh Pos
Vat Khrom
Independance Hotel
Boeng Prek Tup
Golfe de Siam
Independence Beach
Boeng Sam At
Plage de Sokha
Serendipity Beach
Plage d'Occheuteal
Vers la plage d'Otres (5 km)
Vers la plage d'Otres (6 km)
Rond-point Golden Lions
Psar Leu
Voir agrandissement
Ph Krong
Ph Santepheap
Ph 19 Mithona
Ph 2 Thnou
Ph Ekareach
Ph Makara
Ph Sereypheap
Ph 7 Makara
Ph 14 Mithona
Ph 23 Tola
Ph 1 Kanda
Ph Omui
Ph Borey Kamakor (Ph Cite)
Ph 109
Ph Sopheakmongkol
Ph Sophamongkol
Ph 108
0 — 200 m

restaurants et les bars de la ville. Un office du tourisme est installé au centre-ville, mais pensions et bars constituent souvent de meilleures sources d'information.

La poste principale se trouve près du port et un petit bureau de poste avoisine le psar Leu ; aucun des deux n'est renommé pour sa fiabilité. Pour téléphoner, utilisez les petits kiosques privés disséminés en ville.

Il existe plusieurs cybercafés pratiques dans le centre-ville, près des terminus de bus, et quelques-uns dans le quartier de Weather Station Hill. Comptez de 1 à 1,50 $US l'heure.

Le **consulat du Vietnam** (☎ 012 340495 ; Ph Ekareach ; ⏲ lun-ven 8h-12h et 14h-16h) délivre habituellement les visas (25 $US) en 15 min. Imbattable !

Argent

La ville compte plusieurs banques.

Acleda Bank (☎ 320232 ; Ph Ekareach). Reçoit les transferts d'argent effectués par l'intermédiaire de Western Union.

Canadia Bank (☎ 933490 ; Ph Ekareach). Change les chèques de voyage émis dans les principales devises moyennant une commission de 2%. Délivre sans frais des avances sur les cartes MasterCard et Visa.

Mekong Bank (☎ 933867 ; Ph Ekareach). Avances sur cartes de crédit, avec un minimum de 5 $US par transaction ou 2% à partir de 250 $US. Ouverte le dimanche de 10h à 14h30.

Union Commercial Bank (☎ 933833 ; Ph Ekareach). Avances sans frais sur les cartes de crédit.

DANGERS ET DÉSAGRÉMENTS

Les vols et les agressions augmentent à Sihanoukville et alentour. De nombreux vols ont lieu sur les plages, pendant que les touristes se baignent. N'emportez aucun objet de valeur, à moins que quelqu'un surveille vos affaires en permanence. Des agressions ont également été signalées récemment, notamment dans le quartier des prostituées proche du port et sur les tronçons mal éclairés de la Ph Ekareach en direction de Weather Station Hill. Ceci ne doit pas vous empêcher de sortir, mais essayez de trouver un conducteur de moto-dop digne de confiance si vous passez la soirée hors de la ville. Le vol de moto constitue un autre passe-temps prisé ; si vous en louez une, demandez un antivol.

Les femmes seules doivent éviter de se promener sur la plage à la nuit tombée, notamment entre Serendipity Beach et la plage d'Occheuteal, où un viol a eu lieu. Elles ne doivent en aucun cas s'aventurer dans le quartier des bars qui s'étend plus loin le long d'Occheuteal.

Pendant la saison humide, les courants peuvent être violents à Occheuteal ; si les bons nageurs arriveront à les surmonter, on enregistre quand même chaque année plusieurs noyades.

Sachez que les habitants n'apprécient guère de voir des étrangers trop légèrement vêtus se promener en ville. Le Cambodge n'est pas la Thaïlande et les Khmers sont plus conformistes que leurs voisins : en jetant un coup d'œil aux Cambodgiens qui se baignent, vous constaterez que la plupart sont habillés. Vous pouvez porter un bikini sur la plage mais couvrez-vous quand vous la quittez. Quant aux seins nus et au nudisme, n'y songez même pas.

À VOIR ET À FAIRE

Plages

Avec l'arrivée de promoteurs attirés par le boum touristique, les plages de Sihanoukville sont en perpétuel changement. La meilleure reste la **plage d'Occheuteal**, dont l'extrémité nord, surnommée **Serendipity Beach**, est devenue un repaire de voyageurs à petit budget. Plus au sud, elle est fréquentée par des Cambodgiens et des touristes qui séjournent dans les hôtels proches. Serendipity Beach est un endroit détendu pour paresser devant un verre, mais la plage est très fréquentée et des rochers se dissimulent sous l'eau. Peut-être portera-t-elle un autre nom à l'heure où vous lirez ces lignes, car Chuck, l'Américain qui l'a baptisée, prétend détenir le droit à ce nom et traîne en justice tous ceux qui s'en servent à des fins commerciales ! Les pins qui bordent la plage d'Occheuteal offrent une ombre bienvenue au plus fort de la chaleur. La plage s'étend vers le sud sur 2 km environ et un peu de marche à pied vous garantira un brin d'intimité. Un complexe hôtelier est en cours de construction dans la partie centrale.

Au détour d'un petit cap, à l'extrémité sud de la plage d'Occheuteal, la **plage d'Otres**, une bande de sable blanc déserte, semble s'étendre à l'infini. Si les autorités s'emploient activement à lotir les terrains derrière la plage, aucun bungalow n'a encore surgi et peu de visiteurs s'aventurent jusque là. Prenez la route qui longe la plage d'Ocheuteal et bifurquez à gauche, puis à droite autour du petit cap. Vous pouvez également suivre Ph Omoouy vers l'est, à partir du psar Leu, sur 7 km. Ces deux itinéraires sont aussi accidentés l'un que l'autre.

La **plage de Sokha**, sans doute la plus jolie et la plus prisée de Sihanoukville, a été privatisée suite à l'ouverture du gigantesque Sokha Beach Resort (p. 188). Les non-résidents doivent désormais se contenter d'une petite bande de sable, à l'extrémité est.

Victory Beach, la première plage des routards, reste appréciée des voyageurs à petit budget en raison de sa proximité des pensions les plus fréquentées. Étroite et mal entretenue, bordée par le port au nord, elle n'a rien d'un paradis tropical. Plus au sud, de l'autre côté d'un promontoire, une petite bande de sable est également appelée Victory Beach, mais un panneau indique **Lamherkay Beach**, du nom du vieil hôtel proche.

Plus loin au sud, à la pointe ouest de la péninsule de Sihanoukville, la minuscule **plage de Koh Pos** a été entièrement investie par le Treasure Island Restaurant. Plaisante et ombragée, elle est baignée d'eaux agitées. Enfin, **Independence Beach**, une belle étendue de sable propre, sans ombre ni infrastructures, s'étend au sud-est de Koh Pos. À l'extrémité nord de la plage, l'**Independance Hotel** devrait bientôt rouvrir, devenu un quatre-étoiles après une rénovation complète.

Plongée

La faune marine au large de Sihanoukville n'est pas aussi riche qu'en Thaïlande ou en Indonésie, en partie à cause de la pêche à la dynamite. Néanmoins, les îles de **Koh Tang** et de **Koh Prins**, ainsi que les récifs alentour, offrent quelques beaux sites de plongée, pour la plupart peu explorés. Seuls de lents bateaux de pêche rejoignent cette zone en une journée, ce qui oblige à une sortie de deux jours et en augmente le coût.

Actuellement, trois centres de plongée sont installés à Sihanoukville. Théoriquement ouverts de 9h à 12h et de 14h à 17h, ils observent en réalité des horaires totalement irréguliers.

Claude (☎ 012 824870 ; www.chezclaude.info ; Chez Claude). Claude explore les eaux de Sihanoukville depuis plus de 10 ans et organise de longues excursions sur des récifs éloignés.

EcoSea Dive (☎ 012 654104 ; www.ecosea.com ; Ph Ekareach). Un nouveau centre qui propose des stages PADI (Association professionnelle des instructeurs de plongée) et des sorties de plongée et de snorkeling.

Scuba Nation Diving Center (☎ 012 604680 ; www.divecambodia.com ; Weather Station Hill). Premier centre PADI à avoir ouvert au Cambodge. Les instructeurs dispensent des cours en français, anglais, néerlandais et allemand.

Massage

Les instituts de massage douteux abondent. **Seeing Hands Massage 3** (☎ 012 794016 ; Ph Ekareach ; 3 $US/h), un établissement sérieux, emploie des masseurs aveugles et collecte des fonds destinés à venir en aide aux non-voyants.

Autres curiosités

Les **chutes de Kbal Chhay** constituent un but d'excursion prisé des Khmers de passage à Sihanoukville, car elles ont servi de décor au film *Pos Keng Kong* (Le serpent géant ; 2000), le plus gros succès cambodgien depuis la fin de la guerre civile. Certes jolies, elles ne sont pas aussi spectaculaires ou isolées que celles proches de Krong Koh Kong. Par ailleurs, les détritus gâchent la beauté naturelle du lieu. Si vous avez vu les cascades de Krong Koh Kong ou prévoyez de le faire, oubliez Kbal Chhay sans aucun scrupule. En revanche, si vous avez vu *Pos Keng Kong,* vous découvrirez avec plaisir ce site, à 17 km du centre de Sihanoukville. Les chutes sont indiquées sur la gauche de la RN4, à 9 km de la ville. Comptez 4 $US l'aller-retour en moto-dop. La route est suffisamment bonne pour l'emprunter en moto de location.

À 2 km au nord du port principal, un **port de pêche** se révèle très photogénique au lever ou au coucher du soleil. Continuez le long de la côte sur 20 km pour découvrir **Stung Hau**, une bourgade de pêcheurs où rouillent les vestiges abandonnés de la marine communiste cambodgienne.

OÙ SE LOGER

Les voyageurs à petit budget bénéficient d'un vaste choix, de la chambre avec ventil à 3 $US à celle avec clim, TV et eau chaude à 10 $US. La ville compte également un bel éventail d'établissements de catégorie moyenne, de 15 à 30 $US, car l'arrivée de grands casinos aux chambres peu coûteuses a empêché l'envolée des prix. L'ouverture du Sokha

Beach Resort a doté Sihanoukville d'un hôtel haut de gamme de standing international. La plupart des visiteurs, venus pour profiter des plages, souhaitent loger le plus près possible du littoral. Les autres pourront séjourner au centre-ville, malgré son absence de charme.

Petit budget

Les établissements bon marché se regroupent essentiellement dans trois quartiers : Weather Station Hill, au-dessus de Victory Beach, le centre-ville et Serendipity Beach, la plus en vogue actuellement.

VICTORY BEACH

Secteur de prédilection des premiers routards, la colline qui surplombe la plage compte plus de 20 pensions, sans enseigne pour la plupart et n'offrant que des chambres rudimentaires.

Mealy Chenda Guesthouse (☎ 933472 ; dort 2 $US, ch 3-15 $US ; ❄ 💻). Première pension de ce style à Sihanoukville, elle continue de faire recette. Elle ressemble plutôt à un hôtel et loue des chambres d'un bon rapport qualité/prix. Les moins chères partagent une sdb commune, celles à 5 $US possèdent une TV et, à partir de 12 $US, la clim et un balcon, avec parfois vue sur la mer. L'endroit fournit nombre d'informations touristiques et se double d'un bon restaurant.

Da Da Guesthouse (☎ 012 879527 ; ch 2-8 $US ; ❄). Également établie de longue date et tenue par une famille chaleureuse, elle propose un bon choix de chambres, des spartiates aux plus sophistiquées, avec TV, sdb et clim.

Bungalow Village (☎ 933875 ; bungalows 4-10 $US). À flanc de colline et plus proche de la plage que la plupart de ses concurrents, il doit son charme à son joli jardin. Les bungalows les plus chers disposent d'un balcon avec vue.

Sakal Bungalows (☎ 012 806155 ; ch 3-8 $US ; ❄). Au pied de Weather Station Hill, à quelques pas de la plage, ce vaste établissement comprend 28 chambres bien tenues, aménagées dans des bungalows en forme de tipi ou dans la longue maison. Les plus coûteuses possèdent la clim. Ouverts aux non-résidents, le bar et le restaurant, tous deux animés, méritent le détour.

Autres adresses :

Blue Frog Guesthouse (☎ 012 432799 ; ch 5-10 $US ; ❄). Une ancienne maison de bois récemment rénovée, agrémentée d'une jolie véranda aérée à l'étage.

Mash Guesthouse (☎ 012 913714 ; ch 3-5 $US ; ❄). Établie depuis longtemps, elle propos des chambres aux peintures personnalisées.

SERENDIPITY BEACH

Construits sur des terrains loués à la police militaire, les établissements ci-dessous seront peut-être un jour obligés de déménager.

Eden (☎ 933585 ; ch 8-10 $US). Tout près de la plage, ce beau bâtiment de bois renferme des chambres confortables, avec ventil. Toutefois, il devient très bruyant à la nuit tombée, lorsque le bar du rez-de-chaussée et Unkle Bob's, le restaurant voisin, diffusent de la musique à plein volume jusqu'au petit matin.

Cloud 9 (☎ 012 479365 ; bungalows 8-10 $US). Les bungalows simples et confortables de ce charmant petit complexe s'étagent à flanc de colline jusqu'à la mer et profitent de la brise marine. Un petit bar est installé près de l'eau. Cloud 9 est un peu à l'écart de Serendipity, en direction de la plage de Sokha.

Mohachai Guesthouse (☎ 933586 ; ch 5-8 $US). À quelques minutes de la plage en montant la colline, elle offre une quarantaine de chambres avec sdb et sol carrelé. Le personnel vous donnera de bonnes informations touristiques.

Sea Sun Guesthouse (☎ 012 357825 ; ch 3-10 $US ; ❄). À mi-chemin du rond-point Golden Lions et de Serendipity Beach, elle présente le meilleur rapport qualité/prix du quartier. Comptez 3 $US pour une chambre exiguë et 5 $US pour un bungalow plus spacieux, avec TV, eau chaude et ventil. Le grand jardin, un peu clairsemé, laisse entrevoir un prochain agrandissement.

PLAGE D'OCCHEUTEAL

Jadis chasse gardée des étrangers et des Cambodgiens aisés, le quartier compte maintenant des établissements bon marché.

Sovann Phoum Guesthouse (☎ 012 504537 ; Ph 1 Kanda ; ch 5-10 $US ; ❄). À deux pâtés de maisons de la plage, des chambres propres et confortables, toutes avec TV et sdb. Un mini-restaurant vient d'ouvrir en façade.

GST Guesthouse (☎ 933816 ; ch 5-12 $US ; ❄). Le nom vous semble familier ? Cette pension travaille avec la compagnie de bus du même nom, ce qui l'aide à remplir ses 44 bungalows, tous avec TV et sdb.

Susaday Guesthouse (☎ 933907 ; susaday@camintel.com ; Ph 14 Milthona ; ch 10 $US). L'emplacement est idéal, juste en face de la plage, mais les chambres, rudimentaires, sont deux fois plus chères qu'ailleurs.

CENTRE-VILLE

Le centre-ville compte des dizaines d'établissements.

Angkor Inn Guesthouse (☎ 016 896204 ; Ph Sopheakmongkol ; ch 4-5 $US). Bon marché et assez sympathique, elle est solidement établie. Grandes TV et petites sdb sont la norme. En face, Espresso Kampuchea sert un excellent café.

Freedom Hotel (☎ 012257953 ; Ph Sopheakmongkol ; ch 5-20 $US ; ❄). L'absence de fenêtre rend les chambres les moins chères, avec ventil, un peu sombres. Celles à 10 $US, bien équipées, comprennent TV, eau chaude et clim. Vous aurez droit en prime à une bière gratuite au bar du rez-de-chaussée.

Catégorie moyenne

Hormis le week-end, lorsque affluent les Phnom Penhois, on trouve facilement une chambre de cette catégorie. En semaine, quelques grands hôtels cassent leurs prix de manière spectaculaire.

PLAGE D'OCCHEUTEAL

En raison de leur emplacement, à quelques pas de la plage, ces hôtels comptent parmi les favoris.

Occheuteal Beachside Bungalows (☎ 933895 ; ch 15 $US ; ❄). Nouveau complexe à un pâté de maisons de la plage, il dispose de bungalows en dur coiffés de chaume, avec eau chaude, TV et réfrigérateur, et d'un agréable bar-restaurant. Le personnel se montre très aimable.

Crystal Hotel (☎ 933880 ; crystal@camintel.com ; Ph 14 Milthona ; ch 20-30 $US ; ❄). Un peu étrange avec ses vitres réfléchissantes, cet hôtel comporte de jolies chambres qui bénéficient toutes d'une vue sur la mer grâce à la conception du bâtiment. Tapis, baignoires et autres petites touches le placent un cran au-dessus de certains de ses concurrents.

Seaside Hotel (☎ 933662 ; fax 933640 ; Ph 14 Milthona ; ch 20-40 $US ; ❄). Version plus modeste du célèbre hôtel Cambodiana (p. 93) de Phnom Penh, c'est l'un des établissements les plus réputés de la ville. Apprécié des groupes, il propose un éventail de chambres bien aménagées.

Orchidée Guesthouse (☎ 933639 ; www.orchidee-guesthouse.com ; Ph 23 Tola ; ch 10-25 $US ; ❄ 💻 🏊). À quelques pas de la plage et prisé des groupes, l'Orchidée ressemble plus à un hôtel qu'à une pension et affiche souvent complet. La nouvelle piscine ajoute à son attrait.

Golden Sand Hotel (☎ 933607 ; www.hotelgoldensand.com ; ch 20-50 $US ; ❄ 💻 🏊). Cet immense hôtel flambant neuf est actuellement le plus chic du secteur. Outre des chambres étincelantes et confortables, il possède une belle piscine en façade, exposée à la vue des passants.

SERENDIPITY BEACH

House of Malibu (☎ 012 733334 ; ch avec petit déj 25-30 $US ; ❄). S'étendant jusqu'au sable de la plage, le Malibu offre l'hébergement le plus charmant dans cette catégorie. Toutes les chambres, avec douche chaude et TV, portent un nom de fleur. Le restaurant, en hauteur, surplombe la mer. Sur la colline entre la plage de Sokha et Serendipity Beach, les jolis **Malibu Bungalows** (ch 25-30 $US), sans clim ni eau chaude, s'étagent jusqu'aux flots. De l'autre côté de la rue, des chambres plus élégantes ressemblent à celles de la House of Malibu.

Rama Beach Bungalows (☎ 934088 ; ch 20-25 $US ; ❄). Très bien situés en bord de plage, ces bungalows plaisants et bien équipés conviennent mieux à une personne seule en raison de leur petite taille. Les prix progressent en fonction de la proximité de la mer.

Coasters (☎ 933776 ; coasters@camintel.com ; ch 10-15 $US). Disséminés à flanc de colline, ces bungalows en dur sans prétention, avec ventil et sdb, s'agrémentent d'une véranda. Le bar-restaurant borde la plage.

Sea View Villa (☎ 935555 ; ch 6-20 $US ; ❄). À quelques mètres de la plage, ses chambres haut de gamme, immenses et dotées de sdb ouvertes, offrent un excellent rapport qualité/prix. Les moins chères se contentent d'un ventil.

The Beach (☎ 016 931970 ; ch 6-18 $US ; ❄). Entre le Sea View et le Rama Beach, il dispose de chambres raffinées, avec clim, TV, réfrigérateur et eau chaude, et d'un bar-restaurant dans le jardin, idéal pour se détendre en soirée.

AUTRES PLAGES

Les autres plages offrent moins de possibilités d'hébergement.

Snake House (☎ 012 673805 ; plage de Lamherkay ; s/d 15/20 $US ; ❄). Ces élégants et vastes bungalows comprennent TV, réfrigérateur, belle sdb et véranda. Si vous avez la phobie des serpents, son restaurant-vivarium (ci-contre) est suffisamment éloigné pour vous éviter les cauchemars.

Chez Mari Yan (☎ 933709 ; ch 5-20 $US). Niché dans un jardin verdoyant qui domine Victory Beach, ce complexe se caractérise par son charme rustique plus que par son confort. Les chambres les moins chères se trouvent dans une longue maison. Pour quelques dollars de plus, vous bénéficierez d'un bungalow plus spacieux avec vue sur la mer. Un petit bar-restaurant est installé sur place.

Holiday Palace Hotel & Casino (☎ 933808 ; fax 933809 ; Ph Krong ; ch 15-45 $US ; ❄ 💻). Surplombant Victoria Beach, ce casino, le plus ancien de la ville, pratique des tarifs imbattables pour attirer les joueurs. Comptez 15 $US pour une chambre digne d'un trois-étoiles – une véritable aubaine !

Chez Claude (☎ 012 824870 ; www.chezclaude.info ; bungalows 20-50 $US ; ❄). Sur une colline dominant Sokha Beach, avec une vue imprenable sur les plages de la ville, vous aurez le choix entre divers bungalows, de la maison cambodgienne traditionnelle à la *banda* africaine (hutte circulaire au toit de chaume). Tous dotés de l'eau chaude, ils possèdent un certain cachet, mais sont un peu loin de la plage.

Sea Breeze Guesthouse (☎ 320217 ; s/d/tr 15/20/25 $US ; ❄). Isolée sur Independence Beach, elle séduira les amateurs de calme et de tranquillité avec ses chambres bien équipées (TV satellite, réfrigérateur, etc.) Le soir, le long trajet mal éclairé jusqu'à la ville découragera les noctambules.

Catégorie supérieure

Sokha Beach Resort (☎ 935999 ; www.sokhahotels.com ; ch 130-250 $US ; ❄ 💻 🏊). Premier complexe balnéaire cinq-étoiles du pays, il possède des chambres élégamment conçues, dotées de tous les équipements correspondant à cette catégorie (baignoire et douche, coffre, balcon, etc.). Outre une grande piscine, il dispose d'une plage privée, longtemps considérée comme la plus belle de la ville. Les prix ont fortement baissé depuis son ouverture en 2004 et vous pourrez bénéficier d'intéressantes promotions.

OÙ SE RESTAURER

Sihanoukville compte de nombreux cafés et restaurants qui, pour la plupart, ouvrent à partir de 7h et ferment vers 21h ou 22h. Weather Station Hill, le repaire des routards, regroupe une douzaine de restaurants et les pensions servent une cuisine correcte. Quartier branché, Serendipity Beach est idéale pour un barbecue sur la plage. Les autres plages abritent quelques restaurants de fruits de mer. Au centre-ville, vous trouverez des établissements pratiques pour prendre un repas avant ou après un voyage en bus, ou en pleine nuit. Sur la plupart des plages, des vendeurs proposent toutes sortes d'en-cas, des ananas aux œufs de caille en passant par les crevettes et les poissons fraîchement grillés. Leur insistance peut sembler un peu pesante, mais en marchandant, vous mangerez à peu de frais à toute heure de la journée.

Weather Station Hill

Rendez-vous des voyageurs à petit budget, des baraques de bois rudimentaires proposent un bon choix de plats savoureux et bon marché.

Mealy Chenda Restaurant (plats 1-3 $US). Installé sur le toit de la pension du même nom (p. 186), il attire une clientèle bigarrée de Khmers et d'étrangers. Barbecues de fruits de mer en soirée et petits déjeuners figurent sur la carte. En cas d'affluence, le service peut être lent. Une bonne adresse pour siroter une bière au coucher du soleil.

Romduol's Restaurant (plats 3 000-5 000 r). Ouvert de l'autre côté de la rue par un ancien employé de la Mealy Chenda Guesthouse, il offre une carte similaire à des prix plus compétitifs (en riels et non en dollars) et est bondé presque tous les soirs.

Sam's Restaurant (plats 1-3 $US). Cette ancienne pension, l'une des premières de la ville, s'est transformée en un restaurant familial et chaleureux. La carte parvient à un juste équilibre entre les cuisines khmère et occidentale.

Melting Pot (☎ 012 913714 ; plats 1-4 $US). Jumelé à la Mash Guesthouse (p. 186), ce petit établissement prépare des plats occidentaux un peu plus originaux que la concurrence. Ses déjeuners du dimanche, très courus, vous remettront d'aplomb après une nuit de fête.

Indian Curry Pot (☎ 934040 ; plats 2-4 $US). Il a récemment déménagé dans l'artère principale de Weather Station Hill et mitonne les meilleurs curries de Sihanoukville (100% halal). Le week-end, il propose des buffets d'un bon rapport qualité/prix.

La Paillotte (plats 3-7 $US). Apportant une note d'élégance dans le quartier, ce nouveau restaurant, abrité sous un immense toit de chaume, se niche au bout d'un chemin sinueux. La cuisine, aux accents résolument français, comporte un bon choix de produits de la mer en sauce. En façade, un bar décontracté s'agrémente d'une table de billard.

Snake House (☎ 012 673805 ; plats 2-5 $US). "Unique", un terme dont on use et abuse dans les milieux touristiques, convient parfaitement à ce restaurant proche de la pension du même nom (ci-contre). Les tables sont disposées au milieu d'un vivarium contenant des serpents du monde entier. La cuisine reste un détail secondaire quand on a un python à sa gauche, un cobra à sa droite et des serpents en dessous de son assiette... Les tables, pourvues d'un plateau en verre, font office de cages !

Serendipity Beach et plage d'Occheuteal

Sur la plage, les tables, éclairées aux bougies, attirent nombre de visiteurs à Serendipity Beach. Des baraques s'alignent jusqu'à la plage d'Occheuteal et servent poissons et fruits de mer grillés à prix raisonnables.

Unkle Bob's (☎ 934072 ; plats 1-4 $US). L'un des plus anciens du secteur, il occupe un emplacement de choix, à l'ombre d'un grand arbre. La carte, sans grande originalité, comprend un barbecue apprécié en soirée.

Rama Beach Restaurant (plats 3-6 $US). Un peu plus élégant que ses concurrents, il installe des tables basses sur la plage et dispose d'une salle classique dans un pavillon. Spécialités asiatiques et plats de pâtes figurent sur la carte, mais les poissons et les fruits de mer règnent en maîtres.

Mick & Craig's Restaurant (☎ 012 727740 ; plats 2-6 $US). Aujourd'hui installé au cœur de l'action, près de Serendipity, ce restaurant ouvert, coiffé d'un toit de chaume, offre un bon choix de petits déjeuners, végétariens ou non, et de spécialités occidentales, ainsi que des plats du jour. Il sert jusqu'à 23h et se double d'une petite librairie de livres d'occasion.

Autres plages

Plusieurs restaurants de poisson jalonnent les plages de Sihanoukville, comme le **Hawaii Seaview Restaurant** (plage de Lamherkay ; plats 2-6 $US). Renseignez-vous d'abord sur les prix : les produits de la mer sont souvent facturés au poids et l'addition grimpe vite.

Treasure Island Restaurant (☎ 012 755335 ; plage de Koh Pos ; plats 2-10 $US). Sur une plage isolée, ce grand restaurant de poisson est apprécié des Cambodgiens et des touristes asiatiques. Les prix restent raisonnables, mais les fruits de mer sont vendus au kilo. La plupart se trouvent dans un vivier : faites votre choix et on vous le préparera. L'établissement propose des bouteilles d'un litre de Gordon's Gin (12 $US) et de vodka Smirnoff (8 $US) ; évitez de prendre le volant après le repas !

Koh Pos Restaurant (rond-point Golden Lions ; 2-8 $US). Malgré son nouvel emplacement sans grand attrait, ce restaurant n'a rien perdu de sa popularité auprès des Khmers. Nous vous recommandons le crabe entier sauté au curry dans un wok (environ 5 $US en fonction de la taille).

Chez Claude (fruits de mer 5-8 $US). Surmontant l'empire de Claude (p. 188) au sommet de la colline, ce restaurant, l'un des meilleurs de la ville, sert essentiellement des produits de la mer. Vous vous régalerez d'une marmite de poisson, aux saveurs bien françaises, ou de coquillages locaux, tels que palourdes et coquilles Saint-Jacques. La carte des vins est bien fournie. Vous pouvez vous contenter de boire un verre au coucher du soleil en admirant le panorama.

Centre-ville

Le centre-ville compte une multitude de restaurants.

Starfish Bakery (☎ 012 952011 ; plats 1-3 $US ; 🕒 petit déj et déj). Blotti dans un jardin au bout d'une petite rue proche de la Ph 7 Makara, ce café sert de copieux petits déjeuners, des déjeuners légers (salades et sandwiches), des gâteaux maison et des jus de fruits. Géré comme une ONG, ses bénéfices financent le Starfish Project qui aide les Cambodgiens défavorisés de la région.

Marlin Grill Restaurant (Ph Ekareach ; plats 2-5 $US). Au-dessous du Marlin Hotel, ce bar-restaurant prisé des expatriés propose burgers et steaks.

Le **Samudera Market** (Ph 7 Makara), à côté de l'embranchement menant à la Starfish Bakery, vend toutes sortes de produits importés, comme du fromage, de la viande et du chocolat. Autre adresse pratique, **Caltex Starmart** (Ph Ekareach) reste ouvert assez tard.

OÙ PRENDRE UN VERRE

La vie nocturne de Sihanoukville est de plus en plus animée grâce à l'afflux de touristes en provenance de Thaïlande. Les établissements pour couche-tard se concentrent dans le centre-ville et à Serendipity Beach. Plus au sud, à Occheuteal, d'innombrables baraques de plage restent ouvertes jusqu'à l'aube ; elles risquent de disparaître quand le nouveau complexe hôtelier aura ouvert.

Grâce à la présence de la brasserie Angkor à la périphérie de la ville, la bière à la pression reste très bon marché : à partir de 0,50 $US dans les restaurants pour petit budget de Weather Station Hill. Le Melting Pot (p. 188), le Romduol's Restaurant (p. 188) et le Mealy Chenda Restaurant (p. 188) attirent de joyeux buveurs en soirée, mais pour profiter de la vie nocturne, mieux vaut opter pour un bar.

Pet's Place (☎ 012 472325 ; Weather Station Hill). Après de nombreux déménagements, il s'est installé dans le quartier des routards dont il est devenu une adresse favorite. Ses boissons peu coûteuses et sa table de billard devraient pérenniser son succès. Des chambres (de 2 à 5 $US) peuvent accueillir ceux qui ne veulent plus quitter l'endroit.

Corner Bar (Weather Station Hill). Comme son nom l'indique, il occupe un coin de rue, le plus animé du quartier. Parfait pour suivre les matchs de foot, il reste ouvert plus tard que la plupart de ses voisins.

Angkor Arms (www.angkorarms.com ; Ph Ekareach). Probablement le bar le plus ancien de la ville, il s'autoproclame pub britannique traditionnel, avec fléchettes et bière à la pression. On peut s'installer dans la salle climatisée ou en terrasse. *Happy hour* de 17h à 19h et fermeture tardive.

Dusk 'til Dawn (Ph Sopheakmongkol). À côté de l'Angkor Arms, il occupe le toit d'une maison de ville, en haut d'un escalier branlant. Ouvert, comme son nom l'indique, du crépuscule à l'aube, il est généralement le dernier à fermer. Faites attention aux marches en repartant !

Blue Storm (Ph Ekareach ; entrée libre). Seule boîte de nuit de Sihanoukville, elle est assez calme en semaine, mais attire des foules de jeunes Cambodgiens le week-end. Avec les DJs et les VJs qui se succèdent, n'espérez pas engager une conversation. Les boissons sont un peu plus chères qu'ailleurs.

Serendipity Beach compte quelques bars fréquentés, comme **Unkle Bob's** (p. 189), ouvert 24h/24, et l'**Eden** (p. 186), indémodable, où vous pourrez vous accouder au bar ou vous prélasser sur une chaise longue.

DEPUIS/VERS SIHANOUKVILLE

Avion

L'aéroport de Sihanoukville, à 13 km de la ville près de Ream, a été rénové mais n'accueille actuellement aucun vol. Selon la rumeur, des compagnies locales devraient proposer des liaisons aériennes avec Siem Reap, mais rien n'est encore concrétisé.

Bateau

Des bateaux partent tous les jours à 12h pour Krong Koh Kong (500 B, 4 heures). Les étrangers paient habituellement 15 $US ou 600 B. Pour plus de détails sur ce service et sur la traversée jusqu'en Thaïlande, voir p. 294.

Bus

La RN4, qui relie Sihanoukville et Phnom Penh (230 km), est en excellent état sur toute sa longueur. Phnom Penh Public Transport (PPPT), Hour Lean, GST et Capitol Tours proposent de grands bus climatisés et confortables entre les deux villes (12 000 r, 4 heures). Leurs billetteries sont installées dans la Ph Ekareach, au centre-ville. La plupart de ces compagnies offrent plusieurs services quotidiens dans les deux sens, entre 7h et 13h30. Actuellement, les bus partent et arrivent à la station de taxis.

Moto

Les motards expérimentés pourront louer une moto à Phnom Penh (p. 105) pour rejoindre Sihanoukville. La RN4 ne présente aucune difficulté, mais le trajet est monotone et la fréquence des dépassements sans visibilité le rendent dangereux. Moyen de transport pratique pour explorer la côte sud, la moto est de plus en plus pratiquée sur l'itinéraire qui passe par Kampot, Kep et la station climatique de Bokor. Sachez que les étrangers n'ont pas le droit de louer une moto à Sihanoukville, mais qu'ils peuvent conduire une machine louée ailleurs (voir ci-contre).

Taxi collectif

Les taxis reliant Phnom Penh et Sihanoukville partent du sud-ouest de la capitale, près du psar Dang Kor (marché Dang Kor) ou du psar Thmei (Nouveau Marché). À Sihanoukville, ils stationnent à la nouvelle station de taxis. N'envisagez cette solution que si vous avez manqué le bus ou si vous êtes particulièrement pressé : les prix sont négociables, mais vous paierez environ 20 $US par voiture, 10 000 r par personne dans un véhicule bondé, ou 15 000 r pour voyager à trois à l'arrière. La plupart des chauffeurs conduisent comme des fous et doublent sans visibilité. Si vous avez le cœur fragile, avalez un tranquillisant avant le départ !

La route est aujourd'hui goudronnée de Sihanoukville jusqu'à Kampot (8 000 r, 2 heures, 105 km). Les taxis collectifs partent aussi de la station de taxis et vous devriez pouvoir louer un véhicule entier pour 15 $US.

Train

Le train qui dessert Sihanoukville est d'une lenteur extrême. Un train de marchandises circule quotidiennement et accepte les passagers étrangers ; si vous souhaitez vraiment expérimenter ce mode de transport, contentez-vous du court trajet entre Takeo et Kampot (p. 195).

COMMENT CIRCULER

Bicyclette

Le vélo constitue une manière agréable et écologique de se déplacer dans Sihanoukville. Certaines pensions louent des vélos pour 1 ou 2 $US la journée.

Moto

Lors de notre passage, les étrangers n'avaient pas le droit de louer une moto à Sihanoukville. Renseignez-vous sur la situation auprès des pensions, des restaurants ou des bars.

Avant cette interdiction, les motos les moins chères (100 cm³), proposées par nombre de pensions et de restaurants, coûtaient 3 $US par jour et les engins un peu plus récents, 4 $US. Si l'interdiction est levée, **GST** (☎ 933826 ; Ph Ekareach), dans le centre-ville, loue des motos à 4 $US par jour et des 250 cm3 tout-terrain, idéales pour le parc national de Bokor, à 7 $US.

Moto-dop

D'innombrables moto-dop sillonnent les rues de Sihanoukville, mais leurs conducteurs sont connus dans tout le pays pour leurs prétentions extravagantes ; il faut marchander férocement quel que soit le trajet. Comptez 2 000 r du quartier des pensions au marché, 3 000 r pour les plages de Sokha et d'Occheuteal, un peu plus la nuit. Rallier n'importe quelle plage depuis le centre-ville ne devrait pas vous coûter plus de 2 000 r. Du quartier des routards à l'embarcadère des bateaux rapides, prévoyez au moins 1 $US.

ENVIRONS DE SIHANOUKVILLE

Pour les informations sur le parc national de Kirirom, à mi-chemin entre Sihanoukville et la capitale, reportez-vous p. 110.

ÎLES

Plus d'une douzaine d'îles, toutes très peu développées, jalonnent le littoral de Sihanoukville. Seule **Koh Russei** (île des Bambous) possède quelques bungalows rudimentaires. La plupart des pensions, restaurants et bars de Sihanoukville organisent des excursions d'une journée vers les plus appréciées (avec déjeuner et snorkeling).

Les îles les plus proches de la côte sont petites, rocheuses et ne se prêtent guère qu'à la baignade avec tuba. Plus loin, les grandes îles de **Koh Rong** et **Koh Rong Samlon**, ourlées de magnifiques plages désertes et dotées de sources d'eau douce, connaîtront sans doute un développement fulgurant. Koh Rong Samlon possède une grande baie en forme de cœur, ponctuée de quelques élevages de crustacés, et de belles plages sur la côte nord. Une plage splendide s'étire sur plus de 5 km au sud-ouest de Koh Rong, sans la moindre paillote en vue. Cette île immense compte d'autres jolies plages et, au sud-est, un village de pêcheurs animé qui vous fournira les produits de base, ainsi que poissons et crabes frais.

Plus près de la côte, au sud de Sihanoukville, plusieurs petites îles peuvent se visiter lorsque la mer est trop agitée pour aller à Koh Rong. La plus proche, **Koh Khteah**, est minuscule. **Koh Ta Khieu**, bordée de plages plus séduisantes, se trouve à proximité du quartier général de la marine cambodgienne.

PARC NATIONAL DE REAM

ឧទ្យានជាតិរាម

Également appelé parc national de Preah Sihanouk, cette réserve de 210 km², fondée en 1993, abrite de nombreuses espèces de mammifères et d'oiseaux qui vivent dans les forêts et les mangroves.

Des bateaux transportent les visiteurs sur le fleuve jusqu'à des plages vierges. Le long de l'estuaire, vous apercevrez peut-être des singes, des aigles, voire des dauphins et des marsouins. Des étendues de sables désertes de la côte, on peut explorer les criques voisines, cachées par la forêt.

Ce trajet en bateau se révèle à la fois amusant et instructif, à condition de comprendre le garde qui vous accompagne. Les revenus générés devraient inciter les gardes forestiers à protéger le parc et non plus à vendre le bois ou à braconner pour survivre. L'excursion revient à 25 $US pour quatre personnes, plus 5 $US par passager supplémentaire et 5 $US pour le garde. Les pensions de Sihanoukville peuvent se charger d'organiser le circuit (déjeuner compris).

Depuis/vers le parc national de Ream

Le parc national de Ream se trouve à 13 km à l'est de Sihanoukville. Prenez une moto-dop (2 $US) ou un taxi collectif jusqu'à Ream. Les bureaux du parc se trouvent à courte distance de l'embranchement qui part de la statue du *nâga* (serpent mythique) à Ream. Repérez la pierre indiquant le parc national de Preah Sihanouk. Le bâtiment (blanc avec un toit vert) jouxte un petit aéroport rarement utilisé. Les bateaux partent d'un pont situé 5 km plus loin sur la RN4. Pour organiser une excursion, adressez-vous aux gardes ou à une pension en ville.

PROVINCE DE KAMPOT

ខេត្តកំពត

La province de Kampot est l'une des plus visitées du pays grâce à ses villes coloniales abandonnées, ses nombreux sites naturels et son accès facile.

Quelques jours suffisent pour explorer la plupart des centres d'intérêt, dont le parc national de Bokor et sa station climatique désertée, la ville balnéaire de Kep en pleine renaissance et les grottes des environs de Kompong Trach. Cependant, la bourgade assoupie de Kampot et son charme provincial retient souvent les visiteurs plus longtemps que prévu.

Tel ne fut pas toujours le cas. Jusqu'au milieu des années 1990, la province demeurait dangereuse en raison de la présence d'unités khmères rouges dans les collines environnantes. Un train reliant Phnom Penh à Sihanoukville fut attaqué en juillet 1994 par les Khmers rouges qui enlevèrent trois étrangers et de nombreux Cambodgiens. Alors que les forces gouvernementales se rapprochaient de Phnom Voal, où les prisonniers étaient détenus, les étrangers furent exécutés.

L'économie de la province ne s'est jamais vraiment remise de la perte, en 1959, de son statut de zone portuaire de la côte sud au profit de Sihanoukville. La région n'a cessé de décliner jusqu'à la guerre civile. Depuis, l'agriculture a progressivement supplanté le commerce et la province cultive aujourd'hui une grande variété et fruits, de légumes, d'herbes et d'épices. Si vous n'aimez pas l'odeur du durian, vous voilà prévenu : Kampot en est la première région productrice dans le pays.

Les liaisons routières entre la province et Phnom Penh se sont grandement améliorées au cours des dernières années. La RN3 qui rejoint la capitale est en assez bon état sur toute sa longueur. Longtemps délaissée, la RN31 menant à Kep et Kompong Trach a été entièrement refaite. À l'ouest, en direction de Sihanoukville, la route récemment élargie fait presque figure d'autoroute (selon les critères cambodgiens). La ligne ferroviaire Phnom Penh-Sihanoukville traverse les plus beaux paysages de la province.

Au lieu de faire ce long parcours, choisissez quelques sections, comme Kampot-Takeo ou Kampot-Veal Renh, pour découvrir le train cambodgien sans en supporter les inconvénients.

KAMPOT

កំពត

☎ 033 / 33 000 habitants

En bordure du Prek Kampong Bay, Kampot sort de sa léthargie, alors que les visiteurs commencent à découvrir cette charmante bourgade décontractée et son architecture coloniale française. Malgré le déclin commercial dû à la naissance de Sihanoukville en 1959, Kampot reste réputée pour sa production de poivre, l'un des meilleurs de la région ; avant la guerre civile, tout restaurant parisien digne de ce nom en servait sur ses tables. La ville constitue un point de départ idéal pour explorer la cité balnéaire délabrée de Kep, la station climatique abandonnée de Bokor et les grottes des environs de Kompong Trach.

Orientation

Kampot est délimitée à l'ouest par le Prek Kampong Bay, au-delà duquel se dessine l'ombre massive de Phnom Bokor. Un vaste rond-point marque le centre-ville, avec le marché au nord-ouest et la route de Phnom Penh au nord. La route de Kep et de Kompong Trach se trouve au sud-est.

Renseignements

La poste principale borde le fleuve, au sud du centre-ville mais mieux vaut poster ses lettres à Phnom Penh. De nombreux kiosques téléphoniques permettent de passer des appels locaux ou internationaux.

ACCÈS INTERNET

Dans la Ph 7 Makara, plusieurs cybercafés facturent la connexion 6 000 r l'heure. Nous vous recommandons Santepheap Internet.

ARGENT

Acleda Bank (☎ 932880). Représentant de Western Union, qui effectue de rapides transferts d'argent.

Canadia Bank (☎ 932392). Change les devises et les chèques de voyage et délivre des avances sur les cartes de crédit sans frais. Chaudement recommandée.

OFFICE DU TOURISME

La ville compte un office du tourisme qui ne dispose d'aucune documentation. Mieux vaut s'adresser aux pensions et hôtels.

À voir et à faire

Les sites les plus intéressants se trouvent à l'extérieur de la ville, à Bokor, Kep et dans la campagne truffée de grottes.

KAMPOT TRADITIONAL MUSIC SCHOOL

Fondée pour former les orphelins et les enfants handicapés à la musique et à la danse traditionnelles, la **Kampot Traditional Music School** (🕒 7-11h et 14-17h) accueille volontiers les visiteurs aux répétitions, qui ont lieu presque tous les soirs de 18h30 à 21h. Entrée libre, dons bienvenus.

MASSAGES

Dernier-né des excellents instituts Seeing Hands, **Seeing Hands Massage 5** (☎ 012 503012 ; 3 $US/h ; 🕒 8h-18h) forme des aveugles au massage shiatsu et consacre ses bénéfices à l'aide aux non-voyants. Une séance fait le plus grand bien après avoir tressauté sur la route de Bokor !

PROMENADES EN BATEAU

Les bateliers locaux proposent de courtes promenades en amont du Prek Kampong Bay pour environ 5 $US l'heure. Plusieurs pensions et hôtels, comme la Mealy Chenda Guesthouse (ci-après), peuvent organiser des excursions un peu plus structurées.

Où se loger

Le choix s'est étoffé et nombre d'établissements pratiquent des tarifs compétitifs. Au moment de vous décider, souvenez-vous qu'après une journée à Bokor par temps pluvieux ou couvert, une douche chaude vous semblera délicieuse.

Blissful Guesthouse (☎ 012 513024 ; dort/s/d 2,50/3/4 $US). Entourée d'un jardin luxuriant, cette pension pleine de charme occupe une ancienne maison de bois. Elle offre des chambres rudimentaires, agrémentées de quelques éléments décoratifs, et une sdb commune a l'arrière. Un agréable salon est installé à l'étage et, au rez-de-chaussée, un bar-restaurant apprécié accueille les non-résidents.

Mealy Chenda Guesthouse (☎ 932559 ; dort/s 2/3 $US, d 4-6 $US). Tenue par la même famille

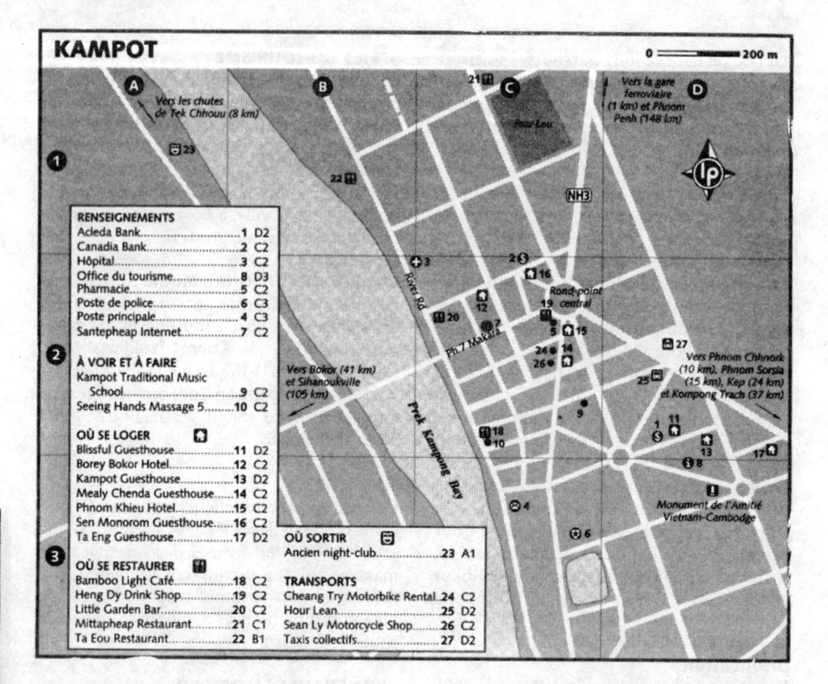

que la Mealy Chenda de Sihanoukville (p. 188), cette pension a déménagé dans un vaste bâtiment, plus proche de l'animation. Elle loue des chambres spacieuses et doit prochainement aménager un bar-restaurant sur le toit. C'est un bon endroit pour les informations touristiques et les renseignements sur les moyens de transport.

Borey Bokor Hotel (☎ 012 820826 ; s/d 10/15 $US, ch VIP 25 $US ; ❄). Meilleur hôtel de la ville, ses chambres élégantes et impeccables comprennent TV, réfrigérateur, eau chaude et clim. Les chambres VIP, un peu plus grandes, disposent d'une baignoire.

Sen Monorom Guesthouse (☎ 012 650330 ; ch 5-15 $US ; ❄). Cette nouvelle pension, d'un excellent rapport qualité/prix, loue des chambres toutes identiques, vastes, propres, avec grandes fenêtres et TV sat (5 $US avec ventil, 15 $US avec clim.).

Ta Eng Guesthouse (☎ 012 330058 ; ch 2-5 $US). Établie de longue date, cette auberge pour routards s'est régulièrement agrandie et améliorée et comporte aujourd'hui des sdb privées. Le propriétaire, sympathique et prévenant, parle français et anglais.

Kampot Guesthouse (☎ 016 885255 ; ch 4-13 $US ; ❄). L'une des pensions les plus haut de gamme de Kampot, elle loue de grandes chambres sans prétention pour 4 $US. Les plus chères bénéficient de la clim, d'un ameublement plus raffiné et d'une grande sdb.

Phnom Khieu Hotel (☎ 012 820923 ; ch 5-12 $US ; ❄). Sur le rond-point central, cet ancien hôtel du gouvernement pratique des prix intéressants pour ses chambres avec ventil, sdb et TV. Néanmoins, il aurait bien besoin d'une rénovation !

Où se restaurer

Outre une excellente cuisine locale, vous aurez le choix entre plusieurs restaurants internationaux.

Pensions et hôtels possèdent souvent des restaurants prisés. Ainsi, la Mealy Chenda Guesthouse (p. 193) offre une belle variété de plats khmers et occidentaux de 0,50 à 2,50 $US et des petits déjeuners complets à 2 $US. La Blissful Guesthouse (p. 193) propose une carte tout aussi variée (de 1 à 4 $US), avec quelques plats mexicains et quantité de sandwiches et salades.

Ta Eou Restaurant (☎ 932422 ; River Rd ; plats 4 000-8 000 r). Installé sur pilotis au-dessus du Prek Kampong Bay, il jouit d'une vue imprenable sur le Bokor. La carte en anglais, très complète, comprend poissons et crustacés fraîchement pêchés. En contemplant le coucher du soleil, régalez-vous d'un succulent crabe au poivre vert (environ 4 $US, selon la taille) ou d'une soupe.

Bamboo Light Café (☎ 012 602661 ; River Rd ; curries 2-4 $US). Premier restaurant sri-lankais de Kampot, il se situe dans le quartier animé, au bord du fleuve. Les expatriés ne tarissent pas d'éloges sur sa cuisine, parfumée aux épices du sous-continent.

Little Garden Bar (☎ 012 256901 ; www.littlegardenbar.com ; River Rd ; plats 1-3 $US). Ouvert depuis quelques années, ce havre de paix, niché dans le jardin d'une demeure coloniale, fut le premier bar de Kampot. Outre un choix impressionnant de cocktails et des vins servis au verre, il propose désormais quelques plats khmers et internationaux. Le bar se double depuis peu d'une pension, qui comprend six chambres raffinées à 10 $US. Renseignez-vous sur place.

Mittapheap Restaurant (plats 4 000-8 000 r). En face du marché, cet endroit prisé des employés de l'ambassade de France prépare d'excellentes soupes et spécialités khmères à prix raisonnables.

Heng Dy Drink Shop (☎ 932925). Sur le rond-point central, cette boutique offre de nombreux produits importés, dont des fromages, des pâtés et du chocolat.

Où prendre un verre

La vie nocturne de Kampot commence à s'animer. Les clients venus dîner au Little Garden Bar ou à la Mealy Chenda Guesthouse s'attardent souvent devant un verre. Les noctambules se retrouvent au bar de la Blissful Guesthouse, animé jusque tard dans la nuit.

De l'autre côté de fleuve, l'ancien nightclub a rouvert sous forme de bar à karaoké. Essentiellement fréquenté par des Cambodgiens alcoolisés et des belles de nuit, il possède néanmoins une agréable terrasse où se détendre en sirotant une bouteille d'Angkor (1,50 $US).

Depuis/vers Kampot

Les motards expérimentés peuvent rejoindre Kampot en 250 cm³ depuis la capitale ; voir p. 105 les informations sur la location de motos. Le trajet à partir de Sihanoukville est également facile, mais les étrangers ne peuvent actuellement louer une moto dans cette ville (voir p. 191). En revanche, ils en ont le droit à Kampot (voir p. 196).

Pour les transports jusqu'au parc national de Bokor, Kep et Kompong Trach, reportez-vous respectivement p. 198, p. 200 et p. 201.

TAXI, PICK-UP ET MINIBUS

Kampot se trouve à 148 km de Phnom Penh par la RN3, dont l'état varie selon la date des dernières réparations. Lors notre passage, elle était excellente et le trajet se faisait en 2 heures. De Kampot, des taxis collectifs (10 000 r) et des minibus (6 000 r) partent d'un arrêt proche de la station-service Total, au sud-est du rond-point. **Hour Lean** (☎ 012 939917) propose un service de bus plus confortable jusqu'à la capitale (10 000 r).

Taxis collectifs, minibus et bus desservent également Sihanoukville, à 105 km par une route entièrement refaite. Pour plus de détails, voir p. 190.

Rares sont les services directs entre Kampot et Takeo. Montez dans un véhicule à destination de Phnom Penh et demandez que l'on vous dépose à Angk Tasaom, l'embranchement pour Takeo – comptez environ 5 000 r en taxi collectif, moins en minibus. De là, prenez une moto-dop (1 $US) ou une remorque-moto (plus économique) pour rejoindre Takeo, à 13 km.

TRAIN

En terme de durée, le train constitue la solution la moins rationnelle : il faut environ 6 heures pour atteindre Phnom Penh (7 500 r) ou Sihanoukville (4 800 r). En venant de la capitale, la section entre Takeo et Kampot est la plus pittoresque car la ligne passe près d'intéressantes formations karstiques. En continuant vers Sihanoukville, elle longe les contreforts du Phnom Bokor (1 080 m) avant de décrire une boucle autour d'une paisible région côtière peu explorée.

Le train circule entre Phnom Penh et Sihanoukville tous les deux jours. Les horaires sont aléatoires, mais s'il quitte Phnom Penh un lundi, il partira de Sihanoukville le mardi. Renseignez-vous à la gare ferroviaire quelques jours avant votre départ.

Comment circuler

En ville, une course à moto-dop coûte en moyenne 1 000 r, et un peu plus la nuit. Les nombreuses remorques-kang (remorque tirée par un vélo) pratiquent des prix similaires.

Deux excellents établissements louent des motos. **Sean Ly Motorcycle Shop** (☎ 012 944687) propose des petites cylindrées pour 3 $US la journée et des motos tout-terrain pour 4 à 5 $US. Elle loue également des voitures/minibus/pick-up pour 20/25/30 $US par jour.

Cheang Try Motorbike Rental (☎ 012 974698), dans la même rue que Sean Ly, loue des petites motos pour 2 à 3 $US et des tout-terrain pour 4 $US. Le propriétaire, Cheang Try, guide souvent lui-même les touristes.

ENVIRONS DE KAMPOT

Chutes de Tek Chhouu

ទឹកឈូរ

À 8 km au nord-ouest de la ville, cet agréable lieu de baignade est très prisé de la population locale. Ne vous attendez pas toutefois à des cascades spectaculaires ; vous découvrirez une succession de petits rapides, bien sages en saison sèche. Comptez 1 $US l'aller à moto-dop.

Une chute plus impressionnante se situe à 18 km de Tek Chhouu, mais la mauvaise piste qui la dessert rend l'accès difficile. Renseignez-vous sur son état et ne partez pas sans guide. L'aller-retour à moto-dop devrait vous coûter 5 $US environ.

Grottes

Les formations calcaires qui entourent la ville sont truffées de grottes. Muni d'une torche, vous pourrez explorer les plus grandes en vous faisant accompagner par les enfants de la région.

Phnom Chhnork, la plus impressionnante, abrite un temple de brique du VIIe siècle dans la salle principale. Protégé des éléments et remarquablement conservé, l'édifice ressemble à une réplique d'un sanctuaire kitsch récent. Phnom Chhnork se trouve à 10 km de Kampot. Prenez la route de Kep et obliquez à gauche après un court tronçon en sens unique. Continuez jusqu'au panneau touristique et garez-vous devant le temple. Des enfants vous guideront jusqu'à la grotte moyennant un petit pourboire.

Phnom Sorsia, un autre ensemble de grottes sur la route de Kep, est considéré comme un lieu sacré ; un petit vat se dresse au pied de la colline. Un escalier en béton serpente parmi les autels et les statues et passe par plusieurs grandes grottes.

La plus vaste, **Rung Damrey Saa** (grotte de l'Éléphant blanc), doit son nom à une stalactite qui évoque la tête d'un pachyderme. Plus loin sur la droite, une pancarte indique la **grotte des Cent Rizières** : un passage périlleux mène à une petite ouverture qui surplombe des rizières en terrasse. Une multitude de chauves-souris vivent dans la dernière grotte ; on entend leurs cris avant d'entamer la descente. Le circuit se termine près d'un petit **stûpa** d'où l'on découvre un superbe panorama. En venant de Kep ou de Kompong Trach, tournez à droite à 2,5 km après la statue du cheval blanc. De Kampot, suivez la grand-route et tournez après 13,5 km.

PARC NATIONAL DE BOKOR

ឧទ្យានជាតិបូកគោ

Officiellement nommé Preah Monivong et plus communément appelé **parc national de Bokor** (5 $US), il s'agit de l'une des plus vastes zones protégées du pays. Longtemps rayé de la carte en raison de la présence de Khmers rouges et, plus récemment, de braconniers, le parc est rouvert au public depuis quelques années. Dans les années 1990, il fut question d'inscrire cette vaste forêt tropicale sur la liste du Patrimoine mondial ; malheureusement, la déforestation intensive et non autorisée a mis fin à cette initiative.

Le parc comprend deux sites touristiques renaissants : une station climatique française abandonnée et les chutes de Popokvil, une cascade à deux niveaux où l'on peut se baigner en saison humide. Il abrite un grand nombre d'oiseaux et de mammifères, dont des éléphants et des tigres. Toutefois, la plupart des animaux sont nocturnes et peuplent les parties les plus reculées du parc ; ne vous attendez donc pas à voir une faune abondante. Un poste de gardes forestiers est installé au pied du Phnom Bokor. On peut loger dans la caserne des gardes, à la station climatique. Reste à espérer que les frais d'entrée procureront aux gardes les revenus nécessaires pour lutter contre l'abattage illégal des arbres.

Le parc national et la station climatique sont théoriquement déminés mais, comme partout ailleurs au Cambodge, ne commettez pas d'imprudence et restez sur les sentiers battus.

De Kampot, Bokor se visite facilement dans la journée. Si vous faites le long trajet à partir de Sihanoukville, mieux vaut passer la nuit à Bokor ou Kampot.

À voir et à faire

STATION CLIMATIQUE DE BOKOR

ស្ថានីយភ្នំបូកគោ

À 1 080 m d'altitude, l'ancienne station française de Bokor est renommée pour son climat frais, ses cascades et ses vues sur la jungle. En 1917, les autorités françaises décidèrent de construire une route jusqu'à Bokor, un chantier qui dura plusieurs années et coûta la vie à de nombreux ouvriers cambodgiens. À la fin des travaux, une petite communauté s'établit sur les lieux et un somptueux hôtel colonial, le Bokor Palace, fut inauguré en 1925.

La station climatique fut abandonnée à deux reprises : à la fin des années 1940, lorsque des troupes de Vietnamiens et de Khmers Issarak (Khmers libres) l'envahirent lors de la lutte pour l'indépendance ; puis au début des années 1970, quand le régime de Lon Nol la laissa aux mains des Khmers rouges qui ne cessaient de gagner du terrain. Depuis, la station est restée inhabitée en dehors de la présence intermittente, durant la majeure partie des années 1980 et 1990, des soldats vietnamiens ou de la guérilla khmère rouge. Sa position en altitude et sa vue imprenable sur la région lui ont conféré une importance stratégique durant les longues années de conflit. Ainsi, lors de leur entrée au Cambodge en 1979, les Vietnamiens durent batailler pendant plusieurs mois pour remporter la place. Une unité khmère rouge tenait l'église catholique, que les forces vietnamiennes mitraillaient du Bokor Palace, à 500 m.

L'endroit ressemble à une ville fantôme et l'**église catholique** semble avoir tout juste fermé ses portes. À l'intérieur, l'autel est intact et des dessins de combattants khmers rouges s'étalent sur les murs.

Le vieux **Bokor Palace** aurait pu servir de décor au film *Shining*. Au bout de ce qui fut une terrasse en plein air, vous découvrirez une vue splendide sur la jungle épaisse qui s'étend presque jusqu'à la mer. En déambulant dans les couloirs de l'hôtel, des cuisines aux suites en passant par la salle de bal, on peut imaginer son faste à l'époque de sa gloire. Par une journée froide et brumeuse, l'endroit devient sinistre, avec une visibilité réduite à néant et le vent qui s'engouffre à travers les fenêtres béantes.

Le **vat Sampeau Moi Roi** est appelé localement vat aux Cinq Bateaux en raison de ses cinq gros rochers qui ressemblent, selon certains, à des navires. Construit en 1924 et aujourd'hui en ruine, il offre, comme le Bokor Palace, une vue spectaculaire sur la jungle jusqu'à la côte. Parmi les autres bâtiments de la station, un vieux **casino** fait face à la caserne des gardes forestiers, un **bureau de poste** abandonné semble avoir reçu un obus de mortier, et un ancien **château d'eau** évoque un film de science-fiction.

La polémique fait rage quant au réaménagement éventuel de la ville. Si les écologistes considèrent qu'elle devrait rester en l'état, les entrepreneurs lorgnent son incontestable potentiel. L'idéal serait sans doute de trouver un compromis pour un développement limité de l'ancienne station, ce qui permettrait de générer les capitaux nécessaires à la sauvegarde du parc national, pour l'essentiel isolé et sans protection.

STATION CLIMATIQUE DE BOKOR ET ALENTOUR

CHUTES DE POPOKVIL

ពពកវិល

Par beau temps, ces chutes d'eau à deux niveaux sont un bel endroit où se baigner. La cascade supérieure, haute de 14 m, est la plus agréable ; de là, un sentier et un escalier de bois signalisés mènent à la cascade inférieure, de 18 m de haut. Popokvil signifie "nuages tourbillonnants" et, la majeure partie du temps, des nuages tournoient effectivement au-dessus des chutes, à 15 min de la station de Bokor par la route.

La route des chutes se trouve à 37 km de Kampot. À la bifurcation, l'embranchement de gauche mène à la station climatique, celui de droite aux chutes. Suivez ce dernier sur 3 km avant de vous garer et de parcourir les cent derniers mètres à pied.

RANDONNÉE

Bokor possède un fort potentiel de randonnée, même si cette activité reste encore très peu développée. Un chemin ombragé mène du vat Sampeau Moi Roi aux chutes Popokvil (11 km) en 3 heures environ. Ne l'empruntez pas sans guide car un tigre à trois pattes, surnommé Tripod, rôde dans les parages. Le parc facture assez cher les services d'un garde (20 $US).

Où se loger

On peut loger dans la **caserne des gardes forestiers** (dort 5 $US, ch 20 $US) de la station climatique de Bokor ; elle comprend trois dortoirs de six lits superposés, une chambre avec un lit double et un lit simple et des sanitaires communs. La cuisine rudimentaire des gardes est à disposition. Quelques plats de nouilles ou de riz sont proposés aux visiteurs, mais certains préfèrent apporter des provisions de Kampot. L'eau courante et l'électricité fonctionnent jusqu'à 21h, parfois plus longtemps si le refuge est plein. Prévoyez des vêtements chauds pour la nuit, parfois très froide. En cas d'affluence, notamment le week-end, les gardes proposent lits de camp et couvertures pour 2 $US.

Depuis/vers le parc national de Bokor

Le parc se trouve à 41 km de Kampot, 132 km de Sihanoukville et 190 km de Phnom Penh. La route d'accès est indiquée à 7 km à l'ouest de Kampot, près d'un échangeur complexe, sans doute fort emprunté à l'apogée de la station. Un poste de gardes forestiers et une billetterie sont installés à 1 km de là.

La route qui grimpe à Bokor est l'une des plus spectaculaires du pays, mais son piteux état impose une moto ou un robuste 4x4. Si les voitures et les minibus peuvent aussi en venir à bout, sachez que le trajet ne sera pas de tout repos. Elle serpente à travers une jungle touffue qui empiète parfois sur la chaussée et, de temps à autre, des arbres abattus par le vent obstruent le passage. Elle débouche au sommet du plateau, où l'on découvre des bâtiments et la vue qui s'étend jusqu'au littoral.

Ces premiers édifices formaient la résidence de Sihanouk à Bokor, appelée Palais noir. À partir de là, la route s'améliore sur les dix derniers kilomètres et le paysage change radicalement. Remarquez la luxuriante vallée d'Émeraude, visible sur la gauche juste avant la station climatique.

La plupart des touristes se rendent à Bokor par l'intermédiaire d'une des pensions de Kampot. Elles organisent cette excursion en pick-up tous les jours (de 6 à 8 $US par personne, pique-nique compris). L'entrée au parc n'est pas incluse.

De Kampot, une moto-dop vous conduira à Bokor pour environ 10 $US. Devant les pensions, vous trouverez des conducteurs qui parlent anglais et connaissent la région. Sachez toutefois que le trajet, très cahoteux, ne sera pas une partie de plaisir.

Les motards expérimentés préfèrent souvent louer un engin et partir seuls. "Expérimenté" n'est pas un vain mot ; l'itinéraire ne convient en aucun cas aux débutants. Si vous empruntez cette route le week-end, soyez très prudent pour aborder les nombreux lacets, car la circulation est intense dans les deux sens. Vous pourrez louer une moto à Kampot (p. 196).

La location d'une voiture ou d'un pick-up constitue la solution la moins coûteuse pour un petit groupe. Vous trouverez des adresses de loueurs p. 195.

Les plus courageux opteront pour le VTT. Actuellement, il est impossible de louer des vélos corrects, mais cela peut changer. Si la montée vous paraît trop difficile, chargez votre bicyclette à l'arrière d'un pick-up, puis profitez pleinement de la descente. Soyez très vigilant dans les tournants.

KEP

កែប

☎ 036 / 4 000 habitants

Kep témoigne de la dévastation du pays durant les longues années de guerre civile. La station balnéaire de Kep-sur-Mer fut fondée en 1908 pour accueillir l'élite de la colonie française. La haute société cambodgienne perpétua la tradition, se retrouvant à Kep pour profiter des jeux et des sports nautiques. Dans les années 1960, la ville abritait le plus grand zoo du pays. La guerre n'a pas épargné Kep où seuls subsistent quelques ossatures de bâtiments. Ceux qui ne furent pas démolis par les Khmers rouges furent pillés par les "libérateurs" vietnamiens ou par les habitants en quête de matériaux à vendre pour survivre à la famine de 1979-1980.

Kep se dresse sur une petite péninsule, où une route bordée de palmiers longe la côte sur 6 km. L'un des nombreux palais du roi Sihanouk fut construit au début des années 1990 au sommet de la colline, près de la plage. Avant le renversement du souverain en 1970, la ville était l'un de ses lieux favoris ; il recevait les dignitaires étrangers sur une île au large, surnommée l'île des Ambassadeurs. Peut-être rêvait-il de s'y retirer ? En raison de sa santé fragile et de l'instabilité politique du pays, il n'a jamais habité le palais, qui reste vide.

Après plusieurs faux départs, Kep semble renaître de ses cendres. Plusieurs hôtels haut de gamme ont ouvert ou sont en construction et nombre de bungalows bon marché parsèment le versant de la colline qui surplombe l'ancienne ville. La plage, plutôt négligée, avait été recouverte de sable blanc apporté de Sihanoukville avant la guerre ; 30 ans plus tard, elle a besoin d'un sérieux nettoyage. Si Kep n'est plus que l'ombre d'elle-même, il y règne toujours une atmosphère particulière que les Cambodgiens ne se lassent pas de redécouvrir.

Où se loger

Une sorte de boom hôtelier vient de se produire à Kep. La plupart des hébergements bon marché sont installés sur une colline verdoyante qui domine la côte, tandis que les hôtels plus coûteux bordent la mer. Plusieurs complexes haut de gamme, en construction lors de notre passage, devraient contribuer au nouvel essor de la ville.

Veranda Guesthouse (☎ 012 888619 ; verandaresort@mobitel.com.kh ; bungalows 4-15 $US). Sur la colline qui surplombe la ville, ce complexe propose des bungalows de toutes formes et de toutes tailles dans un cadre verdoyant et détendu. Comptez 4 $US pour les plus simples et de 10 à 15 $US pour un hébergement spacieux avec sdb impeccable. Des passerelles en bois relient les bungalows au bar-restaurant central. Un endroit inoubliable.

Le Bout du Monde (☎ 012 955670 ; ch avec sdb 30 000-40 000 r). Premier établissement installé sur la colline, cette pension française est assez sommaire, mais pleine de charme. Les chambres, joliment décorées, commencent à accuser leur âge.

Vanna Bungalow (☎ 012 755038 ; ch 5-7 $US). Perché au-dessus des établissements précédents, il loue de confortables bungalows en dur, répartis dans un jardin plaisant, et possède un restaurant sans prétention.

Kep Seaside Guesthouse (☎ 012 684241 ; s 4 $US, d 5-7 $US). Cette grande pension, la plus séduisante de celles qui bordent la plage, offre de vastes chambres aérées. La chambre n°10, à 7 $US, est la seule qui donne sur la mer.

Kep Beach Guesthouse (☎ 012 820831 ; ch 4-5 $US). Tenue par une famille sympathique qui parle un peu français, elle dispose de chambres d'un bon rapport qualité/prix dans le bâtiment principal. Les moins chères sont assez spartiates et petites.

Où se restaurer

Poissons et crustacés figurent sur toutes les cartes. Le long du littoral, d'innombrables baraques en bambou proposent des produits de la mer à 5 000 r le kilo. Profitez de ces prix, parmi les plus bas du pays, pour vous régaler de crabe frais. D'après les habitants, certaines balances seraient truquées pour afficher 1 kg au lieu de 600 g. Convenez du prix à l'avance et assurez-vous de la fraîcheur des produits et de leur cuisson.

Plusieurs des pensions mentionnées ci-dessus possèdent d'excellents restaurants, ouverts aux non-résidents. Celui de la Veranda Guesthouse (p. 199) offre sur sa carte très variée (plats 2-5 $US) un nombre surprenant de spécialités italiennes. Au Bout du Monde (ci-dessus), perché sur la colline, vous vous régalerez de poisson (2- 5 $US) en admirant la vue.

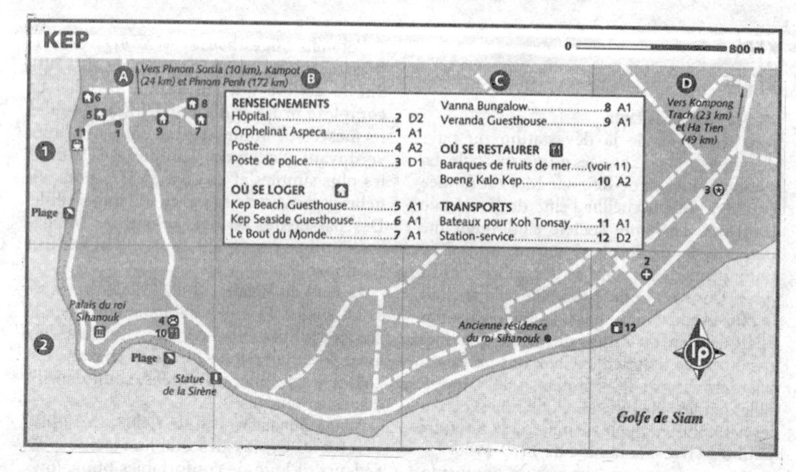

Boeng Kalo Kep (☎ 012 680816 ; plats 1,50-4 $US). Près de la plage, ce restaurant ouvert en façade prépare de savoureux produits de la mer. Goûtez la généreuse portion de crevettes au poivre noir ou l'excellent poisson aigre-doux.

Depuis/vers Kep

Kep se trouve à 24 km de Kampot, 172 km de Phnom Penh et 49 km de la ville vietnamienne de Ha Tien.

De Kampot, une moto-dop revient à 6 $US au moins pour la journée. Vous pouvez aussi louer une moto (voir p. 196). La location d'un taxi collectif vous coûtera probablement 20 $US la journée (la course n'est pas intéressante pour les chauffeurs). Quelques pensions proposent une voiture ou un minibus si le nombre de passagers est suffisant.

Chaque jour, deux bus de Hour Lean circulent dans les deux sens entre Phnom Penh et Kep (10 000 r, 5 heures), mais le service est lent.

Pour continuer de Kep vers Kompong Trach, quittez la ville par la route qui longe la plage, puis tournez à droite au carrefour principal de Damnak Chang Aeu, où se trouve la gare ferroviaire de Kep.

Kep est desservie par le train. De Kampot, un seul train circule tous les deux jours et met un temps infini pour parcourir les 24 km qui séparent les deux villes. Par contre, en venant de Phnom Penh, vous pouvez descendre à Damnak Chang Aeu, puis prendre une moto-dop jusqu'à Kep.

ENVIRONS DE KEP

Koh Tonsay
កោះទន្សាយ

Koh Tonsay (île du Lapin), à quelques encablures de Kep, est ainsi surnommée par les habitants en raison de sa forme qui rappellerait celle du petit mammifère. Ses quelques plages sont nettement plus agréables que celles de Kep et vous pourrez loger chez l'habitant en vous mettant d'accord sur le prix du gîte et du couvert (la plupart des familles vous prépareront un repas de poisson si vous le demandez un peu à l'avance). Deux pensions rudimentaires offrent des lits corrects et des moustiquaires. Le paludisme sévit ici comme dans les plupart des îles du pays ; n'oubliez pas de vous munir d'antimoustique (reportez-vous p. 317 pour des conseils sur la façon de réduire les risques).

À Kep, vous pourrez louer un bateau aux premiers stands de restauration sur la route côtière. Comptez environ 20 $US par jour ou 10 $US l'aller simple, un prix qui peut varier en fonction du nombre de passagers. La plupart des pensions de Kep vous trouveront un bateau, moyennant quelque 10 $US pour 1 à 3 personnes et jusqu'à 20 $US pour 8 passagers.

Plusieurs autres petites îles s'étendent au-delà de Koh Tonsay, dont **Koh Pos** (île du Serpent), mais les bateaux n'emmènent pas les étrangers plus loin à cause de la proximité de la frontière maritime avec le Vietnam. Celle-ci faisant toujours l'objet

ANDREW BURKE

Koh Tonsay (p. 200), près de Kampot

Bateaux de pêche à Kampot (p. 193)

NICK RAY

Villa coloniale abandonnée à Kep (p.199)

NICK RAY

À bord du *bamboo train* (p. 304)

ANDREW BURKE

NICK RAY

Statue, province de Battambang (p. 210)

Pèlerins en route vers le prasat Preah Vihear (p. 233)

d'un contentieux entre les deux pays, ne vous attendez pas à un accueil chaleureux si vous vous aventurez dans les eaux vietnamiennes mais plutôt à un tir de mitraillette, selon les dires des habitants.

KOMPONG TRACH

កំពង់ត្រាច

Kompong Trach avait pratiquement disparu de la carte du Cambodge au début des années 1990, lorsque les forces khmères rouges contrôlaient les collines qui entourent la ville. La fin de la guerre civile a permis de la ramener à la vie et ses grottes ainsi que ses vat attirent aujourd'hui un petit nombre de visiteurs. La ville elle-même ne présente guère d'intérêt, mais les choses risquent de changer si les Vietnamiens ouvrent le poste-frontière de Ha Tien.

La principale raison de se rendre à Kompong Trach est le **vat Kirisan**, un temple moderne construit au pied du Phnom Sor (montagne Blanche), une formation karstique criblée de grottes et de passages. Du vat, un souterrain mène au cœur de la butte, qui abrite un second sanctuaire. De là, d'autres grottes traversent la colline. L'exploration des passages les plus simples ne pose aucune difficulté, à condition d'emporter une torche. En revanche, si vous envisagez de vous enfoncer plus profondément dans le dédale des salles, faites-vous accompagner d'un guide local. Pour rejoindre le vat Kirisan à partir de Kompong Trach, suivez la piste qui part en face de l'Acleda Bank sur 2 km jusqu'à la base de la colline. Prenez à droite ; le vat se dresse à quelques centaines de mètres sur la gauche. En continuant cette route, vous arrivez à une autre grande grotte, à mi-pente de la colline, où une vieille échelle de fer plongeant dans l'obscurité. L'endroit, difficile à trouver sans l'aide d'un habitant, mène à la **grotte des Mille Rizières**, ainsi nommée parce que les formations calcaires rappellent les rizières en terrasse. À partir de Kompong Trach, une moto-dop et l'aide du conducteur pour explorer les grottes vous reviendront à 3 $US environ.

Depuis/vers Kompong Trach

Kompong Trach se trouve à 37 km à l'est de Kampot, sur une route correcte. En partant de Kampot, vous arriverez au bout de 16 km à un embranchement marqué par la statue d'un cheval blanc : la voie de gauche mène à Kompong Trach, celle de droite à Kep. Nombre de visiteurs louent une moto à Kampot pour faire ce trajet. La RN31 relie Kompong Trach et Tani, tandis que la RN3 rejoint directement Phnom Penh. Un autre itinéraire intéressant pour les motards consiste à prendre l'excellente route en latérite de 32 km qui conduit à Chhuk, au nord, en traversant de magnifiques paysages.

Vous pouvez prendre le train, puisque Kompong Trach se situe sur la ligne Phnom Penh-Kampot-Sihanoukville.

PROVINCE DE TAKEO

ខេត្តតាកែវ

Souvent considérée comme le "berceau de la civilisation cambodgienne", la province de Takeo abrite plusieurs sites préangkoriens majeurs, bâtis entre le Ve et le VIIIe siècle. Dans les annales chinoises, cette région portait le nom de "Chenla de l'eau", faisant sans doute référence aux inondations annuelles qui continuent de frapper la plus grande partie de la province. Parmi les petits États de l'époque, ce fut sans doute un important royaume, avec Angkor Borei comme capitale et d'autres centres religieux à Phnom Chisor et Phnom Bayong. Des lieux tels que Phnom Chisor conservaient une grande importance pour les rois d'Angkor, dont beaucoup venaient y honorer leurs ancêtres au cours de cérémonies complexes.

Aujourd'hui, la province de Takeo se consacre principalement à l'agriculture et à la pêche. Nombre de touristes visitent les temples de Tonlé Bati et Phnom Chisor, près de Phnom Penh, mais peu d'entre eux passent la nuit à Takeo, la capitale provinciale. La ville n'a rien d'extraordinaire, hormis son atmosphère de bourgade cambodgienne à proximité de la capitale.

La RN2, en assez bon état, traverse la province en direction du sud. Récemment refaite, la RN31 relie les provinces de Takeo et de Kampot. Ailleurs, les routes sont mauvaises en raison des inondations de la saison humide et le bateau constitue un moyen de transport presque aussi courant que la voiture.

TAKEO
តាកែវ

☎ 032 / 39 000 habitants

Takeo, capitale de la province, constitue une bonne base pour visiter les anciens temples de la région d'Angkor Borei. Toutefois, ceux-ci peuvent se visiter dans la journée au départ de Phnom Penh et rien n'oblige à passer la nuit à Takeo. La ville possède peu de bâtiments coloniaux et manque du charme qui se dégage d'autres capitales provinciales. Elle reste néanmoins une étape pratique entre Phnom Penh et Kampot. En saison humide, elle se transforme en plaisante cité lacustre, l'eau recouvrant la majeure partie de la campagne environnante.

Orientation et renseignements

Takeo est une petite ville bordée par un grand lac au nord et une immense zone inondable à l'est. Prévoyez des espèces, car vous ne pourrez pas changer de chèques de voyage. Pour un transfert d'argent rapide, adressez-vous à l'**Acleda Bank** (☎ 932880 ; Ph 10) qui représente Western Union.

Des kiosques téléphoniques sont installés dans toute la ville. Une petite boutique, en face du Mittapheap Hotel, facture l'accès à Internet 500 r la minute.

L'**office du tourisme** (☎ 931323), en face du psar Nat (marché des Rencontres), dispose d'un personnel serviable, mais manque cruellement de documentation.

À voir

MAISON DE TA MOK
ផ្ទះតាម៉ុក

Commandant de la zone sud-ouest pendant la période khmère rouge et, jusqu'à sa capture en 1999, chef militaire suprême de la guérilla, Ta Mok est né dans la province de Takeo. Il construisit une vaste demeure raffinée sur une île du lac au nord de la ville. Paranoïaque à l'extrême pour sa propre sécurité, il aurait fait exécuter architectes et maçons après la construction de chaque étage, doté de pièces secrètes et de passages de secours. Après avoir servi d'hôtel pour le gouvernement dans les années 1980, la demeure est aujourd'hui occupée par la police locale. Vous en verrez l'extérieur, mais elle ne se visite pas. Actuellement, Ta Mok est incarcéré à la prison T-3 de Phnom Penh, où il attend d'être jugé pour crimes contre l'humanité. Avec Douch (le directeur du S-21), il sera sans doute l'un des premiers dans le box des accusés quand – et si – le procès des Khmers rouges aura enfin lieu.

Où se loger

Takeo compte quelques hébergements corrects.

Boeung Takeo Guesthouse (☎ 931306 ; angle Ph 3 et Ph 14 ; ch 5-10 $US ; ❄). Bénéficiant du meilleur emplacement, en surplomb du lac, cette pension loue des chambres identiques, avec TV mais sans eau chaude. Si bénéficier d'une vue ne vous coûtera pas plus cher, vous débourserez 10 $US pour la clim.

Mittapheap Hotel (☎ 931205 ; Ph 20 ; ch 5-10 $US ; ❄). Ne vous laissez pas rebuter par le vieux bâtiment en façade : la nouvelle aile, bâtie à l'arrière dans un jardin verdoyant, renferme les plus belles chambres climatisées de la ville. L'hôtel fait face au monument de l'Indépendance.

Les adresses suivantes, bon marché, donnent sur le psar Nat désert.

Angkor Borei Guesthouse (☎ 931340 ; Ph 10 ; ch 4 $US). Tenue par une famille sympathique, cette petite pension offre une incroyable diversité de chambres – petites, grandes, avec ou sans TV – toutes au même prix. Visitez-en plusieurs avant de vous décider.

Phnom Sonlong Guesthouse (☎ 931404 ; Ph 10 ; ch 3-4 $US). Voisine de l'Angkor Borei et similaire, elle ne demande que 3 $US pour les chambres simples. Quelques employés parlent anglais.

Où se restaurer

Des stands de restauration se regroupent aux alentours du monument de l'Indépendance. Le soir, ils proposent des desserts khmers et des *tukalok* (milk-shake aux fruits).

Restaurant Stung Takeo (☎ 016 957897 ; Ph 9 ; plats 3 000-6 000 r). Construit sur pilotis car le quartier se transforme en lac durant la saison des pluies, il domine le canal qui mène à Angkor Borei. Très prisé localement à l'heure du déjeuner, c'est un bon endroit pour un repas khmer avant de visiter Angkor Borei et Phnom Da.

Apsara Restaurant (☎ 931329 ; RN2 ; plats 4 000-8 000 r). Pendant la saison sèche, cette partie de la ville est moins nauséabonde que le quartier proche de l'eau. L'Apsara prépare aussi une bonne cuisine cambod-

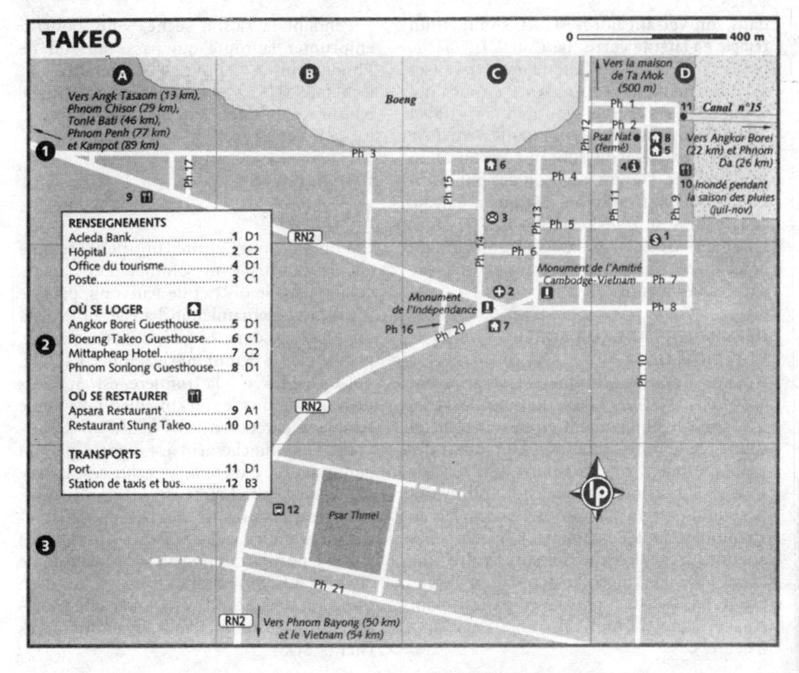

gienne, dont d'excellentes soupes (carte en anglais).

Depuis/vers Takeo

La RN2, qui relie Phnom Penh et Takeo (77 km), est en état correct malgré quelques nids-de-poule. PPPT et Hour Lean proposent des bus climatisés entre les deux villes (5 500 r, 2 heures). À Phnom Penh, ils partent du psar Thmei (Nouveau Marché) et à Takeo, en face du psar Leu. Ils passent également par Tonlé Bati et Phnom Chisor.

De Phnom Penh, prévoyez 6 000 r en taxi collectif et 3 000 r en minibus. Si vous continuez vers Kampot, vous pouvez prendre une remorque-moto (1 000 r) ou une moto-dop (5 000 r) jusqu'à Angk Tasaom (13 km), puis un minibus ou un taxi collectif (5 000 r) jusqu'à Kampot.

Des trains circulent entre Takeo, Phnom Penh, Kampot et Sihanoukville. En provenance de Phnom Penh, ils s'arrêtent à Takeo vers 9h et continuent vers Kampot (4 100 r, 3 heures, 89 km). De Kampot, ils partent pour Takeo tous les 2 jours vers 14h, selon l'heure d'arrivée du train de Sihanoukville.

ENVIRONS DE TAKEO

Pour des informations sur les temples de Phnom Chisor et Tonlé Bati, dans la province de Takeo, voir p. 109 et p. 108.

Angkor Borei et Phnom Da

អង្គរបូរ/ភ្នំដា

Capitale au VIIIe siècle de l'un des nombreux royaumes de l'époque préangkorienne, le "Chenla de l'eau", Vyadhapura, l'ancien nom d'Angkor Borei, date du Ve siècle. De cette cité fortifiée, l'un des premiers sites préangkoriens du Cambodge, ne reste que des vestiges à proximité d'Angkor Borei. Cette dernière, une bourgade moderne, possède un petit **musée** (1 $US ; 8h30-12h et 14h-16h30), fondé en 1997 avec l'aide de l'Union européenne, qui expose une collection d'objets du Funan et du Chenla ; pour la plupart, ce ne sont que des copies des originaux présentés au Musée national de Phnom Penh (p. 83).

À quelques kilomètres au sud d'Angkor Borei se dresse la colline de Phnom Da. Quatre grottes-sanctuaires ont été creusées dans son versant nord-est. Au sommet, un **temple en latérite** carré, bâti au VIIIe siècle, ouvre vers le nord. S'il ne peut rivaliser avec les merveilles d'Angkor, la route qui y conduit est superbe. Non loin, le petit **vat Asram Moha Russei**, une étonnante structure en grès, semble avoir subi une restauration trop poussée. Durant la saison des pluies, on ne peut atteindre Phnom Da qu'en bateau, et la colline se transforme en île spectaculairement isolée. Les bateaux empruntent d'antiques canaux à travers une mer de rizières verdoyantes.

DEPUIS/VERS ANGKOR BOREI ET PHNOM DA

Angkor Borei et Phnom Da se trouvent à 20 km à l'est de Takeo, le long du canal n°15, visible uniquement en saison sèche et submergé le reste de l'année. La plupart des visiteurs louent un hors-bord à Takeo (de 15 à 18 $US selon la puissance), qui rejoint Angkor Borei en 35 min et Phnom Da en 15 minutes supplémentaires. On peut aussi attendre à l'embarcadère et prendre une barge (10 000 r) avec la population locale. De grands bateaux, plus lents, partent pour Angkor Borei à 9h et 13h (1 500 r, presque 2 heures).

Pendant la saison sèche, vous pourrez emprunter la route qui passe au sud de Phnom Chisor. Comptez 4 000 r en taxi collectif ou 5 $US l'aller-retour en moto-dop. Le bateau reste toutefois la meilleure solution, car le trajet est bien plus pittoresque.

Phnom Bayong
ភ្នំបាយ៉ង

Phnom Bayong abrite un petit temple chenla, construit au sommet d'une haute colline dans le district de Kirivong, près de la frontière vietnamienne. La vue sur le delta du Mékong, dans la plaine vietnamienne, justifie plus le détour que le temple. La RN2, qui va de Takeo à la frontière, est en cours de rénovation et les 50 km entre Takeo et le temple se parcourent en 1 heure 30. À Kirivong, l'embranchement est signalé par un panneau orné d'un temple ; celui-ci se trouve à quelques kilomètres de la grand-route. Comptez 2 heures de marche pour parvenir au sommet et emportez suffisamment d'eau. Une moto-dop à partir de Takeo coûte environ 8 $US. Prendre un taxi collectif en direction de la frontière et louer une moto-dop jusqu'au sommet vous reviendra moins cher (1 $US).

Nord-Ouest

Le Nord-Ouest, à la fois facile d'accès et aventureux, couvre une grande partie du pays, du Tonlé Sap, à l'est, à la frontière thaïlandaise, à l'ouest et au nord. La région comprend des terres parmi les plus fertiles (le "bol de riz"), des villes hors du temps qui ouvrent la voie vers des contrées peu explorées et des chaînes montagneuses inhospitalières – Chuor Phnom Kravanh (chaîne des Cardamomes) et Chuor Phnom Dangkrek (monts Dangkrek).

De toutes les charmantes localités de la région, Battambang est la plus visitée, en raison de sa belle architecture coloniale et des multiples sites environnants. Parmi les autres villes intéressantes, citons Kompong Thom, bâtie sur les rives de la Stung Sen et proche des temples de Sambor Prei Kuk, et Pailin, un ancien bastion des Khmers rouges.

Les jungles reculées cachent des temples fascinants, oubliés de tous, hormis quelques intrépides, pendant plus de 30 ans. Le prasat Bakhaeng (ou Preah Khan) et le prasat Preah Vihear sont des sites sublimes, réservés aux plus audacieux. Le Nord-Ouest compte aussi des merveilles naturelles, comme la chaîne des Cardamomes, riche d'une faune et d'une flore singulières, et les forêts sèches du Nord où vivent des oiseaux rares.

Une grande partie de cette région a souffert de la guerre bien plus longtemps que le reste du pays ; loin du Vietnam et difficile d'accès par endroits, elle convenait parfaitement aux Khmers rouges. Cela signifie, malheureusement, que les zones reculées sont encore minées : *ne vous écartez jamais des chemins tracés.*

À NE PAS MANQUER

- Le charme colonial de la ville fluviale de **Battambang** (p. 211), entourée de temples et de villages séduisants
- Les imposantes ruines préangkoriennes de **Sambor Prei Kuk** (p. 237), la première ville-temple d'Asie du Sud-Est, près de Kompong Thom
- Le périple jusqu'à **Koh Ker** (p. 231), la capitale du Xe siècle, pour découvrir ses temples massifs oubliés dans la forêt pendant plus de mille ans
- La route aventureuse vers le majestueux temple-montagne de **prasat Preah Vihear** (p. 233), important lieu de pèlerinage à l'époque d'Angkor
- Une incursion dans le sombre passé du pays à **Anlong Veng** (p. 223), l'ancien bastion khmer rouge où Pol Pot a trouvé la mort

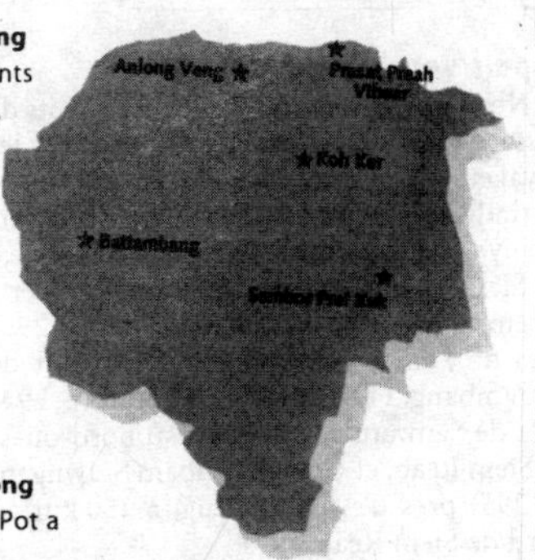

▪ ALTITUDE : 5 - 1 500 M	▪ POPULATION : 3,5 MILLIONS	▪ SUPERFICIE : 71 157 KM²

NORD-OUEST

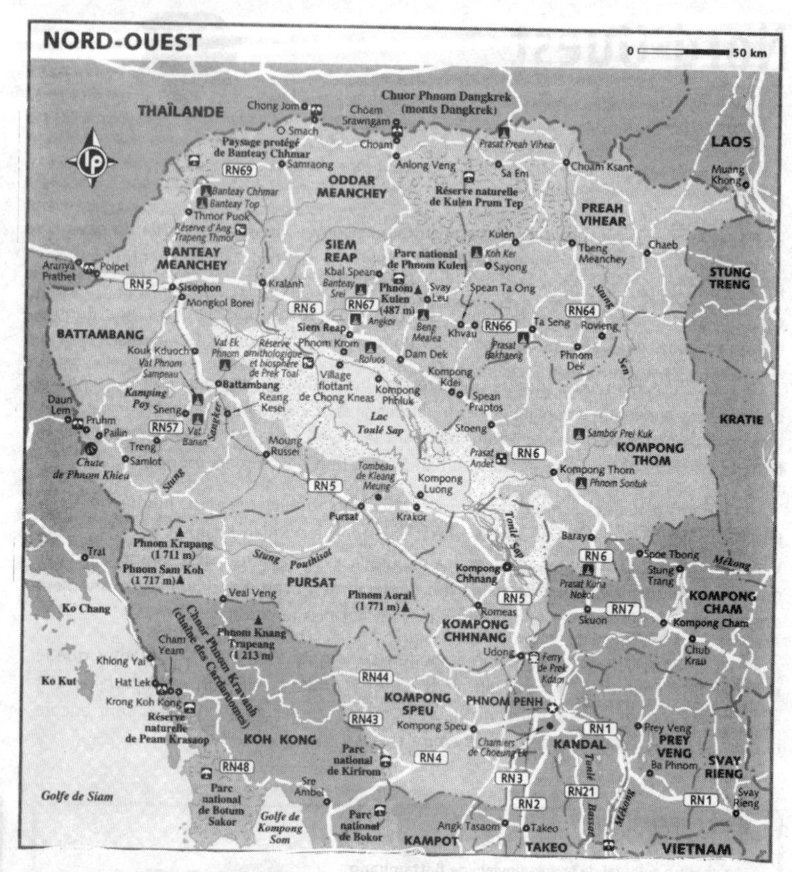

Depuis/vers le Nord-Ouest

Le Nord-Ouest offre de nombreux points de passage vers la Thaïlande, pratiques pour les voyageurs se déplaçant par la route. Outre le traditionnel poste-frontière de Poipet-Aranya Prathet (p. 294), à 150 km à l'ouest de Siem Reap, trois autres ont été ouverts récemment : Pruhm-Daun Lem (p. 296) près de Pailin, à 100 km au sud-ouest de Battambang, O Smach-Chong Jom (p. 295) près de Samraong, à 150 km au nord-ouest de Siem Reap, et Choam-Choam Srawngam (p. 295) près d'Anlong Veng, à 150 km au nord de Siem Reap.

À l'intérieur du Cambodge, les points d'accès à la région sont Siem Reap (p. 111) et Phnom Penh (p. 72), toutes deux desservies par de bonnes routes. Une ligne ferroviaire relie également Phnom Penh et Battambang. Le trajet en bateau de Siem Reap à Battambang est inoubliable.

Comment circuler

Hormis les nationales 5 (RN5) et 6 (RN6), le Nord-Ouest compte peu de voies de communication, ce qui complique les déplacements. La RN5 passe au sud et à l'ouest du lac Tonlé Sap et relie Phnom Penh, Kompong Chhnang, Pursat, Battambang et Sisophon. La RN6 traverse Siem Reap et Kompong Thom pour rejoindre Phnom Penh. Si les transports entre les grandes villes sont directs, il faut s'armer de patience pour se rendre ailleurs.

À l'heure actuelle, aucune partie du Cambodge n'est considérée comme dangereuse. Cependant, mieux vaut ne pas voyager seul dans les régions reculées et se renseigner sur les conditions de sécurité avant d'emprunter une route peu fréquentée, particulièrement dans la province de Preah Vihear.

PROVINCE DE KOMPONG CHHNANG

ខេត្តកំពង់ឆ្នាំង

Kompong Chhnang est une province relativement prospère grâce à la proximité de la capitale et au développement de la pêche et de l'agriculture, dû aux abondantes ressources en eau. Comptant peu de sites intéressants, elle retient rarement les visiteurs, qui la traversent pour rejoindre Battambang par la route ou Siem Reap en bateau.

KOMPONG CHHNANG

កំពង់ឆ្នាំង

☎ 026 / 42 000 habitants

La ville de Kompong Chhnang présente deux facettes : les quais animés, où des bateaux rapides partent pour Siem Reap, et l'ancien quartier français avec ses jolis parcs et ses beaux bâtiments, vers la route de Phnom Penh. Une longue route, bordée de maisons sur pilotis et d'un labyrinthe de ruelles, relie ces deux secteurs très différents. Kompong Chhnang doit son nom aux *chhnang* (poteries), fabriquées dans les villages alentour et vendues dans tout le pays, et à sa situation sur le Tonlé Sap (*kompong* signifie port). La ville n'a guère que son atmosphère provinciale à offrir, mais constitue une étape agréable entre Phnom Penh et Battambang. On peut aussi la visiter dans la journée depuis la capitale, en faisant halte à l'ancienne capitale royale d'Udong (p. 107).

Renseignements

Acleda Bank (☎ 988748 ; NH5), la seule banque de la ville, représente Western Union pour les transferts d'argent, mais ne change pas les chèques de voyage.

HONG KONG, DUBAI...KOMPONG CHHNANG ?!

Durant les années 1990, on projeta de rouvrir l'aérodrome de Kompong Chhnang, construit par les Chinois durant le régime khmer rouge pour acheminer des produits chinois dans ce paradis "autosuffisant". Cette grande piste, qui ne fut jamais complètement opérationnelle, avait peut être été installée afin d'attaquer le Vietnam, le complexe semblant trop sophistiqué pour servir uniquement au fret. On pense que des milliers de Cambodgiens périrent pendant sa construction ; selon la rumeur, le délire paranoïaque des dirigeants khmers rouges les conduisit à faire exécuter tous les ouvriers afin que cette base aérienne demeure secrète. Un consortium d'investisseurs envisageait de transformer l'endroit en zone franche dans l'espoir de concurrencer Hong Kong et Dubaï, un rêve qui ne s'est jamais réalisé !

La poste, située dans l'ancien quartier français, dispose d'un service de téléphone et de fax. Mieux vaut toutefois utiliser les kiosques téléphoniques privés, disséminés dans la ville. **ODEC Internet** (☎ 988802 ; RN5 ; 400 r/min) se trouve sur la route de Phnom Penh.

À voir et à faire

La ville est entourée par les eaux la majeure partie de l'année, aussi verrez-vous sur les quais des villages flottants et des pêcheurs qui vivent sur l'eau. Adressez-vous directement à un batelier pour faire une **promenade en bateau** et découvrir agréablement ce secteur.

Plusieurs **temples** de la période Chenla, dont le **prasat Srei**, se dressent de l'autre côté du fleuve. Ces vestiges, en très mauvais état, sont surtout le prétexte à une escapade dans la campagne. En ville, vous pourrez louer une *moto-dop* pour la journée.

Kompong Chhnang est connue pour ses **poteries** en argile aux formes élégantes et sans décor. Sur la route de Phnom Penh, plusieurs échoppes vendent des pots, des vases et d'autres objets.

Où se loger

Sokha Guesthouse (☎ 988622 ; ch 5-15 $US ; ❄). Prisée des employés des ONG, cette pension confortable occupe plusieurs bâtiments

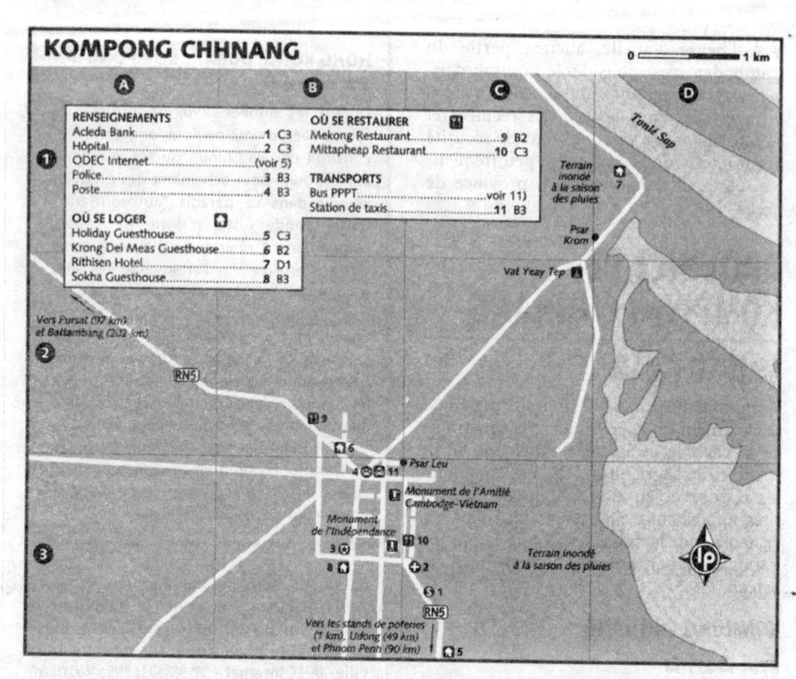

dans un grand jardin, au sud de la ville. Les chambres les plus grandes, avec ventil, TV, réfrigérateur et eau chaude, coûtent seulement 8 $US.

Holiday Guesthouse (☎ 988802 ; NH5 ; ch 2,50-10 $US ;). Tenue par un charmant enseignant khmer, elle comprend des chambres avec sdb commune et d'autres, plus élégantes, avec ventil ou clim et sdb. Des ordinateurs sont mis à disposition des hôtes (accès Internet payant) et des élèves khmers.

Rithisen Hotel (☎ 988632 ; ch 5-10 $US ;). Seul hôtel au bord du Tonlé Sap, ses jolies vérandas permettent d'observer la vie sur la rivière et font oublier la sensation d'abandon qui plane sur le lieu. La clim fonctionne de 18h à 6h. En saison sèche, lors de l'étiage, les effluves peuvent devenir déplaisants.

Krong Dei Meas Guesthouse (☎ 092 918800 ; s/d 3/5 $US). Des prix très bas, mais un confort réduit au minimum.

Où se restaurer

De nombreux stands de restauration sont installés sur les marchés, le psar Krom (Marché bas), au bord de la rivière, et le psar Leu (Marché central), dans le centre-ville.

Mittapheap Restaurant (☎ 012 949297 ; RN5 ; plats 3000-6000 r). Fréquenté par les Khmers de Phnom Penh, ce restaurant central prépare une cuisine de qualité à prix doux. Plats essentiellement khmers, quelques spécialités chinoises et une carte en anglais.

Mekong Restaurant (☎ 988882 ; RN5 ; plats 3000-8000 r). Sur la route de Battambang, sa carte limitée comprend un excellent steack à la française et tous les grands classiques cambodgiens.

Depuis/vers Kompong Chhnang

Kompong Chhnang se situe à 91 km au nord-ouest de Phnom Penh, sur la belle RN5. Phnom Penh Public Transport (PPPT) propose 11 bus dans chaque sens entre Kompong Chhnang et Phnom Penh (5500 r, 2 heures) ; ils partent généralement à l'heure exacte, ou presque, à partir de 6h15. En minibus, bien moins spacieux, comptez 3000 r.

En direction du nord-ouest, vers Pursat (97 km) et Battambang (202 km), l'excellente route est desservie par des bus climatisés. Les compagnies de bus qui relient Phnom Penh et Battambang ou Poipet marquent un arrêt à Kompong Chhnang. Voir p. 207 les détails sur les compagnies de bus.

Techniquement, Kompong Chhnang se trouve sur la ligne ferroviaire, mais la gare se situe à Romeas, à 20 km au sud-ouest de la ville. Si vous arrivez de Battambang, ce peut être un bon endroit pour quitter le train le plus lent d'Asie. Continuer le trajet en train vous ferait arriver à 22h à Phnom Penh ; en descendant à Romeas, vous pourrez rejoindre plus vite la capitale, ou passer la nuit à Kompong Chhnang et visiter une autre ville provinciale.

PROVINCE DE PURSAT

ខេត្តពោធិសាត់

Quatrième du Cambodge par la taille et frontalière avec la Thaïlande, la province de Pursat s'étend vers l'est jusqu'au lac Tonlé Sap et comprend une partie de la Chuor Phnom Kravanh (chaîne des Cardamomes), une des régions les plus reculées du pays. La province tire ses ressources de l'agriculture, de la pêche et de la production d'huile de santal, un produit qui atteint des prix vertigineux en Asie. Toutefois, les santals disparaissent rapidement au Cambodge, où l'abattage illégal et le braconnage restent un sérieux problème dans les zones isolées. Peu de voyageurs s'aventurent hors de la capitale provinciale, mais les déplacements dans la province se sont considérablement améliorés depuis la réfection de la RN5.

PURSAT

ពោធិសាត់

☎ 052 / 57 000 habitants

La plupart des touristes ne font halte à Pursat que pour déjeuner sur la route de Phnom Penh à Battambang. Vue de la RN5, la ville semble sans intérêt, mais devient plus plaisante près des berges, en direction du vieux quartier. Pursat est un excellent point de départ pour visiter la ville flottante de Kompong Luong, sur le lac Tonlé Sap, ou les forêts luxuriantes de la Chuor Phnom Kravanh, voisine.

Renseignements

Prévoyez suffisamment d'espèces car vous ne pourrez pas changer de chèques de voyage. L'**Acleda Bank** (☎ 951434 ; RN5), à l'ouest de la rivière, représente Western Union (virements rapides).

Plusieurs échoppes de téléphone et fax avoisinent le psar Leu. Un bureau de poste est installé au bord de la rivière. **Tien Chanhong Internet** (Ph 1 ; 500 r/min), au nord du marché, propose l'accès à Internet et des appels téléphoniques par Internet.

Un office du tourisme se cache derrière les bâtiments administratifs, sur la rive ouest de la rivière. Son directeur, très aimable, connaît bien la province.

Où se loger et se restaurer

Phnom Pich Hotel (☎ 951515 ; Ph 1 ; ch 5-15 $US ;). Un hôtel moderne et élégant, avec des chambres spacieuses, dotées de ventil ou de clim, selon les prix. Restaurant très prisé sur place.

New Tounsour Hotel (☎ 951506 ; Ph 2 ; ch 5-10 $US ;). Établi de longue date et sympathique, il offre des prestations analogues au précédent. Décor somptueux et plusieurs chambres récemment rénovées.

Sopheak Mongkol Guesthouse (RN5 est ; ch 3-5 $US). Actuellement le moins cher de la ville. Chambres spartiates.

Vimean Sourkea Hotel (☎ 951466 ; Ph 1 ; ch avec ventil/clim 4/8 $US ;). Un peu délabré vu de l'extérieur, mais l'intérieur est en bien meilleur état. Les chambres climatisées ont l'eau chaude.

La RN5 est bordée d'un chapelet de restaurants, qui servent des repas savoureux à partir de 2000 r.

Magic Fish Restaurant (Ph 1 ; plats 3000-6000 r). Tout au nord de la ville, cet excellent restaurant est installé au bord de la rivière. Repérez le bâtiment moderne jaune, sur la droite en venant du centre-ville (pas d'enseigne en anglais).

Depuis/vers Pursat

Depuis la réfection de la route Phnom Penh-Battambang, Pursat a réapparu sur les cartes. Les compagnies de bus qui rallient Phnom Penh (2 $US, 3 heures, 188 km), Battambang (1,50 $US, 1 heure 30, 105 km) ou Poipet (244 km) marquent l'arrêt à Pursat. Voir p. 104 les détails sur les compagnies.

Chaque jour, un train s'arrête à Pursat, allant un jour sur deux à Phnom Penh ou Battambang. Le prendre de Battambang à Pursat (4 900 r pour les étrangers, 5 heures) est une expérience amusante, mais il est infiniment plus lent que les bus. Évitez de l'emprunter en direction de Battambang, car il part de Pursat vers 12h30 (souvent plus tard !) et n'arrive pas à destination avant 22h. En sens inverse, il quitte Battambang à 6h et rejoint Pursat vers 11h.

ENVIRONS DE PURSAT

Kompong Luong

កំពង់លួង

10 000 habitants

La ville flottante de Kompong Luong, sur le lac Tonlé Sap, est l'un des sites les plus intéressants de la province de Pursat. Ses habitants vivent sur des centaines de bateaux, qui se déplacent en fonction du niveau du lac. Sur la RN5 en direction de Krakor, un panneau routier indique Kompong Luong à 7 km maximum et 2 km minimum !

La ville possède la plupart des infrastructures d'une bourgade cambodgienne classique, sans souffrir des désagréments de la circulation. Vous découvrirez des restaurants, des écoles, des dispensaires et des bars à karaoké flottants, tous installés sur des bateaux. Vous aurez l'embarras du choix pour vous arrêter et boire un café glacé ou une bière en vous imprégnant de l'atmosphère particulière du lieu, mais vous ne trouverez aucun hébergement. Si vous souhaitez prendre des photos tôt le matin, demandez à l'un des habitants de vous accueillir (proposez 10 000 r pour un lit).

La population de Kompong Luong, essentiellement vietnamienne, se montre plus distante qu'ailleurs dans le pays. Ce comportement ne reflète pas une hostilité de la part des Vietnamiens, mais la méfiance que provoque l'ambiguïté de leur statut dans la société cambodgienne. Dans la première moitié des années 1990, des Khmers rouges ont régulièrement massacré des villageois vietnamiens qui vivaient aux alentours du lac Tonlé Sap. En 1998 encore, une vingtaine d'entre eux ont été tués dans un village proche de Kompong Chhnang.

La location d'un bateau à moteur pour une promenade dans Kompong Luong revient à 5 $US l'heure (beaucoup moins pour un bateau à rames).

DEPUIS/VERS KOMPONG LUONG

Selon la saison, Kompong Luong se situe entre 39 et 44 km à l'est de Pursat. À Pursat, louez une moto-dop pour la journée (de 6 à 8 $US). Le trajet dure 45 min par la route.

D'avril à juin, quand le lac Tonlé Sap est à l'étiage, les petits bateaux rapides qui transportent les touristes entre Phnom Penh et Siem Reap s'arrêtent parfois à Kompong Luong pour faire le plein à la station-service... flottante bien sûr !

PROVINCE DE BATTAMBANG

ខេត្តបាត់ដំបង

Au fil des siècles, la province de Battambang appartint tour à tour à la Thaïlande et au Cambodge, avant d'être restituée au royaume khmer en 1907. De nouveau, lors de la Seconde Guerre mondiale, les Thaïlandais la contrôlèrent pendant plusieurs années à la suite d'un accord signé avec les Japonais. Avant la guerre civile, cette province était la plus grande et la plus riche du Cambodge, mais elle céda une grande partie de son territoire pour la création de la nouvelle province de Banteay Meanchey. Aujourd'hui cinquième province du pays par la taille, elle s'étend de la frontière thaïlandaise au lac Tonlé Sap.

Longtemps épargnée par les combats qui faisaient rage dans le reste du pays au début des années 1970, la province de Battambang fut, pour cette raison, considérée avec suspicion par les dirigeants khmers rouges et subit des purges successives. Après la guerre, la vie resta difficile en raison de la guérilla et de la présence de milliers de mines qui ruinèrent l'agriculture, principale ressource de la province. Actuellement, l'économie se redresse grâce au déminage des champs et à la réinstallation des réfugiés depuis les années 1990. Par ailleurs, le tourisme commence à se développer grâce au charme de la capitale provinciale et aux nombreux sites angkoriens éparpillés dans la campagne environnante.

Le mauvais état des routes complique depuis longtemps les déplacements dans la province. La RN5, qui la traverse, est désormais excellente, mais la RN57, qui dessert Pailin, reste désastreuse.

BATTAMBANG

បាត់ដំបង

☎ 053 / 140 000 habitants

Deuxième ville du Cambodge par la taille, cette élégante cité fluviale s'étire le long de la Stung Sangker. Elle se distingue par son architecture coloniale très bien préservée et l'hospitalité de ses habitants. Maintenant desservie par une bonne route, elle constitue une base idéale pour explorer les temples et les villages alentour. Très apprécié, le trajet en bateau Battambang-Siem Reap est le plus beau parcours fluvial du pays.

Orientation

Bien qu'importante, Battambang est une ville ramassée qui se visite facilement à pied. Le psar Nat (marché de rencontre) en marque le centre. Les commerces et la plupart des hôtels se concentrent dans ce quartier. Le centre-ville est délimité à l'ouest par la voie ferrée et à l'est par la Stung Sangker. Sur la rive opposée, plusieurs grands domaines abritent les bureaux des multiples ONG présentes dans la province.

Renseignements

En face de la rivière, la poste principale possède un service téléphonique international. Toutefois, les appels via Internet sont bien moins chers.

ACCÈS INTERNET

Les cybercafés installés au bord de la Stung Sangker offrent l'accès à Internet pour 1 $US l'heure.

Anana Computer (Ph 1). Facture 2 000 r entre 12h et 14h et 3 000 r le reste de la journée.

KCT Internet Café (6 000 r/h). Propose les connexions les plus rapides et possède deux établissements, près de la rivière et dans la rue des restaurants.

ARGENT

Acleda Bank (☎ 370122). Sur la rive est de la Stung Sangker, représente Western Union (virements rapides).

Cambodian Commercial Bank (☎ 952266). Proche de la gare ferroviaire, délivre des avances sur les cartes de crédit moyennant 5 $US et change les chèques de voyages avec 2% de commission.

Canadia Bank (☎ 952267). Au nord du psar Nat, change les chèques de voyage émis dans les principales devises avec 2% de commission et délivre sans frais des avances sur les cartes de crédit.

Union Commercial Bank (☎ 952552 ; Ph 1). À quelques pas de la Canadia Bank, à l'angle de la berge, délivre sans frais des avances sur les cartes de crédit.

OFFICES DU TOURISME

Proche de la résidence du gouverneur, un petit office du tourisme provincial dispose de peu de brochures, mais les employés vous renseigneront utilement sur les sites des alentours.

Les conducteurs de moto-dop qui attendent devant les hôtels fréquentés, comme le Chhaya et le Royal, parlent souvent bien anglais et connaissent la province. Outre les sites touristiques, ils pourront vous faire découvrir la vie rurale dans les villages environnants.

Grand connaisseur du Cambodge, Ray Zepp a écrit un guide sur la région de Battambang, *Around Battambang* (5 $US), en vente dans des hôtels et restaurants de la ville. Très utile pour un séjour prolongé dans la région, il comprend de nombreux détails sur les vat locaux et sur les temples angkoriens importants de la province. En outre, les bénéfices aident à financer le projet Monks HIV, qui forme les bonzes à sensibiliser leurs compatriotes au sort des malades du sida et à les éduquer à la prévention.

À voir et à faire

Le **musée de Battambang** (1 $US ; lun-ven 8h-11h et 14h-17h) renferme une belle collection de linteaux finement sculptés et de statues provenant de toute la province, notamment du vat Banan et de Sneng.

Le charme de Battambang réside avant tout dans ses **maisons de négoce françaises** construites sur les berges de la Stung Sangker. La **résidence du gouverneur**, autre bel héritage de la présence française au Cambodge, est désormais cachée par une énorme porte en latérite ; elle n'est pas ouverte au public, mais on peut se promener dans le jardin et prendre une photo du bâtiment.

La ville compte d'innombrables vat, dont le **vat Phiphetaram**, au nord du marché, et le **vat Kampheng**, au sud du Teo Hotel, où de

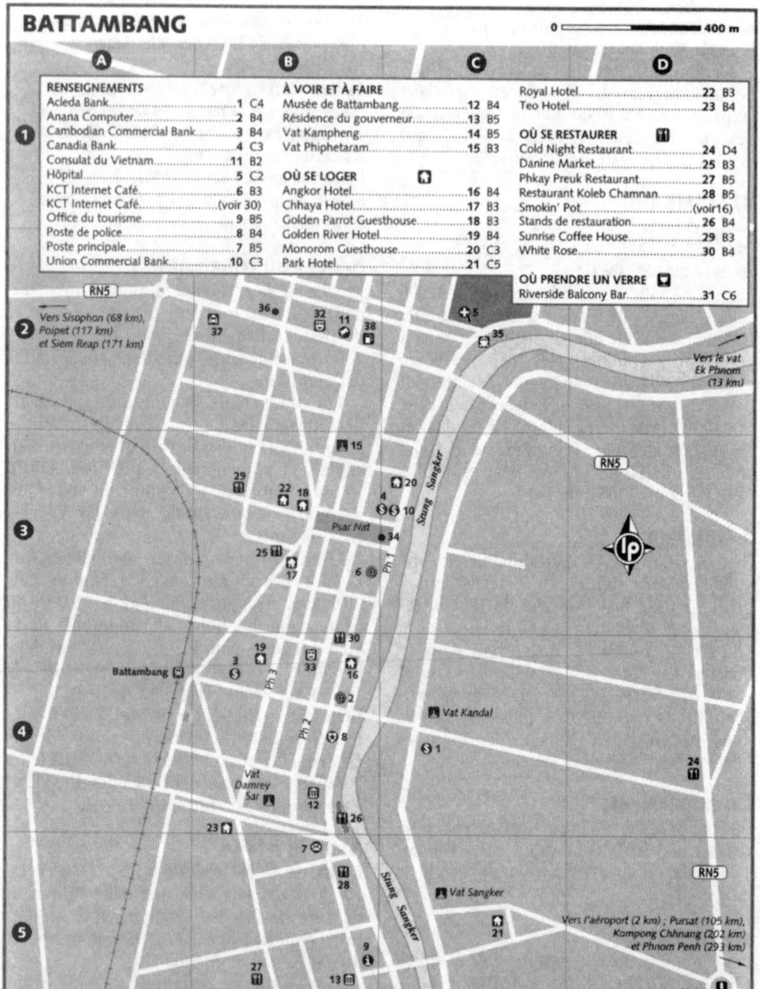

BATTAMBANG

0 — 400 m

RENSEIGNEMENTS
- Acleda Bank....1 C4
- Anana Computer....2 B4
- Cambodian Commercial Bank....3 B4
- Canadia Bank....4 C3
- Consulat du Vietnam....11 B2
- Hôpital....5 C2
- KCT Internet Café....6 B3
- KCT Internet Café....(voir 30)
- Office du tourisme....9 B5
- Poste de police....8 B4
- Poste principale....7 B5
- Union Commercial Bank....10 C3

À VOIR ET À FAIRE
- Musée de Battambang....12 B4
- Résidence du gouverneur....13 B5
- Vat Kampheng....14 B5
- Vat Phiphetaram....15 B3

OÙ SE LOGER
- Angkor Hotel....16 B4
- Chhaya Hotel....17 B3
- Golden Parrot Guesthouse....18 B3
- Golden River Hotel....19 B4
- Monorom Guesthouse....20 C3
- Park Hotel....21 C5
- Royal Hotel....22 B3
- Teo Hotel....23 B4

OÙ SE RESTAURER
- Cold Night Restaurant....24 D4
- Danine Market....25 B3
- Phkay Preuk Restaurant....27 B5
- Restaurant Koleb Chamnan....28 B5
- Smokin' Pot....(voir16)
- Stands de restauration....26 B4
- Sunrise Coffee House....29 B3
- White Rose....30 B4

OÙ PRENDRE UN VERRE
- Riverside Balcony Bar....31 C6

OÙ SORTIR
- Bopha Thip Restaurant....32 B2
- Than Sour Nightclub....33 B4

TRANSPORTS
- Bateaux rapides pour Siem Reap....35 C2
- Guichets des bus....34 C3
- Mekong Express....36 B2
- Station de taxis....37 B2
- Station-service Total....38 B2

RN5
Vers Sisophon (68 km), Poipet (117 km) et Siem Reap (171 km)
Vers le vat Ek Phnom (13 km)
Stung Sangker
Psar Nat
Ph 1
Ph 2
Ph 3
Battambang
Vat Kandal
Vat Damrey Sar
Vat Sangker
Vers l'aéroport (2 km) ; Pursat (105 km), Kompong Chhnang (202 km) et Phnom Penh (293 km)
Statue de Dom Boeng Kraw Ngum
NH57
Vers Phnom Sampeau (18 km), Sneng (26 km), Kamping Poy (36 km) et Pailin (83 km)
Vers le vat Banan (25 km)

NORD-OUEST

nombreux bonzes engageront la conversation avec vous en anglais. Aux alentours de la ville, vous découvrirez des temples perchés sur les collines, des vat de l'époque angkorienne et un grand lac.

Smokin' Pot (☎ 012 821400) organise le matin, de 9h30 à 12h30, des cours de cuisines khmère et thaïlandaise dans son restaurant (voir ci-contre). Ils comprennent l'achat des ingrédients au marché local et la préparation de trois plats. Comptez 7 $US pour cette matinée agréable, y compris le déjeuner et un petit livre de recettes.

À 2 km du centre-ville, sur la route de Poipet, **Phare Ponleu Selpak** (PPS), centre de protection de l'enfance et d'action culturelle et artistique, propose régulièrement des spectacles de cirque, ainsi que des expositions de dessins et des concerts, le tout au profit d'un orphelinat. Pour en savoir plus, visitez leur site sur www.phareps.org. La troupe fit en tournée européenne pour la première fois en 2005.

Où se loger

Les hôtels pratiquent des prix similaires : 5 $US en moyenne pour une double spacieuse avec sdb, TV et réfrigérateur, et 10 $US pour la clim et l'eau chaude.

Chhaya Hotel (☎ 952170 ; 118 Ph 3 ; ch 4-10 $US ; ❄). L'un des plus grands hôtels de la ville et le favori des routards, toutes ses chambres disposent d'une sdb et de la TV ; les plus chères bénéficient de la clim et de l'eau chaude. Un bon endroit pour rencontrer des conducteurs de moto-dop qui parlent anglais ou français et pour organiser la suite de votre voyage.

Royal Hotel (☎ 016 912034 ; ch 4-20 $US ; ❄). Apprécié des voyageurs indépendants et des petits groupes, il offre un grand choix de chambres, avec ventil et sdb pour les moins chères et semblables à une suite à l'autre bout de l'échelle. Sur le toit, un restaurant réputé jouit d'une belle vue sur Battambang.

Angkor Hotel (☎ 952310 ; Ph 1 ; ch 11-13 $US ; ❄). Très bien située au bord de la rivière, cette construction moderne dénote au bout d'une rangée de beaux bâtiments anciens. Toutes les chambres se ressemblent, avec TV, réfrigérateur et, selon le prix, eau chaude. Demandez l'une des cinq chambres avec vue sur la Stung Sangker.

Monorom Guesthouse (☎ 012 878389 ; Ph 1 ; s/d/tr avec sdb et TV 4/5/7 $US). Les chambres de cette grande pension sentent un peu le renfermé, mais l'emplacement, le long de la rivière, justifie les prix.

Teo Hotel (☎ 952288 ; Ph 3 ; s/d 11/13 $US). Le plus vaste hôtel de la ville accueille, dans ses chambres tout confort, des délégations gouvernementales et des membres d'ONG. Un restaurant est installé au rez-de-chaussée.

Golden Parrot Guesthouse (☎ 016 961103 ; Ph 3 ; ch 3-5 $US). Toutes d'un bon rapport qualité/prix, les chambres les moins chères se situent dans les derniers étages ; les autres possèdent une TV.

Golden River Hotel (☎ 730165 ; 234 Ph 3 ; ch 5-10 $US ; ❄). La petite entrée donne accès à un grand établissement de 38 chambres. Ambiance sympathique et chambres simples climatisées à 8 $US.

Park Hotel (☎ 953773 ; RN5 ; ch 5-11 $US). Sur la rive est, moins appréciée, un hôtel flambant neuf avec des chambres impeccables.

Où se restaurer

White Rose (Ph 2 ; plats 2 000-6 000 r). Appelé Colap So en khmer, il propose une carte impressionnante de savoureux plats khmers et vietnamiens à prix doux. Il prépare aussi de délicieux *tukalok* (milk-shakes aux fruits) et des sandwiches cambodgiens, en vente toute la journée.

Smokin' Pot (☎ 012 821400 ; plats 3 000-6 000 r). Première école de cuisine de Battambang (voir ci-contre) et l'une des rares du pays, elle se double d'un bon restaurant de cuisines khmère et thaïlandaise. L'endroit est également apprécié pour une bière en soirée.

Phkay Preuk Restaurant (☎ 952870 ; Ph 3 ; plats 1,50-3 $US). La famille qui possède ce vaste restaurant-jardin à la thaïlandaise a ouvert des succursales à Siem Reap, Sisophon et Poipet. Elle prépare avec art des plats thaïlandais et cambodgiens. Sur la carte des desserts figurent des crèmes glacées anglaises !

Sunrise Coffee House (☎ 953426 ; plats 1-3 $US ; ⏰ fermé dim). Ce petit café, surprenant à Battambang, offre un choix appétissant de petits déjeuners et déjeuners, dont des crêpes, des sandwiches et des salades. Des en-cas imaginatifs et de succulents gâteaux maison en font une bonne adresse pour préparer un pique-nique.

Restaurant Koleb Chamnan (Ph 1 ; plats 1-3 $US). Proche de la rivière et apprécié des Cambodgiens, il comprend un bar dans le jardin où des musiciens se produisent presque tous les soirs. À proximité, une multitude de stands de restauration s'installent en fin d'après-midi.

Cold Night Restaurant (☎ 012 994746 ; plats 2-4 $US). Plus éloigné, à l'est du vat Kandal, ce restaurant dispose d'une carte de 300 plats, essentiellement asiatiques, mais aussi occidentaux – burgers, pâtes, pizzas, etc.

On se restaure à moindre coût autour et dans le psar Nat, où des stands de restauration proposent des plats traditionnels pour 2 000 r environ. Attention, certains semblent se spécialiser dans ce que l'on ne peut décrire autrement que soupe de "morceaux non-identifiables".

Danine Market (☎ 952331 ; 116 Ph 117). Le mieux fourni de la ville pour faire ses courses.

Où prendre un verre et sortir

Pour une ville de cette taille, la vie nocturne manque sérieusement d'entrain. Les night-club khmers, une espèce menacée dans le pays, réussissent à survivre à Battambang.

Riverside Balcony Bar (Ph 1 ; boissons 0,75-2,50 $US ; ⌚ fermé lun-mar). Dans une somptueuse maison de bois ancienne, surplombant la partie sud des berges, le bar le plus agréable de la ville sert une cuisine occidentale simple et des boissons à petits prix. L'ambiance est fabuleuse et Angelina Jolie figure au nombre des clients célèbres. Ouvrez l'œil !

Than Sour Nightclub (Ph 2). *Than Sour* signifie paradis, une appellation optimiste qui l'a obligé à augmenter les lumières pour que ne se commette aucun péché dans l'obscurité. Préparez-vous à affronter les nombreuses "beer girls" qui utilisent leurs charmes pour promouvoir leur marque de bière.

Bopha Thip Restaurant (boissons 1-3 $US). Plus vaste encore que le Than Sour, il accueille habituellement un orchestre qui fait danser le *rom vong* (ronde cambodgienne) aux clients.

Depuis/vers Battambang

AVION

Depuis la réfection de la route jusqu'à Phnom Penh, aucun vol régulier ne dessert Battambang.

BATEAU

Le service de bateau rapide sur la Stung Sangker entre Battambang et Siem Reap évite d'emprunter les mauvaises routes, mais peut mettre beaucoup de temps. Les bateaux traversent des zones marécageuses protégées et des chenaux étroits, faisant de ce trajet le plus spectaculaire du Cambodge.

Des bateaux express effectuent la liaison quand le niveau de l'eau est suffisamment haut, entre août et janvier (15 $US, de 3 à 8 heures !). Choisissez plutôt une petite embarcation, car les gros bateaux sont très impopulaires auprès des communautés qui vivent le long de la rivière : ils accrochent les filets de pêche, créent de forts remous qui déséquilibrent les petits bateaux et en ont même fait chavirer, causant la mort des occupants. De février à juin, quand le niveau de l'eau est trop bas pour les grands bateaux, des vedettes de six places font le trajet pour le même prix, mais il peut durer quelques heures de plus. Même les petits bateaux dérangent les pêcheurs ; essayez de faire comprendre au capitaine que la rapidité du voyage est moins importante que la tranquillité de la population locale.

BUS ET TAXI

La route entre Battambang et Phnom Penh (293 km), désormais excellente, se parcourt en 4 à 5 heures. **GST** (☎ 012 414441), **Hour Lean** (☎ 012 307252) et **Neak Krohorm** (☎ 012 627299) proposent des bus (3 $US) à partir de 6h30. GST offre plus de choix, avec un service à l'heure du déjeuner. **Mekong Express** (☎ 012 702330) possède des bus climatisés (4,50 $US) qui partent à heures fixes, avec place assise garantie. Les billetteries installées à l'extrémité est du psar Nat, près de la rivière, vendent les billets de toutes les compagnies.

De nombreux taxis collectifs rallient Sisophon (68 km, 1 heure 30), où l'on peut prendre une correspondance pour Poipet (117 km) ou Siem Reap. Comptez 6 000 r, ou payez 3 $US (2 places) pour un peu plus de confort.

Pour des informations sur la route épouvantable qui dessert Pailin, voir p. 218.

TRAIN

Un train quitte Battambang tous les deux jours à 6h et arrive à Phnom Penh (274 km, 12 400 r pour les étrangers)

14 heures plus tard, à condition qu'il ne rencontre aucun problème en chemin. Il fait le trajet en sens inverse le lendemain. Vérifiez les horaires un ou deux jours à l'avance. Une ligne ferroviaire relie aussi Battambang et Sisophon (4 000 r, 4 heures) ; le train part à 7h et met quatre fois plus de temps qu'un taxi. Mieux vaut expérimenter les déplacements en train sur le trajet plus court Takeo-Kampot, au sud du pays (p. 195).

Comment circuler

MOTO-DOP

Battambang s'explore facilement à pied. Cependant, les moto-dop abondent et sont bon marché. Une course en ville revient à 1 000 r, un peu plus le soir. Louer une moto-dop pour la journée coûte au moins 6 $US et augmente en fonction de la distance parcourue.

MOTO

La ville ne compte pas de loueurs officiels, mais les pensions peuvent souvent fournir une petite cylindrée pour 5 à 7 $US. Les hôtels proposent la location d'un taxi pour la journée, une bonne solution pendant la saison des pluies.

NORRY

Le norry, sorte de train local en bois doté d'un moteur électrique, est utilisé pour de courts trajets entre Battambang et Pursat ou Sisophon – une expérience amusante à condition de ne pas se trouver nez à nez avec un train ! Les étrangers l'appellent *bamboo train*, et les conducteurs de moto-dop vous le feront découvrir lors d'un circuit dans la campagne. Malheureusement, il est question de le supprimer dans un proche avenir.

REMORQUE-KANG

À Battambang, les *remorques-kang* (remorques tirées par des vélos) remplacent les cyclo-pousse. Comptez le même tarif qu'à moto-dop.

ENVIRONS DE BATTAMBANG

Pour partir à la découverte des alentours, essayez de trouver un conducteur de moto-dop qui parle anglais ou français ; cela rendra l'excursion plus agréable. Les prix mentionnés ici sont donnés à titre indicatif ; ils varient en fonction des itinéraires choisis et de vos aptitudes à négocier. Les circuits en moto-dop qui comprennent des détours dans la campagne seront un peu plus chers. Vous pouvez visiter plusieurs sites dans la même journée, comme le vat Phnom Sampeau, Kamping Poy et Sneng, ou le vat Phnom Sampeau et le vat Banan.

La RN57, la route Battambang-Pailin le long de laquelle se trouvent nombre des sites, s'appelait autrefois RN10, une dénomination qu'utilise toujours la population locale. Si vous allez à Pailin à plusieurs, mieux vaut louer un taxi (30 $US environ) et visiter en chemin le vat Phnom Sampeau et Sneng.

Vat Ek Phnom

វត្តឯកភ្នំ

Ce temple du XIe siècle, endommagé mais évocateur, date du règne de Suryavarman Ier. Lieu de pique-nique et de pèlerinage apprécié des Khmers lors des fêtes, il vous décevra après Angkor. Toutefois, la belle route qui serpente le long de la Stung Sangker justifie à elle seule le détour, surtout au coucher du soleil. Comptez 3 $US en moto-dop pour les 25 km aller-retour.

Vat Phnom Sampeau

ភ្នំសំពៅ

Juché au sommet d'un haute colline calcaire, à 18 km au sud-ouest de Battambang, le vat Phnom Sampeau se trouvait sur la ligne de front entre les forces gouvernementales de Battambang et les positions des Khmers rouges.

Une longue montée conduit au sommet, surmonté d'un petit vat, d'un stûpa et de deux grands canons, vestiges de la longue guerre civile. À moins d'être très sportif, mieux vaut monter par la route tortueuse qui part sur la gauche de la colline et redescendre par l'escalier. La route passe par des grottes qui servaient de charniers. Un petit escalier descend vers une plate-forme couverte de crânes et d'ossements. En haut à droite, on voit l'ouverture près de laquelle on matraquait les victimes avant de les précipiter dans la grotte.

À proximité, une autre montagne, le mont du Crocodile, fut longtemps occupée par les Khmers rouges qui, de là, bombardaient les troupes gouvernementales basées à Phnom Sampeau.

Comptez 4 $US pour l'aller-retour en moto-dop, temps d'attente compris.

Vat Banan
វត្តបាណន់

Avec ses cinq tours pointées vers le ciel, ce temple ressemble à une version réduite du célèbre Angkor Vat (p. 147). La population locale prétend que le vat Banan a inspiré les constructeurs d'Angkor Vat, mais les différences de taille et de proportions infirment ces assertions.

Érigé au XIe siècle par Udayadityavarman II, le fils de Suryavarman Ier, il est en bien meilleur état que le vat Ek Phnom et son emplacement, à flanc de colline, offre une vue magnifique sur la campagne environnante. Plusieurs superbes linteaux sculptés surmontent les entrées de chaque tour, mais la plupart d'entre eux sont maintenant exposés au musée de Battambang (p. 211). Un grand canon date de l'époque où les troupes gouvernementales défendaient la colline des Khmers rouges.

Le vat Banan se trouve à 25 km au sud de Battambang (4 $US l'aller-retour). On peut le visiter en même temps que le vat Phnom Sampeau (6 à 10 $US) en empruntant, à quelques kilomètres au nord du vat Banan, une jolie route de campagne qui part vers l'ouest pour rejoindre la RN57.

Kamping Poy
កំពីងពួយ

Kamping Poy, un espace de loisirs aménagé au bord d'un lac, est l'une des gigantesques réalisations des Khmers rouges : un barrage de 8 km édifié par la main de l'homme entre deux collines. Selon certains, ce barrage devait servir à éliminer les ennemis de la Révolution, qui auraient été invités à l'inauguration puis noyés après l'explosion des charges de dynamite. Il semble plus vraisemblable qu'il ait fait partie du projet qui consistait à recréer le système d'irrigation mis en place par les rois d'Angkor. Quoi qu'il en soit, sa construction a coûté la vie à quelque 10 000 travailleurs forcés, morts de malnutrition, de maladie ou d'épuisement. Aujourd'hui, la population locale vient se baigner le week-end dans le lac de retenue. Vous pouvez louer un bateau pour en faire le tour ; essayez de parvenir à 4 000 r l'heure.

Kamping Poy se situe à 36 km au sud-ouest de Battambang, au bout d'une mauvaise route qui part sur la droite juste après le vat Phnom Sampeau. Mieux vaut combiner cette excursion avec la visite du vat Banan. À moto-dop, comptez 7 ou 8 $US pour la journée.

Sneng
ស្នឹង

Sur la RN57 en direction de Pailin, cette bourgade sans attrait particulier abrite deux beaux petits temples. Très endommagé, le **prasat Yeay Ten** date de la fin du Xe siècle ; au-dessus des portes, trois linteaux finement sculptés ont survécu aux ravages du temps et de la guerre. Le temple se dresse à gauche de la nationale, tellement proche de la route qu'il pourrait passer pour un poste de péage de la période angkorienne !

Derrière le prasat Yeay Ten, au fond du jardin d'un vat moderne, se dressent trois **sanctuaires de brique** dont les entrées s'ornent de sculptures merveilleusement préservées. Ces sanctuaires ressemblent à des temples préangkoriens de la période Chenla. Toutefois, la faible présence Chenla dans l'ouest du Cambodge incite à penser qu'ils datent plutôt de l'époque du prasat Kravan (p. 161) d'Angkor, soit du début du Xe siècle.

Sneng se trouve à 26 km au sud-ouest de Battambang. À moto-dop, vous pouvez faire un long et cahoteux périple d'une journée en combinant Sneng, le vat Phnom Sampeau et Kamping Poy (8 à 10 $US). Sinon, vous pouvez y faire halte sur la route de Pailin.

PAILIN
ប៉ៃលិន

☎ 053 / 22 000 habitants

Pailin jouit d'un bel emplacement, sur les contreforts de la Chuor Phnom Kravanh. La ville en elle-même ne présente guère d'intérêt, à moins de s'y connaître en pierres précieuses ou de s'intéresser aux vieillards responsables de crimes monstrueux. Elle va sûrement retrouver un peu d'animation avec l'ouverture du poste-frontière de Pruhm-Daun Lem, tout proche.

Ses ressources en pierres précieuses et en bois ont permis la longue résistance des Khmers rouges et Pailin a servi de base pour les offensives qu'ils lançaient régulièrement à la saison sèche contre les forces gouvernementales de Battambang. Durant l'été 1994, l'armée cambodgienne réussit à prendre Pailin, mais les Khmers rouges contre-attaquèrent et la chassèrent jusqu'à Phnom Sampeau. En août 1996, Ieng Sary, Frère n°3 du régime khmer rouge et commandant de la région, se rendit au camp adverse avec 3 000 combattants et leurs familles. Cet événement pesa de façon décisive dans le démantèlement de la guérilla, car il priva de ressources les combattants du Nord et permit à l'armée cambodgienne de concentrer ses troupes sur un seul front.

Le niveau économique de Pailin augmenta considérablement dès la fin des années 1990 avec l'arrivée massive de négociants en pierres précieuses et l'ouverture de casinos destinés à une clientèle thaïlandaise. Cependant, la majeure partie de cette activité s'est rapprochée de la frontière où de grands casinos accueillent les Thaïlandais. Aujourd'hui, Pailin est une ville morne de "l'Ouest sauvage", où d'anciens chefs khmers rouges espèrent échapper à la justice internationale.

Renseignements

L'agence de la **Canadia Bank** (RN57) change les espèces, mais n'accepte pas les chèques de voyage.

Plusieurs kiosques téléphoniques sont installés autour du psar Pailin.

À voir et à faire

La butte de **Phnom Yat**, surmontée du **vat Phnom Yat**, marque l'entrée de la ville. Si le vat n'a rien d'extraordinaire, un beau stûpa décoré date du début du XXe siècle. L'endroit, fort plaisant au lever ou au coucher du soleil, offre une belle vue sur Pailin. Au pied de la butte, le **vat Khaong Kang**, un important centre d'enseignement bouddhique avant la guerre, a repris ses activités.

Au bas de la Chuor Phnom Kravanh, la **chute de Phnom Khieu** voit affluer les Khmers les jours fériés. Phnom Khieu (mont Bleu) se trouve à 20 km au sud-ouest de la ville. La route se transforme en un sentier qui se perd dans la forêt – une randonnée de 6 km aller-retour (5 à 6 heures) à faire en compagnie d'un conducteur de moto-dop. Aux alentours de Pailin, d'autres **bassins de baignade** constituent d'agréables buts d'excursion.

Près de la frontière thaïlandaise, deux grands casinos, le **Caesar International Resort** et le **Pailin Casino**, attirent en soirée les habitants aisés de Pailin.

RESTEZ SUR LES SENTIERS BALISÉS

La région de Pailin et Samlot est l'une des plus minées du Cambodge. La majeure partie de la zone entre Pailin et Battambang constitua la ligne de front durant la guerre des forces gouvernementales contre les Khmers rouges, et des districts tels que Treng et Ratanak Mondul furent minés année après année. De même, la frontière avec la Thaïlande est jonchée de mines. Ne quittez sous aucun prétexte les routes et les chemins qui ont déjà été empruntés par d'autres voyageurs. Dans cette partie du pays, passer outre cette recommandation pourrait vous coûter une jambe ou la vie.

Où se loger et se restaurer

Hang Meas Pailin Hotel (☎ 012 936746 ; s/d 11/13 $US ; ❄). Plus bel établissement de la ville, il offre des chambres élégantes et confortables, avec TV, réfrigérateur et eau chaude. Le restaurant mitonne une bonne cuisine et accueille régulièrement des musiciens et des comédiens. Le karaoké remporte un franc succès.

Guesthouse Ponleu Pich Pailin (ch 100 B). Des chambres propres et lumineuses en font une excellente adresse pour les petits budgets.

Hôtel Lao Lao Kaing (ch 100 B). Une alternative envisageable, malgré les toilettes à la turque et l'absence de climatisation.

À part le beau restaurant du Hang Meas Pailin Hotel et les échoppes du marché local, le choix reste limité en matière de restauration.

Phkay Preuk Restaurant (plats 40-100 B). Ce restaurant fait partie d'une chaîne qui s'est implantée dans le Nord-Ouest, à Battambang, Sisophon et Poipet. Vous y dégusterez une bonne cuisine khmère et thaïlandaise.

À l'est du marché, un **restaurant de soupes** sans nom, très fréquenté au petit déjeuner, sert toute la gamme des soupes chinoises et khmères. Dans la journée, il propose une *soupe chhnang dei* (à préparer soi-même) à 4 $US.

PAILIN

0 — 500 m

RENSEIGNEMENTS
Canadia Bank....................1 B4
Hôpital....................2 B3
Office du tourisme....................4 B3
Poste de police....................3 B3

À VOIR ET À FAIRE
Vat Khaong Kang....................5 B5
Vat Phnom Yat....................6 B5

OÙ SE LOGER
Guesthouse Ponleu Pich Pailin....................7 A3
Hang Meas Pailin Hotel....................8 A3
Hotel Lao Lao Kaing....................9 A3

OÙ SE RESTAURER
Phkay Preuk Restaurant....................10 B4
Restaurant de soupes....................11 B3

TRANSPORTS
Station de taxis....................12 A3

Vers la Thaïlande (19 km) et la chute de Phnom Khieu (20 km)
Psar Pailin
RN57
Vers Samlot (31 km) et Battambang (83 km)
Phnom Yat

Depuis/vers Pailin

Pailin se trouve à 83 km au sud-ouest de Battambang et à 19 km de la frontière avec la Thaïlande.

Des taxis collectifs (150 B, 4 heures) et des pick-up (120/80 B en cabine/à l'arrière) font le trajet Pailin-Battambang, que la route, à nouveau défoncée, rend très pénible. Les prix sont un peu plus élevés que dans le reste du pays, mais le mauvais état de la chaussée les justifie.

Les motards expérimentés et habitués à la conduite tout-terrain peuvent emprunter la nouvelle route forestière qui part des environs de Pailin et rejoint Krong Koh Kong, au sud. Elle commence dans le district de Treng, à 25 km à l'est de Pailin, et traverse d'anciens bastions khmers rouges, comme Samlot et Veal Veng. Cet itinéraire, totalement impraticable durant la saison des pluies, exige une journée entière en saison sèche. On peut refaire le plein à Veal Veng, à 275 km environ. À l'heure actuelle, aucun transport public n'emprunte cette route.

ENVIRONS DE PAILIN

Samlot

សំឡូត

Célèbre pour la rébellion paysanne de 1967 qui fut le premier incident majeur de la guerre civile, Samlot fut aussi l'un des derniers bastions khmers rouges de la région à rendre les armes. En 1967, le gouvernement Sangkum vit d'un très mauvais œil ce soulèvement, auquel les autorités locales répondirent par le massacre de centaines de paysans. Ces représailles, à l'initiative de l'armée provinciale et non du roi Sihanouk, écornèrent malgré tout l'image du souverain dans la région et valurent aux Khmers rouges le soutien des paysans pendant 30 ans. Elles furent suivies d'une purge des enseignants de gauche, qui poussa les derniers gauchistes de Phnom Penh, tels Khieu Samphan, Hou Youn et Hu Nim, dans la clandestinité.

Aujourd'hui, Samlot n'est plus qu'un petit village. À 2 ou 3 km, près de la route qui mène à Treng et à la RN57, une série de rapides porte le nom original de **cascade** ; la population locale aime pique-niquer dans cet endroit pittoresque.

La vie s'améliore à Samlot depuis que l'actrice Angelina Jolie a entrepris d'aider le village, en finançant notamment la construction d'une école et d'un dispensaire.

La meilleure façon de rejoindre Samlot consiste à venir à moto-dop de Pailin (5 $US aller-retour).

PROVINCE DE BANTEAY MEANCHEY

ខេត្តបន្ទាយមានជ័យ

Dans les années 1980, la partie nord de la province de Battambang est devenue la province de Banteay Meanchey, dont le nom signifie "forteresse de la victoire" ; cette appellation provient peut-être du fait que le gouvernement a réussi à garder le contrôle de ce secteur peu montagneux pendant la guerre civile. Traditionnellement dédiée à la culture du riz, des fruits et des légumes, la province profite de sa proximité avec la Thaïlande pour développer le commerce et plusieurs postes-frontières, réservés à la population locale, sont devenus des centres de négoce. Poipet prospère grâce aux jeux et possède actuellement plus d'une demi-douzaine de grands casinos.

Les déplacements s'améliorent rapidement dans la province. La route cauchemardesque qui relie Poipet et Siem Reap ² Sisophon reste néanmoins mauvaise, s'améliorant par endroits, se détériorant ailleurs. La RN5 en direction de Battambang, au sud, est en bon état sur toute sa longueur.

SISOPHON

ស៊ីសុផុន

☎ 054 / 98 000 habitants

Sisophon, souvent appelée Svay par les habitants, n'offre guère d'intérêt et ne retient les voyageurs que le temps d'un déjeuner sur le trajet entre la Thaïlande et les temples d'Angkor. Ils doivent parfois y passer la nuit, surtout lorsque la saison des pluies complique la circulation. Sisophon constitue une bonne base pour visiter les temples angkoriens de Banteay Chhmar et de Banteay Top, à quelque 50 km au nord. Le baht thaïlandais est la monnaie la plus utilisée mais, comme partout au Cambodge, on acceptera vos dollars US.

Renseignements

Emportez suffisamment d'espèces car vous ne pourrez pas changer vos chèques de voyage. Une agence de l'**Acleda Bank** (☎ 958821) représente Western Union (virements rapides). Des kiosques téléphoniques sont disséminés dans la ville. L'office du tourisme, apparemment fermé en permanence, possède une entrée à l'arrière que personne ne remarque !

Où se loger et se restaurer

Phnom Svay Hotel (☎ 012 656565 ; RN5 ouest ; ch 6-10 $US ; ❄). Au début de la route de Poipet, cet hôtel bien tenu, d'un excellent rapport qualité/prix, offre TV et eau chaude dans toutes ses chambres. Surnommé "le gâteau d'anniversaire" en raison de sa façade extravagante, il a la faveur des humanitaires et des petits groupes.

Roeung Rong Hotel (☎ 958823 ; RN5 ouest ; s 6-9 $US, d 7-10 $US ; ❄). Un peu plus loin que le Phnom Svay, ce petit hôtel familial dispose de bonnes chambres avec TV satellite et sdb (eau froide uniquement).

Neak Meas Hotel (☎ 012 937215 ; s/d 12/15 $US ; ❄). Il propose les chambres les plus grandes et les plus belles, avec moquette mais sans eau chaude. Le bar à karaoké et la discothèque, installés sur place, décourageront ceux qui ont le sommeil léger.

Plusieurs pensions bon marché sans grand charme bordent la route de Siem Reap. La **Sara Torn Guesthouse** (RN6 est ; s/d avec ventil 100/150 B) sort du lot avec ses chambres spacieuses et son agréable véranda, propice à la détente.

Sisophon offre un choix de restaurants limité. Dans toute la ville et particulièrement près de la station de taxis, des stands de restauration proposent des plats bon marché.

Phkay Preuk Restaurant (plats 60-100 B). Appartenant à une chaîne implantée dans le Nord-Ouest, à Siem Reap, Battambang et Poipet, ce bon restaurant sert des spécialités thaïlandaises et khmères. Proche du Phnom Svay Hotel, il peut sembler fermé, mais les tables sont à l'arrière.

Penn Cheth Restaurant (RN69 ; plats 3000-6000 r). Ce gigantesque restaurant, sur la route de Banteay Chhmar, est devenu bien calme depuis le départ des soldats stationnés dans la région.

Où sortir

La vie nocturne de Sisophon a perdu son animation depuis le retour de la paix et le départ de la garnison. Toutefois, on peut passer la soirée au Neak Meas Hotel (ci-dessus), qui comprend des salons de karaoké, un petit bar en plein air et une discothèque, moins fréquentée que le karaoké.

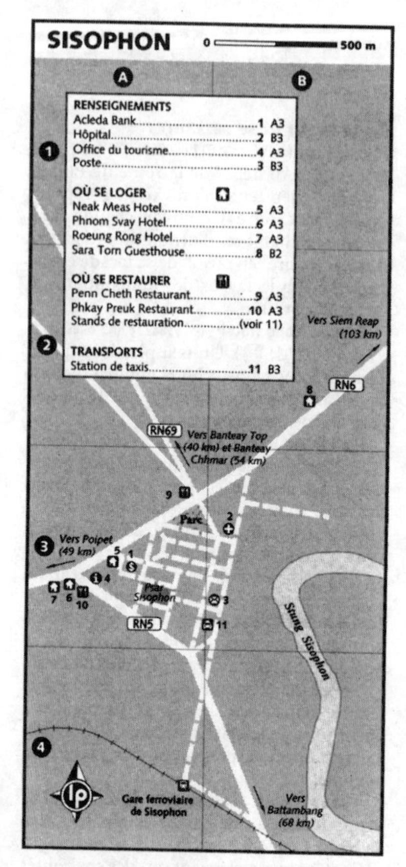

Depuis/vers Sisophon

L'état des routes entre Siem Reap et Poipet varie d'une année sur l'autre. Des taxis collectifs relient Sisophon à Poipet (5 000 r, 1 heure), Siem Reap (10 000 r, 2 heures) et Battambang (6 000 r, 1 heure 30).

Chaque jour, un train local quitte Sisophon peu après 13h pour rallier Battambang (4 000 r, 4 heures). Aucun train ne dessert Poipet, les voies ayant été arrachées par les Khmers rouges.

BANTEAY CHHMAR
បន្ទាយឆ្មារ

Vaste et reculée, Banteay Chhmar (forteresse étroite) fut pillée à plusieurs reprises au fil des années et nombre de ses chefs-d'œuvre font partie de collections privées, éparpillées dans le monde entier. Érigé par Jayavarman VII (1181-1201), le plus grand constructeur des rois d'Angkor, ce colossal ensemble de temples se dresse sur le site d'un temple plus ancien du IXe siècle. Bâtie à l'apogée de l'Empire khmer, cette cité aurait été l'une des plus importantes du pays après Angkor Thom et Preah Khan. Les origines de Banteay Chhmar restent très discutées : des spécialistes affirment que Jayavarman VII l'aurait fait édifier en hommage à son fils Indravarman et aux généraux cambodgiens qui défirent les Cham. D'autres pensent qu'elle devait servir de temple funéraire à la grand-mère du roi.

Entourée à l'origine d'un rempart de 9 km de long, la forteresse renfermait l'un des monastères bouddhiques les plus imposants de la période angkorienne. C'est l'un des rares temples cambodgiens ornés de visages d'Avalokiteshvara, comme le Bayon (p. 153) d'Angkor Thom. Malheureusement, la plupart des tours se sont effondrées au fil des siècles et seules quelques-unes conservent ce visage au sourire énigmatique.

Le temple est renommé à juste titre pour ses bas-reliefs raffinés, qui représentent notamment des scènes de la vie quotidienne pendant la période angkorienne, semblables à celles du Bayon. L'un d'eux, unique, comportait une série de huit Avalokiteshvara à bras multiples et ornait une galerie extérieure. Six de ces sculptures ont été arrachées et transportées en Thaïlande en 1998. Les deux sculptures restantes, spectaculaires, permettent d'imaginer la splendeur du temple avant les scandaleux pillages.

Les autorités cambodgiennes et thaïlandaises ont finalement décidé de lutter contre le commerce illicite des antiquités cambodgiennes. De nombreux chefs-d'œuvre, volés en 1998, ont été interceptés sur la route de Bangkok et rendus au Cambodge. Malheureusement, il est trop tard pour Banteay Chhmar.

Le temple est resté inaccessible jusqu'à la fin de la guerre civile en 1999. Comme à Beng Mealea (p. 173), à l'est d'Angkor, on aurait pu préserver l'aspect romantique du site en laissant la jungle envahir lentement les monuments. Les autorités ont décidé de dégager les temples, ce qui leur a fait perdre de leur magie en les rendant moins dangereux à explorer. Les passionnés d'architecture cambodgienne et les voyageurs qui souhaitent découvrir la campagne cambodgienne apprécieront la visite de cette forteresse. Toutefois, ne vous attendez pas à des temples aussi spectaculaires que ceux d'Angkor.

Parmi la douzaine de temples, plus petits et tous en ruine, éparpillés autour de Banteay Chhmar, citons le prasat Mebon, le prasat Ta Prohm, le prasat Prom Muk Buon, le prasat Yeay Choun, le prasat Pranang Ta Sok et le prasat Chiem Trey.

BANTEAY TOP
បន្ទាយទ័ព

Banteay Top (forteresse de l'Armée) n'est qu'un petit temple, mais il s'en dégage une atmosphère particulière. Il fut édifié à la même époque que Banteay Chhmar, sans doute en hommage à l'armée de Jayavarman VII qui restaura le pouvoir du Cambodge sur la région en défaisant les Cham.

Dressée au milieu de rizières telle un doigt décharné pointé vers le ciel, l'une des tours, en partie restaurée, paraît bien fragile. Le temple se trouve à 14 km au sud-est de Banteay Chhmar par une mauvaise piste. L'embranchement sur la RN69, à 9 km au sud de Banteay Chhmar, est indiqué par une pierre plate portant des inscriptions dorées.

Où se loger et se restaurer

Les rares voyageurs qui vont à Banteay Chhmar logent habituellement à Sisophon ou Siem Reap. L'hébergement le plus proche se situe à Thmar Puok, à 15 km au sud de la forteresse. La **Ly Hour Guesthouse** (lits jum 180 B) propose des chambres rudimentaires avec ventil. Dans la bourgade, dépourvue de groupe électrogène, l'électricité fonctionne de 18h à 23h ; vous serez peut-être gêné par la moiteur de la nuit.

Dans le village de Banteay Chhmar, quelques stands de restauration se regroupent autour d'un marché peu alléchant, au-delà de la douve. Si vous êtes soucieux de l'hygiène alimentaire, préférez un pique-nique.

Depuis/vers Banteay Chhmar et Banteay Top

L'état de la RN69 entre Sisophon et Banteay Chhmar varie selon la date des derniers travaux. Le tronçon de 39 km entre Sisophon et Thmor Puok est assez fréquenté, mais le trafic se raréfie sur les quinze derniers kilomètres jusqu'à Banteay Chhmar. Comptez environ 1 heure en moto tout-terrain et 2 heures à moto-dop (10 $US la journée) ou en voiture. Pour louer une moto, adressez-vous aux hôtels de Sisophon (p. 219). On peut également rejoindre Banteay Chhmar en prenant un pick-up de Sisophon à Thmor Puok (5 000/3 000 r en cabine/à l'arrière), puis une moto-dop (5 $US l'aller-retour). De rares pick-up continuent jusqu'à Samraong en passant par le village de Banteay Chhmar.

De Siem Reap, une voiture jusqu'à Banteay Chhmar vous reviendra à 70 $US environ. Partez tôt, car il faut compter 5 heures pour parvenir à destination – un trajet trop long pour une moto-dop.

POIPET
ប៉ោយប៉ែត

☎ **054 / 45 000 habitants**

Longtemps point noir du Cambodge, célèbre pour sa boue et son désordre, Poipet est devenue le Las Vegas du Cambodge et compte plus de six grands casinos. Le jeu étant interdit en Thaïlande, la ville attire les joueurs du pays voisin, qui la préfèrent souvent à Krong Koh Kong ou Pailin. Des noms tels que Star Vegas et Tropicana n'en font pas l'égale de son homologue américaine, mais elle se développe rapidement.

Soumise aux pilonnages intermittents des Khmers rouges jusqu'en 1996, Poipet conserve l'aspect d'un lieu de transit. Les travaux de voirie n'avancent pas aussi vite que la construction des hôtels, aussi la saison des pluies transforme-t-elle les rues en torrents de boue et de détritus. Rien n'incite à s'y attarder, hormis la passion du jeu.

Poipet est également un "centre de l'escroquerie" et de nombreux voyageurs se font gruger pour le trajet par la route jusqu'à Siem Reap ou Battambang (cf. encadré p. 295). Ne jugez pas le Cambodge sur cette première expérience ; le reste du pays ne lui ressemble pas. Espérons que la population de Poipet réagira et fera en sorte de changer la mauvaise réputation de sa ville.

Orientation et renseignements

Poipet se résume essentiellement à une rue droite, qui s'étire sur quelques kilomètres le long de la RN5 en direction de Sisophon et Siem Reap. Le poste-frontière thaïlandais se trouve sur la rive ouest de l'O Chrou, et le poste cambodgien, sur la rive est. D'immenses hôtels-casinos occupent la zone frontalière et, du côté cambodgien, des taxis et des transports pour Siem Reap stationnent au-delà du nouveau rond-point central. Pensions, hôtels, banques et magasins jalonnent la rue, mais rien ne mérite un arrêt prolongé.

Pour changer des chèques de voyage, adressez-vous à l'agence de la **Canadia Bank** (☎ 967107 ; RN5), non loin du poste-frontière. Vous changerez plus rapidement des espèces dans les magasins ou les restaurants. Un petit bureau de poste est installé sur le rond-point central.

Où se loger et se restaurer

La plupart des hôtels bon marché sont occupés par le personnel des casinos. Nous ne mentionnons que ceux qui disposent de chambres pour les visiteurs de passage. Depuis que le Premier ministre thaïlandais Thaksin Shinavatra a promis de licencier tous ses fonctionnaires filmés en train de jouer dans les hôtels-casinos cambodgiens, la fréquentation de ces derniers a un peu baissé et ils offrent désormais leurs chambres pour 750 à 2 000 B, une affaire compte tenu du confort. Parmi eux figurent le Tropicana, le Poipet Resort, le Holiday Palace, le Golden Crown et le Star Vegas.

Si, pour une raison quelconque, vous devez séjourner à Poipet, sachez que les prix augmentent le week-end lorsque affluent les joueurs thaïlandais.

Ngy Heng Hotel (☎ 967101 ; RN5 ; ch avec ventil/clim 200/400 B ; ⌘). L'un des rares établissements bon marché qui n'a pas été réquisitionné par les casinos. Il loue des chambres propres et confortables, avec TV ; celles avec clim disposent d'une douche chaude.

Orkiday Angkor Hotel (☎ 967502 ; oa_tour@online.com.kh ; ch 10-20 $US ; ⌘). Ce grand hôtel flambant neuf domine l'unique rond-point de la ville. Ses chambres impeccables possèdent tout le confort. Un bon choix si vous devez passer la nuit à Poipet.

Deux ou trois gargotes sont installées près de la zone frontalière, de même que de multiples stands de restauration. C'est le dernier endroit où vous trouverez des en-cas et des boissons thaïlandais bon marché.

Depuis/vers Poipet

Une route relie Poipet à la Thaïlande, à l'ouest, et à Sisophon, à l'est. Pour plus de détails sur le trajet de Thaïlande au Cambodge via Poipet, voir p. 294. Après un patient marchandage, une place dans un taxi collectif pour Sisophon vous reviendra à 50 B. Des taxis desservent directement Siem Reap (150 B la place, 1 000 B le véhicule, 3-4 heures) et Battambang (100 B, 2 heures 30). Ces temps de parcours correspondent à la saison sèche ; prévoyez beaucoup plus à la saison des pluies.

PROVINCE D'ODDAR MEANCHEY

ខេត្តឧត្តរមានជ័យ

Province la plus récente du pays, l'Oddar Meanchey a été créée avec les parties de la province de Siem Reap que le gouvernement ne contrôlait pas pendant la majeure partie des années 1980 et 1990. Son nom, qui signifie province de la Victoire, semble convenir depuis 1999. Ravagée par la guerre et très pauvre, la région produit peu, si ce n'est du travail pour les organisations humanitaires. La longue frontière avec la Thaïlande pourrait offrir des opportunités aux entrepreneurs locaux. L'abattage illégal du bois a sévi pendant quelques années, mais semble à présent stoppé. Parmi les rares sites touristiques de la province, on peut visiter l'ancienne ville khmère rouge d'Anlong Veng, où plane encore le souvenir de Pol Pot et d'autres dirigeants du régime.

Faute de routes goudronnées, les déplacements restent difficiles dans la province durant la saison des pluies. La route Siem Reap-Anlong Veng devrait être reconstruite avec l'aide de la Thaïlande, mais demeure actuellement en piteux état. L'armée cambodgienne a construit une bonne route frontalière entre Samraong, Anlong Veng et prasat Preah Vihear et deux postes-frontières ont été ouverts près d'Anlong Veng : Choam-Choam Srawngam et O Smach-Chong Jom. Tout ceci pourrait redonner un intérêt touristique à la province, au moins en tant que lieu de passage.

SAMRAONG

សំរោង

On trouve des bourgades nommées Samraong dans tout le pays, car ce nom signifie "forêt dense" (ce qui devient malheureusement une rareté dans la région). Cette Samraong, capitale provinciale de l'Oddar Meanchey, renaît lentement après des décennies d'isolement dû à sa position sur la ligne de front pendant la guerre civile. Les étrangers ne trouveront rien à voir ni à faire, à moins de travailler au développement du pays. La situation pourrait changer avec l'ouverture du nouveau poste-frontière d'O Smach, à 20 km au nord de la ville.

Où se loger et se restaurer

Côté hébergement, le choix est très limité. Quelques pensions se regroupent près du petit marché quelconque et de la station de taxis. Meilleure du lot et la préférée des humanitaires, la **Meanchey Guesthouse** (ch 2,50-6 $US) offre des chambres avec ou sans sdb.

Autour du marché, plusieurs stands de restauration proposent des plats préparés à 2 000 r la part. Jetez un coup d'œil dans les marmites et faites votre choix. Pour un peu plus de raffinement, essayez le **Santepheap Restaurant** (plats 3 000-6 000 r), qui peut prétendre au titre de meilleur restaurant de la ville, faute de concurrence.

Depuis/vers Samraong

La plupart des voyageurs rejoignent Samraong en passant par Kralanh, une petite ville à 65 km au sud, sur la RN6 à mi-chemin entre Siem Reap et Sisophon. Une route défoncée, qui s'améliore peu à peu, relie Samraong et Kralanh (8 000 r, 2-3 heures). Des taxis collectifs desservent Kralanh depuis Siem Reap ou Sisophon (6 000 r, 1 heure en saison sèche). De Siem Reap, on peut aussi trouver des taxis directs jusqu'à Samraong (15 000 r) à condition de partir suffisamment tôt. Il est parfois possible de se rendre de Banteay Chhmar à Samraong (2 heures), mais peu de camions empruntent ce trajet. Des routes relient Samraong à Anlong Veng (15 000 r, 2 heures) et à la Thaïlande via le poste-frontière d'O Smach (10 000 r, 1 heure).

ATTENTION MINES !

L'Oddar Meanchey est l'une des provinces les plus minées du Cambodge ; la plupart des mines ont été posées pendant la dernière décennie. Ne sortez sous aucun prétexte des sentiers balisés. Si vous possédez votre propre moyen de transport, n'empruntez que les routes et les pistes régulièrement utilisées par la population locale.

O SMACH

អូរស្មាច់

O Smach est entré dans l'histoire en juillet 1997, lorsque les forces du Funcinpec s'y refugièrent après le coup d'État. Perchés sur la montagne, les soldats commandés par le général Neak Bun Chhay résistèrent aux forces, pourtant supérieures, du PPC jusqu'à la conclusion d'un accord de paix qui permit la tenue des élections de 1998.

La paix revenue, les militaires investirent la région et chassèrent la population locale des terres non minées pour les vendre à un directeur de casino. Chaque année, le casino attire des milliers de Thaïlandais. Pendant ce temps, les habitants expulsés ont été contraints de s'installer sur des terres minées que l'armée prétendait avoir déminées. Trop souvent au Cambodge, les forts exploitent les faibles impunément, mais cette fois, la cruauté du procédé a attiré l'attention de la communauté internationale sur le problème des saisies de terres par les militaires en temps de paix.

Quelques visiteurs étrangers commencent à emprunter le nouveau poste-frontière d'O Smach-Chong Jom, mais leur nombre reste infime. Pour plus de détails, voir p. 295.

ANLONG VENG

អន្លង់វែង

Pendant près d'une décennie, Anlong Veng fut le dernier bastion khmer rouge, où vécurent Pol Pot, Nuon Chea, Khieu Samphan et Ta Mok, les dirigeants les plus connus du Kampuchéa démocratique. Anlong Veng tomba aux mains des forces gouvernementales en avril 1998, alors que Pol Pot mourait mystérieusement près de la frontière thaïlandaise. Peu après, le Premier ministre Hun Sen fit percer une grande route à travers la jungle afin d'éviter toute reprise des combats.

Aujourd'hui, Anlong Veng se développe rapidement, effaçant son image de ville pauvre et poussiéreuse afin d'attirer les migrants d'autres régions du royaume. Son passé khmer rouge lui vaut également l'intérêt de quelques visiteurs, qui souhaitent comprendre l'histoire récente du Cambodge. L'ouverture du poste-frontière de Choam-Choam Srawngam, à 10 km au nord de la ville, va sans doute provoquer le passage de plus d'étrangers. Cependant, le côté thaïlandais de la frontière est assez isolé comparé aux autres points de passage du Nord-Ouest. Au nord de la ville, sur la crête de la Chuor Phnom Dangkrek, vous découvrirez les maisons de plusieurs anciens chefs khmers rouges, une jungle épaisse et des vues saisissantes.

Renseignements

Prévoyez suffisamment d'espèces (dollars US ou riels) car Anlong Veng ne possède pas de banque. Vous pourrez téléphoner à l'étranger, mais la ville n'est pas encore raccordée à Internet.

À voir et à faire

Ta Mok, le chef militaire unijambiste des Khmers rouges, dirigea le mouvement pendant ses dernières années. Sa **résidence** (1 $US parfois demandé) est ouverte aux visiteurs depuis que le gouvernement cambodgien le loge à la prison T-3 de Phnom Penh, dans l'attente d'un procès pour génocide. Cette grande demeure, pratiquement vide, a été pillée par les soldats du gouvernement. Quelques belles peintures angkoriennes ornent les murs de l'étage ; au rez-de-chaussée, un grand garage abritait son luxueux 4x4.

Certains des gardes sont d'anciens soldats khmers rouges et ont un avis différent sur Ta Mok. Selon eux, c'était un homme dur mais juste, qui créa des orphelinats et des écoles, et un dirigeant qui maintenait l'ordre, contrairement à l'anarchie qui régna après la victoire du gouvernement. Toutefois, la vision de ses partisans n'est pas celle de la majorité des Cambodgiens. Surnommé "le boucher", Ta Mok fut le bras armé de Pol Pot et fit périr des milliers de personnes au cours des purges successives qui ponctuèrent les années terribles du Kampuchéa démocratique.

À l'autre bout du marais qui s'étend devant la maison, sur une petite île, des toilettes extérieures constituent les seuls vestiges de la **résidence de Pol Pot** à Anlong Veng.

Un **temple angkorien** délabré se dressait jadis derrière le lycée d'Anlong Veng ; il fut détruit par Ta Mok et ses hommes, à la recherche de statues anciennes à vendre aux Thaïlandais. Malheureusement, il ne s'agit pas d'un cas isolé et nombre de petits temples qui avaient survécu au passage des siècles ont, en l'espace de 20 ans, disparu à cause de la cupidité des hommes.

Tous les autres "centres d'intérêt" d'Anlong Veng se trouvent au nord de la ville, le long de la frontière thaïlandaise. La route qui part vers le nord commence à grimper à 8 km de la ville. Remarquez les **sculptures de soldats khmers rouges**, taillées dans un énorme rocher au milieu de la piste. Elles ont été décapitées par les forces gouvernementales, mais restent saisissantes par la finesse des détails et par leur réalisation, directement dans la roche environnante. On constate, avec une ironie amère, que les auteurs de tant de destructions peuvent aussi faire preuve d'une fabuleuse créativité !

Au sommet du plateau, on peut visiter le **site de la crémation de Pol Pot**, brûlé à la hâte sur un tas d'ordures et de vieux pneus – une fin tout à fait appropriée au regard des souffrances qu'il infligea à des millions de Cambodgiens. Malheureusement, aucune autopsie ne fut pratiquée sur son cadavre et des rumeurs courent encore sur sa mort.

Échelonnés le long de la frontière, les **refuges** de Pol Pot, Khieu Samphan et Son Sen étaient assez proches de la Thaïlande pour qu'ils puissent s'enfuir en cas d'attaque des forces gouvernementales. Comme souvent, les Khmers rouges étaient eux-mêmes leurs pires ennemis : en 1997, Pol Pot fit assassiner Son Sen, l'ancien ministre de la Défense, ainsi que toute sa famille et écraser leurs cadavres par des camions. À la suite de cet incident, Ta Mok renversa Pol Pot et le fit juger par les Khmers rouges. Les maisons, pillées par les soldats, ne sont plus que des coquilles vides.

Pour visiter ces sites bizarres, adressez-vous à un conducteur de moto-dop, car la zone frontalière reste fortement minée.

LA GUERRE SOUTERRAINE DU CAMBODGE

Blessé par des années de conflit, le Cambodge cache ses cicatrices les plus profondes à quelques centimètres sous terre. Le nombre de mines antipersonnel présentes dans le pays est l'un des plus élevés au monde, avec encore 4 à 6 millions d'engins éparpillés dans les campagnes. Ces inventions sournoises ne sont pas seulement des armes de guerre, mais aussi des armes contre la paix : elles ignorent le cessez-le-feu.

Quelque 40 000 Cambodgiens ont perdu des membres après avoir sauté sur une mine. Le pays affiche l'un des plus haut taux de mutilés au monde (1 personne sur 275). Après les morsures de serpents, le paludisme, la tuberculose, la diarrhée, le sida et les accidents de la circulation, les mines sont la principale cause de décès. Elles jonchent le pays, enfouies dans les rizières et sur le bord des routes. Malgré des campagnes de sensibilisation de grande envergure, elles font encore entre 25 et 35 victimes par mois. Il s'agit d'un grand progrès puisque ce chiffre était proche de 300 il y a une dizaine d'années, mais cela reste inacceptable dans un pays en paix. Pour compliquer les choses, les zones qui paraissent sûres en saison sèche redeviennent dangereuses durant la saison des pluies, lorsque la terre se ramollit. Il n'est pas rare que des fermiers qui s'installent sur une terre en saison sèche voient tous leurs rêves s'effondrer avec l'arrivée des pluies, lorsqu'un membre de la famille est mutilé par une mine.

L'addition est particulièrement lourde. En effet, pour un pays en développement comme le Cambodge, les Nations unies évaluent à 3 000 $US la somme nécessaire pour réinsérer une victime dans la vie sociale. Avec 40 000 victimes, le montant total s'élève à 120 millions de dollars US, auxquels s'ajoutent les coûts indirects, comme le bétail tué. En outre, les mines empêchent le développement des campagnes. La plupart des terres arables en sont truffées, ce qui les rend incultivables et entraîne parfois des pénuries alimentaires.

Plusieurs organismes se consacrent au déminage et à l'aide aux victimes. Le Cambodian Mine Action Centre (CMAC), une agence gouvernementale cambodgienne, fonctionne avec le soutien technique de pays étrangers. Le Hazardous Areas Life (Support) Organisation (HALO Trust) fut l'un des pionniers du déminage au Cambodge et compte de nombreuses équipes dans les provinces de Pursat, Banteay Meanchey et Siem Reap. Le Mines Advisory Group (MAG), organisation britannique, forme des Cambodgiens au déminage ; il a initié des programmes de formation des victimes et d'équipes féminines de déminage. Il a aussi mis en place des programmes de sensibilisation grâce à l'affichage et à des spectacles de marionnettes destinés aux enfants. La Cidev (Conseil International et développement), filiale de la Compagnie française d'assistance spécialisée (COFRAS) a travaillé dans la province de Siem Reap au déminage des sites historiques et à la formation d'équipes cambodgiennes destinées à prendre le relais. Handicap International poursuit un programme de planification des activités de déminage, de sensibilisation de la population et de réhabilitation des victimes.

Les visiteurs doivent éviter de circuler dans les régions particulièrement touchées par le fléau. Où que vous soyez, gardez à l'esprit les recommandations suivantes :

- Demandez toujours aux habitants si les chemins ne sont pas minés.
- Dans une région reculée, ne vous écartez jamais des sentiers tracés.
- Ne touchez jamais un engin qui, de près ou de loin, ressemble à une mine.
- Si, par accident, vous vous retrouvez sur un terrain miné, ne rebroussez chemin que si vous distinguez nettement vos propres traces. Sinon, ne bougez pas et appelez à l'aide. Les groupes qui travaillent dans le pays sont formels : mieux vaut patienter une journée entière dans un champ de mines que de passer le reste de ses jours avec un membre en moins.
- Si une personne blessée en plein champ appelle à l'aide, ne vous précipitez pas pour lui porter secours. Mettez-vous en quête de quelqu'un qui saura avancer en toute sécurité dans une zone minée.
- Ne vous écartez jamais du bord de la route, même pour un besoin naturel : vos membres sont plus précieux que votre pudeur.

NORD-OUEST

En 1997, plus de 100 pays, dont l'Italie, la France et le Royaume-Uni, ont signé un traité interdisant la production, le stockage, la vente et l'usage de mines antipersonnel. Néanmoins, les principaux pays producteurs, dont la Chine, la Russie et les États-Unis, ont refusé de signer le traité. Ainsi, à l'heure où vous lisez ces lignes, on continue d'en fabriquer et d'en répandre dans le monde.

Le Cambodge a signé le traité, mais ceci n'allège en rien le cauchemar quotidien des habitants des provinces les plus minées. Le plus dramatique est la lenteur du déminage, un processus qui s'effectue pas à pas. Pour la majorité des Cambodgiens, la guerre souterraine continue. Pour plus d'informations sur le sujet, consultez le site d'**International Campaign to Ban Landmines** (ICBL ; www.icbl.org).

Où se loger et se restaurer

Vu le mauvais état des routes et la longueur des trajets qui en résulte, vous devrez peut-être passer la nuit sur place. Parmi les quelques pensions rudimentaires, la **Reaksmey Angkor Guesthouse** (ch 15 000-25 000 r), la plus agréable, offre des chambres propres, avec moustiquaires et sdb.

Le choix de restaurants est tout aussi limité. Autour du rond-point central, plusieurs gargotes, appréciées des chauffeurs de passage, servent des plats locaux à petits prix.

Depuis/vers Anlong Veng

Anlong Veng se trouve à 142 km au nord de Siem Reap sur la RN67, une piste défoncée en attente de réfection. Le trajet se fait en 4 à 6 heures selon la saison. En taxi collectif, comptez 15 000 r la place. En moto, suivez d'abord la route goudronnée de Siem Reap au temple de Banteay Srei, avant de continuer vers le nord en passant par Kbal Spean. À mi-chemin, une section de jungle luxuriante interrompt le monotone paysage de forêt sèche.

Des routes correctes relient Anlong Veng à Samraong (15 000 r), à l'ouest, et au prasat Preah Vihear, à l'est. Des transports irréguliers desservent ce dernier, mais deux ou trois pick-up partent tous les jours de bonne heure et pourront vous déposer à Sa Em (environ 15 000 r), l'embranchement vers le temple.

PROVINCE DE PREAH VIHEAR

ខេត្តព្រះវិហារ

Bordée au nord par la Thaïlande et le Laos, la vaste province de Preah Vihear est entourée par les provinces de Siem Reap, Oddar Meanchey, Stung Treng et Kompong Thom. La majeure partie de la province est très isolée et couverte de forêts. Toutefois, de grandes compagnies forestières s'évertuent à modifier le paysage en abattant joyeusement d'innombrables arbres tropicaux. Souffrant d'infrastructures désastreuses, sans véritables routes, la province reste désespérément pauvre. La "route" qui relie Tbeng Meanchey, la capitale provinciale, à Choam Ksant, au nord, n'est praticable – et c'est un bien grand mot – que la moitié de l'année.

Cependant, les choses devraient s'améliorer car la province possède trois des plus imposants legs de l'époque d'Angkor : le temple-montagne du prasat Preah Vihear, Koh Ker, la capitale du Xe siècle, et l'immense prasat Bakhaeng (ou Preah Khan). Koh Ker est désormais facilement accessible à partir de Siem Reap via Beng Mealea, mais les deux temples ne s'atteignent qu'au bout d'un long trajet éprouvant, qui peut nécessiter une nuit dans la forêt. À la saison des pluies, ils sont inaccessibles. L'amélioration des routes menant à ces sites incroyables fait toujours partie des projets. Lorsque ceux-ci seront réalisés, la province de Preah Vihear deviendra l'une des principales étapes des visiteurs au Cambodge.

Red raid (www.redraid.com.kh) organise un circuit en moto tout-terrain jusqu'aux temples. **Hanuman Tourism** (www.hanumantourism.com) propose un "temple safari" plus haut de gamme.

Actuellement, seuls les plus endurants pourront explorer la province. À l'exception de la nouvelle route à péage Siem Reap-Koh Ker et de la nouvelle route frontalière entre Anlong Veng et Choam Ksant, le reste de la province n'est desservi que par quelques mauvaises pistes de sable.

TBENG MEANCHEY
តេ្បងមានជ័យ

☎ 064 / 22 000 habitants

Très peu de visiteurs s'aventurent jusqu'à Tbeng Meanchey, l'une des capitales provinciales les plus isolées du pays. Les habitants de la région l'appellent souvent Preah Vihear, ce qui a semé la confusion dans l'esprit de plus d'un voyageur cherchant à rejoindre le prasat Preah Vihear, le célèbre temple à 115 km plus au nord. Les étrangers la surnomment souvent TBY.

Tbeng Meanchey, étendue et poussiéreuse, se résume essentiellement à 2 pistes qui courent dans le sens nord-sud. La ville elle-même n'offre guère d'intérêt, mais sert de voie d'accès par l'est à Koh Ker ou au prasat Bakhaeng, et de halte sur la longue route jusqu'au temple-montagne de prasat Preah Vihear. Toutefois, lorsque seront achevées les routes qui doivent relier directement Siem Reap et ces temples reculés, Tbeng Meanchey risque de retomber dans l'oubli. Bonne nouvelle pour les habitants et les visiteurs, la ville est maintenant alimentée 24h/24 en électricité.

Renseignements

Prévoyez suffisamment de dollars US, car la ville ne possède pas de banque. Les téléphones portables fonctionnent dans cet endroit reculé et des kiosques téléphoniques sont installés près du marché.

À voir

Le centre de tissage de soie **Joom Noon Silk Project** (www.joomnoon.com), fondé par la Vietnam Veterans of America Foundation (VVAF ; Fondation des vétérans américains du Vietnam), forme des Cambodgiens handicapés et défavorisés. Il produit de beaux sarongs et écharpes tissés main, exportés au Japon, en Australie et aux États-Unis. Installé au sud de la ville, à 600 m à l'est de la fontaine en forme de *nâga* (serpent mythique), on peut le visiter.

Où se loger et se restaurer

Prom Tep Guesthouse (☎ 012 964645 ; ch 5-10 $US ; ❄). Chambres spacieuses et confortables, avec TV sat et sdb. Seul établissement de la ville doté de la clim (quand elle fonctionne).

ATTENTION MINES !

Preah Vihear fait partie des provinces les plus minées et la plupart des mines ont été posées au cours de la dernière décennie. Ne sortez jamais des sentiers balisés. Si vous possédez votre propre moyen de transport, n'empruntez que les routes et les pistes régulièrement utilisées par la population locale.

Mlob Trosek Guesthouse (☎ 012 952035 ; ch avec sdb 15 000 r). Autre bonne adresse, avec un grand jardin verdoyant, des chambres correctes et un parking sécurisé. Plus claires et plus agréables que celles en façade, les chambres récentes, à l'arrière, ont du lino au sol.

27 May Guesthouse (ch 5 000-15 000 r). Les chambres les moins chères, avec sdb commune, ne sont guère plus que des cellules. Celles à 15 000 r, plus grandes, s'agrémentent d'une sdb. Proche du marché et de la station de taxis, l'endroit peut être bruyant.

Mis à part le marché délabré et quelques stands de rue, la ville ne compte que deux restaurants.

Mlop Dong Restaurant (plats 3 000-6 000 r). Une cuisine bon marché et un choix étonnant compte tenu de l'isolement de la ville. Rendez-vous apprécié des expatriés, il se transforme en sorte de pub après le dîner.

Dara Reah Restaurant (plats 3 000-8 000 r). Installé dans un grand jardin et fréquenté par les notables locaux, il sert une bonne cuisine et comprend quelques jolis pavillons pour les petits groupes.

Depuis/vers Tbeng Meanchey

Tbeng Meanchey se trouve à 155 km au nord de Kompong Thom, sur la RN64. Des pick-up (15 000/7 000 r en cabine/à l'arrière, 4-5 heures) font le trajet tous les jours, mais les taxis collectifs (20 000 r) sont plus rapides et plus confortables. La route est dans un état épouvantable depuis que l'arrêt de l'exploitation forestière a entraîné l'interruption de l'entretien de la chaussée. Les trente derniers kilomètres avant Tbeng Meanchey grimpent une série de collines ; ce tronçon peut être très dangereux à la saison des pluies, avec la traversée de petits cours d'eau.

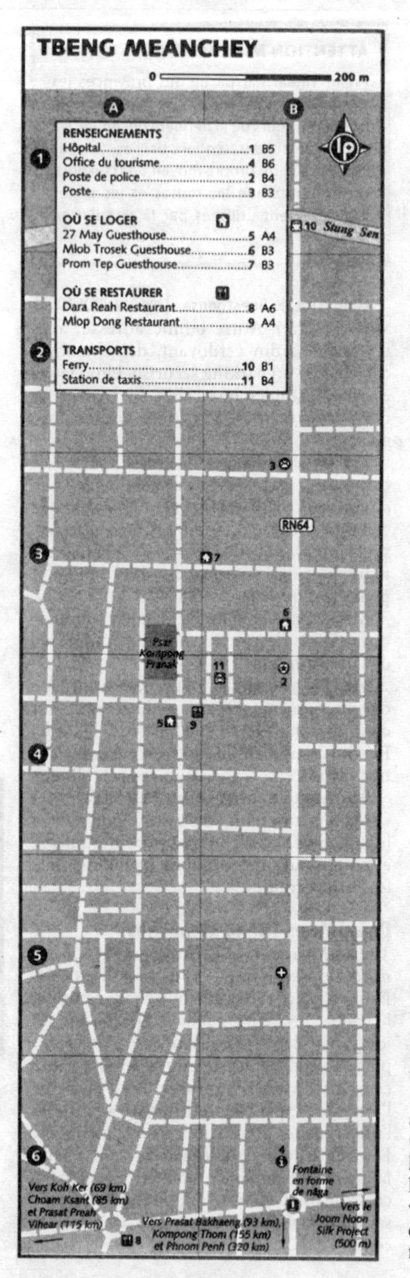

Pour des informations sur la route duprasat Preah Vihear, au nord, ou de Koh Ker, à l'ouest, voir respectivement p. 233 et p. 231.

Pour la piste qui part à l'est vers Stung Treng via Chaeb, voir p. 256.

PRASAT BAKHAENG (PREAH KHAN)

ព្រះខ័ន

Le prasat Bakhaeng (également appelé Preah Khan) est le plus grand ensemble de temples, en latérite et en grès, construit durant la période angkorienne. Dédié à l'origine aux divinités hindoues, il fut consacré au culte bouddhiste mahayana lors de la gigantesque rénovation entreprise par Jayavarman VII à la fin du XIIe siècle et au début du XIIIe.

Bien que son histoire demeure mystérieuse, on sait qu'il fut longtemps un important site religieux et que certaines structures remontent au IXe siècle. Suryavarman II, le bâtisseur d'Angkor Vat, et Jayavarman VII y vécurent une partie de leur vie. Ceci laisse supposer que le prasat Bakhaeng était la seconde cité de l'empire d'Angkor, centre d'une importante population rurale et de l'élite urbaine de la cour royale. Jayavarman VII s'y serait réfugié à partir de 1177, durant la désastreuse occupation d'Angkor par les Cham ; l'important soutien des habitants de la région l'aida par la suite à renforcer son pouvoir à Angkor.

Le prasat Bakhaeng était relié aux temples d'Angkor par une route en latérite de 120 km, ponctuée de ponts ornés de nâga, dont de nombreux exemples subsistent dans les forêts du Nord-Ouest. Des spécialistes pensent qu'une ancienne route courait également entre le prasat Bakhaeng et Sambor Prei Kuk, un centre d'enseignement pré-angkorien qui continua d'être actif durant la période angkorienne. Ceci indique l'importance du prasat Bakhaeng tout au long de l'Empire khmer.

Cet ensemble de temples couvre une superficie de près de 5 km2 et comprend un immense *baray* (réservoir) de 3 km de long. Lors de notre passage, l'entrée était libre, mais cela pourrait changer à l'achèvement des nouvelles routes. À l'extrémité est du baray se dresse un petit temple en forme de pyramide, le **prasat Damrei** (temple de l'Éléphant). Il ne reste pas grand-chose de la structure extérieure, mais plusieurs superbes sculptures de *deveda* (déesses) figurent sur le mur d'entrée. Au sommet de la colline, des éléphants finement travaillés gardaient le sanctuaire ; il n'en reste que deux, l'un partiellement enfoui dans la boue et l'autre paré d'offrandes locales. Deux autres sont exposés au Musée national de Phnom Penh (p. 83) et au musée Guimet, à Paris.

Au centre du baray, un temple-île appelé **prasat Preah Thkol** (ou Mebon par la population locale) a été construit dans le style du Mebon occidental d'Angkor (p. 167). À l'extrémité ouest du baray, le **prasat Preah Stung** (appelé localement prasat Muk Buon, ou temple aux Quatre visages) est peut-être le temple le plus remarquable du prasat Bakhaeng. Caractéristique de l'époque de Jayavarman VII, la tour centrale comporte les mêmes visages énigmatiques que le Bayon (p.153). Bien que le temple soit envahi par la végétation, on parvient à se frayer un chemin pour le visiter.

À 400 m au sud-ouest, une douve, semblable à celle d'Angkor Thom, entoure les remparts du prasat Bakhaeng. Les mauvaises herbes la recouvrent en grande partie et les nâga des ponts ont disparu. En entrant par le *gopura* (pavillon d'entrée) est, vous découvrirez une **dharmasala** (auberge) ; Jayavarman VII en fit construire un grand nombre dans le royaume pour les pèlerins fatigués. Dans cette partie centrale, l'exubérance de la jungle donne une impression d'abandon, mais les autorités locales sont en train de la dégager.

La structure centrale, qui comprenait une bibliothèque et un bassin d'ablutions, a été pillée et dévastée il y a une dizaine d'années. En relativement bon état jusqu'au milieu des années 1990, elle est ensuite devenue la cible de voleurs qui ont cherché des statues enterrées sous chaque *prang* (tour d'un temple). Attaqué au marteau-piqueur et à la pelleteuse, le temple antique n'a pas résisté et de nombreuses tours se sont effondrées, laissant ce déprimant champ de ruines. Une fois de plus, un temple qui avait survécu

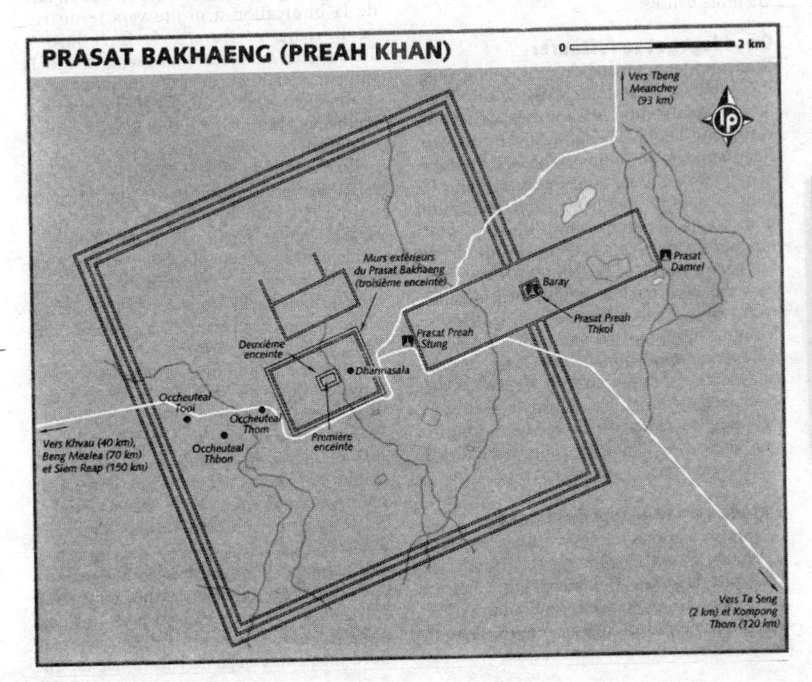

à l'épreuve du temps n'a pas résisté à la cupidité des hommes.

Ce n'était pas le premier pillage du prasat Bakhaeng. Louis Delaporte, le responsable de la deuxième expédition officielle pour l'étude des temples du Cambodge, a rapporté des tonnes de sculptures, aujourd'hui exposées au musée Guimet, à Paris. Le buste de Jayavarman, désormais au Musée national de Phnom Penh, provient également de ce site. Le corps de la statue a été découvert il y a quelques années par des habitants de la région ; pensant que cette pierre de forme étrange devait avoir une signification, ils alertèrent les autorités. La tête et le corps ont été réunis en 1999.

Le prasat Bakhaeng est appelé Bakhaeng Svay Rolay par les spécialistes, qui combinent ainsi le nom de la localité et celui du district ; les Khmers de Siem Reap l'appellent également Preah Khan, Kompong Svay.

La population locale affirme qu'il n'y a pas de mines aux alentours du prasat Bakhaeng. Toutefois, ne sortez pas des chemins balisés.

Où se loger et se restaurer

Pour profiter au mieux du prasat Bakhaeng, il faut passer la nuit au village voisin de Ta Seng. L'excursion d'une journée à partir de Kompong Thom, Tbeng Meanchey ou Siem Reap requiert au moins 10 heures de route, ce qui laisse peu de temps pour la visite. Ta Seng ne compte aucune pension, mais muni d'un hamac et d'une moustiquaire, vous pourrez dormir dans le complexe du prasat Bakhaeng ou chez un habitant du village. Passer la nuit dans le temple peut sembler romantique, mais préparez-vous à affronter les moustiques qui parviennent à se glisser à travers la moustiquaire ! Ta Seng dispose de l'électricité et de produits de base. Vous pourrez faire un repas frugal et trouverez de l'eau, des sodas et de la bière. Dormir par terre chez l'habitant vous reviendra à 5 000 r environ.

Depuis/vers le prasat Bakhaeng

À moins d'apprécier les voyages en char à bœufs, il est extrêmement difficile de rejoindre le prasat Bakhaeng entre mai et novembre. La meilleure époque pour visiter la région s'étend de février à avril, lorsque les pistes sont relativement sèches.

Aucun transport public ne dessert le prasat Bakhaeng et de rares camions se rendent à Ta Seng. La plupart des visiteurs font le trajet par leurs propres moyens, en moto-dop, en moto ou en 4x4. Seuls les motards *très* chevronnés se hasarderont à louer une moto car les conditions sont, à tout point de vue, extrêmement rudes. Les pistes serpentent à travers la forêt dans des régions encore minées. Même avec votre propre moto, mieux vaut partir avec un conducteur de moto-dop (10 $US par jour, plus l'essence) qui vous guidera, car on se perd facilement. Ne tentez pas ce parcours pendant la saison des pluies : la région est sujette à inondation et il faut franchir plusieurs rivières.

À moto, le plus rapide est de partir de Kompong Thom, bien que la plupart des conducteurs de moto-dop ne connaissent pas cette route. Suivez la RN6 en direction de Siem Reap sur 5 km, puis prenez à droite la RN64 vers Tbeng Meanchey. Au bout de 80 km, au village de Phnom Dek, un petite piste part vers l'ouest, presque en face de la bifurcation à droite vers le district de Rovieng, et traverse la forêt jusqu'à Ta Seng et au prasat Bakhaeng. Selon la rumeur, cette piste devrait être refaite prochainement. De Kompong Thom au prasat Bakhaeng, comptez environ 120 km et 4 à 5 heures en saison sèche.

En venant de Tbeng Meanchey, suivez la RN64 vers le sud sur 37 km avant de tourner à droite au panneau "Preah Khan 56 km". Cette partie du trajet, couverte d'une épaisse couche de sable, est fatigante pour les motards. C'est néanmoins l'itinéraire le plus facile pour les 4x4 en saison sèche. Vous arriverez en 4 à 5 heures à Ta Seng via le prasat Damrei.

Plusieurs possibilités s'offrent à vous si vous venez de Siem Reap. En voiture, vous ferez un long trajet sur la RN6 jusqu'à Stoeng, avant de bifurquer vers le nord sur une mauvaise piste jusqu'à Ta Seng et le prasat Bakhaeng. Ce pourrait devenir le meilleur itinéraire, car le gouvernement refait la route, comme promis avant les élections de 2003.

En moto, vous aurez le choix entre deux parcours. Le plus simple consiste à suivre la RN6 vers le sud-est jusqu'à Kompong Kdei, où une bonne piste part vers le nord jusqu'au village de Khvau. De là, une exécrable piste de chars à bœufs mène au prasat Bakhaeng, à 40 km à l'est. Prévoyez au moins une journée complète, de l'aube au crépuscule, en saison sèche.

Vous pouvez aussi emprunter la RN66. Plus aventureuse et plus romantique, l'ancienne route d'Angkor entre Beng Mealea (p. 173) et le prasat Bakhaeng traverse une dizaine de ponts angkoriens des XIIe et XIIIe siècles. À partir de Beng Mealea, la route se transforme en une piste de chars à bœufs défoncée, ponctuée de quelques ponts immenses au milieu d'une forêt déserte. À 7 km à l'ouest du village de Khvau, **Spean Ta Ong**, un pont de 15 arches sur 77 m de long, est un lieu magique. Il est fortement question de "privatiser" cette ancienne route angkorienne, comme celle de Koh Ker ; un homme d'affaires, sans doute bien introduit auprès du PPC (le parti au pouvoir), devrait refaire la route et y installer un péage – un procédé classique qui pêche par son manque de transparence !

Si prendre la route vous semble trop épuisant, il vous reste le ciel : louez un hélicoptère à Siem Reap (voir p. 146).

KOH KER

កោះកែ

Perdue dans les forêts du nord, **Koh Ker**, (entrée par la route à péage 10 $US, accès par l'ouest gratuit), capitale de l'empire angkorien au Xe siècle, fut longtemps le complexe de temples le plus reculé et le plus inaccessible du pays. La situation a complètement changé depuis l'ouverture d'une nouvelle route à péage qui part de Beng Mealea et met Koh Ker à 3 ou 4 heures de route de Siem Reap. On peut la visiter dans la journée, mais mieux vaut passer la nuit sur place pour vraiment apprécier les temples. On prévoit de mettre à disposition des visiteurs les voitures électriques coréennes que l'on voulait introduire à Angkor avant que la raison ne reprenne ses droits. Renseignez-vous à Siem Reap.

Également appelée Chok Gargyar, Koh Ker fut la capitale de Jayavarman IV (928-942) qui, ayant usurpé le trône à un rival, déserta Angkor pour s'installer ici. Son fils et successeur Harshavarman Ier ramena la capitale à Angkor en 944.

La région de Koh Ker comprend un nombre impressionnant d'édifices religieux, compte tenu de la courte période pendant laquelle la ville fut capitale de l'empire. On compte plus de 30 structures majeures et les spécialistes pensent qu'il en existait plus d'une centaine, de moindre importance. Ce fut également une époque prolifique pour les sculptures gigantesques ; plusieurs des pièces les plus imposantes du Musée national de Phnom Penh (p. 83) proviennent de Koh Ker, tels l'immense *garuda* (créature mythique mi-homme, mi-oiseau) qui accueille les visiteurs dans le hall d'entrée, et la sculpture unique qui représente deux rois-singes en train de lutter.

Principal monument de Koh Ker, le **prasat Thom**, parfois appelé prasat Kompeng, est une pyramide couverte de grès de 40 m de haut, à sept niveaux. Du sommet de cette structure saisissante, on découvre une vue magnifique sur la forêt. Remarquez le garuda géant sous la salle effondrée du dernier niveau. Découvertes sur place, quelque 40 inscriptions, datant de 932 à 1010, ont donné des informations sur cette période de l'histoire cambodgienne. Au nord-est, vous verrez les habituelles bibliothèques et une série de sanctuaires en brique plus petits. Au-delà de l'enceinte intérieure et au bout d'une allée flanquée de nâga se dresse le **prasat Krahom** (temple Rouge), deuxième édifice de Koh Ker par la taille. Nommé ainsi en raison des briques rouges ayant servi à sa construction, le prasat Krahom est célèbre pour ses lions sculptés (dont aucun ne subsiste aujourd'hui), similaires à ceux découverts au prasat Tao (p. 237), dans l'ensemble de Sambor Prei Kuk, près de Kompong Thom. En venant de Siem Reap, le prasat Krahom semble complètement perdu dans la jungle.

Au sud de ce groupe central, un grand baray alimenté par la Stung Sen, le **Rahal**, aurait servi à irriguer cette zone aride. La région comprend de nombreux autres temples, pour la plupart sûrs d'accès grâce au déminage. Cependant, ne prenez pas à la légère les panneaux "Danger Mines !" derrière chaque temple et ne vous aventurez pas dans la forêt.

Parmi les temples les plus intéressants, on retiendra : le **prasat Bram**, le premier que l'on rencontre en venant de Siem Reap, qui doit son nom à ses cinq tours, dont deux sont étranglées par des ficus ; le **prasat Neang Khmau**, qui conserve quelques beaux linteaux ; le **prasat Chen**, où fut découverte la statue des

ATTENTION MINES !

Les environs de Koh Ker ont été en grande partie déminés. Néanmoins, par mesure de prudence, ne vous éloignez en aucun cas des sentiers tracés durant la visite de ce temple.

singes luttant ; et le **prasat Leung**, qui renferme l'un des linga (symbole phallique) les plus grands et les mieux préservés du pays.

Koh Ker est l'une des cités de temples de la période angkorienne la moins étudiée. Louis Delaporte la visita lors de ses recherches approfondies sur les temples angkoriens en 1880. Elle fut explorée en 1921 par Henri Parmentier, qui publia un article dans le *Bulletin de l'École d'Extrême-Orient*. Toutefois, aucun travail de restauration n'a jamais été entrepris. Des études archéologiques furent conduites par des équipes cambodgiennes dans les années 1950 et 1960, mais tous ces travaux ont disparu au cours des années 1970, entretenant l'énigme qui entoure ce complexe.

Où se loger et se restaurer

Nulle part ! Emportez un hamac et une moustiquaire car les conditions sont très rudimentaires, que vous passiez la nuit aux alentours des temples ou dans le hameau de Koh Ker. Les villageois pourront vous préparer du riz et des nouilles, mais emportez suffisamment de nourriture et d'eau pour subvenir à vos besoins au cas où vous vous perdriez. Vous trouverez des provisions et quelque chose qui ressemble à un lit à Siyong, à 9 km au sud-est. Des pensions et des hôtels ne vont sûrement pas tarder à s'installer maintenant qu'est achevée la route à péage.

Depuis/vers Koh Ker

Les mauvaises routes ont longtemps écarté Koh Ker du circuit touristique. La nouvelle route à péage qui part de Beng Mealea (61 km) met désormais le complexe à 2 heures de voiture de Siem Reap. Elle suit le tracé d'une ancienne route angkorienne qui traverse le district de Svay Leu. Koh Ker peut se visiter dans la journée depuis Siem Reap (146 km), et le nombre de visiteurs devrait augmenter rapidement. Organisez votre transport à Siem Reap (p. 128), mais attendez-vous à des prix élevés compte tenu de la distance : 20 $US environ à moto-dop et 60 $US au moins en voiture.

Deux autres itinéraires mènent à Koh Ker, l'un depuis Siem Reap et l'autre, plus apprécié, depuis Tbeng Meanchey ; tous deux passent par le village stratégique de Sayong et vous dispensent de payer 10 $US pour accéder aux temples. De Sayong à Koh Ker, une moto-dop vous reviendra à 8 ou 10 $US pour la journée. Actuellement, ces itinéraires ne sont praticables qu'en saison sèche.

De Siem Reap, suivez la RN6 sur 60 km vers le sud-est jusqu'à Kompong Kdei, au sud-est, où se trouve un superbe pont angkorien, Spean Praptos. De là, une bonne piste part au nord vers le village de Khvau (40 km), puis un chemin forestier rejoint Koh Ker (55km), au nord. Des transports publics réguliers desservent Khvau, avec changement à Kompong Kdei. À partir de Khvau, les choses se compliquent un peu, mais en saison sèche, quelques tracteurs à plate-forme, localement appelés *coyonnes*, vont à Sayong.

L'itinéraire le plus prisé rejoint Koh Ker par l'est à partir de la capitale provinciale de Tbeng Meanchey (69 km). La piste, en bien meilleur état qu'autrefois, file vers l'ouest et traverse la bourgade de Kulen. Des transports publics desservent en partie cet itinéraire : des pick-up rallient Kulen (8 000/4 000 r en cabine/à l'arrière), où des pick-up et des 4x4 russes continuent jusqu'à Sayong (8 000 r), dernière étape avant Koh Ker. Les motards expérimentés peuvent tenter le parcours, mais mieux vaut se faire accompagner par un conducteur local de moto-dop qui vous servira de guide (10 $US par jour, plus l'essence). De l'argent bien gagné, sur de telles routes !

CHOAM KSANT

ជាំក្សាន្ត

Choam Ksant, important carrefour commercial du nord de la province de Preah Vihear, n'est guère plus qu'un gros bourg, désormais contourné par la nouvelle route du prasat Preah Vihear. Il vit essentiellement du petit commerce avec la Thaïlande, grâce au marché frontalier d'Anh Seh, à 20 km au nord dans la Chuor Phnom Dangkrek. Les Cambodgiens exportent des porcs, et les Thaïlandais, toute une gamme de biens de

FRANK CARTER

Le temple du Bayon (p. 153) à Angkor Thom

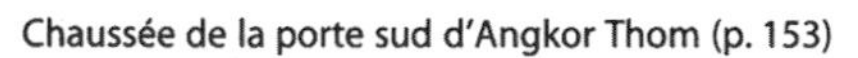

Chaussée de la porte sud d'Angkor Thom (p. 153)

RICHARD I'ANSON

MANFRED GOTTSCHALK

Le temple du Preah Ko (p. 167), groupe de Roluos

Ruines dans le temple du Preah Khan (p. 163)

ANDERS B

ANDERS BLOMQVIST

Éléphants devant l'une des portes d'Angkor Thom (p. 153)

Le temple du Ta Prohm envahi par la jungle (p. 159)

MANFRED GOTTSCHALK

consommation. La frontière est fermée aux étrangers. Le bourg, plutôt prospère comme en témoignent ses rues propres et larges, n'offre guère d'intérêt hormis quelques beaux panoramas. Les forêts environnantes recèlent les vestiges de plusieurs temples, dont le **prasat Neak Buos**, important du point de vue historique. Soyez prudent, la région reste très minée.

Choam Ksant compte quelques pensions rudimentaires, alimentées en électricité quelques heures en soirée. En face du nouveau marché, la **Heng Heng Guesthouse** (ch 8 000-10 000 r), la plus élégante, loue quelques chambres avec sdb et toilettes majestueusement surélevées ! Quelques gargotes sont installées autour des ancien et nouveau marchés et des stands de restauration sont disséminés dans le bourg.

L'état des routes est bon en direction du prasat Preah Vihear et d'Anlong Veng, mais déplorable vers Tbeng Meanchey, au sud. Cependant, les visiteurs n'ont plus de raison de passer par ici depuis qu'une route plus directe relie Tbeng Meanchey et le prasat Preah Vihear.

PRASAT PREAH VIHEAR
ប្រាសាទព្រះវិហារ

Perché au sommet d'une falaise de la Chuor Phnom Dangkrek, à 550 m de hauteur, l'imposant temple-montagne du prasat Preah Vihear occupe l'emplacement le plus spectaculaire de tous les monuments angkoriens. De là, on domine la plaine cambodgienne qui s'étend à perte de vue avec, dans le lointain, la montagne sacrée de Phnom Kulen (p. 172).

Le prasat Preah Vihear fut bâti par sept monarques successifs, de Yasovarman Ier (889-910) à Suryavarman II (1112-1152), le constructeur d'Angkor Vat. La série de sanctuaires qui s'échelonnent jusqu'au sommet de la falaise témoigne de cette construction progressive. Certains spécialistes soutiennent, au vu d'inscriptions mentionnant le fils de Jayavarman II, le premier *devaraja* (dieu-roi) d'Angkor, que l'origine du temple serait encore plus ancienne. Ce roi fit apporter une pierre sacrée de l'ancien vat Phu Champasak, un temple cambodgien au Laos.

Appelé Khao Phra Wiharn (monastère sacré) par les Thaïlandais, le prasat Preah Vihear fut un important lieu de pèlerinage pendant la période d'Angkor. Comme les autres temples-montagnes de cette époque, il fut construit pour symboliser le mont Meru et dédié à la divinité hindoue Shiva. Le temple comprend cinq gopura principaux, les plus hauts étant les mieux préservés. Le sanctuaire central est bâti à flanc de montagne et, par endroits, les fondations ne sont qu'à quelques centimètres du précipice ; une preuve supplémentaire de l'habileté architecturale des anciens Khmers. Le site, assez bien conservé, comporte plusieurs linteaux finement sculptés, en particulier autour du troisième gopura, le plus grand. Sur la porte sud, remarquez la version plus ancienne du barattage de la mer de lait, perfectionnée ultérieurement à Angkor Vat. Toutefois, la situation du temple reste son atout majeur.

Le prasat Preah Vihear a longtemps été une source de tensions entre le Cambodge et la Thaïlande et, aujourd'hui encore, les risques de conflit ne sont pas à écarter. La majeure partie de la région fut occupée pendant des siècles par les Thaïlandais, puis restituée au Cambodge à l'époque du protectorat français, conformément au traité de 1907. En 1959, l'armée thaïlandaise s'empara du temple et Sihanouk, alors Premier ministre, porta le conflit devant la Cour internationale. Il parvint ainsi à faire mondialement reconnaître la souveraineté cambodgienne dans une décision de 1962.

L'affaire était réglée, semblait-t-il, tout au moins pour quelques décennies. Le prasat Preah Vihear refit la une de la presse internationale en 1979 lorsque les militaires thaïlandais repoussèrent derrière la frontière plus de 40 000 réfugiés cambodgiens malades et mourant de faim. Cet épisode tragique fut l'un des pires rapatriements forcés de toute l'histoire des Nations unies. La région entière était minée et les réfugiés se trouvèrent piégés dans un véritable enfer. Nombre d'entre eux moururent des suites d'épouvantables blessures, de faim ou de maladie, avant que l'armée vietnamienne d'occupation ne parvienne à sécuriser un passage afin d'escorter les survivants sur la longue route jusqu'à Kompong Thom. Beaucoup, sans doute, furent emprisonnés à Phnom Penh pour avoir fui le pays.

Le prasat Preah Vihear revint sur le devant de la scène en mai 1998, lorsque les

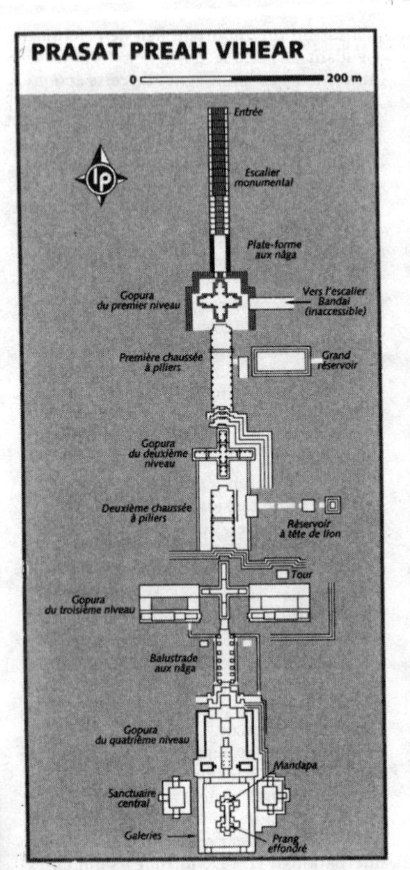

Khmers rouges s'y regroupèrent après la chute d'Anlong Veng et tentèrent de résister, avant de finir par capituler.

Avec la paix, les Cambodgiens et les Thaïlandais se mirent d'accord pour ouvrir le temple au tourisme. Les Thaïlandais construisirent une grande route dans la montagne et commencèrent à s'approprier le territoire cambodgien le long de la frontière mal délimitée. Aujourd'hui, un grand centre d'accueil et un parking s'étendent sur ce qui était, il n'y a pas si longtemps, une terre cambodgienne. Les Thaïlandais exigent maintenant que leur territoire aille jusqu'au bas des marches du temple et veulent fermer le petit marché cambodgien qui s'est développé au pied du temple. Devant le refus des Cambodgiens, les Thaïlandais ont interdit l'accès au temple, de leur côté, de décembre 2001 à 2003.

Actuellement, le prasat Preah Vihear est ouvert aux visiteurs des deux côtés de la frontière. L'entrée coûte 10 $US du côté thaïlandais – 5 $US pour les Thaïlandais, comme droit d'entrée au "parc national" et 5 $US pour les Khmers, comme droit d'entrée au temple. Du côté cambodgien, on ne paie que l'entrée au temple et les employés sont si étonnés de voir arriver des étrangers qu'ils oublient souvent de leur demander de l'argent.

Pour plus d'informations sur l'histoire et les sculptures du prasat Preah Vihear, procurez-vous auprès des vendeurs ambulants *Preah Vihear*, de Vittorio Roveda, un ouvrage agréable à lire et illustré de belles photos.

Depuis/vers le prasat Preah Vihear

L'accès le plus facile se fait par la Thaïlande, en empruntant la route goudronnée qui passe par Kantharalak et mène à l'entrée arrière du prasat Preah Vihear (voir le guide *Thaïlande* de Lonely Planet). Rejoindre le temple du côté cambodgien constitue une expérience unique et aventureuse. Les efforts décrits ci-après pourraient bientôt devenir inutiles, car le gouvernement prévoit de réhabiliter les routes à partir d'Anlong Veng et Tbeng Meanchey, ce qui mettrait le prasat Preah Vihear à 4 heures de route de Siem Reap.

Accéder au prasat Preah Vihear par le village de Sa Em est réellement éprouvant. Renoncez-y si vous n'êtes pas prêt à affronter la misère visible tout au long de la route. Ce trajet n'est envisageable qu'entre décembre et mai, car les routes de la région sont impraticables pendant la saison des pluies. On peut rejoindre Sa Em en 2 jours depuis Siem Reap ou Tbeng Meanchey, ou intégrer le détour dans un circuit de trois jours entre Siem Reap et Phnom Penh. Si vous prenez les transports publics, vous devrez louer une moto-dop pour le court trajet entre Sa Em et le pied de la montagne (de 1 à 2 $US).

Rejoindre Sa Em et le prasat Preah Vihear depuis Tbeng Meanchey n'est pas une partie de plaisir. Une nouvelle route, terminée en 2003, les relie, mais elle s'est transformée en une gigantesque ornière sous le poids des camions d'essence de contrebande venant de la frontière thaïlandaise. Comptez environ 5 heures pour atteindre le prasat Preah Vihear (115 km). La route est souvent impraticable pendant la saison des pluies et les véhicules doivent alors passer par Siem Reap. Quelques pick-up l'empruntent en saison sèche (20 000 r la place).

De Siem Reap, il faut d'abord rejoindre Anlong Veng (voir p. 223). D'Anlong Veng (103 km), des pick-up circulent sur la route correcte qui rallie Sa Em (10 000 r, 2 heures).

Quel que soit le chemin choisi, une fois arrivé au pied de la montagne, l'approche est la même. Après le poste de contrôle, une route en montagnes russes grimpe au sommet ; avec des pentes pouvant atteindre 35% et des bas-côtés non sécurisés, elle est réservée aux conducteurs hautement expérimentés. Si vous n'êtes pas motorisé, vous pouvez monter à pied (2 heures, prévoyez beaucoup d'eau), louer une moto-dop (environ 5 $US) ou le 4x4 de la police (25 $US). Si les policiers doivent monter, ils vous emmèneront pour 5 $US.

Une fois au sommet, vous aurez la satisfaction d'avoir accompli un pèlerinage des temps modernes comparable à ceux entrepris à l'apogée de l'Empire angkorien. Les centaines de touristes arrivés en bus climatisés par les impeccables routes goudronnées de Thaïlande ne sauront jamais ce que vous avez enduré !

Pour une vue aérienne du temple – et une arrivée flamboyante – venez en hélicoptère depuis Siem Reap (voir p. 146).

ATTENTION MINES !

Jusqu'en 1998, le prasat Preah Vihear a été le théâtre de violents affrontements et les Khmers rouges ont posé de nombreuses mines pour défendre ce lieu stratégique contre les forces gouvernementales. Tant que le déminage n'est pas terminé, ne sortez pas des sentiers balisés lors de la visite de ce temple : ces dernières années, plusieurs Cambodgiens ont été tués ou mutilés.

PROVINCE DE KOMPONG THOM

ខេត្តកំពង់ធំ

Deuxième province du Cambodge par la taille, Kompong Thom attire de plus en plus de voyageurs grâce aux temples de Sambor Prei Kuk et à d'autres sites angkoriens moins connus. Pendant le protectorat français, les Stieng, une ethnie minoritaire, composaient la majeure partie de la population. Depuis longtemps intégrés à la société khmère, ils vivent essentiellement de l'agriculture et de la pêche. La Stung Sen serpente à travers la province avant de se jeter dans le Tonlé Sap, à l'ouest.

La province a beaucoup souffert de la longue guerre civile. Au début des années 1970, elle fut impitoyablement bombardée par les Américains qui tentaient de rouvrir la route entre Phnom Penh et Siem Reap.

Les visiteurs empruntent principalement l'excellente RN6, qui relie Phnom Penh et Siem Reap, et la cahoteuse RN64 en direction du nord, vers Tbeng Meanchey et la province de Preah Vihear.

KOMPONG THOM

កំពង់ធំ

☎ **062 / 66 000 habitants**

Carrefour commercial animé sur les rives de la Stung Sen, Kompong Thom occupe une position stratégique sur la RN6, à mi-chemin de Phnom Penh et de Siem Reap. Les voyageurs y font généralement une courte halte le temps d'un repas et peu d'entre eux s'attardent pour la visiter. Malgré l'amélioration de la route entre la capitale et les temples d'Angkor, Kompong Thom reste une base idéale pour explorer la capitale Chenla préangkorienne de Sambor Prei Kuk et une voie d'accès aux temples reculés du prasat Bakhaeng, de Koh Ker et du prasat Preah Vihear.

Renseignements

Prévoyez suffisamment d'espèces, car vous ne pourrez ni changer vos chèques de voyage ni obtenir une avance sur votre carte de crédit. L'**Acleda Bank** (☎ 961243 ; RN6 est) représente Western Union pour les virements rapides.

Pour les appels nationaux et internationaux, adressez-vous aux kiosques téléphoniques installés autour du marché.

Une **poste** (Ph Prachea Thepatay) se tient en face de l'Arunras Hotel.

Un office du tourisme se trouve du côté est de la Ph Prachea Thepatay, à l'étage d'un vieux bâtiment de bois ; le personnel parle français.

Où se loger

Grâce à sa situation centrale sur la RN6, Kompong Thom offre un bel éventail d'hébergements pour toutes les bourses.

Arunras Hotel (☎ 961294 ; Ph Prachea Thepatay ; ch 6-12 $US ; ❄). L'ancien Neak Meas Hotel a fait peau neuve et dispose maintenant d'un ascenseur. D'un excellent rapport qualité/prix, il offre des chambres très élégantes, avec panneau de commande électrique près du lit, TV satellite, réfrigérateur et eau chaude. Sans conteste, la meilleure adresse de la ville.

Arunras Guesthouse (☎ 961238 ; 46 bd Sereipheap ; s/lits jum avec ventil 12 000/17 000 r, lits jum avec clim 8 $US ; ❄). Pension la plus prisée des petits budgets, elle propose des chambres avec TV et sdb. Si vous souhaitez bénéficier de la clim, logez plutôt dans un hôtel.

Mittapheap Hotel (☎ 961213 ; RN6 nord ; ch 5-10 $US ; ❄). Faisant partie de la chaîne Mittapheap, également présente à Kompong Cham et Kratie, ce beau petit hôtel loue des chambres confortables à prix corrects.

Stung Sen Royal Garden Hotel (☎ 961228 ; Ph Stung Sen ; ch 15-25 $US ; ❄). Son nom laisse augurer un peu plus de luxe et il est incontestablement confortable (pour la province). Apprécié des groupes en route pour Sambor Prei Kuk, il comprend des chambres bien meublées et de gigantesques suites.

Sambor Prey Kuk Hotel (☎ 961359 ; RN6 nord ; s 3-8 $US, d 5-10 $US ; ❄). Moins pimpant que les hôtels plus récents, il séduira ceux qui voyagent seuls avec ses simples à prix imbattables.

Des pensions pour petit budget bordent la Ph Dekchau Meas, à l'est du marché ; certaines servent aussi de maisons de passe et font face à la station des taxis (et au concert de klaxons matinal). La meilleure du lot est la **Sok San Guesthouse** (8 Ph Dekchau Meas ; ch 6000-10 000 r). Ne vous laissez pas décourager par la vieille étable proche de l'entrée ; un bâtiment, à l'arrière, comporte des chambres assez bien tenues, avec sdb, d'un bon rapport qualité/prix. N'acceptez pas de loger dans l'étable pour économiser 4 000 r !

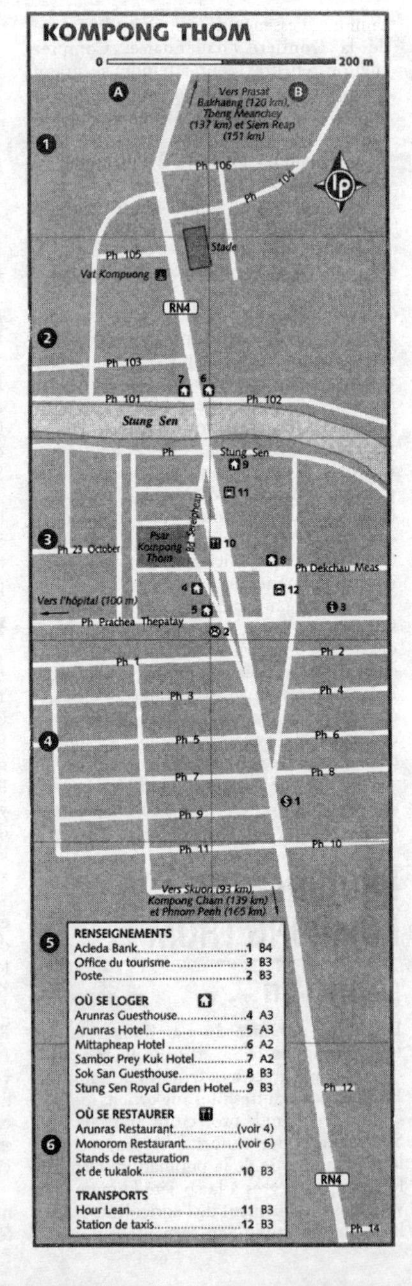

Où se restaurer

Le choix de restaurants est un peu limité, mais il y a de nombreux stands de restauration et de vendeurs de tukalok installés devant le marché.

Arunras Restaurant (46 bd Sereipheap ; plats 3 000-6 000 r). Sous l'Arunras Guesthouse, le restaurant le plus fréquenté de la ville propose une cuisine savoureuse et bon marché. La carte comprend la gamme complète des plats cambodgiens et quelques spécialités chinoises et occidentales. Goûtez le rayon de miel frit, si c'est la saison.

Monorom Restaurant (☎ 961213 ; RN6 nord ; plats 3 000-8 000 r). Voisin du Mittapheap Hotel et apprécié des habitants, ce restaurant sert un petit déjeuner succulent et ne désemplit pas de la journée.

Où sortir

L'animation nocturne n'est pas la qualité première de Kompong Thom. Toutefois, l'Arunras Hotel (ci-contre) accueille des musiciens presque tous les soirs dans son restaurant. Ils jouent essentiellement de la musique khmère et quelques succès anglais ou français. C'est l'endroit idéal pour vous initier au *rom vong*.

Depuis/vers Kompong Thom

Au milieu de la RN6, Kompong Thom se situe à 165 km au nord de Phnom Penh et à 150 km au sud-est de Siem Reap. Après une réfection longtemps attendue, la route est maintenant en bon état. Les bus qui circulent entre Phnom Penh et Siem Reap s'y arrêtent pour déposer ou prendre des passagers. Les taxis collectifs, plus rapides, coûtent 10 000 r pour Phnom Penh (2 heures 30) et environ 3 $US pour Siem Reap.

En direction du nord et de Tbeng Meanchey, souvent appelée localement Preah Vihear, les pick-up (15 000/7 000 r en cabine/à l'arrière, 4-5 heures) sont les moyens de transport les plus courants, mais des taxis collectifs font parfois le trajet (20 000 r). Pour plus de détails sur l'état déplorable de la route, voir p. 227.

ENVIRONS DE KOMPONG THOM

Sambor Prei Kuk

សំបូរព្រៃគុក

Sambor Prei Kuk abrite le plus remarquable ensemble de monuments préangkoriens du pays, avec plus d'une centaine de petits temples éparpillés dans la forêt, dont certains sont les plus anciens du Cambodge. Appelée à l'origine Isanapura, Sambor Prei Kuk fut la capitale du royaume Chenla au début du VIIe siècle, sous le règne du roi Isanavarman, et demeura un important centre d'enseignement pendant la période angkorienne.

Le complexe central se compose de quatre groupes d'édifices, la plupart en brique, dont la conception préfigure les chefs-d'œuvre ultérieurs de l'art khmer. Des siècles de mousson ont érodé les délicates sculptures extérieures ; il est cependant moins navrant de savoir que leur détérioration est due aux éléments naturels et non à la malveillance humaine, comme dans les temples angkoriens plus tardifs. Il se dégage de l'ensemble une sensation de sérénité.

Visible de la route, le groupe principal, le **prasat Sambor**, est dédié à Gambhireshvara, l'un des nombreux avatars de Shiva. Les autres sont consacrés à Shiva lui-même. Plusieurs tours conservent des sculptures en assez bon état ; une série de grands *yoni* (symboles féminins de fertilité), autour de la tour centrale, semblent plus récents et témoignent de la continuité entre les cultures préangkorienne et angkorienne.

Le **prasat Tao** (temple du Lion), qui comprend la plus grande structure de Sambor Prei Kuk, possède deux magnifiques exemples de la sculpture Chenla – deux grands lions aux crinières élaborées.

Le dernier grand groupe, le **prasat Yeay Peau**, s'enfonce plus profondément dans la forêt, d'où son atmosphère particulière. La porte tente de résister à l'arbre massif qui la surmonte et pousse ses racines à travers les briques.

Mieux vaut visiter Sambor Prei Kuk sur le chemin de Siem Reap afin d'avoir une vision chronologique de l'évolution de l'architecture cambodgienne. En venant de Siem Reap, vous aurez sans doute vu assez de temples pour le restant de vos jours, mais Sambor Prei Kuk est suffisamment différente d'Angkor pour que les amateurs d'architecture cambodgienne fassent le détour.

Lors de notre passage, l'entrée était libre, mais on inscrivait le nom des visiteurs sur un petit carnet et un don était sollicité.

Un droit d'entrée officiel sera sûrement instauré dans un proche avenir.

DEPUIS/VERS SAMBOR PREI KUK

La route qui relie Sambor Prei Kuk à la RN64 est l'une des meilleures pistes du pays, contrairement à la RN64. De Kompong Thom, suivez la RN6 vers le nord en direction de Siem Reap sur 5 km, puis continuez tout droit sur la RN64 en direction de Tbeng Meanchey. Au bout de 11 km, un panneau de latérite sur la droite indique l'excellente piste qui mène à Sambor Prei Kuk, à 14 km.

À moto-dop, comptez 6 $US l'aller-retour et 8 $US pour la journée. Le trajet se fait en 1 heure en voiture, un peu moins à moto.

Prasat Andet

ប្រាសាទអណ្ដែត

Datant de la même période que Sambor Prei Kuk (VIIe siècle), ce petit temple de brique en ruine se dresse dans l'enceinte d'un vat moderne. Le prasat Andet aurait été le sanctuaire d'un important centre de négoce sur le Tonlé Sap et certains pensent qu'il continua de jouer ce rôle à l'époque d'Angkor. Il n'en reste plus grand-chose et sa visite n'intéressera que les passionnés de temples disposant de temps. Il se trouve à 29 km à l'ouest de Kompong Thom, et à 2 km au sud de la RN6.

Phnom Sontuk

ភ្នំសន្ទុក

Phnom Sontuk, la plus importante montagne sacrée de la région, est parsemée d'effigies du Bouddha et de pagodes. Ce bel endroit domine la campagne environnante et l'on bénéficie de la vue après avoir grimpé 809 marches. L'escalier serpente dans la forêt et débouche sur une **pagode** colorée, dotée de plusieurs petits sanctuaires assez inhabituels au Cambodge. Aux alentours, plusieurs rochers de grès ont été sculptés de bouddhas. En dessous du sommet, sur le versant sud, vous découvrirez plusieurs grands **bouddhas couchés** – certains modernes, en ciment, d'autres taillés dans la montagne il y a des siècles. Un vat en activité

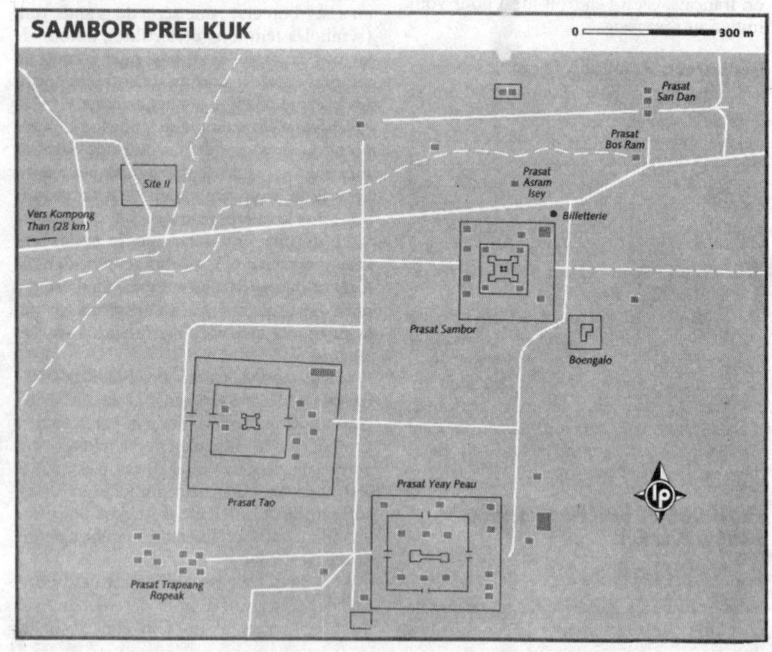

est installé sur la montagne et les moines aiment recevoir les visiteurs étrangers. Les voyageurs qui passent la nuit à Kompong Thom pourront admirer le coucher du soleil à Phnom Sontuk, mais ils devront redescendre dans l'obscurité.

DEPUIS/VERS PHNOM SONTUK

Phnom Sontuk se trouve à 20 km de Kompong Thom. Suivez la RN6 sur 18 km en direction de Phnom Penh et tournez à gauche sur le chemin sablonneux qui mène à la montagne. Si vous venez de Phnom Penh en moto ou voiture, faites le détour avant d'arriver à Kompong Thom pour ne pas revenir sur vos pas. L'aller-retour à moto-dop coûte 4 $US environ, selon le temps d'attente. Si vous conduisez une moto tout-terrain, vous pouvez tenter de grimper au sommet par la piste à gauche de l'escalier ; tournez à droite quand le chemin se dirige vers le lit rocheux d'un cours d'eau asséché – réservé aux conducteurs expérimentés.

Prasat Kuha Nokor
ប្រាសាទគុហារនគរ

Ce temple du XIe siècle, construit durant le règne de Suryavarman Ier, est en excellent état grâce à une longue restauration effectuée avant la guerre. Situé dans l'enceinte d'un vat moderne, il se rejoint assez facilement si vous disposez de votre propre véhicule. En revanche, il est difficile d'accès en bus ou en taxi collectif. À 2 heures de Phnom Penh et 1 heure de Kompong Thom, il est indiqué sur la RN6, à 22 km au nord de Skuon, et se trouve à 2 km de la route. De la RN6, une moto-dop vous conduira jusqu'au temple.

Est

L'est du Cambodge est une vaste région qui s'étend le long de la frontière vietnamienne depuis le Laos, au nord. C'est un territoire de grands contrastes : forêts vallonnées au nord-est, plaines agricoles typiques du pays au sud. Le Mékong et ses affluents traversent des terres de cultures densément peuplées et souvent inondées. Les fleuves et les rivières sont les principales voies de communication et font vivre une grande partie de la population.

Si vous vous passionnez pour la faune sauvage, le Nord-Est vous passionnera. Les provinces du Mondolkiri et du Ratanakiri – à visiter de préférence entre novembre et mars – offrent les plus beaux paysages du Cambodge et sont peuplées de tigres, de léopards et d'éléphants. Le kouprey, un buffle sauvage extrêmement rare et symbole national du pays, avait fait de la région son dernier sanctuaire : il semble qu'il ait aujourd'hui complètement disparu. Dans le Mékong, s'ébattent encore des dauphins d'eau douce de l'Irrawaddy, mais en nombre de plus en plus restreint. On peut les observer toute l'année près de Kratie.

De nombreuses minorités ethniques (*chunchiet*), comme les Khmers Loeu (Khmers du haut), vivent dans le Nord-Est, un univers très différent de celui de leurs voisins khmers des basses terres. Leurs dialectes, leurs modes de vie et leurs apparences physiques sont également distincts. Dans ce coin reculé du Cambodge, le trekking, le VTT et le kayak commencent tout juste à se développer. L'exploitation illégale des forêts du Nord-Est constitue un problème majeur en termes d'écologie, mais aussi d'économie, dans la mesure où elle s'est substituée à l'industrie du caoutchouc et aux plantations d'hévéas, autrefois prospères.

À NE PAS MANQUER

- Les dauphins d'eau douce de l'Irrawaddy, une espèce menacée présente dans le **Mékong** (p. 252) près de Kratie
- Les paysages vallonnés du **Mondolkiri** (p. 262), où vivent de nombreuses minorités ethniques, un contraste avec le reste du pays
- Un plongeon dans les eaux cristallines du **Boeng Yeak Lom** (p. 260), la plus belle piscine du Cambodge, dans son écrin de forêt vierge
- Un trek en forêt à dos d'éléphant (p. 258) dans le Ratanakiri, un moyen de locomotion encore en usage dans les tribus montagnardes
- Une promenade en bateau (p. 248) sur le Mékong, entre Kompong Cham et Stung Treng, jalonnée d'une multitude d'îlots et de villages

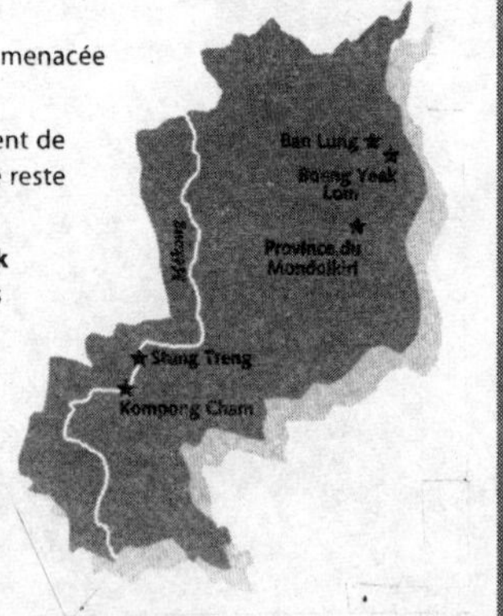

■ ALTITUDE : 5 – 1 500 M	■ POPULATION : 5,4 MILLIONS	■ SUPERFICIE : 68 472 KM²

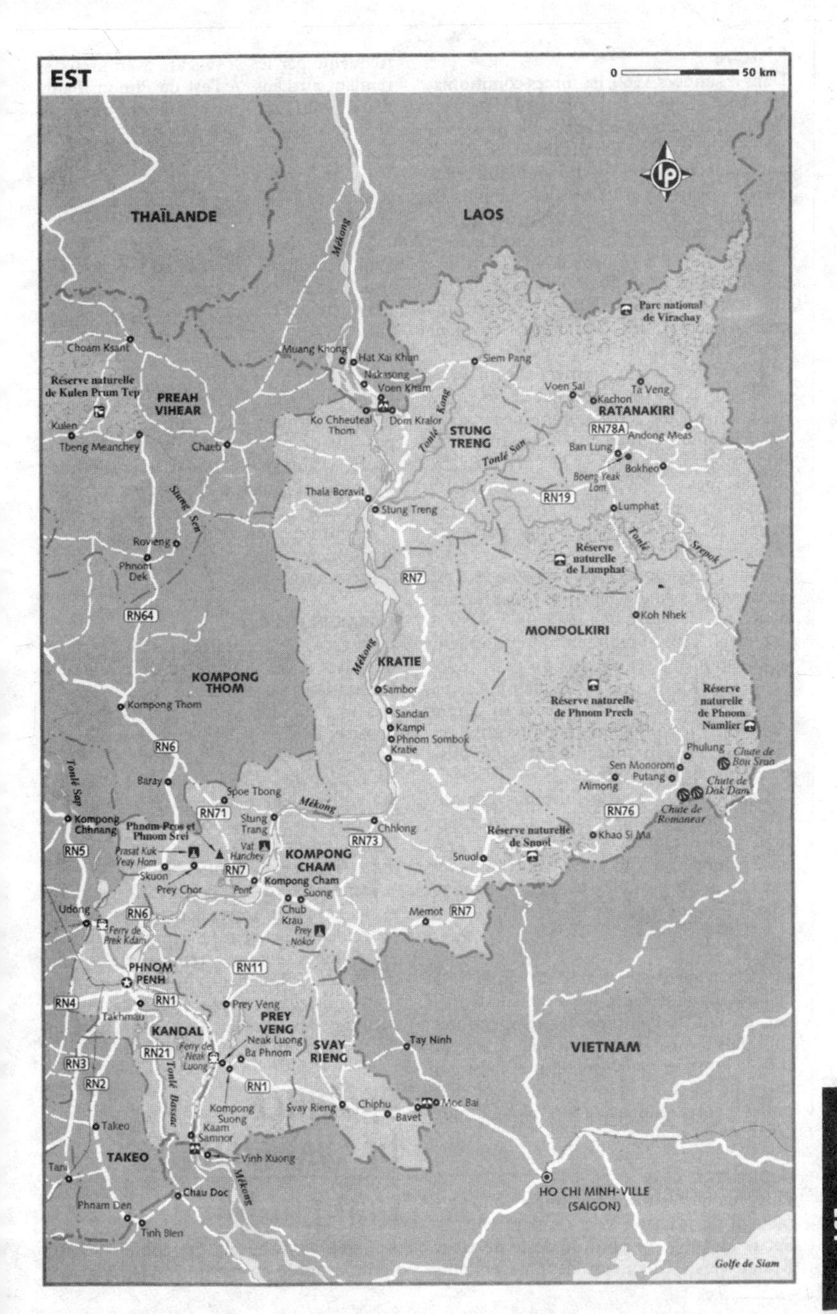
EST
0
50 km
THAÏLANDE
LAOS
VIETNAM
Mékong
Parc national de Virachay
Choam Ksant
Muang Khong
Hat Xai Khan
Siem Pang
Nakasong
Voen Kham
Réserve naturelle de Kulen Prum Tep
PREAH VIHEAR
Kulen
Tbeng Meanchey
Chaeb
Ko Chheuteal Thom
Dom Kralor
Tonlé Kong
STUNG TRENG
Voen Sai
Kachon
Ta Veng
RATANAKIRI
RN78A
Andong Meas
Ban Lung
Tonlé San
Boeng Yeak Lom
Bokheo
RN19
Lumphat
Thala Boravit
Stung Treng
Stung Sen
Rovieng
Phnom Dek
RN7
Réserve naturelle de Lumphat
Tonlé Srepok
RN64
Koh Nhek
MONDOLKIRI
KRATIE
KOMPONG THOM
Sambor
Kompong Thom
Sandan
Kampi
Phnom Sombok
Kratie
Réserve naturelle de Phnom Prech
Réserve naturelle de Phnom Namlier
RN6
Phulung
Chute de Bou Sraa
Sen Monorom
Putang
Mimong
Chute de Dak Dam
Chute de Romanear
Tonlé Sap
Baray
Spoe Tbong
RN71
Stung Trang
Chhlong
RN76
Kompong Chhnang
Phnom Pros et Phnom Srei
Vat Hanchey
RN73
Réserve naturelle de Snuol
Khao Si Ma
RN5
Prasat Kuk Yeay Hom
KOMPONG CHAM
Snuol
Skuon
Prey Chor
Kompong Cham
Pont
Suong
Chub Krau
Memot
Udong
Ferry de Prek Kdam
Prey Nokor
PHNOM PENH
RN11
RN4
RN1
Prey Veng
Takhmau
KANDAL
PREY VENG
Neak Luong
SVAY RIENG
Tay Ninh
Ferry de Neak Luong
Ba Phnom
RN21
RN3
RN2
Tonlé Bassac
Kompong Suong
Svay Rieng
Chiphu
Moc Bai
Bavet
Takeo
Kaam Samnor
TAKEO
Vinh Xuong
Tani
Chau Doc
HO CHI MINH-VILLE (SAIGON)
Phnam Den
Tinh Bien
Golfe de Siam

Histoire

Dans les années 1960, les forces communistes vietnamiennes se réfugièrent dans l'est du Cambodge pour échapper à la puissance de feu de l'armée américaine. La région passa alors en grande partie sous l'influence de son voisin. Le roi Sihanouk, de plus en plus antiaméricain, laissa transiter par le port de Sihanoukville les armes chinoises à destination des troupes d'Ho Chi Minh. Lorsque, à la fin de la décennie, les incursions et les bombardements américains commencèrent, les Vietnamiens avaient pénétré loin à l'intérieur du pays.

À la suite du renversement du roi Sihanouk, Lon Nol exigea le retrait du territoire de l'ensemble des forces communistes, dans un délai d'une semaine. L'ultimatum était impossible à respecter et la guerre éclata. En quelques mois à peine, les communistes vietnamiens et leurs alliés khmers rouges prirent le contrôle d'une bonne partie de la région.

Sous le régime des Khmers rouges, l'est du Cambodge figura parmi les zones les plus modérées. Ce n'est qu'en 1977 que Pol Pot et le pouvoir central tentèrent d'imposer leur domination sur cette partie du pays, indépendante et puissante sur le plan militaire. La répression déclencha une quasi-guerre civile entre les différentes factions khmères rouges, qui perdura jusqu'à l'invasion vietnamienne de décembre 1978.

Celle-ci provoqua la fuite des responsables khmers rouges vers la frontière thaïlandaise. Durant les années 1980, l'est du Cambodge devint l'une des régions les plus sûres du pays, les Khmers rouges se tenant à bonne distance du Vietnam.

Climat

Le climat des basses terres est similaire à celui de Phnom Penh. Mais dans le Nord-Est, du fait de l'altitude, les températures sont plus basses. Il n'y fait jamais vraiment frais la journée, mais un bon pull n'est pas superflu les soirs d'hiver. La saison des pluies a aussi tendance à être plus humide que dans les plaines.

Depuis/vers l'Est

Plusieurs postes-frontières importants permettent de transiter vers les pays voisins. Sur le Mékong, au nord, le poste de Dom Kralor–Voen Kham est de plus en plus fréquenté par les voyageurs aventureux se rendant au Laos. À l'est de Phnom Penh, deux points de passage communiquent avec le Vietnam : le poste traditionnel de Bavet–Moc Bai sur la route d'Ho Chi Minh-Ville, et le poste de Kaam Samnor–Vinh Xuong sur le Mékong. Pour plus de détails, voir p. 296.

Si vous êtes déjà au Cambodge, Phnom Penh demeure la voie habituelle d'accès à la région. La capitale est reliée aux grandes villes par des routes récemment refaites et à la province du Ratanakiri par des vols réguliers.

Avec l'ouverture des communications par voie terrestre, on peut désormais rejoindre les provinces les plus reculées en combinant bateau et route. Sans trop traîner, il est possible de partir de Phnom Penh par la route, visiter le Ratanakiri et revenir en moins d'une semaine. Plus simple encore, le Mondolkiri peut s'explorer en quatre jours, si les correspondances fonctionnent et que la saison des pluies n'a pas encore rendu les routes impraticables.

Comment circuler

L'Est est l'une des régions les plus reculées du pays, et les conditions de circulation varient largement entre la saison sèche et la saison humide. Il est assez facile de se déplacer dans les plaines en bus, minibus et taxis depuis que les routes ont été refaites. La Nationale 1 (RN1) vers le Vietnam a été entièrement remise en état jusqu'à la frontière. La RN7 est comme neuve jusqu'à Kratie, mais encore en travaux jusqu'à Stung Treng et la frontière laotienne.

Dans le Nord-Est, la situation est différente. Les pluies torrentielles s'abattent sur les routes et peuvent les rendre mauvaises en quelques semaines, rendant aléatoire la durée des déplacements. En saison humide, il est judicieux de voyager par bateau sur le Mékong ; les taxis, les jeeps et les pick-up font l'affaire en saison sèche.

PROVINCE DE SVAY RIENG

ខេត្តស្វាយរៀង

Appelée le "bec de perroquet", cette petite avancée en territoire vietnamien a été un point de fixation pour les forces américaines, persuadées qu'elle abritait l'état-major de l'armée communiste vietnamienne. Mais s'il ne fait aucun doute que de nombreux communistes vietnamiens étaient repliés au Cambodge pendant une bonne partie de la guerre, il n'y avait pas pour autant de QG vietnamien dans le pays. En 1969, les Américains débutèrent leurs bombardements illégaux sur la région, avant de s'allier aux troupes sud-vietnamiennes en 1970 et de lancer une attaque terrestre.

Avec ses terres de mauvaise qualité, la province de Svay Rieng figure parmi les plus pauvres du Cambodge. L'agriculture et la pêche procurent une maigre pitance. Il n'y a vraiment rien ici qui puisse retenir les visiteurs et 99,9% d'entre eux filent sans s'arrêter sur la RN1 en direction du Vietnam.

SVAY RIENG

ស្វាយរៀង

☎ 044 / 21 000 habitants

Beaucoup traversent ce chef-lieu de province sans y prêter attention. Svay Rieng ne se distingue guère des autres bourgades somnolentes du Cambodge, mais si vous avez besoin de recharger vos batteries entre les nuits agitées de Phnom Penh et celles de Ho Chi Minh-Ville, c'est le meilleur endroit pour le faire. Il n'y a absolument rien à visiter. Un affluent du Mékong, le Tonlé Wayko, serpente à travers la ville.

Renseignements

Ici, tout se règle en espèces, mieux vaut donc arriver avec une provision de dollars ou de riels. Le représentant de Western Union, l'**Acleda Bank** (☎ 945545), à quelques rues à l'ouest du monument de l'Indépendance, accepte les virements internationaux.

Où se loger

Cette partie du pays offre un choix limité. Dans la catégorie petits budgets, on trouvera plusieurs pensions autour d'un carrefour du centre-ville, à quelques centaines de mètres à l'ouest du monument de l'Indépendance. Deux hôtels entièrement équipés, donnant sur le monument de l'Indépendance, offrent la climatisation, la TV par satellite et des sdb.

Vimean Monorom Hotel (☎ 945817 ; RN1 ; ch 5-10 $US ; ❄). L'apparence extérieure est quelque peu soviétique, mais les chambres sont grandes, confortables et bon marché. Les moins chères sont ventilées, les climatisées coûtent le double.

Tonlay Waikor Hotel (☎ 945718 ; RN1 ; ch 10 $US ; ❄). Cet hôtel imposant, si fier de ses moquettes, affichait des prix supérieurs à la concurrence. Ils sont redevenus attrayants, et l'on y dort en toute sécurité : le patron est le chef de la Police nationale.

Samaki Guesthouse (☎ 011 888412 ; Ph 113 ; ch avec/sans sdb 4/3 $US). La meilleure parmi plusieurs pensions médiocres. Propriétaires amicaux et serviables. Sdb commune pour les chambres les moins chères.

Santepheap Guesthouse (☎ 011 682760 ; Ph 113 ; ch avec/sans sdb 5/4 $US). En deuxième position après Samaki Guesthouse. Quitte à payer plus cher, mieux vaut peut-être choisir l'un des hôtels.

Où se restaurer

Boeng Meas Restaurant (RN1 ; plats 1 $US ; 🕒 6h30-21h30). Le meilleur restaurant de la ville au dire de nombreux Khmers. Petit établissement en bois sur pilotis, près de la rivière. Les noms des plats traditionnels khmers sont traduits en anglais, et le service est rapide.

Thun Thean Reksmey Restaurant (Ph 113 ; plats 3 000-6 000 r ; 🕒 6h30-21h30). Rendez-vous préféré des humanitaires depuis longtemps, ce restaurant familial sert une bonne cuisine, dans une ambiance accueillante.

Ceux qui souhaitent manger rapidement trouveront de petites échoppes de restauration autour du marché et quelques vendeurs d'en-cas, le soir, près de la rivière.

Où sortir

On peut toujours rêver ! Autrefois, il était possible de danser dans les discothèques des grands hôtels, mais elles ont cédé à la mode du karaoké. Quelques-unes des échoppes du bord de l'eau offrent un endroit tranquille où prendre une bière.

Depuis/vers Svay Rieng

À Phnom Penh, les taxis collectifs pour Svay Rieng démarrent de la station de Chbah Ampeau, au sud-est de la ville. Le trajet coûte environ 8 000 r par personne. Hour Lean (p. 104) assure une liaison directe en bus au départ de Phnom Penh (8 000 r, 3 heures, 1 départ/jour).

Il est plus difficile de rejoindre Svay Rieng depuis Bavet, le poste cambodgien à la frontière du Vietnam. Les chauffeurs de taxi préfèrent la course plus lucrative jusqu'à Phnom Penh. La meilleure solution consiste à monter dans le taxi avec des touristes et à se faire déposer à Svay Rieng (1 à 2 $US), en général, près du marché.

PROVINCE DE PREY VENG

ខេត្តព្រៃវែង

Nichée sur la rive est du Mékong, cette province est agricole et très peuplée. Le caoutchouc jouait un grand rôle dans son économie avant la guerre, mais la plupart des plantations ont perdu toute rentabilité commerciale. La province compte peu de sites touristiques, bien qu'elle ait occupé une place importante dans l'histoire du Cambodge : l'un des premiers royaumes préangkoriens était en effet situé dans la région de Ba Phnom. Les visiteurs y sont peu nombreux. Le chef-lieu de province est un bourg endormi sur la RN11, une route récemment refaite qui relie la RN1 à la RN7.

PREY VENG

ព្រៃវែង

☎ 043 / 55 000 habitants

Très peu de visiteurs font le voyage jusqu'à Prey Veng, située entre Neak Luong et Kompong Cham. Il ne se passe pas grand-chose dans cette ville où tout le monde est au lit à 21 h. Pour ceux qui souhaitent échapper à la compagnie des autres touristes, Prey Veng offre une alternative à l'itinéraire habituel entre Phnom Penh et Kompong Cham.

La présence de quelques édifices coloniaux délabrés atteste de l'importance passée de la cité. Un grand lac délimite la ville à l'ouest mais il s'évapore à partir de mars et cède jusqu'en août la place aux rizières.

Renseignements

Il faut se munir de dollars ou de riels, les autres devises n'étant guère acceptées. Représentante de la Western Union, l'**Acleda Bank** (☎ 944555) offre un service de virements internationaux rapides.

À voir

Il existe bien un petit **musée** au milieu de la ville, mais il est fermé la majeure partie de l'année. Il n'y a rien à regretter : il est si petit que l'on peut apercevoir toutes ses richesses par la fenêtre.

Où se loger

Les chambres les moins chères sont équipées de ventilateurs, les plus chères sont climatisées.

Angkor Thom Hotel (☎ 012 953165 ; ch 5-10 $US ; ❄). Avec ses 27 chambres impeccables, toutes équipées de sdb, ce joli petit hôtel a soudain fait monter les enchères à Prey Veng.

Chan Kiry Guesthouse (☎ 011 746014 ; ch 5-10 $US ; ❄) Sur un promontoire qui s'avance sur le lac en saison humide, balayée par la brise, cette pension aurait besoin d'un bon lifting pour être à la hauteur du cadre. TV sat et sdb dans toutes les chambres.

Mittapheap Hotel (☎ 012 997757 ; ch 4-10 $US ; ❄). Situé aux abords du carrefour central, ce petit établissement jouit depuis longtemps d'une bonne réputation. Les chambres sont propres, et comme chez ses concurrents, d'un prix intéressant.

Rong Damrey Hotel (☎ 011 761052 ; ch 5-10 $US ; ❄). Établissement propre et confortable, retiré dans le coin nord-est de la ville, derrière le stade (ou le champ qui en fait office). Une nouvelle aile était en construction lors de notre passage, aussi sera-t-il peut-être redevenu l'hôtel le plus chic de la ville lorsque vous lirez ces lignes.

Où se restaurer

Outre les échoppes du marché et une ou deux cantines sommaires, Prey Veng compte un seul vrai restaurant.

Mittapheap Restaurant (☎ 011 939213 ; plats 3 000-4 000 r). Tenu par la famille qui dirige le Mittapheap Hotel voisin (cf. ci-dessus). L'endroit est sympathique et distrayant, avec une carte khmère, chinoise et vietnamienne bon marché. Service chaleureux et très rapide.

Depuis/vers Prey Veng

Prey Veng se trouve à 90 km à l'est de Phnom Penh et à 78 km au sud de Kompong

Cham, autant dire que le voyage prenait une éternité avant que la RN11 ne soit refaite, en 2003. Elle est maintenant aussi praticable que les autres routes du pays. Des minibus (6 000 r) qui partent lorsqu'ils sont pleins et des taxis collectifs (8 000 r) relient Prey Veng à Phnom Penh en 2 heures. La liaison sera encore plus rapide lorsque le grand pont de Neak Luong sera terminé, en 2007 ou 2008. Vers Kompong Cham, les minibus (4 000 r) et les taxis collectifs (6 000 r) mettent environ 1 heure 30.

La nouvelle RN11 ravira moyennement les motocyclistes. Le trajet est beaucoup plus rapide, mais il n'offre plus les montagnes russes d'autrefois.

NEAK LUONG

អ្នកលឿង

☎ 043 / 22 000 habitants

Neak Luong est l'endroit où les voyageurs pressés qui filent vers le Vietnam sont contraints de ralentir pour traverser le Mékong. Un bac poussif fait la navette, laissant tout le temps aux enfants de proposer d'étranges insectes et autres brochettes de nourriture non identifiée. Venant du Vietnam, le visiteur connaîtra ici son premier accueil cambodgien. Le premier pont sur le Mékong a été construit à Kompong Cham. L'inauguration du second à Neak Luong est prévue pour 2007 ou 2008.

Le film *La Déchirure* (1984) évoque Neak Luong, rasée par erreur en août 1973 par des B-52 de l'armée américaine qui entendaient stopper l'avancée des Khmers rouges sur Phnom Penh. Les bombardements intensifs firent 137 morts et 268 blessés parmi la population civile. Le gouvernement américain essaya d'étouffer l'affaire en tenant les médias à l'écart, mais Sydney Schanberg (joué par Sam Waterstone dans le film) réussit à rejoindre la ville en bateau et à révéler l'ampleur de la tragédie. L'ambassadeur américain offrit une indemnité de 100 $US à chaque famille des victimes, et le navigateur du B-52 fut condamné à une amende de 700 $US. On ne saurait mieux exprimer le prix que représentait une vie cambodgienne pour les États-Unis, empêtrés dans cette affaire lamentable.

Le moyen le plus rapide d'arriver à Neak Luong est de prendre un bus climatisé au psar Thmei de Phnom Penh (4 500 r, toutes les heures) et de traverser le Mékong en ferry comme passager piéton (100 r). De Neak Luong, on peut poursuivre en direction de l'est vers Svay Rieng (64 km), du nord vers Prey Veng (30 km), ou bien du sud vers Kaam Samnor et le delta du Mékong. Pour plus d'informations sur le trajet Phnom Penh-Chau Doc, lire p. 296.

BA PHNOM

បាភ្នំ

Ba Phnom, l'un des plus anciens sites religieux et culturels du royaume du Cambodge, date du Ve siècle, l'époque du mystérieux Funan. Certains spécialistes y voient le berceau de la nation cambodgienne, de même qu'on vénère en Phnom Kulen la première capitale d'Angkor. Le site demeura un but de pèlerinage essentiel pour les souverains du Chenla et d'Angkor et conserva une importance religieuse jusqu'au XIXe siècle. Mais ce passé glorieux cache une réalité plus sombre. D'après des documents français, on y pratiquait des sacrifices humains qui ne cessèrent définitivement qu'en 1872.

Il reste bien peu de choses d'une si longue histoire. À l'extrémité est du petit groupe de collines, on découvre le très kitsch **Preah Vihear Chann**. Ce temple du XIe siècle a subi les outrages du temps, mais a été reconstruit par un monastère local en reprenant quelques blocs d'origine, noyés dans un flot de ciment, et coiffés d'un toit de tôle ondulée.

Un **vat** contemporain se dresse au pied de la colline, sur laquelle des marches de béton mènent à plusieurs petites **pagodes** édifiées au sommet. Ceux qui s'intéressent de près à l'histoire ancienne du Cambodge peuvent faire le détour, mais le simple touriste n'y trouvera guère d'intérêt.

Comment s'y rendre

De Phnom Penh, prenez la RN1 en direction de l'est et bifurquez vers le nord à Kompong Suong, à 9 km à l'est de Neak Luong. Suivez cette piste sur 3 km, puis tournez à droite et poursuivez vers l'est au pied de la colline. Au bout de 7 km, tournez à gauche sous un arc qui ressemble à ceux des vat et allez jusqu'à la colline. Si vous n'êtes pas motorisé, vous pouvez prendre une moto-dop à Neak Luong (4 $US environ l'aller-retour).

PROVINCE DE KOMPONG CHAM

ខេត្តកំពង់ចាម

La province la plus peuplée du Cambodge a fourni au pays bon nombre de ses dirigeants politiques actuels, dont le premier ministre, Hun Sen et le président du Sénat, Chea Sim. Toutefois, les habitants de la province mènent, dans leur grande majorité, une existence plus paisibles, vivant de la terre ou de la pêche dans les eaux du Mékong. À l'est du fleuve s'étendent d'immenses plantations d'hévéas qui alimentaient l'industrie florissante du caoutchouc avant la guerre. Certaines sont à nouveau exploitées, et, signe encourageant, de jeunes arbres sont plantés près de Memot. La province produit aussi une soie d'excellente qualité : la plupart des *krama* (écharpes) que l'on achète dans le pays viennent d'ici.

Passage obligé pour qui veut se rendre dans le nord-est du pays, la province de Kompong Cham accueille bon nombre de touristes. On peut y admirer plusieurs temples angkoriens et pré-angkoriens, et découvrir à vélo ou à moto les rives du Mékong. Les déplacements dans la province sont devenus beaucoup plus faciles depuis la réfection de la RN7 jusqu'à Kratie. On ne circule pas trop mal non plus hors des grands axes, l'importance de la population ayant justifié ici, plus qu'ailleurs, l'amélioration du réseau routier.

KOMPONG CHAM

កំពង់ចាម

☎ 042 / 46 000 habitants

Longtemps considérée comme la troisième ville du pays après Phnom Penh et Battambang, Kompong Cham a été quelque peu éclipsée par les villes en forte croissance touristique que sont Siem Reap et Sihanoukville. De fait, Kompong Cham est un paisible chef-lieu de province, baigné par le Mékong. Important carrefour commercial pendant la période française, elle conserve un héritage colonial non négligeable, que vous découvrirez en flânant dans les rues bordées de bâtiments marqués par les ans, mais encore beaux. Centre principal des communications terrestres et fluviales, la ville donne accès à l'est et au nord-est du Cambodge. Ce rôle n'a fait que s'amplifier avec l'inauguration du premier pont sur le Mékong construit dans le pays, réduisant très considérablement les temps de trajet vers des destinations très prisées telles que Kratie et le Mondolkiri.

Orientation

Kompong Cham a beau être l'un des centres importants du pays, cela n'en fait pas une très grande ville. Vous n'aurez aucun mal à circuler à pied. Lorsque vous arrivez de Phnom Penh, toutes les routes en direction de l'est débouchent sur les rives du Mékong, près des nombreux hôtels et pensions. Le marché se trouve à quelques rues à l'ouest du fleuve.

Renseignements

M. Vannat est un guide local expérimenté, et si vous buvez un verre à la fraîche au bord du Mékong, il est probable qu'il vous trouvera sans tarder. Il parle français.

ABC Computer (☎ 941477 ; 11 Ph Ang Duong ; 1 $US/heure). Accès Internet.

Acleda Bank (☎ 941703 ; 31 Ph Khemarak Phomin). Le représentant local de la Western Union, si vous avez besoin d'argent liquide rapidement.

Canadia Bank (☎ 941361 ; Preah Monivong Blvd). Traite le liquide et les chèques de voyage en diverses monnaies. Avances sur carte Visa et MasterCard, et virements Moneygram.

À voir

VAT NOKOR

វត្តនគរ

À la lisière de la ville, ce sanctuaire bouddhique mahayana du XIe siècle, en grès et latérite, abrite aujourd'hui un vat theravada très actif. Ce temple dans un temple est un endroit assez kitsch. Nombres de porches de l'ancienne structure ont été incorporés dans la nouvelle où ils sont devenus des lieux destinés au culte. En semaine, seuls quelques moines sont présents dans le complexe, et il est agréable de flâner parmi les chapelles réservées aux différents rites. On verra également un grand bouddha couché.

Pour vous rendre sur place, quittez la ville par la route de Phnom Penh puis, au grand rond-point situé à 1 km environ du centre, prenez l'embranchement de gauche.

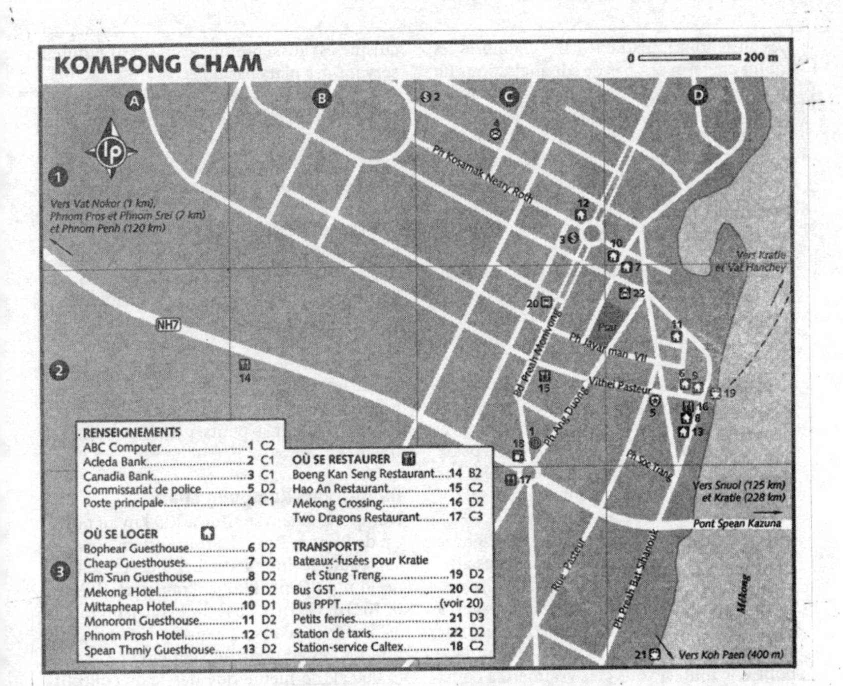

Le temple se trouve au bout de cette route de terre.

Koh Paen

កោះប៉ែន

Koh Paen est une île rurale du Mékong, reliée à la périphérie sud de Kompong Cham par un ferry en saison humide et par un pont de bambous en saison sèche. Celui-ci, très élaboré, est une attraction en soi. Il est totalement reconstruit à la main chaque année, et de loin, ressemble à un pont d'allumettes. L'île abrite de nombreux vat. Les habitants vivent de la pêche ainsi que de la culture du tabac et du sésame. À la saison sèche, on voit apparaître autour de l'île plusieurs bancs de sable qui font office de plage. Pour circuler dans l'île, procurez-vous un vélo par l'intermédiaire d'une des petites pensions de la ville.

Où se loger

Beaucoup de visiteurs préfèrent séjourner au bord du Mékong pour profiter de la vue, avec cependant un inconvénient : celui des sirènes de bateaux qui retentissent à une heure indue le matin.

Mekong Hotel (☎ 941536 ; Ph Preah Bat Sihanouk ; ch 5-10 $US ; ❄). Ce vaste hôtel superbement situé offre les meilleures prestations de la ville. Toutes les chambres ont la TV par satellite. Pour 10 $US, vous aurez droit à la clim et à l'eau chaude mais n'oubliez pas de demander une chambre sur le Mékong. Les très larges couloirs donnent envie d'y jouer au football. Possibilité de louer des vélos.

Spean Thmiy Guesthouse (95 Ph Preah Bat Sihanouk ; s/lits jum 4/5 $US). Comme son nom l'indique, la pension "Nouveau Pont" jouit d'une vue panoramique sur le pont. À 4 $US la chambre avec sdb, c'est une bonne affaire, et en plus, il y a une jolie véranda.

Kim Srun Guesthouse (☎ 941507 ; 81 Ph Preah Bat Sihanouk ; s/d 3/5 $US). Optez pour les doubles car les simples ressemblent vraiment à des cellules. Tenu par une famille sympathique, c'est l'un des endroits les plus conviviaux de la ville.

Bophea Guesthouse (☎ 012 796803 ; Vithei Pasteur ; ch 2-3 $US). Pension historique pour petits budgets, à un pâté de maisons du fleuve.

Les tarifs sont imbattables. Les chambres les moins chères n'ont pas de sdb mais, pour un dollar de plus, vous accéderez à de grandes chambres avec sdb. Bicyclettes à louer.

Mittapheap Hotel (☎ 941565 ; fax 941536 ; 18 Ph Kosamak Neary Roth ; ch 5-10 $US ; ❄). Mêmes propriétaires que le Mekong Hotel. Chambres impeccables et bon marché, peut-être les plus chic de la ville, avec TV et eau chaude.

Monorom Guesthouse (☎ 941441 ; s 4-8 $US, d 5-10 $US ; ❄). La vieille maison de devant a l'air d'être sur le point de s'écrouler, mais la pension est logée à l'arrière, dans une aile neuve et propre.

Phnom Prosh Hotel (☎ 941444 ; Ph Kosamak Neary Roth ; ch 5-10 $US ; ❄). Connu pour être la propriété d'un neveu du Premier ministre, Samdech Hun Sen, vous ne devriez pas y rencontrer de problème de sécurité ! Les chambres sont entièrement équipées (TV sat, réfrigérateur et eau chaude).

Des pensions à petits prix sont alignées dans une rue partant du marché ; elles affichent leurs chambres à 5 000 r. Toutefois, la plupart des "clients" semblent payer à l'heure et vous pourriez bien être gêné par le bruit. À privilégier comme dépannage pour une nuit, si vous êtes vraiment à court d'argent.

Où se restaurer

Kompong Cham compte plusieurs bons restaurants et une foule de petites échoppes autour du marché. Celui-ci regorge également d'étals de nourriture à emporter et l'on trouvera des vendeurs de *tukalok* (milk-shake aux fruits) près du poste de police.

L'inauguration du pont en 2002 a fait émerger tout un groupe de restaurants sur pilotis de l'autre côté du fleuve, versions miniatures des restaurants du pont Chrouy Changvar de Phnom Penh. Certains reçoivent des orchestres, d'autres sont des adeptes du karaoké, et tous offrent un bon choix de plats khmers traditionnels.

Hao An Restaurant (☎ 941234 ; Preah Monivong Blvd ; plats 4 000-10 000 r). Établissement quelque peu clinquant pour Kompong Cham mais pratiquant des prix très raisonnables. Le service est bien rôdé et un régiment de "beer girls" veille à ce que vous n'ayez jamais soif.

Two Dragons Restaurant (Ph Ang Duong ; plats 4 000-8 000 r). Plus petit et plus simple, mais la cuisine est aussi bonne. Restaurant familial servant des plats basiques.

Boeng Kan Seng Restaurant (RN7 ; plats 4 000-10 000 r). Situation attrayante près d'un petit lac à la périphérie de la ville. Carte très variée, avec notamment de succulents beignets de crevettes, dans une sauce pimentée sucrée.

Mekong Crossing (☎ 012 427432 ; 12 Vithei Pasteur ; plats 2-4 $US). Petit pub à deux pas du fleuve. Bon choix de curries khmers, de hamburgers et de sandwiches occidentaux. Le soir, le Mekong crossing est, dans la ville, ce qui se rapproche le plus d'un bar.

En début de soirée, les habitants et les expatriés se retrouvent sur les berges du fleuve à la hauteur du Mekong Hotel, où des stands vendent à petits prix des boissons fraîches.

Depuis/vers Kompong Cham

Kompong Cham se situe à 120 km au nord-est de Phnom Penh. La route est en bon état sur toute la longueur. Les bus climatisés de Phnom Penh Public Transport (PPPT ; p. 104) et GST (p. 104) font la liaison toutes les heures (7 000 r, 2 heures). Des minibus bondés effectuent également ce trajet (5 000 r), de même que des taxis collectifs super-rapides (10 000 r).

La RN7 jusqu'à Kratie a été entièrement refaite. Des bus PPPT desservent Suong, Memot et Kratie depuis Phnom Penh, en prenant des voyageurs à Kompong Cham, s'il reste de la place. Le bus pour Kratie (15 000 r, 3 heures) passe à 10h30.

La réfection des routes a porté un coup fatal aux services fluviaux. Il n'existe plus de bateaux pour Phnom Penh, et il n'en reste qu'un seul pour Kratie (7 $US, 3 heures), à 7h30. De juillet à janvier, ce bateau continue jusqu'à Stung Treng (15 $US, 7 heures).

Il existe encore quelques services de cargos, très lents, vers le nord et le sud. Ils sont très bon marché et vous laisseront le temps d'avancer dans vos lectures, allongé dans un hamac sur le pont supérieur. Renseignez-vous sur le quai en face du Mekong Hotel ; il n'y a pas d'horaires fixes.

Comment circuler

Une course à moto-dop dans la ville revient à 1 000 r, un peu plus la nuit. Vous pourrez louer une bicyclette ou une moto par l'intermédiaire de l'hôtel ou de la pension.

HUIT PATTES A CROQUER

Les habitants de la petite localité de Skuon (connue aussi sous le doux nom de "Spiderville") raffolent des bêtes poilues à huit pattes, au petit déjeuner comme au dîner. La plupart des visiteurs qui voyagent de Phnom Penn à Siem Reap traversent Skuon sans même s'en rendre compte. La bourgade est en effet dépourvue d'attrait touristique, hormis cette spécialité des plus exotiques : l'araignée frite.

Les pick-up s'y arrêtent généralement, ce qui donne le temps d'examiner attentivement les en-cas noirs et poilus proposés par les vendeurs ambulants. Les bestioles, empilées sur des plateaux, sont mortes plutôt deux fois qu'une, mais ne soyez pas trop confiant... D'autres, bien vivantes, rodent assurément dans les parages.

Attrapées dans des trous sur les collines au nord de Skuon, les araignées - une fois frites-constituent une expérience gastronomique mémorable. On les mange comme des crabes en cassant la carapace et en pressant sur les pâtes pour en extraire une chair des plus juteuses, dont la saveur s'apparente à celle du... poulet. Une expérience cathartique pour les arachnophobes. Ceux pour qui la chose est vraiment impossible pourront quand même se faire tirer le portrait en train de mordre l'insecte par le milieu. Attention à l'abdomen, rempli d'une substance marron nauséabonde.

Personne ne sait exactement comment est apparue cette micro-industrie de l'araignée à Skuon. Certains pensent que la population s'est mise à en manger pendant la famine, sous le régime khmer rouge, mais il semble plutôt que l'origine de cette coutume se perde dans la nuit des temps.

ENVIRONS DE KOMPONG CHAM

Phnom Pros et Phnom Srei

ភ្នំប្រុសភ្នំស្រី

Ces noms signifient respectivement "Colline de l'homme" et "Colline de la femme". La légende raconte qu'un groupe d'hommes et un autre de femmes firent un concours à celui qui parviendrait le premier à construire un stûpa au sommet de sa colline avant l'aube. Les femmes allumèrent un grand feu que les hommes prirent pour le soleil levant et ils abandonnèrent leur travail. Les femmes, victorieuses, n'eurent plus à demander les hommes en mariage, rompant ainsi avec la tradition.

Pendant la saison des pluies, Phnom Srei offre un beau panorama sur la campagne environnante. Phnom Pros, dont les arbres sont peuplés de singes facétieux, est un endroit plaisant pour prendre un verre. Les collines se situent à 7 km de la ville. Comptez environ 3 $US pour l'aller-retour à moto-dop, selon le temps d'attente.

Vat Hanchey

វត្តហាន់ជ័យ

Important lieu de culte durant la période du Chenla, cette pagode perchée sur une colline offre l'une des plus belles vues sur le Mékong de tout le Cambodge. À côté du grand vat contemporain, on découvre un sanctuaire en brique du VIIIe siècle, ainsi que les fondations de plusieurs autres temples. À l'époque du Chenla, le lieu constituait peut-être une étape importante entre les villes anciennes de Thala Boravit (Stung Treng, au nord) et d'Angkor Borei (près de Takeo, au sud), d'une part, de Sambor Prei Kuk (près de Kompong Thom, à l'ouest) et de Banteay Prei Nokor (près de Memot, à l'est), d'autre part.

Le plus simple pour se rendre sur place consiste à louer un hors-bord avec pilote devant le Mekong Hotel (p. 247) à Kompong Cham. Prévoyez environ 40 000 r pour un bateau de 15 cv, 50 000 r pour une embarcation plus rapide de 40 cv. Pour réduire les frais, les voyageurs individuels peuvent prendre le bateau rapide de 7h30 pour Kratie et se faire déposer en chemin (5 000 r, 30 min). Après avoir visité le site, revenez à pied au village (vers le sud) où vous trouverez un minibus ou un pick-up pour Kompong Cham.

Durant la saison sèche, les expatriés se promènent jusqu'ici à vélo. Si vous dénichez une bicyclette correcte, vous ferez une belle balade à travers les jolis villages des bords du Mékong.

Plantations d'hévéas

ចំការកៅស៊ូ

Dans cette région qui était autrefois le berceau de la production de caoutchouc, on trouve encore un peu partout des plantations d'hévéas. Nombre d'entre elles ne sont plus exploitées mais les habitants continuent à saigner les arbres pour leur usage personnel. Certaines grandes plantations encore en activité ouvrent leurs portes aux groupes intéressés, généralement des touristes français sur les traces du passé colonial. La vaste **plantation de Chup**, dans le district de Tbong Khmom, à une quinzaine de kilomètres à l'est de Kompong Cham, est la plus visitée.

Prasat Kuk Yeay Hom

ប្រាសាទគុកយាយហម

Cet édifice angkorien en ruine se morfond dans les rizières, oublié de tous sauf des amateurs de temples les plus acharnés. De fait, il ne s'agit pas d'une attraction majeure. Selon les habitants, il aurait été endommagé lors des bombardements américains du début des années 1970. Il se dresse à 7 km environ de Prey Chor, entre Skuon et Kompong Cham. Une moto-dop, à votre descente du bus à Prey Chor, pourra vous y conduire.

MEMOT

មេមត់

☎ 042 / 35 000 habitants

Étonnamment grande, Memot (prononcez mé-mout), à l'est de la province de Kompong Cham, est environnée de plantations d'hévéas. À moins de travailler pour Michelin, rien ne mérite vraiment qu'on s'y arrête, mais beaucoup la traversent en se rendant dans le Mondolkiri ou à Kratie.

Le **centre archéologique de Memot** (RN7 ; entrée libre ; 8h-11h 14h-17h) attirera ceux qui s'intéressent à la préhistoire. Il renferme quelques vestiges de villages circulaires en terre datant de l'âge du fer, découverts dans la région. Seuls les initiés apprécieront ce musée à sa juste valeur, mais si vous êtes en voiture, vous pourrez y faire un arrêt pour couper la longue route vers l'est. La porte a l'air fermée, mais les gardiens vous laisseront entrer.

Le bon état des routes ne justifie plus de passer la nuit à Memot. Si vous y êtes contraint, la **Reaksmey Angkor Chum Guesthouse** (☎ 012 317272 ; RN7 ; ch 4-10 $US ;) est un bel établissement récent du centre, doté de chambres propres, bon marché, avec ventil et TV ; clim en option.

Parmi les nombreuses cantines de routiers, la plus réputée est le **Restaurant Soy Try** (☎ 012 708095 ; plats 3 000-6 000 r), qui sert des plats khmers traditionnels peu chers.

Des bus relient Memot à Kompong Cham (5 000 r, 1 heure 30, plusieurs/jour), mais les taxis collectifs (7 000 r) sont plus rapides et plus fréquents. Vers Snuol, où vous trouverez les correspondances pour le Mondolkiri, un taxi collectif vous reviendra à 6 000 r environ.

PROVINCE DE KRATIE

ខេត្តក្រចេះ

La province très boisée de Kratie s'étend de part et d'autre du Mékong. L'essentiel de la population vit le long du fleuve. Rares sont les étrangers qui s'aventurent au-delà, dans les terres sauvages et inaccessibles. Les visiteurs sont attirés à Kratie par la présence de dauphins d'eau douce d'une espèe rare, que l'on peut observer à une quinzaine de kilomètres au nord du chef-lieu, petit bourg dénué d'attractions touristiques mais tout à fait charmant. Kratie est aussi une bonne base pour découvrir la campagne environnante.

Cette zone fut l'une des premières à tomber entre les mains des Khmers rouges lors de la guerre civile, mais pendant plusieurs années, ce furent plutôt les communistes vietnamiens qui contrôlèrent le territoire. Le port de Chhlong, au sud-est de Kratie, résista aux communistes jusqu'en 1975, ce qui probablement permit aux Khmers rouges de se procurer pendant ce temps des armes auprès des forces gouvernementales corrompues. La ville fut aussi l'un des premiers chefs-lieux de province libérés par les forces vietnamiennes, le 30 décembre 1978.

Autrefois, vu l'état des routes, il était plus facile de se déplacer en bateau qu'en voiture. Kratie est désormais reliée à Kompong Cham par deux axes en bon état : la RN7, qui fait une grande boucle par

Snuol avant de revenir vers Phnom Penh, et la jolie route de Chhlong, qui continue vers le district de Suong, au sud. Le long parcours vers Stung Treng, au nord, fut longtemps dans un état épouvantable, mais sa réfection par les Chinois est en cours et sera sans doute achevée lors de la prochaine édition de ce guide.

KRATIE
ក្រចេះ

☎ 072 / 79 000 habitants

Kratie (prononcer "kratché") est le meilleur endroit pour observer les dauphins d'eau douce de l'Irrawaddy, une espèce en voie de disparition. Pour cette seule raison, elle mérite qu'on y fasse escale sur la route du Ratanakiri ou de la frontière laotienne. Ville ramassée mais très peuplée, Kratie est bien préservée car elle n'a pas subi les bombardements qui ont détruit tant d'autres villes de province. Elle fut l'une des premières à être "libérée" par les Khmers rouges (en réalité, les Nord-Vietnamiens, mais les Khmers rouges s'en attribuèrent le mérite), durant l'été 1970. On pourra y admirer de splendides couchers de soleil sur le Mékong, et quelques très vieilles maisons khmères dans la partie nord de la rue Preah Sihanouk.

Renseignements

On peut téléphoner dans les kiosques qui entourent le marché, mais il n'y a pas encore d'accès à Internet. L'office du tourisme, au bord du fleuve au sud de la ville, est ouvert théoriquement de 8h à 11h30 et de 14h à 17h, mais n'y comptez pas trop !

Pour tout savoir sur les déplacements dans la province, la Star Guesthouse (ci-dessous) est imbattable. Pour un regard humoristique et très personnel sur la ville, les lecteurs anglophones peuvent se procurer, pour 1 $US, *Plumbing the Depths of Kratie – A Wet Season Guide*, de Zenia Davies.

Acleda Bank (☎ 971707) change seulement le liquide.

Où se loger

Les hébergements les moins chers sont les pensions de la rue Preah Sihanouk, près du marché.

Santepheap Hotel (☎ 971537 ; Ph Preah Sumarit ; ch 5-15 $US ; ❄). Sans doute le meilleur hôtel

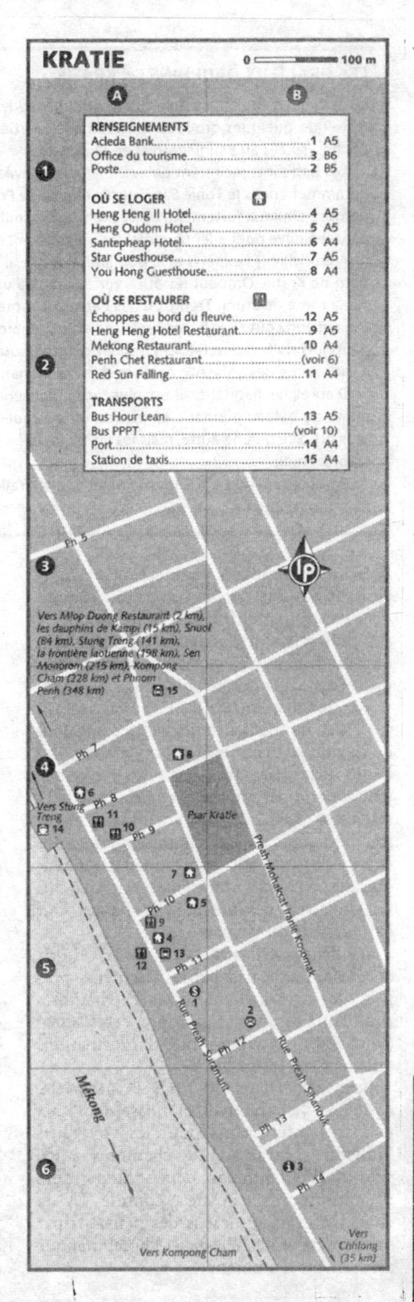

EST

LES GRACIEUX DAUPHINS DE KRATIE

Le dauphin d'eau douce (*trey pisaut*) de l'Irrawaddy fait partie des espèces menacées d'Asie. Il n'en reste que quelques groupes dans certaines parties du Mékong au Cambodge et au Laos et des poches isolées au Bangladesh et en Birmanie.

Les habitants racontent qu'avant la guerre civile, le Cambodge abritait un millier de dauphins, notamment dans le Tonlé Sap. Sous le régime de Pol Pot, ils furent chassés pour leurs huiles et leur nombre diminua fortement. La pêche à la dynamite (les pêcheurs paresseux jettent une grenade dans le fleuve pour aller plus vite) les a également décimés.

À en croire les experts et la population locale, il ne resterait que 75 dauphins de l'Irrawaddy au nord de Kratie. On peut les observer à Kampi, à une quinzaine de kilomètres au nord de la ville sur la route de Stung Treng, où des bateaux à moteur emmènent les visiteurs au milieu du fleuve. L'excursion coûte 3 $US par personne et se déroule sous les auspices du Projet de sauvegarde des dauphins du Mékong (MDCP). Tâchez d'obtenir du pilote qu'il utilise le moins possible le moteur à l'approche des animaux, car le bruit ne peut manquer de les perturber.

D'après les habitants, il est plus facile d'observer les dauphins en saison sèche mais un bon pilote de bateau permet d'en apercevoir quelques-uns en saison des pluies. Il n'y a pas d'heure plus propice qu'une autre, mais les visiteurs préfèrent généralement le début de matinée et la fin d'après-midi.

Comptez environ 4 $US pour le trajet de 30 km aller-retour à moto-dop, le prix variant en fonction du temps d'attente.

de la ville. Chambres ventilées à l'arrière et climatisées plus cossues, avec eau chaude, dans le bâtiment principal. Toutes ont la TV sat mais celles de l'arrière sont sans doute davantage exposées aux doux miaulements provenant du karaoké voisin.

Star Guesthouse (☎ 971663 ; Ph Preah Sihanouk ; ch 2-5 $US). La meilleure des petites pensions de la ville, avec un bon choix de chambres à des prix très, très bas. Le personnel, jeune, parle parfaitement anglais et le petit **restaurant** (plats 1-2 $US) sert une bonne cuisine très bon marché. Les chambres les moins chères ont une sdb commune, et les plus grandes, à 5 $US, donnent sur le marché. On y trouvera des informations fiables pour la poursuite du voyage.

You Hong Guesthouse (☎ 012 957003 ; 91 Ph 8 ; ch 2-5 $US). L'une des petites dernières propose des prix fort intéressants. Chambres rudimentaires mais très propres et **restaurant** (plats 1-2 $US), avec beaucoup d'informations affichées sur les murs.

Heng Oudom Hotel (☎ 971629 ; Ph 10 ; s 3-4 $US, d 5-10 $US ; ⊠). Nouvel établissement aux prix très intéressants pour les voyageurs individuels, car le prix des chambres -à peu près toutes identiques- dépend du nombre de commodités choisies, comme TV et clim. Un cran au-dessus des pensions par sa propreté et son élégance, l'hôtel manque assurément d'ambiance.

Heng Heng II Hotel (☎ 971405 ; Ph Preah Sumarit ; ch 5-10 $US ; ⊠). Cette ancienne pension propose dans sa nouvelle aile certaines des chambres les plus élégantes de la ville. Toutes sont spacieuses, avec TV et eau chaude.

Où se restaurer

Red Sun Falling (Ph Preah Sumarit ; plats 1-3 $US). Vision de bonne augure quand on arrive à Kratie par le bateau, cet établissement joliment meublé, pourvu d'une petite librairie, diffuse de la bonne musique : de quoi passer un moment agréable. La carte comprend une petite sélection de plats asiatiques et quelques plats occidentaux, notamment d'excellents brownies maison. Le soir, le bar est le mieux approvisionné de la ville.

Mekong Restaurant (☎ 971438 ; Ph 9 ; plats 4 000-8 000 r). Petite échoppe fiable, avec carte en anglais offrant un bon choix de plats locaux ainsi que de bonnes versions de mets *barang* (étrangers), comme les frites.

Mlop Duong Restaurant (RN7 ; plats 1-3 $US). Si vous arrivez directement de la frontière laotienne, ce restaurant-jardin vous fera découvrir les joies des dîners à la mode khmère, avec orchestre. La lenteur insupportable du service (jusqu'à une heure d'attente entre les plats) est un inconvénient certain.

Le soir, on peut dîner à bon prix sur les berges du fleuve lorsque les échoppes donnant sur le Mékong ouvrent leurs portes. C'est aussi un merveilleux endroit pour prendre un verre à la tombée de la nuit. Dans la journée, on pourra manger au marché pour presque rien des plats cambodgiens, chinois ou vietnamiens.

Plusieurs hôtels disposent d'un bon restaurant, comme le Heng Heng II Hotel ou le Santepheap Hotel, qui abrite le **Penh Chet Restaurant** (☎ 971537 ; Ph Preah Sumarit ; plats 1-3 $US).

Depuis/vers Kratie

Kratie se situe à 348 km au nord-est de Phnom Penh par la RN7, et à 141 km au sud de Stung Treng. Vers Phnom Penh, la route est désormais goudronnée sur toute sa longueur, ce qui a considérablement réduit les temps de parcours. **PPPT** (☎ 012 523400) et **Hour Lean** (☎ 012 535387) proposent chacune un bus quotidien vers la capitale, partant à 7h30 (18 000 r, 6 heures). Les taxis collectifs sont plus fréquents et plus rapides (15 000 r la place pour Kompong Cham et 25 000 r pour Phnom Penh). Certains prennent la RN7 pour gagner du temps, d'autres empruntent la piste passant par Chhlong et le district de Suong, pour économiser de l'argent et de l'essence. Les uns et les autres mettent à peu près 4 heures jusqu'à la capitale.

Pour les motocyclistes, il existe une route plus pittoresque qui suit le Mékong, praticable en saison sèche. Quittez Kompong Cham par la route riveraine allant vers le nord, et suivez le fleuve jusqu'au district de Stung Trang (différent de Stung Treng, très au nord de Kratie). Là, vous traverserez le Mékong à bord d'un petit bac, avant de continuer sur la rive est jusqu'à Chhlong, puis Kratie. C'est une très jolie route traversant de petits villages. On met entre 4 et 6 heures en moto tout-terrain, selon l'état de la piste et l'expérience du conducteur.

Pour savoir comment aller de Kratie à la province de Mondolkiri, voir p. 264.

Pour connaître tous les détails désagréables concernant l'état de la route vers Stung Treng, au nord, et savoir comment s'y rendre en bateau, voir p. 256.

Il fut une époque où les bateaux rapides étaient le moyen le plus usité pour se rendre à Kratie. Signe des temps, la liaison n'existe plus avec Phnom Penh, mais on peut encore aller jusqu'à Kompong Cham (7 $US, 3 heures). Un bateau largue les amarres à 7h du matin, et en saison humide, un second venant de Stung Treng part à l'heure du déjeuner.

Comment circuler

Dans Kratie, une course à moto-dop coûte environ 1 000 r, comme partout, selon la distance parcourue. La plupart des hôtels ou pensions pourront vous louer une moto (entre 6 et 10 $US avec conducteur, 5 $US sans conducteur) et devraient pouvoir vous trouver une bicyclette.

ENVIRONS DE KRATIE

Phnom Sombok

ភ្នំសំបុក

Cette petite colline , sur laquelle se dresse un vat en activité, se situe sur la route reliant Kratie à Kampi. On y découvre une vue splendide sur le Mékong. Si vous allez observer les dauphins, vous pouvez inclure Phnom Sombok dans l'excursion pour environ 1 $US de plus.

Sambor

សំបូរ

Une florissante cité pré-angkorienne s'est développée à cet endroit à l'époque du Sambor Prei Kuk et de l'empire du Chenla. Il n'en reste aucun vestige dans l'actuelle ville de Sambor, célèbre dans la région pour son **vat** à 108 colonnes, le plus grand du Cambodge. Édifiée à l'emplacement d'un temple en bois du XIXe siècle, la nouvelle pagode constitue une sorte de lieu de pèlerinage mineur pour les habitants de la province. Pour vous rendre à Sambor, prenez la route de Stung Treng en direction du nord et bifurquez à gauche à Sandan. Suivez la route, en bon état, sur 10 km, soit 35 km au total.

SNUOL

ស្នួល

☎ 072 / 19 000 habitants

Snuol était une petite bourgade triste avant l'arrivée de la route. Elle semble encore un peu à l'abandon, mais grâce à la nouvelle route, la situation évolue rapidement. Beaucoup de gens y prennent au moins un repas à l'occasion d'un changement de véhicule entre le Mondolkiri et les villes riveraines du Mékong.

Mittapheap Guesthouse (RN7 ; ch 10 000 r). Juste au sud du marché, chambres simples. En ultime recours uniquement, car les cloisons ne montent même pas jusqu'au plafond.

Muoy Heang Restaurant (RN7 ; plats 2 000-5 000 r). Une échoppe crasseuse qui sert de la bonne cuisine, chose dont la ville est plutôt avare. Sdb sommaire à l'arrière.

Snuol se situe à 125 km environ au sud-ouest de la province du Mondolkiri, à 135 km à l'est de Kompong Cham et à seulement 15 km au nord de la frontière vietnamienne (mais le poste-frontière est fermé aux étrangers). Les pick-up pour Sen Monorom (20 000/15 000 r en cabine/à l'arrière, 4 heures) ne sont pas très réguliers. C'est tôt le matin que vous aurez le plus de chance d'en trouver. Des taxis relient Snuol à Kompong Cham (10 000 r, 1 heure 30) et Kratie (5 000 r, 1 heure).

PROVINCE DE STUNG TRENG

ខេត្តស្ទឹងត្រែង

Cette province reculée est en passe de devenir un important carrefour commercial entre le Cambodge, le Laos, la Thaïlande et le Vietnam. Elle est encore coupée du monde mais lorsque les liaisons routières avec le Sud seront terminées, elle sera de nouveau connectée au reste du pays. La circulation s'effectue en grande partie par bateau sur les nombreux fleuves et rivières, dont le Tonlé Kong, le Tonlé San, le Tonlé Srepok et, bien entendu, le Mékong. Cependant, le réseau routier s'améliore, et la RN19 vers le Ratanakiri devrait être prochainement refaite.

Pour le moment, la province ne présente guère d'attraits pour le visiteur, mais, avec le développement général du tourisme dans le pays, il est possible que des excursions en bateau sur les affluents du Mékong, vers des destinations comme Siem Pang, offrent une manière originale d'en découvrir les

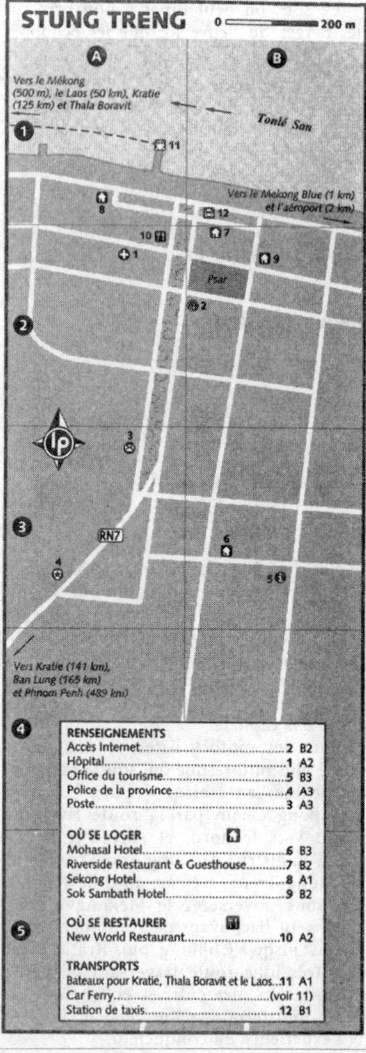

confins. Plusieurs minorités ethniques y vivent et le territoire comprend la partie ouest du grand parc national de Virachay, accessible depuis Siem Pang : deux atouts que la province pourra exploiter quand les infrastructures seront plus développées. Pour le moment, elle souffre d'être prise en sandwich entre le Ratanakiri, l'une des régions les plus intéressantes du Cambodge, et le sud du Laos, une zone riche en sites touristiques. Et aujourd'hui, dès que vous quittez le chef-lieu de la province, vous avez l'impression d'être au bout du monde.

STUNG TRENG
ស្ទឹងត្រែង

☎ 074 / 24 500 habitants

Depuis l'ouverture de la frontière avec le Laos, à 50 km au nord de la ville, Stung Treng a dû accueillir un nouveau flot de visiteurs. La ville qui, en elle-même, n'a pas grand-chose à offrir, est devenue une étape privilégiée sur la route du Ratanakiri. Ce bourg commerçant animé s'est construit sur les rives du Tonlé San, qui se jette dans le Mékong à la périphérie ouest de la ville. Certains habitants appellent le Tonlé San le Tonlé Kong ou Tonlé Sekong, les deux rivières se rejoignant à 10 km à l'est. Des entreprises chinoises construisent actuellement un pont qui devrait grandement faciliter les liaisons entre Kratie et la frontière laotienne.

Renseignements

L'absence de banque ne sera pas une surprise, cependant les dollars sont acceptés partout avec joie. Ce sera aussi l'une des dernières occasions de se débarrasser des kip laotiens. Il est possible de téléphoner dans les kiosques disséminés autour du marché. Stung Treng est maintenant reliée à Internet : plusieurs boutiques en font commerce. Mais les connexions sont lentes pour le tarif demandé (4 $US/heure).

Il n'est plus nécessaire de remplir des formulaires pour sortir du Cambodge et entrer au Laos. Ceux qui prétendent le contraire cherchent à vous extorquer de l'argent.

L'**office du tourisme** (☎ 973967) a élu domicile dans l'enceinte de l'administration provinciale, au sud de la ville. C'est une cité de préfabriqués, dont l'un est occupé par Mom Rotha, directeur provincial du tourisme.

À voir

THALA BORAVIT
ថាឡាបូរាវិត

Cet important carrefour commercial de l'époque du Chenla se situait sur la route fluviale reliant la cité antique de Champasak et le lieu saint de vat Phu au sud de l'empire, notamment les villes de Sambor Prei Kuk (Isanapura) et d'Angkor Borei. Il ne reste plus grand-chose de ce passé glorieux. Mais si la visite ne s'impose pas pour le touriste ordinaire, les passionnés de temples auront sans doute envie de l'ajouter à leur liste. Thala Boravit se situe sur la rive ouest du Mékong. Dans la journée, des bateaux traversent depuis Stung Treng lorsqu'ils ont fait le plein de passagers (1 000 r). Si vous n'avez pas la patience d'attendre, vous pouvez louer un hors-bord (environ 5 $US). C'est ici que commence la route de la jungle qui mène à Kompong Thom et à Tbeng Meanchey via le village de Chaeb. Pour plus de renseignements, voir p. 256.

Où se loger

Les pensions bon marché ne sont guère inspirantes. Mieux vaut, pour quelques dollars de plus, choisir un hôtel

Sok Sambath Hotel (☎ 973790 ; ch 6-15 $US ; ❄). L'établissement le plus chic de la ville offre des chambres bien tenues, avec TV et des commodités appréciables telles que l'eau chaude. Les chambres ventilées sont à peu près identiques et coûtent 7 $US pour 2 pers.

Riverside Restaurant & Guesthouse (☎ 012 439454 ; ch 3 $US). C'est la première escale au Cambodge, pour de nombreux voyageurs. Petit restaurant animé (plats 1-3 $US) au rez-de-chaussée, servant des plats khmers et un peu de cuisine chinoise et occidentale. Bar sur le toit. Chambres, avec sdb sommaire à 3 $US, quel que soit le nombre d'occupants. Le personnel (le patron est francophone) est très bien informé sur le Laos, le Ratanakiri et la province de Kratie.

Sekong Hotel (☎ 973762 ; ch 3-15 $US ; ❄). Cet ancien hôtel d'État offre un choix étourdissant de chambres. Les moins chères se trouvent dans un bâtiment à l'arrière et sont rudimentaires, mais à 3 ou 4 $US, on peut difficilement se plaindre. 7 $US donnent droit à la TV et à l'eau chaude, 15 $US, à la clim. Les chambres les plus chères sont assez décevantes comparées à celles du Sok Sambath Hotel.

Mohasal Hotel (☎ 973999 ; ch 5-10 $US ; ❄). Perdu au sud de la ville, cet endroit calme offre de grandes chambres climatisées, avec sdb. Tout y est, y compris des lits en bois savamment ouvragés.

Où se restaurer

Des échoppes bordent la rivière et entourent le marché. Pour ce qui est des vrais restaurants, le choix est plus que limité.

New World Restaurant (☎ 011 908584 ; 1-2 $US). Situé un pâté de maisons à l'ouest du marché, ce nouveau restaurant offre un mélange de saveurs du Cambodge, de Thaïlande et de Chine, ainsi qu'une bonne sélection de bières.

Mekong Blue (☎ 973977 ; www.mekongblue.com ; 1-2 $US). Le Mekong Blue, à mi-chemin entre la ville et l'aéroport, a d'abord été un centre de tissage de la soie, réputé dans tout le pays pour la qualité de ses modèles. Une galerie et un café servant des plats légers, au décor somptueux, devaient ouvrir leurs portes juste après notre passage.

Depuis/vers Stung Treng

Lors de la rédaction de ce guide, les vols sur Stung Treng étaient interrompus.

L'essentiel des 141 km de la RN7 qui relient Kratie au Sud sont dans un état lamentable et traversent certaines régions très reculées. Les 30 premiers kilomètres, dans la province de Stung Treng, sont en assez bon état, mais la route dégénère ensuite en un magma cauchemardesque de bitume défoncé, de gros cailloux et d'ornières sablonneuses. Le gouvernement chinois a pris en charge sa rénovation. Les travaux devraient se poursuivre jusqu'en 2007, mais pour l'instant, la RN7 témoigne de l'état de délabrement dans lequel était tombé le réseau routier cambodgien. Des taxis collectifs circulent quotidiennement en direction de Kratie (30 000 r, 5 heures), mais il vaut mieux prendre le bateau.

Reportez-vous plus haut aux rubriques Kratie et Kompong Cham pour tout renseignement sur la poursuite du voyage au-delà de Kratie.

Pour en savoir plus sur les conditions parfois bonnes et souvent mauvaises de la route entre Stung Treng et Ban Lung, dans le Ratanakiri, voir p. 256.

De juillet à décembre, des bateaux rapides font chaque jour la navette entre Kratie et Stung Treng (25 000 r, 3 heures). Ils appareillent de Stung Treng à 7h30 et de Kratie vers 11h30.

Le reste de l'année, lorsque les bancs de sable et les rochers affleurent, des petits bateaux fins et rapides (15 $US par pers, 3 heures) effectuent ce trajet périlleux. Il est fortement déconseillé d'embarquer l'après-midi, car ces bolides n'ont pas d'éclairage et la nuit venue, ils naviguent à grande vitesse, mettant en danger la vie des passagers. Des accidents mortels surviennent chaque année, et plusieurs touristes ont tout perdu lors de collisions violentes.

Pour tout savoir sur le passage de la frontière avec le Laos, voir p. 293.

Il existe aussi une piste traversant le nord du pays et reliant Stung Treng à Tbeng Meanchey et Kompong Thom. Nous ne conseillons pas au voyageur ordinaire d'emprunter cet itinéraire mais les passionnés d'aventure, aptes à supporter un très long et très inconfortable trajet à moto, peuvent l'envisager. Commencez par traverser le Mékong en direction de Thala Boravit, d'où part une piste de jungle en direction du gros bourg de Chaeb. Si les conditions sont mauvaises, vous devrez peut-être passer la nuit à Chaeb (chez l'habitant ou dans le vat). De Chaeb, une vieille route de forestiers rejoint, à l'ouest, la route principale entre Kompong Thom et Tbeng Meanchey. Une moto-dop depuis/vers Tbeng Meanchey devrait coûter dans les 20 $US, car les conducteurs doivent se défrayer du voyage de retour. Seuls les motards très expérimentés peuvent se lancer sur cette piste au guidon de leur propre engin, et doivent être prêts à passer la nuit dans la jungle si les choses tournent mal. Ne vous lancez pas sur cette route à la saison des pluies.

PROVINCE DU RATANAKIRI

ខេត្តរតនគិរី

Éléphants, cascades et jungle : autant d'éléments intéressants qui n'ont pas échappé aux voyageurs et font de cette province l'une des plus visitées du nord-est du pays. Une grande partie des habitants appartient à des groupes ethniques minoritaires rassemblés sous le nom de Khmers loeu (Khmers du haut) : les Kreung, les Tompuon, ou encore les Jarai. Ils possèdent une langue et des coutumes propres, même si leur habillement ne les distingue pas aujourd'hui de la plupart des Cambodgiens pauvres, très éloigné en cela des costumes colorés des minorités thaïlandaises et vietnamiennes. Au moins cela permet-il d'éviter une très pénible affluence de touristes, comme dans le nord de la Thaïlande. La province abrite également une importante population lao, et dans certains villages, comme Voen Sai, on entendra des dialectes variés.

Le Ratanakiri a joué son rôle dans la tragédie récente du Cambodge en servant de base aux dirigeants khmers rouges pendant une bonne partie des années 1960. Pol Pot et Ieng Sary s'y réfugièrent en 1963 et établirent leur quartier général à Ta Veng, dans le nord de la province.

Les pierres précieuses (Ratanakiri signifie "Colline des pierres précieuses") et le tourisme sont les deux poumons économiques de la province. On extrait du zircon de bonne qualité dans plusieurs mines de la région, à des prix moins élevés que dans l'Ouest. À terme, le tourisme devrait s'imposer comme l'activité dominante, grâce aux multiples merveilles naturelles que renferme la province, notamment le lac volcanique de Boeng Yeak Lom et l'immense parc national de Virachay, promis à un bel avenir.

Poussiéreuses à la saison sèche et boueuses à la saison des pluies (à vous de choisir !), les routes du Ratanakiri sont loin d'être d'aussi bonne qualité que les sites. Très apprécié, le bateau permet de découvrir agréablement de beaux paysages, mais la province est trop isolée pour envisager de manière réaliste de rejoindre la province de Stung Treng par ce moyen de locomotion.

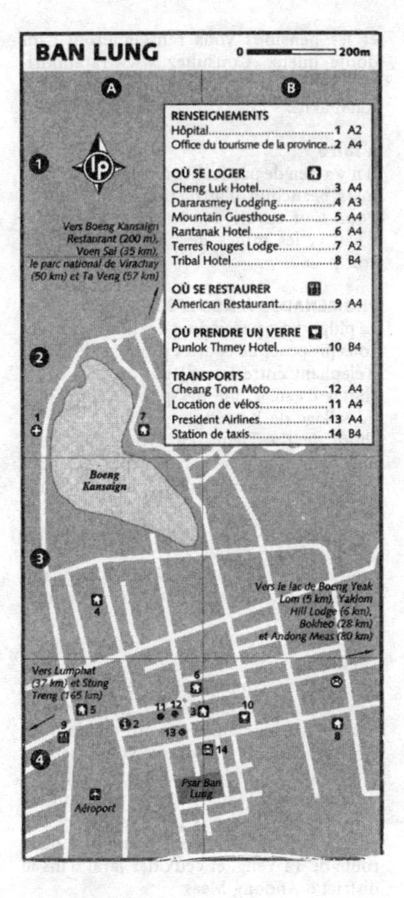

BAN LUNG

បានលុង

☎ 075 / 17 000 habitants

Chef-lieu de la province du Ratanakiri, la poussiéreuse Ban Lung constitue la meilleure base pour explorer les richesses naturelles des alentours. Elle s'appelait avant la guerre Labansiek, mais le nom du district s'est peu à peu imposé. La ville en elle-même ne présente aucun intérêt, mais la proximité du magnifique lac Boeng Yeak Lom incite à l'indulgence. C'est par ailleurs l'un des chefs-lieux de province les plus animés, les minorités ethniques des environs se rendant au marché pour vendre leurs produits et faire leurs provisions.

Renseignements

En l'absence de banque, les bijoutiers du marché échangeront les dollars contre des riels. Quelques hôtels peuvent changer les chèques de voyage, moyennant des commissions élevées.

Il est possible de téléphoner à l'étranger depuis la poste, sur la route de Bokheo, ou par l'intermédiaire des kiosques à portables situés près du marché, moins onéreux. La ville est reliée à Internet, mais les prix sont élevés et les connexions lentes. Le Ratanak Hotel (p. 258) est le moins cher, à 4 $US/heure.

Il existe un petit office du tourisme de la province dans le centre, mais les hôtels et les pensions vous renseigneront sans doute mieux. Consultez www.ratanikiri-lodge.com pour plus d'informations sur le Ratanakiri.

À faire

Il n'y a rien de particulier à voir dans la ville, mais beaucoup d'attractions tout autour. Pour tout savoir sur les lacs, les chutes d'eau et les mines de pierres précieuses, voir p. 260.

PROMENADES À DOS D'ÉLÉPHANT

La plupart des pensions et des hôtels peuvent vous proposer de courtes promenades à dos d'éléphant entre les villages proches et les chutes d'eau. L'une des plus célèbres part du village de Kateung et rejoint la grande chute de Ka Tieng. La promenade dure une heure environ et passe par de jolies plantations d'hévéas. L'éléphant traverse la rivière au-dessus de la chute, l'occasion d'une photo exceptionnelle. Le prix courant est de 10 $US/pers/heure. Pour faire des promenades plus longues à dos d'éléphant, la province du Mondolkiri est mieux équipée (p. 264).

TREKKING

Le trekking commence à se développer dans le Ratanakiri, mais il est important de tout mettre au clair avec votre guide pour être certain d'obtenir ce que vous attendez d'une telle randonnée. De nombreux itinéraires sont possibles, permettant de traverser des endroits pittoresques et des villages comme ceux des Kreung près de la route de Ta Veng, et ceux des Jarai dans le district d'Andong Meas.

Beaucoup de visiteurs choisissent de marcher dans le parc national de Virachay, mais il faut savoir que la plupart de ces treks ne font qu'effleurer le parc et restent la plupart du temps dans la zone tampon. Il n'est pas prévu de proposer des treks plus longs dans le parc même car il s'agit de l'une des régions les plus sauvages et les plus reculées du Cambodge. Le prix varie, selon l'itinéraire, de 15 à 25 $US par jour avec un bon guide. Le transport, la nourriture et l'hébergement en cours de route sont en sus. Les voyageurs peu fortunés devront se joindre à un groupe pour partager les frais. Les meilleurs endroits pour organiser un trek sont le Ratanak Hotel (ci-dessous) pour les petits budgets, et les lodges Terres Rouges et Yaklom Hill (ci-dessous) pour ceux qui ont un peu plus de moyens.

Pour plus de détails sur l'excellent trek de Boeng Yeak Lom qui comprend le spectaculaire lac de cratère du Ratanakiri, voir ci-contre.

Où se loger

Le Ratanakiri est maintenant bien inséré dans les circuits touristiques. Le choix de pensions et d'hôtels s'élargit chaque année. Tous offrent le trajet gratuit de l'aéroport.

Ratanak Hotel (☎ 974033 ; ch 5-10 $US ; ❄ 💻). Plébiscité par les voyageurs à petits budgets et placé sous l'œil attentif de l'énergique M. Leng qui veille à la bonne marche de l'ensemble. Les chambres sont grandes et les plus chères, comprenant la TV et l'eau chaude, attirent les petits groupes de voyageurs européens. Des rénovations sont en cours pour conserver le niveau des hôtels les plus récents. Le **restaurant** (plats 1-3 $US) sert l'une des meilleures cuisines de la ville, et notamment sa spécialité, le *phnom pleung* (colline de feu), un barbecue de bœuf et de légumes à faire soi-même sur la table.

Lodge Terres Rouges (☎ 974051 ; www.ratanikiri-lodge.com ; ch 30-45 $US). Ancienne résidence du gouverneur, ce lodge est un modèle de charme et d'élégance dans ces contrées sauvages du Nord-Est. Les chambres sont décorées avec goût de touches khmères et chinoises, et équipées de douches chaudes (mais pas de climatiseurs). Au milieu d'un jardin foisonnant, le **restaurant** (plats 2-5 $US) offre une belle carte de plats traditionnels asiatiques et européens.

Yaklom Hill Lodge (☎ 012 644240 ; www.yaklom.com ; ch avec petit déj 10-22 $US ; ❄). S'affichant comme l'écolodge du Ratanakiri, cet endroit offre des prestations complètement différentes des hébergements de la ville. Les chambres, décorées d'artisanat local, se trouvent dans des bungalows en bois construits au milieu d'un parc luxuriant, à 6 km à l'est de la ville. Il n'y a pas d'électricité dans la journée ; les lampes et les ventilateurs sont mis en marche le soir. Un **restaurant** (plats 2-4 $US), plein de charme, sert de la cuisine thaïlandaise et khmère.

Cheng Luk Hotel (☎ 974121 ; ch 5-10 $US ; ❄). Juste en face du Ratanak, cet hôtel relativement récent offre des chambres propres et claires, avec douches chaudes, pour un séjour des plus agréables. TV sat dans les chambres, mais pas de restaurant.

Tribal Hotel (☎ 974074 ; tribalhotel@camintel.com ; ch 3-15 $US ; ❄). Incontestablement le plus grand hôtel de la ville, avec un choix honorable de chambres pour tous les budgets. Les chambres du bâtiment principal, avec eau chaude, TV sat et réfrigérateur ont la préférence des humanitaires en poste dans la région. Les chambres bon marché sont aménagées dans des bâtiments plus petits répartis dans un vaste jardin : les simples avec sdb sont à 3 $US et les doubles à 5 $US. Le jardin comprend un grand **restaurant** (plats 1-3 $US) servant un bon choix de plats khmers et asiatiques.

Dararasmey Lodging (☎ 012 456820 ; ch 5-10 $US ; ❄). De l'extérieur, ce bâtiment ressemble un peu à de la barbe à papa, mais il s'avère très confortable. Les chambres sont bien meublées, avec TV sat. Un peu éloigné du centre.

Mountain Guesthouse (☎ 974047 ; s/d 3/4 $US). Occupant une maison en bois proche de l'aéroport, cette pension existe depuis une éternité. Sa direction vient de changer. Les chambres plutôt sommaires, avec sdb communes, figurent parmi les moins chères que l'on puisse trouver.

Où se restaurer

En dehors des hôtels, le choix est assez limité. C'est au marché et dans ses alentours que vous pourrez vous restaurer au meilleur prix et trouver, le soir, des *tukalok* (milk-shake aux fruits) et des desserts.

American Restaurant (plats 1-2 $US). À l'époque de la présence onusienne, c'était l'unique restaurant de la ville. Aujourd'hui, les affaires continuent. Certains clients étrangers ont laissé leur empreinte sur la carte, qui propose des interprétations très locales du hamburger, un homard thermidor plutôt incongru si loin de la côte, et des plats khmers. Les menus de midi, comprenant une soupe et un plat, sont très appréciés des humanitaires de la région.

Boeng Kansaign Restaurant (plats 1-2 $US). Difficile de faire mieux en ce qui concerne la situation, sur la rive du lac. Carte khmère et chinoise, et brise délicieusement rafraîchissante.

Où sortir

Oui, c'est possible ! Le Ratanak Hotel (ci-contre) a ouvert un bar en face de l'hôtel principal, et M. Leng dispose d'une impressionnante collection de musique, léguée par les clients au fil des années. À la carte : bières et quelques alcools.

Punlok Thmey Hotel (☎ 974110 ; bières à partir de 1 $US). Le rendez-vous de la gente masculine khmère. Mixture de brasserie en plein air, salon de karaoké et bordel temporaire, ouvert jusqu'à 1h.

Depuis/vers Ban Lung

President Airlines (☎ 974059) dessert Ban Lung depuis Phnom Penh (aller simple/aller-retour 60/110 $US) plusieurs fois par semaine, mais les annulations de dernière minute sont monnaie courante. Préparez-vous à un long trajet routier si votre calendrier est serré.

À l'heure actuelle, la route entre Ban Lung et Stung Treng est à nouveau dans un état déplorable, mais il est prévu de la reconstruire entièrement. Les taxis collectifs (30 000 r, 4 heures 30) sont préférables aux pick-up (25 000/15 000 r en cabine/à l'arrière), car beaucoup plus rapides. Quel que soit le moyen choisi, il est désormais possible de faire le trajet depuis/vers Phnom Penh en 2 jours. Les temps de parcours en saison humide sont beaucoup plus longs. Les voyageurs pressés pourront trouver un taxi direct entre Ban Lung et Kratie (50 000 r, 9 à 11 heures), mais la note sera douloureuse tant que les routes ne seront pas terminées.

Aucune route digne de ce nom ne relie le Ratanakiri au Mondolkiri, contrairement à ce qu'indiquent de vieilles cartes. Une route mène jusqu'à Lumphat, mais après la traversée du Tonlé Srepok (en ferry), elle se transforme en une série de pistes sablonneuses destinées aux chars à bœufs, jusqu'à Koh Nhek, dans le nord du Mondolkiri. Une poignée de motards endurcis ont entrepris le périple ces dernières années, mais l'expérience n'est vraiment pas recommandée aux touristes ordinaires. Seuls ceux qui possèdent des années d'expérience à moto, un courage et… un derrière à toute épreuve peuvent se lancer.

Il faut compter, avec réalisme, deux jours de trajet, en passant la nuit à Koh Nhek. L'armée cambodgienne est en train de reconstruire la partie entre Koh Nhek et Sen Monorom. La route reste quasiment impraticable sur sa longueur en saison humide et très difficile en saison sèche, même si la situation s'est améliorée avec la récente installation des réfugiés. Si vous souhaitez vraiment vous lancer, prenez contact avec un habitant qui connaît bien l'itinéraire, car il est très facile de se perdre. Traversez le fleuve avec le nouveau ferry pour camions, à quelques kilomètres en amont de Lumphat, puis suivez la piste où les traces sont les plus nombreuses. Munissez-vous de pièces détachées, d'abondantes réserves d'eau, de vieilles cartes de l'armée américaine au 1/50 000 et d'une boussole.

Comment circuler

La plupart des pensions de la ville louent des motos, des jeeps et des pick-up. Le Ratanak Hotel propose des motos coréennes à seulement 5 $US et des Suzuki plus récentes à 7 $US. Il dispose également d'un pick-up 4x4, à 30 $US par jour avec chauffeur, une affaire intéressante si vous constituez un petit groupe. Il existe d'autres offres comparables. Le Lodge Terres Rouges (ci-contre) loue de vieilles motos Sanyang (7 $US la journée, 12 $US avec chauffeur) et des jeeps (50 $US).

Cheang Torn Moto (☎ 012 960533) loue quelques motos tout-terrain 250cc pour 10 $US par jour. Des guides locaux à moto offrent leurs services sur toute la province à des tarifs variant entre 8 et 15 $US selon l'expérience, le niveau en langue étrangère et la destination.

Vous trouverez également des jeeps et des pick-up avec chauffeur à la station de taxis. Comptez entre 30 et 50 $US par jour, selon le périple que vous voulez effectuer et vos talents de négociateur.

Les économes et les écologistes pourront louer une bicyclette (1 $US par jour) auprès de certains hôtels et du magasin de cycles de la rue principale.

ENVIRONS DE BAN LUNG

Essayez de choisir un guide local responsable. Les minorités voient d'un mauvais œil les étrangers qui entrent et sortent de leur village avec fracas. Adressez-vous à **Yeak Laom Community Based Ecotourism** (☎ 012 981226 ; yeak_laom@camintel.com) qui vous indiquera un guide local compétent.

Boeng Yeak Lom
បឹងយក្សឡោម

La zone protégée de **Yeak Lom** (entrée 1 $US) comprend, au milieu d'une jungle épaisse, un lac de cratère étonnamment circulaire qui daterait d'il y a 700 000 ans. Certains pensent qu'il s'agit d'un impact de météorite tellement le cercle est parfait. Le Yeak Lom est depuis très longtemps un lieu sacré pour les ethnies locales dont les légendes mettent en scène de mystérieuses créatures peuplant les eaux du lac. C'est l'un des sites les plus beaux et les plus paisibles du Cambodge. La transparence de l'eau offre une visibilité parfaite, jusqu'à 5 m de profondeur, et l'endroit est idéal pour se baigner tôt le matin ou en fin d'après-midi. Non loin de là, un petit **centre de visiteurs** (entrée libre) renseigne sur les minorités ethniques de la province, indique les promenades à faire autour du lac et vend des objets d'artisanat. La zone est gérée par les Tompuon, et les recettes vont au développement économique des villages environnants.

Les promenades proposées permettent de découvrir le mode de vie des Tompuon, et notamment leur relation à la terre. Adressez-vous à Yeak Laom Community Based Ecotourism afin d'organiser une promenade avec un guide local (3 à 7 $US par personne selon l'importance du groupe). Les profits sont reversés à la communauté.

Le Boeng Yeak Lom se trouve à 5 km à l'est de Ban Lung. Sur la route de Bokheo, tournez à droite au niveau de la statue de la famille des minorités. Comptez 2 $US environ l'aller-retour à moto-dop, davantage si vous demandez au chauffeur de vous attendre. À pied, comptez environ une heure depuis Ban Lung.

Cascades

Les cascades sont nombreuses, mais beaucoup sont inaccessibles à la saison des pluies et se tarissent en saison sèche. Les plus visitées, **Chaa Ong** (accès 2 000 r), **Ka Tieng** (accès libre) et **Kinchaan** (accès 2 000 r), sont désormais signalées depuis la route de Stung Treng, à quelque 5 km de la ville. Chaa Ong, la plus spectaculaire, coule dans une gorge en pleine jungle. On peut grimper derrière la chute et même s'aventurer dessous pour une douche très tonique. Ka Tieng est la plus amusante, car elle se déverse par-dessus une saillie rocheuse ce qui permet de se glisser derrière. Des lianes suffisamment solides permettent de se prendre pour Tarzan.

Tuk Chrouu Bram-pul (cascade de Sean Lae ; accès 2 000 r) est une célèbre cascade à 35 km au sud-est de Ban Lung, qui se décompose en sept niveaux. Difficile toute l'année, la piste d'accès s'avère quasiment impraticable à la saison des pluies. Vous pouvez combiner cette sortie avec une excursion à Chum Rum Bei, un site de **pierres précieuses**, qui suppose une marche de plusieurs kilomètres dans la forêt (les motos ne passent pas). Prenez un guide local pour cette visite combinée, mais vérifiez avant de partir que les mines sont toujours en activité.

Voen Sai

វឺនសៃ

3 000 habitants

Situé sur les rives du Tonlé San, le charmant village de Voen Sai abrite une communauté composée de Chinois, de Lao et de Kreung. La ville d'origine, connue sous le nom de Virachay, se trouvait sur la rive nord, mais elle s'est développée ces derniers temps côté sud. Sur la rive nord, plus intéressante, on découvre un **ancien hameau chinois** fondé il y a plus d'un siècle, ainsi que plusieurs **villages lao et chunchiet**. On peut traverser la rivière sur un petit ferry (500 r) et marcher vers l'ouest. Sur 2 ou 3 km, on traverse un village chinois, une communauté lao et une petite zone chunchiet, avant d'arriver à une localité chinoise prospère. Les habitants des grandes maisons de bois parlent encore chinois.

Voen Sai accueille également les bureaux du parc national de Virachay, mais ils fournissent peu de renseignements et il est plus facile d'organiser un trek depuis Ban Lung.

Voen Sai se situe à 35 km environ au nord-ouest de Ban Lung. La route est médiocre, voire mauvaise. Un vieil engin soviétique (2 000 r, de 2 à 3 heures) part du psar Ban Lung vers 7h et revient aux alentours de midi. Il est assez facile de s'y rendre à moto.

Cimetières chunchiet

កន្លែងបញ្ចុះសពពួកជនជាតិ

De nombreux cimetières chunchiet sont disséminés dans les forêts du Ratanakiri. **Kachon**, à une heure de bateau à l'est de Voen Sai, abrite un impressionnant **cimetière Tompuon** (accès 1 $US), dans la forêt derrière le village. Les membres d'un même clan sont enterrés les uns à côtés des autres, et les tombes sont ornées de statues représentant les défunts. À l'issue d'une longue période de deuil, les villageois organisent une grande cérémonie au cours de laquelle on ajoute au tombeau deux défenses d'éléphants en bois. La jungle a repris ses droits sur certaines sépultures très anciennes. Des tombes plus récentes de personnes riches ont été coulées en béton et témoignent d'influences modernes, représentant par exemple des lunettes de soleil et des téléphones portables. Des collectionneurs d'art et des anthropologues amateurs sans aucun scrupule auraient hélas acheté d'anciennes effigies à des villageois dans le besoin. N'oubliez pas que ce lieu est sacré pour les Tompuon : ne touchez à rien et comportez-vous de manière respectueuse.

Prévoyez 10 à 15 $US environ pour l'excursion en bateau depuis la rive de Voen Sai jusqu'à Kachon, avec une escale rapide aux villages chinois et lao en face de Voen Sai. Pour atteindre le cimetière, traversez le dispensaire situé sur les berges et tournez à droite. Il se trouve à 200 m environ du village. On peut également se rendre à Kachon par la route. Sortez de Voen Sai par le sud et tournez à gauche au premier grand carrefour.

Ta Veng

តាវែង

Village ordinaire de la rive sud du Tonlé San, Ta Veng offre un autre accès au parc national de Virachay. Dans les années 1960, Pol Pot, Ieng Sary et les autres chefs militaires khmers rouges avaient établi leur base dans le district de Ta Veng. Les habitants affirment qu'il n'en reste rien aujourd'hui mais ils soulignent avec dépit, qu'avant la guerre, le village avait l'électricité.

Ta Veng se trouve à 57 km au nord de Ban Lung par une route de montagne très accidentée offrant de magnifiques panoramas. À certains endroits, des pentes abruptes promettent bien des difficultés à la saison des pluies. Les pick-up n'effectuent pas de services réguliers sur Ta Veng, aussi est-il nécessaire de venir à moto ou de trouver un véhicule avec chauffeur. La route traverse plusieurs **villages de minorités** où vous pouvez faire halte.

À Ta Veng, vous trouverez de petites embarcations avec pilote pour d'agréables excursions sur la rivière. Essayez de proposer 5 $US pour un tour dans les environs, et 30 $US pour le voyage de 3 heures jusqu'à Voen Sai.

Andong Meas
អណ្ដូងមាស

1 500 habitants

Le district d'Andong Meas est de plus en plus fréquenté par les touristes, attirés par les villages et les **cimetières Jarai**, et par la perspective d'une excursion sur la rivière. Un chemin agréable permet de joindre depuis Andong Meas un cimetière Jarai, sur la rive du Tonlé San. Il est possible ensuite de revenir par la rivière en affrétant un bateau pour 10 $US. Andong Meas se trouve à environ 80 km au nord-est de Ban Lung, soit 2 heures de voiture sur une route assez bonne. Le prix du transport est un peu plus élevé pour venir ici, à cause de la distance.

Parc national de Virachay
ឧទ្យានជាតិវីរៈជ័យ

La plus grande zone protégée du Cambodge s'étend du Vietnam, à l'est, à la province de Stung Treng, à l'ouest, et jusqu'au Laos, au nord. Le parc n'a pas encore été totalement exploré et abrite sans doute de grands mammifères, notamment des éléphants, des léopards et des tigres. Les plus optimistes pensent qu'il pourrait aussi abriter quelques rhinocéros isolés et des kouprey (buffles sauvages), mais c'est peu probable. Les gardes forestiers parlent aussi de **chutes d'eau**, dont certaines atteindraient une centaine de mètres, mais elles se trouvent à plusieurs jours de marche des limites du parc. Voir p. 258 comment organiser un trek dans le parc.

Récemment, un programme de développement écotouristique a été mis en place afin de proposer de petits treks alliant culture, nature et aventure. Le but est d'y associer les communautés locales et de leur assurer un revenu. Les randonnées proposées actuellement associent marche dans la jungle avec nuit sous tente, descentes de rivières et hébergement dans des villages. Un petit centre d'accueil et d'information des visiteurs a vu le jour au **siège du parc national de Virachay** (☎ 974176 ; www.bpamp.org.kh) à Ban Lung, logé à la direction de l'environnement. C'est ici que les visiteurs peuvent s'inscrire à des excursions, payer les droits et prendre connaissance des toutes dernières informations. Les visiteurs doivent être en possession d'un permis d'accès et être accompagnés d'un garde forestier et d'un guide local.

Actuellement, le parc est plus facilement accessible par Stung Treng, mais tout est relatif. Siem Pang constitue la porte d'entrée de la partie ouest du parc, où il est plus facile d'observer des animaux. En saison sèche, ce village est accessible à moto en 3 heures depuis Voen Sai. Il est également relié à Stung Treng par petit bateau rapide (30 000 r), mais avant de s'engager, il est bon de vérifier s'il n'y a pas trop de rochers affleurant dans le Tonlé Kong.

Lumphat
លុមផាត់

2 000 habitants

Les bombardements américains massifs du début des années 1970 ont transformé cet ancien chef-lieu de province en ville fantôme. Lumphat constitue le dernier endroit à peu près civilisé pour les motards endurcis qui rejoignent la province du Mondolkiri, au sud.

De Ban Lung, suivez la route de Stung Treng sur une quinzaine de kilomètres, avant de bifurquer vers le sud. Les 35 km se font en une heure environ. Quelques pick-up effectuent le trajet pour 5 000 r.

PROVINCE DU MONDOLKIRI
ខេត្តមណ្ឌលគិរី

Cette province vallonnée porte bien son nom de "Rencontre des collines". Blottie contre la frontière orientale du pays, elle offre la vision d'un autre Cambodge, avec un climat et des paysages totalement différents du reste du pays. À la saison sèche, elle fait penser à la Suisse sous le soleil ; à la saison

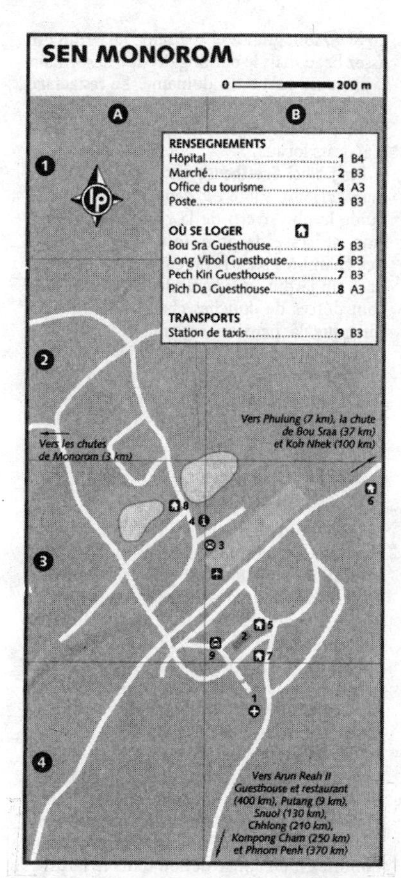

des pluies, ce serait plutôt l'Irlande sans les routes goudronnées. Des collines herbeuses s'étendent à perte de vue, ponctuées de bosquets de pins serrés les uns contre les autres pour résister aux vents. Avec une altitude moyenne de 800 m, la région connaît des nuits assez froides et un vêtement chaud ne sera pas superflu.

La province la moins densément peuplée du Cambodge (2 habitants au km² seulement) ne compte que 35 000 âmes, dont près de la moitié appartient à la minorité Pnong (l'autre moitié se composant pour l'essentiel d'autres chunchiet). La faible densité humaine contribue à l'atmosphère de "bout du monde" du Mondolkiri, et il ne fait aucun doute que beaucoup d'animaux sauvages, tels des tigres, des éléphants, des ours et des léopards, peuplent les parties les plus reculées.

Le récent retour de réfugiés des camps de la frontière thaïlandaise a redonné quelque dynamisme à la province. La riziculture reprend, bien que la chasse reste l'occupation privilégiée des minorités. Les routes sont en mauvais état, mais plusieurs devraient être améliorées dans les prochaines années et faciliter les déplacements. La plus grande partie de la route de Phnom Penh est maintenant en bon état, ce qui a ramené les temps de parcours à 7 heures et attiré, chaque week-end, un nombre croissant de touristes cambodgiens.

SEN MONOROM
សែនមនោរម្យ

☎ 073 / 7 000 habitants

Niché au cœur d'un paysage tout en rondeurs, le charmant petit chef-lieu du Mondolkiri abrite deux lacs en son centre, qui lui ont valu le surnom, un peu imaginatif, de "Suisse du Cambodge". Plusieurs villages de minorités et de belles cascades agrémentent les environs de cette bourgade où il fait bon passer quelques nuits. De nombreux Pnong des villages alentours viennent à Sen Monorom pour y vendre leurs produits. Vous les distinguerez des immigrants khmers grâce aux paniers bien particuliers qu'ils portent sur le dos. La ville est balayée par les vents toute l'année, et un vêtement chaud ne sera pas de trop pour les nuits fraîches.

Le macadam est enfin arrivé en ville, si bien que plusieurs routes sont actuellement en cours de revêtement. Mais peut-être aurait-il été judicieux de goudronner en premier la piste d'atterrissage ?

Renseignements

Prévoyez suffisamment d'espèces, les chèques de voyage ou les cartes de crédit étant inconnus. Toutes les marchandises sont acheminées de Phnom Penh ou du Vietnam, les prix sont donc un peu plus élevés.

Les stands à téléphones portables se trouvent sans problème à Sen Monorom, et les connexions sont faciles à obtenir. Actuellement, le Mondolkiri n'est pas relié à Internet.

Le petit office du tourisme - dont le personnel parle français - pourra vous aider, de même que la plupart des pensions de la ville, à organiser une randonnée à dos d'éléphant ou une excursion de deux jours dans des villages de minorités.

Long Vibol est l'homme à tout faire du bourg. Fin connaisseur de la province, il travaille pour la Croix-Rouge, tient une pension, officie comme dentiste, photographe de mariages et... propose ses services comme guide anglophone.

À faire

TREKKINGS À DOS D'ÉLÉPHANT

Pour partir en trek à dos d'éléphant, les visiteurs choisissent généralement le village de Phulung, à 7 km au nord de Sen Monorom, ou celui de Putang, à 9 km au sud-ouest de la ville. L'office du tourisme et la plupart des pensions de la ville peuvent organiser un trek d'une journée pour 25 à 30 $US, déjeuner, transport jusqu'au village et retour compris. Attention : un dos d'éléphant devient très inconfortable au bout de quelques heures de balancement... munissez-vous d'un coussin pour amortir les secousses.

Un trek plus long, comprenant une nuit dans un village Pnong, est également possible. Long Vibol propose des treks à dos d'éléphant incluant une nuit de camping dans la forêt pour 60 $US par personne. La pension Pech Kiri (ci-dessous) organise des treks à dos d'éléphant vers la chute d'eau de Kbal Preah, des plates-formes en bois servant de base pour la nuit, à 80 $US par personne.

Où se loger et se restaurer

L'électricité ne fonctionne que de 18h à 22h environ, aussi une lampe de poche s'avérera-t-elle utile pour vos ablutions tardives. Les températures chutant parfois considérablement la nuit, l'eau chaude est importante dans cette partie du pays. Les établissements qui en sont dépourvus fournissent généralement des thermos d'eau bouillante pour la toilette. La climatisation n'est pas une nécessité absolue.

Pech Kiri Guesthouse (☎ 012 932102 ; ch 3-10 $US). La pension de la dynamique Mme Deu, qui fut longtemps l'unique hébergement de la ville, connaît toujours un grand succès. Les chambres peu chères avec sdb commune sont situées dans le bâtiment principal. Les bungalows les plus anciens, avec sdb, sont très bon marché, à 5 $US ; les plus récents, à 10 $US, sont grands et spacieux. Le jardin est assez beau mais le parking occupe désormais la majeure partie du domaine. Le **restaurant** (plats 1-3 $US) sert une bonne cuisine khmère, et prépare un savoureux guacamole à base d'avocats locaux.

Long Vibol Guesthouse (☎ 012 944647 ; s/d/lits jum 5/10/15 $US). Vibol est depuis longtemps le guide le plus averti de la région et sa pension ne cesse de prendre de l'importance. Les chambres sont généreusement réparties dans un jardin, et les grandes à lits jumeaux sont dotées de douches chaudes. Il va sans dire que la pension est une riche source d'informations sur le Mondolkiri et un bon endroit pour organiser un trek. Son **restaurant** (plats 1-3 $US), fréquenté aussi bien par les Khmers aisés que par les étrangers, est l'un plus réputés de la ville.

Arun Reah II Guesthouse & Restaurant (☎ 012 856667 ; ch 5-10 $US). Première construction que l'on aperçoit en arrivant, ce petit complexe se targue d'offrir l'une des plus belles vues sur les collines du Mondolkiri. Les bungalows sont en tous points charmants et d'un bon rapport qualité-prix, avec sdb, TV, eau gratuite et lampe de poche. Les chambres à eau chaude coûtent 8 $US ; les chambres à 10 $US sont très grandes. Le grand **restaurant** (plats 1-3 $US) sur le devant, peut apparaître trop calme, mais la bière ne fait jamais défaut.

Pich Da Guesthouse (☎ 012 484727 ; ch 5-7 $US). Une des pensions de la dernière génération, plus orientée vers une clientèle khmère. Grande maison en béton de deux étages, chambres assez propres, avec sdb. Un restaurant est en construction dans le jardin.

Bou Sra Guesthouse (☎ 012 527144 ; ch 5-10 $US). Nouvelle pension du centre-ville, proche du marché, offrant de grandes doubles au beau mobilier en rotin, et le détail appréciable de draps en coton, en lieu et place des draps brillants souvent fournis dans cette partie du Cambodge.

Depuis/vers Sen Monorom

La piste d'atterrissage a été fermée dans le courant de l'année 2000 et les responsables locaux ne prévoient pas de réouverture prochaine. Les visiteurs souhaitant découvrir cette région unique doivent donc pour le moment entreprendre le voyage par voie terrestre. Celui-ci est relativement facile depuis la construction, par l'armée cambodgienne en 2002, de la nouvelle route à travers la jungle.

Deux voies d'accès au Mondolkiri empruntent le même tronçon d'une ancienne route forestière entre Snuol et Sen Monorom. La troisième voie est la piste du Nord, difficile, reliant le Ratanakiri (voir p. 259pour des détails sur cet itinéraire). Le tronçon Snuol-Sen Monorom traverse la jungle après le district de Khao Si Ma. C'est l'une des routes les plus belles et les plus spectaculaires du Cambodge.

En saison sèche, un pick-up au moins part en principe chaque jour du psar Thmei à Phnom Penh pour rejoindre Sen Monorom (10/5 $US en cabine/à l'arrière, 8 heures, départ peu après 6h). En raison du nombre limité de places, il vaut mieux venir au marché la veille et réserver sa place auprès d'un chauffeur.

Peu de pick-up relient directement Sen Monorom depuis Kompong Cham, aussi faut-il d'abord se rendre à Snuol (10 000 r en taxi, 1 heure 30), puis prendre un pick-up jusqu'à Sen Monorom (20 000/15 000 r, 3 heures). Il est possible d'arriver avant le soir en partant tôt de Kompong Cham.

Des pick-up relient directement Kratie à Sen Monorom (30 000/20 000 r, 5 heures, départ très tôt le matin). Si vous partez plus tard, vous devrez certainement changer à Snuol.

Il est généralement plus facile de se rendre du Mondolkiri dans l'une ou l'autre de ces provinces : la plupart des passagers poursuivant au-delà de Snuol, il n'est pas nécessaire de changer dans cette ville. En outre, les pensions peuvent s'arranger pour que les pick-up passent vous prendre.

Les bonnes routes goudronnées jusqu'à Snuol, suivies d'une piste en assez bon état jusqu'à Sen Monorom risquent de décevoir les motards expérimentés. Qu'ils se rassurent, une fois au Mondolkiri, ils trouveront amplement de quoi se satisfaire.

Comment circuler

L'Arun Reah II Guesthouse pratique les tarifs les moins chers pour la location de motos (p. 264 ; 5 $US la journée). Les autres pensions facturent 10 $US, mais les prix peuvent baisser. Les motos tout-terrain 250cc doivent se louer à Phnom Penh (p. 105). Les jeeps russes ou les pick-up avec chauffeur reviennent à 40 $US la journée, en saison sèche, dans les environs de Sen Monorom, à 60 $US minimum pour aller à Bou Sraa, et davantage encore pendant la saison des pluies.

ENVIRONS DE SEN MONOROM

Chutes de Monorom

ទឹកជ្រោះមនោរម្យ

Joliment située dans la forêt à 3 km environ au nord-ouest de la ville, cette petite cascade fait office de piscine publique pour les habitants. Comptez 3 $US environ l'aller-retour à moto-dop. À pied, continuez tout droit après la villa abandonnée de Sihanouk et prenez à gauche quand le sentier bifurque.

Chute de Bou Sraa

ទឹកជ្រោះប៊ូស្រា

Cette double cascade, l'une des plus grandes et certainement la plus célèbre du Cambodge, est accessible après un pénible trajet de 37 km depuis Sen Monorom, mais le spectacle en vaut la peine. Le site se compose d'une chute supérieure d'une dizaine de mètres et d'une chute inférieure de 25 m. Pour vous rendre au pied de la première, tournez à gauche juste avant la rivière. Pour parvenir au bas de la seconde, traversez la rivière et prenez à gauche plus loin sur le chemin. Cette escapade prend une vingtaine de minutes. Un peu plus loin, le village Pnong de Pichinda abrite une petite **pension** (ch 10 000 r) doublée d'un **restaurant** (plats 1-2 $US). On peut aussi s'approvisionner en nourriture et en boissons.

COMMENT S'Y RENDRE

La route qui sépare Bou Sraa de Sen Monorom est sans aucun doute l'une des pires du pays – et pourtant, la concurrence est rude. Il faut franchir deux grandes rivières, trois en comptant celle au sommet des chutes, et plusieurs ravins profonds. La plupart des véhicules mettent plus de 2 heures. Il est sans cesse question de la refaire, mais ce ne sont à chaque fois que des rumeurs.

Il est possible de se rendre sur place à moto-dop ou à plusieurs, dans une jeep russe avec chauffeur. La moto en solo est réservée aux plus expérimentés, vu l'état actuel de la route. Faites très attention en traversant la rivière qui surplombe les chutes, car le lit est une véritable patinoire. Être entraîné dans la chute avec sa moto n'est pas très bon pour la santé. Vous apprendrez dans *The Motorcycle Diaries*, du *Lonely Planet Unpacked* (en anglais) comment cela a failli arriver à l'auteur en 1999.

Autres chutes d'eau

Les chutes de **Romanear**, à 18 km au sud-est de Sen Monorom, et de **Dak Dam**, à 25 km à l'est de la ville sont aussi populaires. Un chauffeur de moto ou un guide permettront de les localiser, car elles sont extrêmement difficiles à trouver. À Romanear, la cascade, large et peu élevée comprend quelques bassins propices à la baignade. Une deuxième cascade, platement appelée **Romanear II**, se situe près de la route principale entre Sen Monorom et Snuol. La cascade de Dak Dam ressemble à celle de Monorom, mais avec un volume d'eau plus important. Elle se trouve à plusieurs kilomètres au-delà du village Pnong de Dak Dam (les habitants vous indiqueront le chemin, si vous parvenez à vous faire comprendre).

MIMONG

មីមុង

Le district de Mimong est célèbre pour ses **mines d'or** jusqu'en Chine et au Vietnam, d'où les chercheurs de fortune ont afflué. Mimong, autrefois un village, est désormais aussi important que Sen Monorom. Les mineurs descendent dans des puits à une profondeur de 100 m et plus, à bord de wagonnets antiques retenus par des treuils incertains. Plusieurs accidents mortels surviennent chaque année.

Le plus difficile est d'accéder à Mimong, car la route est si mauvaise qu'il faut environ 4 heures pour couvrir les 40 km depuis Sen Monorom. La route s'améliore légèrement après Mimong, et, en 4 heures supplémentaires, il est possible de rattraper la RN7 allant à Kratie. Dans les parages se trouve également un ensemble important de chutes d'eau appelé **Tan Lung**, mais c'est un enfer pour y accéder.

KOH NHEK

កោះញែក

6 000 habitants

Ce village reculé à l'extrême nord de la province occupe une position stratégique sur la route éprouvante qui relie Sen Monorom au Ratanakiri. Le sympathique propriétaire d'une grande maison accueille les étrangers pour 10 000 r la nuit et peut préparer un repas sommaire. Demandez le *dam svay* (manguier), la plupart des villageois sauront vous indiquer le chemin. Vous trouverez aussi des produits de première nécessité dans le village, notamment de la bière, bien méritée.

L'armée cambodgienne est en train de reconstruire la route de Koh Nhek, ce qui devrait réduire les temps de parcours. Il faut ordinairement 7 heures minimum pour venir de Sen Monorom et encore 4 heures pour rejoindre Ban Lung.

EST

Carnet pratique

SOMMAIRE

ACHATS

Vous pourrez acheter de beaux articles au Cambodge, notamment à Phnom Penh (p. 102) et Siem Reap (p. 128). Outre les inévitables souvenirs, on trouve quantité d'objets artisanaux d'excellente qualité, fabriqués pour venir en aide aux populations défavorisées du pays.

Antiquités

Malgré les disparitions et les destructions des années de guerre, le Cambodge offre encore un beau choix d'antiquités : textiles, objets en argent, épées, pièces de monnaie, céramiques et meubles. Méfiez-vous des imitations, très répandues. Si le prix semble trop beau pour être vrai, il s'agit certainement d'une copie habilement vieillie. C'est

EN PRATIQUE

- **Électricité** : le courant est du 220 V, 50 Hz, mais les pointes et les coupures de courant sont fréquentes, surtout en province. Les prises électriques sont à deux broches, plates ou rondes.
- **Laveries** : La plupart des pensions et des hôtels offrent un service de blanchisserie bon marché, mais si le temps est mauvais, vérifiez qu'ils ont aussi un séchoir. On trouvera des laveries dans toutes les villes.
- **Journaux et magazines :** *Cambodge Soir* et *Cambodge Nouveau* sont des publications en français, le *Cambodia Daily* est un quotidien réputé en langue anglaise, et le *Phnom Penh Post*, une revue bimensuelle contenant des articles de fond. Parmi les revues lisibles, on retiendra l'humoristique *Bayon Pearnik* et le magazine de voyages *Cambodia Scene.*
- **Radio et télévision :** RFI (92FM) et BBC World Service (100.00FM) émettent toutes deux à Phnom Penh. TV5 est présent par satellite. Les chaînes de radio et de télévision cambodgiennes sont principalement contrôlées par le gouvernement et se sont fait une spécialité des vidéos de karaoké et des feuilletons sentimentaux.
- **Téléphone :** Les numéros de téléphone mentionnés dans ce chapitre et dans celui sur les *Transports* (p. 289) comprennent les indicatifs régionaux.
- **Poids et mesures :** Les Cambodgiens utilisent le système métrique pour toutes les mesures sauf pour peser les métaux et les pierres précieuses, pour lesquels ils préfèrent le système chinois.

le cas, notamment, des bronzes "anciens" de "l'époque d'Angkor" et de nombreuses pièces chinoises "antiques". Il est important de ne pas oublier que les sculptures anciennes en grès des périodes angkoriennes et pré-angkoriennes sont interdites d'exportation.

Les personnes qui s'installent au Cambodge pourront trouver, sur les marchés et dans les magasins de Phnom Penh (p. 102), du très beau mobilier ancien aux influences chinoise, française et khmère très marquées.

Marchandage

Il est important de discuter les prix sur les marchés de Phnom Penh (p. 102) et de Siem Reap (p. 128), sinon le marchand vous "rasera la tête" comme on dit en khmer. Le marchandage est de rigueur également avec les chauffeurs de taxis et de pick-up, et dans les pensions les moins chères. Les Khmers ne s'acharnent pas ; il faut donc savoir faire preuve de mesure. Bien souvent, un sourire convaincant ou un signe de connivence amical suffisent à faire baisser le prix. Souvenez-vous que l'objectif n'est pas d'obtenir le prix le plus bas, mais un tarif avantageux pour les deux parties. En Occident, les objets surtout les vêtements, qui ont été fabriqués dans des pays pauvres pour presque rien, coûtent des sommes astronomiques. Au moins y a-t-il la place pour la négociation au Cambodge, mais il faut tâcher de ne pas abuser de la situation. Les quelques centaines de riels en jeu sont plus importants pour une famille cambodgienne que pour un touriste en vacances.

Objets d'art

Jusqu'à une date récente, le choix se limitait aux représentations d'Angkor, de piètre qualité, que l'on retrouve un peu partout dans le pays. Mais l'offre s'améliore à Phnom Penh et à Siem Reap. Le psar Chaa (p. 128) de Siem Reap, et les boutiques d'art de la Ph 178 à Phnom Penh (p. 102) sont de bons terrains de chasse, tout comme les galeries plus luxueuses de certains hôtels de la capitale.

Objets en argent

Les pièces d'argenterie cambodgienne sont renommées dans le monde entier pour la finesse de leurs détails réalisés à la main. Néanmoins, faites attention à la teneur en argent ; certaines pièces (des copies) n'en contiennent pas du tout, d'autres sont des alliages à 50%, et d'autres sont en argent massif. Les établissements réputés informent en principe sur la pureté de leur métal, mais les vendeurs des marchés peuvent être tentés de tricher. Le plus simple, pour les novices, est d'évaluer cette teneur au poids : l'argent pur est plus lourd que les alliages ou les placages.

Sculpture

Les temples d'Angkor (p. 132) et les pièces exposées au Musée national de Phnom Penh (p. 83) témoignent de la beauté et de la délicatesse de la sculpture cambodgienne. Le pays compte de nombreux tailleurs de pierre talentueux et vous pourrez facilement vous procurer des copies de sculptures à Phnom Penh et à Siem Reap. Les bustes de Jayavarman VII et les statues de divinités hindoues, telles que Ganesh et Harihara, sont les plus appréciés. Ne cherchez pas à acheter des sculptures anciennes : le vol des œuvres d'art est un véritable problème au Cambodge, ne vous en rendez pas complice.

Sculptures sur bois

Fruit d'une longue tradition, les pièces de bois sculptées constituent de beaux objets décoratifs. Très prisées des touristes, les représentations de bouddhas peuvent être sorties du pays sans restriction. On trouve également des reproductions de la plupart des pièces majeures d'Angkor, ainsi que des animaux joliment travaillés, à moins que vous ne préfériez un rouet finement décoré à accrocher au mur, une boîte à bétel ou un coffret à bijoux en bois laqué incrusté de nacre et de métal.

Soie et textiles

Connue dans le monde entier, la merveilleuse soie cambodgienne est en grande partie tissée à la main et teinte avec des pigments naturels, minéraux ou végétaux. Les plus belles soies proviennent des provinces de Kompong Cham et de Takeo, mais certaines soies vendues au Cambodge sont importées de Chine et du Vietnam. On s'efforce actuellement de planter des mûriers afin de relancer l'élevage de vers à soie, à Siem Reap et dans quelques autres chefs-lieux de province renommés pour la soie. Vous trouverez des soies superbes chez Artisans d'Angkor (p. 128), à Siem Reap (présent également dans les aéroports internationaux), dans les boutiques de Phnom Penh (p. 102) et de Siem Reap (p. 128) œuvrant en faveur des Cambodgiens handicapés et déshérités, et sur le psar Tuol Tom Pong (marché russe) (p. 102), à Phnom Penh. Il existe plusieurs centres de fabrication de soie de grande qualité dans les provinces, tels que Mekong Blue (p. 256) à Stung Treng, et Joom Noon (p. 227) à Tbeng Meanchey.

Vêtements

Beaucoup de vêtements de marques internationales, Colombia, Gap, Levis et Quicksilver, entre autres, sortent des usines des environs de Phnom Penh ; un certain nombre aboutissent au psar Tuol Tom Pong (p. 102) de Phnom Penh, où on les trouvera à des prix très raisonnables.

ACTIVITÉS SPORTIVES

Bien que le tourisme se développe rapidement, le Cambodge est toujours moins riche que ses voisins dans ce domaine. Phnom Penh constitue une exception : la présence de nombreux étrangers a entraîné l'explosion de loisirs comme le karting, le jet-ski, le bowling, et de sports plus classiques tels que la natation et le tennis. Voir détails supplémentaires p. 87.

Cyclotourisme

Les routes cambodgiennes étant réputées être les plus mauvaises d'Asie, il n'est pas surprenant que le cyclotourisme n'y soit pas développé. Cependant, les mordus du vélo y feront des expériences pleines d'imprévus. Les grandes routes sont de plus en plus fréquentées, d'autres demeurent poussiéreuses, mais certaines, notamment sur la côte sud, se prêtent à merveille à la randonnée. Le Nord-Est, quant à lui, promet de belles aventures aux amateurs de VTT. Les endroits les plus propices à la balade sont les abords des temples d'Angkor où les routes sont goudronnées et les forêts denses. On trouvera des bicyclettes à louer dans la plupart des villes, pour 1 $US par jour, mais les randonneurs avertis auront intérêt à apporter leur propre engin.

Pour vous faire une idée plus précise de ce que peut être une randonnée cycliste à travers le Cambodge, visitez le site de **Yannick et Helga** (http:/patlaff.chez.tiscali.fr/asiesudest), deux cyclotouristes qui ont voyagé en Asie du Sud-Est.

Excursions en bateau

Dans un pays où l'eau est aussi omniprésente, il n'est pas surprenant que les touristes apprécient les excursions en bateau. Certaines traversées sont à la fois fonctionnelles et récréatives, comme la remontée du Tonlé Sap jusqu'à Siem Reap (p. 128) ou du Mékong jusqu'à Kratie (p. 253). D'autres sont de traditionnelles excursions touristiques, comme à Phnom Penh (p. 87), Siem Reap (p. 128) et Sihanoukville (p. 190).

Moto tout-terrain

Dans ce domaine, le Cambodge est l'une des destinations les plus gratifiantes du monde : les routes sont les pires d'Asie, autrement dit les meilleures pour les motards chevronnés. Le Nord et le Nord-Est offrent des randonnées fantastiques mais il vaut mieux rester en dehors des grandes pistes à cause du trafic et de la poussière. Pour en savoir plus sur cette activité, reportez-vous p. 292 ou visitez le site de **Red Raid** (www.redraid.com.kh) pour organiser un raid à moto.

Observation des oiseaux

Cette activité est promise à un bel avenir, car le pays abrite quelques-uns des grands oiseaux aquatiques les plus rares de la région (marabouts des Indes, cigognes et pélicans). Vous trouverez plus de renseignements sur les oiseaux du Cambodge p. 58, et sur les réserves ornithologiques p. 130.

Plongée et snorkeling

On peut pratiquer la plongée et le snorkeling au large de Sihanoukville. Les sites ne sont peut-être pas aussi spectaculaires qu'en Thaïlande et en Indonésie, mais il y a malgré tout largement de quoi faire. Il est préférable de s'éloigner un peu pour aller plonger à Koh Tang (p. 185) et Koh Prins (p. 185), par exemple, en passant la nuit sur le bateau. Entre Koh Kong et Sihanoukville, beaucoup de sites encore inexplorés pourraient un jour faire du Cambodge une destination asiatique de choix pour la plongée.

Randonnées et promenades

La présence de mines restreint les possibilités de randonnée, mais plusieurs régions sont relativement sûres, notamment les tout nouveaux parcs nationaux. Dans le Nord-Est, les provinces du Ratanakiri (p. 256) et du Mondolkiri (p. 262), dotées de superbes paysages, de cascades et peuplées de minorités ethniques, n'ont jamais été minées. Toutefois, ne partez jamais sans un guide, car il reste des bombes non désamorcées, vestiges des raids américains des années 1970. Il est aussi possible de faire des promenades à dos d'éléphant dans ces provinces.

Un réseau de parcs nationaux, équipés pour recevoir les visiteurs, est en train de se mettre en place au Cambodge. Pour la randonnée, les parcs de Bokor (p. 196), Kirirom (p. 110) et Ream (p.192) possèdent un grand potentiel. Enfin, Angkor est un endroit magnifique pour se promener tranquillement, de temple en temple ; une façon de retrouver le calme et la solitude, loin des touristes qui viennent désormais en foule.

ALIMENTATION

La cuisine cambodgienne peut-être moins connue que ses voisines thaïlandaise et vietnamienne, n'en est pas moins savoureuse. On lira p. 64 son histoire complète.

AMBASSADES ET CONSULATS

Ambassades et consulats du Cambodge à l'étranger

Il existe encore peu d'ambassades ou de représentations cambodgiennes à l'étranger mais leur nombre augmente progressivement. Pour plus d'informations sur les visas, reportez vous p. 279.

Si vous venez du Laos, faites-vous délivrer un visa à Bangkok ou à Vientiane, car il est impossible de le faire à la frontière.

Voici quelques unes des missions diplomatiques cambodgiennes à l'étranger :

Allemagne Berlin (☎ 30-48 63 79 01 ; Benjamin-Vogelsdorf Str 2, 13187)

Belgique Woluwe Saint-Pierre (☎ 02-277 03 72 ; avenue de Tervuren, 264 1150)

Chine Beijing (☎ 010-6532 1889 ; 9 Dongzhimenwai Dajie, 100600)

France Paris (ambcambodgeparis@mangoosta.fr, ☎ 01-45 03 47 20 ; 4 rue Adolphe Yvon, 75116)

Hong Kong Kowloon (☎ 2546 0718 ; Bureau 616, 6e étage, 3 Salisbury Rd, Tsim Sha Tsui)

Inde New Delhi (☎ 011-649 5091 ; N-14 Panscheel Park, 110017)

Indonésie Jakarta (☎ 021-919 2895 ; 4e étage, Panin Bank Plaza, Jalan 52 Palmerah Utara, 11480)

Laos Vientiane (☎ 21-314952 ; Tha Deau, Bon That Khao)

Malaisie Kuala Lumpur (☎ 02-818 9918 ; 83/JKR 2809 Lingkungan, U Thant, 55000)

Singapour Singapour (☎ 299 3028 ; 152 Beach Rd, Gateway East, 189721)

Thaïlande Bangkok (☎ 02-254 6630 ; 185 Rajadamri Rd, 10330)

Vietnam Ho Chi Minh-Ville (☎ 04-825 3788 ; 71 Tran Hung Dao St) ; Hanoi (☎ 08-829 2751 ; 41 Phung Khac Khoan St)

Ambassades et consulats étrangers au Cambodge

Si les États possédant une ambassade à Phnom Penh sont nombreux, certains voyageurs constateront que la représentation diplomatique de leur pays se trouve, au plus près, à Bangkok. Il est important de savoir ce que le consulat de votre pays peut ou ne peut pas faire pour vous en cas de problèmes. De manière générale, il ne vous sera d'aucune aide si vous êtes vous-même à l'origine de vos ennuis. Gardez à l'esprit que les étrangers doivent se soumettre aux lois du Cambodge lors de leur séjour dans le pays. Un consulat ne fera preuve d'aucune compassion envers l'un de ses ressortissants emprisonné pour un délit, même si celui-ci n'est pas considéré comme tel dans son pays d'origine.

En cas de réelle urgence, le consulat peut vous aider, à condition que vous ayez épuisé tous les autres moyens d'assistance. En cas de vol d'argent ou de papiers, il vous fournira un nouveau passeport, mais ne vous accordera en aucun cas un prêt pour poursuivre votre voyage.

Si vous poursuivez votre voyage vers le Laos ou le Vietnam, vous obtiendrez à Phnom Penh un visa laotien en 2 jours ouvrés (30 $US) et un visa vietnamien (pour une seule entrée, valable un mois), en 24h (35 $US) ou plus rapidement encore au consulat de Sihanoukville.

Ambassades et consulats à Phnom Penh :

Allemagne (Carte p. 80 ; ☎ 023-216193 ; 76-78 Ph 214)

Belgique (☎ 023-214024 ; Hôtel Cambodiana, Groundfloor Suite #13)

Canada (Carte p.80 ; ☎ 023-213470 ; 11 Ph 254)

Chine (Carte p. 76 ; ☎ 023-720920 ; 256 bd Mao Tsé-Toung)
France (www.ambafrance-kh.org/, carte p. 76 ; ☎ 023-430020 ; 1 bd Monivong)
Inde (Carte p. 76 ; ☎ 023-210912 ; 777 bd Monivong)
Indonésie (Carte p. 80 ; ☎ 023-216148 ; 90 bd Norodom)
Laos (Carte p. 76 ; ☎ 023-982632 ; 15-17 bd Mao Tsé-Toung)
Malaisie (Carte p. 80 ; ☎ 023-216176 ; 161 Ph 51)
Royaume-Uni (Carte p. 76 ; ☎ 023-427124 ; 27-29 Ph 75)
Thaïlande (Carte p. 76 ; ☎ 023-363869 ; 196 bd Norodom)
Vietnam Phnom Penh (Carte p. 76 ; ☎ 023-362531 ; fax 362314 ; 436 bd Monivong) ; Sihanoukville (Map p000 ; ☎ 012-340495 ; Ph Ekareach)

ARGENT

La monnaie cambodgienne est le riel, abrégé dans ce guide par un "r" minuscule. La deuxième devise du pays (la première selon certains) est le dollar US, accepté par tous et partout. Les Cambodgiens refusent les billets un peu déchirés, aussi vérifiez bien votre monnaie afin de ne pas vous retrouver en possession de coupures abîmées. Le baht thaïlandais (B) a également cours dans l'ouest du pays. La coexistence de trois monnaies peut paraître excessive, mais les Cambodgiens essaient peut-être de rattraper le temps perdu : sous le régime de Pol Pot, l'argent fut aboli et les Khmers rouges firent sauter la banque centrale à Phnom Penh.

Les mésaventures fluctuantes du riel sont telles que, jusque récemment, il valait à peine le papier sur lequel il était imprimé. Le gouvernement a réagi par la création de coupures plus importantes. Néanmoins, les billets de 20 000 r et plus ne circulent guère. Il existe des coupures de 50, 100, 200, 500, 1 000, 2 000, 5 000, 10 000, 20 000, 50 000 et 100 000 riels.

Dans ce guide, les prix sont indiqués dans la devise affichée, généralement riel ou dollar US, mais souvent en baht dans l'ouest du pays. Ceci peut paraître incohérent, mais c'est le système en vigueur actuellement dans le pays, et plus vite vous vous habituerez à jongler entre les trois monnaies, plus votre voyage sera aisé. Si vous partez avec des euros, vous pourrez les changer sans problème à Phnom Penh et dans les grandes villes. La commission est généralement de 2%.

Des taux de change, valables au moment de la mise sous presse, sont indiqués à l'intérieur de la couverture de ce livre (section *Bon à savoir*).

Cartes de crédit

Les hôtels de catégorie supérieure, les agences de compagnies aériennes, les magasins et les restaurants de luxe acceptent les grandes cartes de crédit (Visa, MasterCard, JCB), mais ils répercutent directement leurs charges sur le consommateur, ce qui signifie un surcoût de 3%.

Vous obtiendrez des avances sur carte de crédit à Phnom Penh, Siem Reap, Sihanoukville, Kampot, Battambang et Kompong Cham. Auprès de Canadia Bank et Union Commercial Bank, les avances sont gratuites, mais la plupart des banques imposent une commission minimum de

YABABA COOL ? YABA PAS COOL DU TOUT

Méfiez-vous du *yaba*, la drogue "dingue" de Thaïlande, portant au Cambodge le sinistre nom de *yama* (le dieu hindou de la mort). Surnommée "ice" ou "crystal meth" en Occident, il ne s'agit pas d'une pilule de régime ordinaire mais d'une métamphétamine produite sur place dans des laboratoires du Cambodge ou de la région. On y mélange souvent des substances toxiques telles que le mercure, le lithium et tout ce qui tombe sous la main du fabricant. Le yama est une drogue sale et plus addictive que ce que les usagers aimeraient croire. Elle provoque de puissantes hallucinations, empêche de dormir et induit des psychoses.

L'essentiel de ce qui est vendu comme de la coke, surtout à Phnom Penh, est en fait de l'héroïne pure, beaucoup plus forte qu'aucune poudre vendue dans les rues d'Occident. Une dose de cette substance dans le nez, et vous êtes sûr d'avoir de sérieux problèmes. Plusieurs routards meurent chaque année dans le quartier des pensions de Boeng Kak à Phnom Penh.

Lonely PLanet déconseille à ses lecteurs l'usage de drogues, même les plus "douces", qui modifient le comportement.

5 $US. Plusieurs agences de voyages et hôtels de Phnom Penh et de Siem Reap accordent des avances sur carte de crédit, moyennant une commission de 5% environ, ce qui vous dépannera si vous êtes à court de liquide le week-end.

Chèques de voyage

Les chèques de voyage ne sont échangeables qu'auprès d'un nombre limité de banques, à Phnom Penh, Siem Reap, Sihanoukville, Battambang et Kompong Cham. Si vous voyagez à l'intérieur du pays, pensez à changer suffisamment d'argent avant de partir. Mieux vaut emporter des chèques de voyage en dollars US, bien que l'on puisse changer la plupart des grandes devises, dont les euros, à la Canadia Bank. Vous paierez une commission d'environ 2% sur l'opération. Acleda Bank, qui possède le plus grand nombre de succursales, annonce qu'elle sera en mesure de traiter les chèques de voyage quand vous lirez ces lignes.

Distributeurs automatiques de billets (DAB)

Incroyable mais vrai, il n'existe toujours pas de DAB au Cambodge. Selon des rumeurs fondées, la banque ANZ se préparerait à inonder le pays de distributeurs, ce qui faciliterait la vie des Cambodgiens autant que celle des étrangers.

Espèces

Le Cambodge fait partie de ces pays où les dollars US sont indispensables. À noter cependant que les euros sont désormais largement acceptés dans les grandes villes. Si vous avez suffisamment de liquide, vous n'aurez pas besoin de fréquenter les banques car vous pourrez changer une petite quantité de dollars en riels dans les hôtels, les restaurants et les marchés. Selon des voyageurs avertis, le voyage finit par coûter plus cher si l'on n'utilise que des dollars. La différence n'est pas énorme, mais pourquoi ne pas soutenir la devise locale contre le billet vert ? Ayez toujours sur vous l'équivalent d'une dizaine de dollars en riels pour payer les moto-dop ou régler vos achats sur les marchés. Si vous achetez un article à petit prix en dollars, on vous rendra la monnaie en riels et vous aurez rapidement de quoi acquitter vos menus achats en monnaie locale. Les habitants des régions reculées du Nord et du Nord-Est préfèrent souvent les riels.

La seule autre devise étrangère communément acceptée est le baht thaïlandais (dans l'ouest du pays). Les prix sont souvent affichés en bahts dans des villes comme Krong Koh Kong, Poipet et Sisophon, et même à Battambang, on l'emploie autant que le billet vert.

Aucune banque n'est présente aux passages des frontières du Cambodge, ce qui signifie que les cartes de crédit et les chèques de voyage sont inutiles lors de votre arrivée. Pour vous simplifier la vie, prévoyez une provision de dollars. Vous pourrez changer d'autres devises comme les euros dans les banques et sur les marchés de Phnom Penh ou de Siem Reap. La plupart des banques pratiquent cependant un taux exorbitant pour ce type de transaction et mieux vaut vous adresser aux changeurs installés aux abords des grands marchés. Même dans ce cas, les taux de change des autres devises se révèlent peu intéressants par rapport aux dollars US.

La Foreign Trade Bank (p. 78), partenaire de banques aux États-Unis, en Europe, en Asie et en Australie, offre un service de virements internationaux. Les adresses et les références bancaires importantes sont indiquées sur un prospectus disponible dans toutes les succursales. Western Union, représenté par l'Acleda Bank et la Cambodia Asia Bank, ainsi que Moneygram, représenté par Canadia Bank, effectuent des virements rapides, mais plus onéreux.

Marché noir

Le change au marché noir n'est plus intéressant au Cambodge. Les taux proposés dans la rue sont identiques pour les dollars US à ceux des banques. Vous évitez simplement l'attente et la paperasserie.

Pourboires

Le pourboire ne fait pas partie des coutumes khmères. Néanmoins, dans un pays aussi pauvre que le Cambodge, il est souvent très apprécié. Les salaires sont extrêmement bas et le service souvent exquis, du fait de la tradition d'hospitalité des Khmers. Un pourboire d'un dollar peut représenter le salaire d'une demi-journée de travail pour certains. Dans les hôtels de luxe, vous pourrez être assujetti à 10% de service, qui ne sont pas toujours reversés au personnel. Si vous restez deux ou trois nuits dans le même hôtel, tâchez de ne pas oublier de laisser quelque chose, en particulier au personnel qui nettoie la chambre. Un pourboire sera également bienvenu chez les conducteurs de moto-dop et les guides, car le temps qu'ils passent sur la route est du temps en moins auprès de leur famille.

On considère comme normal de laisser un peu d'argent à la fin de la visite d'un vat, surtout si un moine vous a fait visiter les lieux. Le plus souvent, des boîtes sont installées à cet effet.

ASSURANCE

Une assurance voyage couvrant le vol, la perte des effets personnels et les dépenses médicales peut s'avérer plus utile au Cambodge qu'ailleurs en Asie du Sud-Est. Le vol est moins répandu que ce que l'on peut imaginer, mais en cas de problème médical grave ou d'accident, il sera peut-être nécessaire de vous transporter par avion à Bangkok, une dépense au-dessus des moyens du voyageur ordinaire. Vérifiez donc que vous avez droit à une évacuation d'urgence en cas de problème grave.

Attention : vous pouvez avoir souscrit une police dans votre pays qui ne soit pas valable au Cambodge. Veillez à posséder une assurance complète et vérifiez bien votre contrat. À noter que certains assureurs excluent spécifiquement les activités dites à risques, telles que la moto, la plongée et le trekking.

N'OUBLIEZ PAS DE VOUS ASSURER

Ne partez pas au Cambodge sans une assurance médicale. Les hôpitaux de province sont extrêmement sommaires et, même à Phnom Penh, les équipements ne répondent généralement pas aux standards occidentaux. En cas de maladie ou de blessure grave, vous devrez peut-être être évacué à Bangkok. Si vous avez souscrit une assurance, il ne vous en coûtera rien. Dans le cas contraire, vous devrez débourser entre 10 000 et 20 000 $US, une somme excédant les moyens de la plupart des voyageurs.

BÉNÉVOLAT

Les occasions de travailler comme bénévole au Cambodge sont moins nombreuses qu'on ne pourrait l'imaginer dans un pays aussi pauvre. Ceci est dû, en partie, au grand nombre de professionnels du développement présents dans le pays.

Une multitude d'ONG sont présentes au Cambodge, et certaines ont des besoins temporaires de bénévoles. Le **Comité pour le Cambodge** (CCC ; carte p. 80 ; ☎ 023-214152 ; 35 Ph 178), à Phnom Penh, tient à jour la liste de toutes les ONG cambodgiennes et internationales, et le personnel y est extrêmement serviable.

Pour plus de renseignements sur les possibilités de travailler au sein d'une ONG, passez au CCC (à droite) où sont affichés les postes vacants et qui peut vous aider à orienter vos recherches. Pensez à emporter des photocopies de vos diplômes et des références de vos précédents emplois. La plupart de ces emplois sont cependant fondés sur le volontariat ; le recrutement pour les postes spécialisés s'effectue dans le pays d'origine des candidats ou par l'intermédiaire d'organisations internationales.

Parmi les organisations sur place, citons **Krousar Thmey**, fondation d'aide à l'enfance défavorisée. Outre des bureaux à Phnom Penh (4, Ph 257, av Kampuchéa Krom, ☎ 023-366184 ou 880503, krousar-thmey@bigfoot.com), cette ONG compte également des représentations en France (47, rue Greneta, 75002 Paris, ☎ 01 40 13 06 30), en Suisse (63, rue de Lausanne, 1202 Genève, ☎ 22 908 58 20) et au Luxembourg (c/o Marie-Cécile Dozin, 12 rue du Pinson, L8415 Steinfort, ☎ 26 27 04 89). Pour en savoir plus, rendez vous sur leur site : www.krousar-thmey.org

L'une des organisations ayant réellement besoin de bénévoles est le **Starfish Project** (www.starfishcambodia.org) basé à la Starfish Bakery (p. 189), à Sihanoukville. D'autres institutions peuvent profiter du travail des bénévoles, comme les orphelinats de Phnom Penh, de Siem Reap et d'autres villes du pays. Le simple fait de s'arrêter pour leur dire bonjour mettra un rayon de soleil dans la journée des enfants.

Les **Nations unies** possèdent un bureau à Phnom Penh (53, Pasteur Street Boeung Keng Kang, PO Box 877, ☎ 023-216167 ou 217193, www.un.org.kh/unv).

En France, quelques organismes offrent des opportunités de travail bénévole sur des projets de développement ou d'environnement. Vous pouvez contacter le **Comité de coordination pour le service volontaire international** (CCVIS, ☎ 01 45 68 49 36, fax 01 42 73 05 21, ccivs@unesco.org, www.unesco.org.ccvis), la **Maison de l'Unesco**, 1 rue Miollis, 75732 Paris Cedex 15) ou la **Délégation catholique pour la coopération (DCC**, ☎ 01 45 65 96 65, fax 01 45 81 30 81, dcc@ladcc.org, http://dcc.cef.fr), BP 303, 11 rue Guyton-de-Morveau, 75625 Paris Cedex 13. Vous pouvez également visiter le site de **Coordination Sud**, www.coordinationsu.org, le portail des ONG françaises.

Parmi les organismes français spécialisés dans l'aide humanitaire au Cambodge, citons :

Agir pour le Cambodge, basée à Paris (14 rue Mouraud, 75020 Paris, www.agirpourlecambodge.org) qui organise des événements en France (dîners, vente d'artisanat) au profit d'actions humanitaires au Cambodge. Son équipe a ouvert une école hôtelière à Siem Reap (155, Ph Tapoul, PO Box 93071, Siem Reap, salabai.admin@online.com.kh, ☎ 063-963-329/805) : en y séjournant et en y mangeant, vous voyagerez solidaire !

Cambodge-Enfance-Développement (9, rue A. de Balbi, 777170 Brie-Comte-Robert, http://asso.ced.free.fr, cambodge.enfance.developpement@wanadoo.fr) aide au parrainage d'enfants non adoptables, organise des soirées de bienfaisance au profit de ses actions au Cambodge et favorise les échanges culturels et linguistiques entre les deux pays.

Humaniterra International (155, av du Prado, 13008 Marseille, ☎ 04 91 25 40 84, www.humaniterra.org), une association dont l'objectif est d'apporter une aide médicale aux Cambodgiens, mais également de former des médecins locaux et de fournir du matériel médical.

Pour un sourire d'enfant (www.pse.asso.fr) s'occupe d'enfants défavorisés et recueille des fonds en France pour les scolariser et leur donner une formation professionnelle. Grâce à son action, une école a été monté à Phnom Penh, puis deux centres de formation professionnelle à Phnom Penh et à Siem Reap. Cette association dispose de représentations dans toute la France et en Suisse.

CARTES DE RÉDUCTION

Les seniors et les étudiants n'ont droit à aucune réduction spécifique au Cambodge. Tout étranger qui a les moyens de venir dans le pays est supposé avoir également les moyens de payer tout au moins ce dont s'acquittent les Cambodgiens.

CARTES ET PLANS

La meilleure carte générale du Cambodge est la *Cambodia Road Map* de Gecko au 1/750 000. Elle comprend toutes sortes de détails et les noms de lieux sont exacts. Les autres cartes pliantes couramment utilisées sont la *Cambodia, Laos and Vietnam Map* de Nelles, au 1/1 500 000, peu détaillée et la *Cambodia Travel Map* de Periplus, au 1/1 000 000, incluant des plans de Phnom Penh et de Siem Reap.

Vous trouverez souvent des cartes gratuites, financées par la publicité, dans les hôtels, pensions, restaurants et bars les plus fréquentés de Phnom Penh et de Siem Reap.

Les cartographes et autres passionnés de géographie dénicheront au psar Thmei (Nouveau Marché), à Phnom Penh, des plans de villes et des cartes de provinces de production vietnamienne ou khmère, ainsi que des cartes de l'armée américaine au 1/50 000 datant des années 1970. Le réseau routier s'est plutôt détérioré depuis la guerre civile, de sorte que les informations restent dans l'ensemble encore valables trois décennies plus tard.

CLIMAT

Dans les basses terres, le climat est assez étouffant, de type tropical. Il est un peu plus frais sur les hauteurs dans le Nord-Est, mais même là, il fait rarement froid.

Les températures journalières évoluent entre 25°C et 35°C, entre la saison "fraîche" de décembre-janvier et la période la plus chaude des mois d'avril et de mai. Les pluies commencent aux alentours du mois de juin et tombent avec insistance en août et septembre, redonnant vie aux cultures avant une nouvelle moisson.

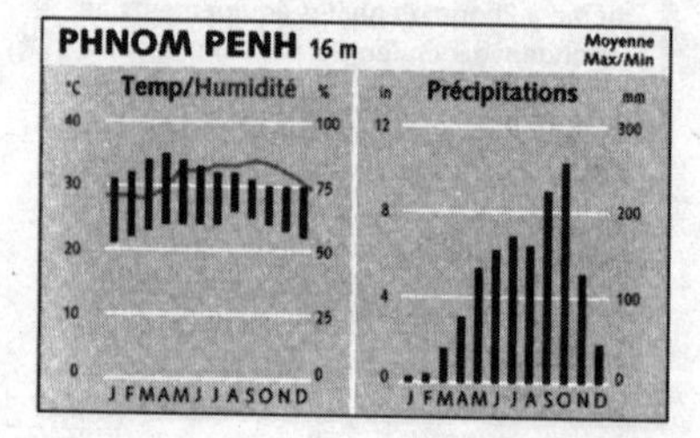

COURS

Cuisine

Pour tout savoir sur les cours de cuisine, reportez-vous à la p. 69.

Langue

Les seuls cours de langue dispensés dans le pays sont destinés à l'apprentissage de la langue khmère et s'adressent principalement aux expatriés installés à Phnom Penh. Si vous devez séjourner dans la capitale pendant un certain temps, l'acquisition de quelques rudiments de khmer s'avérera utile. Le **Cambodia Development Research Institute** (☎ 023-368053 ; 56 Ph 315), vous informera sur ses stages. Essayez également l'Institut des langues étrangères de l'**Université royale de Phnom Penh** (carte p. 76 ; ☎ 012 866826 ; bd de Russie) et consultez le panneau d'affichage du Foreign Correspondent's Club (FCC ; p. 97), où sont souvent proposés des cours particuliers.

DÉSAGRÉMENTS ET DANGERS

Plus la guerre s'éloigne, plus le pays redevient sûr pour les voyageurs. En gardant toujours présente à l'esprit la règle d'or de ne pas quitter les sentiers balisés dans les zones reculées, vous seriez vraiment malchanceux si un problème survenait. Néanmoins, il n'est pas inutile de s'informer sur la situation avant d'entreprendre une excursion inhabituelle, surtout si vous voyagez à moto.

Les journaux anglophones **Cambodia Daily** (www.cambodiadaily.com) et **Phnom Penh Post** (www.phnompenhpost.com) sont de bonnes sources d'informations – consultez leur site Internet avant de prendre la route.

Sécurité

Le Cambodge est désormais un pays relativement sûr pour le voyageur sous réserve qu'il suive la règle d'or : *dans les zones reculées, ne jamais s'écarter des sentiers tracés.* Sur le plan politique, le Cambodge s'est souvent révélé imprévisible, ce qui ne permet pas de garantir une sécurité permanente. Sachez toutefois que le touriste n'est plus une cible privilégiée.

La sécurité a longtemps été le talon d'Achille de l'industrie touristique cambodgienne. Inexistante pendant la guerre civile, elle est restée fortement menacée durant la majeure partie des années 1990, lorsque les Khmers rouges visaient particulièrement les touristes occidentaux. Plusieurs voyageurs ont été assassinés, ce qui a bien évidemment dissuadé les touristes potentiels ; et ceux qui prenaient le risque de se rendre au Cambodge voyaient leurs mouvements entravés. Le coup d'état de juillet 1997, les émeutes et les exécutions qui ont suivi les élections de juillet 1998 n'ont fait que ternir davantage la réputation du pays. La culture de la violence persiste, mais au moins les responsables politiques ont-ils appris qu'elle ne rend pas le pays populaire auprès de l'opinion internationale.

Le Cambodge est encore une sorte de société sans loi où les armes parlent souvent. Cette atmosphère affecte rarement le voyageur, mais ne soyez pas surpris d'entendre de temps à autre des coups de feu (il s'agit souvent d'un ivrogne tirant en l'air). Phnom Penh (p. 72) est incontestablement l'un des endroits les plus dangereux du Cambodge depuis l'avènement de la paix en province ; c'est dans la capitale que se concentrent la plupart des armes et qu'ont lieu la grande majorité des vols. Sihanoukville (p. 182) s'est également taillé une mauvaise réputation en matière de vol avec violence et à l'arraché. En province, il faudrait être très malchanceux pour avoir des ennuis, car les Khmers sont en général extrêmement accueillants et serviables. Soulignons aussi que de nombreux Cambodgiens ont découvert la paix après trente années de conflit, et qu'ils ne veulent à aucun prix la fragiliser.

Les circonstances évoluant rapidement, il est toujours difficile de déterminer

CONSEILS AUX VOYAGEURS

La plupart des gouvernements possèdent des sites Internet qui recensent les dangers possibles et les régions à éviter. Consultez notamment les sites suivants :

- Ministère des Affaires étrangères de Belgique (www.diplomatie.be/)
- Ministère des Affaires étrangères du Canada (www.voyage.gc.ca)
- Ministère français des Affaires étrangères (www.france.diplomatie.fr)
- Département fédéral des Affaires étrangères suisse (www.eda.admin.ch/eda/f/home.html

quelles zones du pays restent dangereuses. Contrôlées il y a quelques années encore par les Khmers rouges, Pailin et de grandes parties des provinces d'Oddar Meanchey et de Preah Vihear sont désormais considérées comme sûres. Cependant les choses pourraient changer, en particulier si le procès tant attendu des dirigeants khmers rouges survivants finit par avoir lieu. Que les anciens combattants aient troqué leur casquette Mao contre un tee-shirt Britney Spears ne veut pas dire qu'ils aient totalement renié leurs idéaux.

Si vous avez la malchance d'être dévalisé, sachez que la police cambodgienne ne fera rien pour vous gratuitement. Toute aide, comme un rapport de police, par exemple, vous coûtera de l'argent. Les tarifs dépendent de la demande, mais 20 $US sont couramment exigés.

Engins explosifs non désamorcés

Ne touchez jamais les projectiles, les obus, les mortiers, les mines, les bombes ou tout autre engin de guerre que vous pourriez trouver sur votre chemin. Une des tactiques préférées des Khmers rouges consistait à poser des mines le long des routes et dans les rizières afin de mutiler et tuer les civils. Ainsi pensaient-ils servir la cause des rebelles en déstabilisant le gouvernement. Le seul résultat tangible de cette politique se résume aux innombrables Cambodgiens amputés que vous rencontrerez dans le pays.

Les régions de Battambang et de Pailin sont les plus concernées, mais le problème est présent dans tout le Cambodge. En bref, ne quittez sous aucun prétexte les sentiers balisés. Si vous prévoyez une randonnée, même dans les régions les plus sûres du Nord-Est, par exemple, faites-vous impérativement accompagner par un guide, car il peut rester des engins explosifs non désamorcés datant des bombardements américains du début des années 1970.

Violence

Les violences contre des étrangers sont extrêmement rares et ne devraient pas vous préoccuper outre mesure. Faites néanmoins attention dans les bars et les discothèques bondées de Phnom Penh (p. 100). Si une prise de bec survient avec des individus de la jeunesse dorée khmère, ravalez votre fierté et baissez le ton. N'oubliez pas que beaucoup sont armés.

Vol et criminalité de rue

Les vols à main armée ne sont pas aussi fréquents qu'on pourrait l'imaginer, compte tenu du nombre d'armes circulant dans le pays. Cependant, les braquages et les vols à moto sont récurrents à Phnom Penh (p. 72) et à Sihanoukville (p. 183). Ne sombrez pas dans la paranoïa, mais restez prudent. Évitez de sortir seul la nuit, à pied ou en voiture, surtout dans les zones rurales.

Les pickpockets sont moins nombreux qu'au Vietnam, mais soyez quand même vigilant, en particulier dans les marchés de la capitale et dans les pick-up bondés qui circulent sur les itinéraires touristiques, comme Siem Reap-Poipet et Siem Reap-Phnom Penh. L'occasion faisant le larron, ne laissez pas votre passeport et votre argent dans la poche arrière de votre pantalon. Ultime précaution : conservez à part une réserve "secrète" d'argent liquide.

Escroqueries

Les escroqueries sont moins répandues au Cambodge que dans les pays voisins, mais cette situation pourrait changer avec l'essor du tourisme. Il s'agit dans l'ensemble de faits mineurs, vous amenant à laisser quelques billets aux chauffeurs de taxi ou de moto, notamment à Siem Reap. L'escroquerie aux bus "bon marché" entre Bangkok et Siem Reap, avec passage de la frontière au mauvais endroit, ralentissement volontaire et choix imposé d'une pension, est plus fâcheuse (p. 295).

Un ou deux cas de coups montés policiers, avec dissimulation de drogue, ont été signalés à Phnom Penh, mais cette pratique semble extrêmement rare. Si vous en êtes victime, vous devrez faire intervenir votre consulat et déployer beaucoup de patience et de persévérance pour vous en sortir. Le mieux consiste sans doute à verser d'emblée un pot-de-vin aux policiers venus vous arrêter, car le prix ne fera qu'augmenter avec le nombre de fonctionnaires impliqués.

Le Cambodge est réputé pour ses pierres précieuses, notamment les rubis et les saphirs, extraits dans l'ouest du pays autour de Pailin. Il circule quantité de fausses pierres synthétiques, les négociants internationaux s'emparant de la plupart des pierres de qualité. Il n'existe qu'une seule règle : n'achetez pas si vous ne connaissez pas les pierres.

Accidents de la route

Bien que chaotique, la circulation n'est pas pire que dans d'autres pays en voie de développement. Si vous circulez à vélo à Phnom Penh, ne relâchez pas votre attention et faites preuve d'une extrême prudence. Les conducteurs circulent à droite, à gauche et foncent parfois droit sur vous. On utilise le klaxon pour signaler sa présence : écartez-vous dès que vous entendez une voiture ou un camion approcher.

Les motards ne portent jamais de casque et les moto-dop n'en proposent pas à leurs passagers. Par bonheur, la plupart d'entre eux roulent à vitesse raisonnable. Si vous tombez sur un casse-cou, demandez-lui de ralentir. S'il n'obtempère pas, réglez-lui la distance parcourue et trouvez-en un autre.

Avoir un accident à Phnom Penh est un sérieux problème, mais en province, c'est une véritable catastrophe. Il faut, coûte que coûte, se faire rapatrier à Phnom Penh afin de recevoir les soins appropriés.

Une seule règle prévaut : la prudence. Au Cambodge, trop de rêves se sont brisés sur un guidon ou sur un volant, n'aggravez pas le bilan. Lisez les consignes de sécurité données p. 292.

Postes de contrôle

Durant les longues années de guerre civile, des postes de contrôle furent placés sur toutes les routes pour assurer la sécurité. En réalité, ils ne firent qu'aggraver la situation car les soldats chargés de la surveillance apprirent rapidement à soutirer de l'argent à tous les conducteurs. Les choses se sont considérablement améliorées ces dernières années et les postes de contrôle ont disparu des routes les plus fréquentées. Ceux qui restent vérifient parfois que les conducteurs ont bien payé la taxe routière ou qu'ils ne transportent pas d'armes à feu.

Si vous circulez en taxi ou en pick-up dans les régions isolées du pays et que vous rencontrez un poste de contrôle, le chauffeur s'occupera du paiement. Les motos ne sont que rarement arrêtées. Si l'on vous demande de l'argent, marchandez pour parvenir à une somme raisonnable. N'essayez jamais de prendre en photo ceux qui vous arrêtent ; les choses pourraient mal tourner.

Serpents

Les visiteurs qui explorent le Ta Prohm à Angkor ou d'autres sites archéologiques envahis par la végétation doivent faire attention aux serpents, notamment à l'haluman. La morsure de ce petit serpent vert clair, qui surgit généralement après les grosses pluies pour attraper des insectes, est mortelle. Son camouflage est parfait, alors gardez les yeux bien ouverts. Pour savoir quoi faire en cas de morsure de serpent, voir p. 312.

Mendicité

Omniprésente, la mendicité est encore plus visible à Phnom Penh et Siem Reap. Les raisons en sont nombreuses et évidentes dans un pays aussi pauvre et aussi meurtri. Les mendiants les plus nombreux sont les victimes des mines. La plupart ont été blessés au combat, mais d'autres ont eu les jambes arrachées alors qu'ils travaillaient ou jouaient dans les champs. Vous êtes entièrement libre de donner ou pas, mais souvenez-vous que dans un pays sans protection sociale, mendier est souvent le seul moyen de survivre. Les bouddhistes ont coutume de faire un don à plus pauvre que soi.

Les enfants qui mendient sont un spectacle habituel dans les pays en développement, et le Cambodge ne fait pas exception à la règle. Il y a beaucoup de petits mendiants à Phnom Penh et aux alentours des temples d'Angkor. Sachez qu'ils profitent rarement eux-mêmes de cet argent qu'ils doivent souvent reverser à un "souteneur" ou à leur famille ; dans le centre de Phnom Penh, votre obole risque de servir à acheter de la colle. En revanche, vous pouvez aider ces enfants en leur achetant à manger, à boire ou encore en leur consacrant un peu de temps et d'attention.

DOUANE

Les restrictions douanières appliquées au Cambodge ne sont guère rendues publiques. Les visiteurs ont droit à une "quantité raisonnable" d'articles détaxés. Les passagers arrivant en avion doivent savoir que l'alcool et les cigarettes sont vendus dans les rues de Phnom Penh à des prix équivalents, voire inférieurs, à ceux des boutiques détaxées. À titre d'exemple, une cartouche de cigarettes se négocie à 8 $US et les alcools de réputation internationale, à partir de 7 $US le litre !

Comme partout ailleurs, il est interdit d'importer des armes, des explosifs ou des narcotiques. Certains diront qu'il y en a déjà assez dans le pays. Il est également interdit d'exporter des sculptures anciennes en pierre datant de la période angkorienne.

ENFANTS

Les enfants seront à la fête au Cambodge, car ils seront toujours au centre de l'attention et presque tout le monde voudra jouer avec eux.

Pratique

En ce qui concerne la nourriture et le soin des bébés, vous trouverez à peu près tout ce qu'il vous faut à Phnom Penh et à Siem Reap, mais à peu près rien ailleurs. Les lits d'enfant sont fournis seulement dans les hôtels internationaux de grand et moyen standing. Les voitures de location et les taxis ne sont pas équipés de sièges auto ; en revanche, certains restaurants disposent de chaises hautes.

Il est très courant de voir des femmes cambodgiennes donner le sein en public, vous ne choquerez donc personne en le faisant. En revanche, pour changer les bébés, vous ne disposerez que des salles de bains habituelles : un matelas à langer peut donc s'avérer pratique.

Le principal souci sera de surveiller constamment ce que les enfants portent à leur bouche. Leur curiosité naturelle peut se révéler lourde de conséquences dans un pays où sévissent la dysenterie, la typhoïde et l'hépatite. Vous devrez aussi veiller à ce qu'ils boivent suffisamment et à les enduire régulièrement de crème solaire, malgré leurs protestations.

Attention : la circulation chaotique de la capitale impose une attention constante. Les campagnes ne sont pas une bonne destination à cause des mines. Quelles que soient vos mises en garde, vous ne serez jamais certain que votre enfant ne s'écartera pas du chemin.

À voir et à faire

Phnom Penh, Siem Reap et Sihanoukville sont très bien équipées pour distraire les enfants, mais l'ennui peut les gagner rapidement dans les petites villes de province. Phnom Penh dispose d'un certain nombre de piscines (p. 88) et même de deux pistes de karting (p. 87). Les promenades en bateau seront toujours appréciées, mais le meilleur souvenir sera sûrement celui de la réserve animalière de Phnom Tamao (p. 109), à 45 km au sud de la ville, peuplée de tigres, d'ours des cocotiers et d'éléphants.

À Angkor (p. 132), les temples ne devraient guère intéresser les plus petits mais seront appréciés par les enfants plus âgés. Les monuments en ruine, comme le Ta Prohm (p. 159) ou le Beng Mealea (p. 173) remporteront davantage leurs suffrages que les temples-musées restaurés. Les jolies *remorques-motos* à capote sont un moyen amusant de se déplacer en famille dans la zone d'Angkor (p. 147).

Les animaux sauvages sont difficiles à observer dans les parcs nationaux. Mais ces derniers renferment d'impressionnantes chutes d'eau, tels le Kirirom (p. 110) et le Bokor (p. 196). Dans le Nord-Est, les provinces du Mondolkiri (p. 262) et du Ratanakiri (p. 256) sont également riches en belles cascades, et les enfants pourront partir en randonnée à dos d'éléphant.

Le Cambodge possède un littoral important, Sihanoukville (p. 183) étant la principale cité balnéaire. Les plages sont fréquentées par beaucoup d'enfants cambodgiens, dont la plupart essayent de gagner leur vie, ce qui peut être l'occasion de rencontres intéressantes pour vos enfants. Mais surveillez bien la baignade, car des courants dangereux peuvent balayer la côte pendant la saison des pluies.

FÊTES ET FESTIVALS

Les fêtes cambodgiennes sont fixées selon le calendrier lunaire et leurs dates changent tous les ans.

Des prières spéciales sont dites dans les pagodes khmères à l'occasion de la pleine lune, jour de fête bouddhique.

Chaul Chnam Chen Les Chinois du Cambodge célèbrent leur Nouvel An fin janvier ou durant la première quinzaine de février. Pour les Vietnamiens, cette date correspond à la fête du Têt. Les commerces –presque tous tenus par des Chinois à Phnom Penh– sont alors fermés et des danses de dragons animent les rues.

Chaul Chnam Mi-avril, la célébration du Nouvel An khmer dure trois jours ; les Khmers portent des offrandes aux vat, astiquent leur maison et s'échangent des cadeaux. Pendant cette période animée, ils s'aspergent mutuellement d'eau et de talc, et transforment les touristes perplexes en statues de plâtre. Ce n'est pas le meilleur moment pour découvrir Angkor, où afflue la moitié de la population.

Chat Preah Nengkal Au début du mois de mai, cette cérémonie du sillon sacré est un rituel religieux et agricole mené par la famille royale. Elle se déroule en face du Musée national (p. 83), près du Palais royal à Phnom Penh. Les bœufs royaux, conduits par le roi, déterminent si les récoltes seront abondantes.

Visakha Puja On se réunit dans les vat pour célébrer la naissance, l'illumination et le *parinibbana* (mort) de Bouddha. La fête tombe le 8e jour du 4e mois lunaire (vers mai-juin) et revêt une ampleur particulière à Angkor Vat, où des moines effectuent des processions aux flambeaux.

P'chum Ben Comparable à la Toussaint, cette fête tombe entre la mi-septembre et le début octobre. On rend hommage aux défunts par des offrandes dans les vat.

Bon Om Tuk Au début du mois de novembre, cette fête célèbre la victoire de Jayavarman VII sur les Cham qui occupaient Angkor, en 1177. Elle marque aussi l'inversion du cours du Tonlé Sap (à l'arrivée de la saison sèche, les eaux refoulées dans le lac se déversent dans le Mékong). C'est l'une des fêtes les plus importantes du calendrier khmer et la période rêvée pour visiter Phnom Penh ou Siem Reap, car des courses de bateaux sont organisées sur le Tonlé Sap et sur la Siem Reap.

FORMALITÉS ET VISAS

Le visa est obligatoire pour rentrer au Cambodge. Pour vous le procurer, adressez-vous à l'ambassade du Cambodge de votre pays (voir la section *Ambassades et consulats* dans ce chapitre, p. 270). En France, il vous faudra fournir votre passeport (valable trois mois après votre date de retour), une photocopie de ce dernier, deux photos d'identité, un formulaire à remplir et 22 € en espèces par personne. Votre visa valable 1 mois et prorogeable une fois, sera disponible dans un délai de 48h. Attenion : votre passeport doit comporter suffisamment de pages vierges. Ne partez pas pour six mois en Asie avec seulement deux pages blanches dans votre passeport : le visa cambodgien occupe une page entière. S'il est parfois possible d'ajouter des feuillets, la plupart du temps, on vous demandera d'en faire établir un nouveau. Pour la plupart des ressortissants étrangers, il est possible d'effectuer cette formalité au Cambodge, mais elle est généralement longue et coûteuse, beaucoup d'ambassades devant passer par Bangkok.

Si vous avez la double nationalité, française et cambodgienne, vous pourrez bénéficier d'un visa "K" gratuit et permanent.

Avant le départ, il est impératif de contacter l'ambassade ou le consulat du Cambodge dans votre pays pour vous assurer que les modalités d'entrée sur le territoire n'ont pas changé. Nous vous conseillons de photocopier tous vos documents importants (pages d'introduction de votre passeport, cartes de crédit, numéros de chèques de voyage, police d'assurance, billets de train/d'avion/de bus, permis de conduire, etc.). Emportez un jeu de ces copies, que vous conserverez à part des originaux. Vous remplacerez ainsi plus aisément ces documents en cas de perte ou de vol.

La plupart des étrangers peuvent également obtenir un visa d'un mois à leur arrivée aux aéroports internationaux de Phnom Penh et de Siem Reap. Il en coûte 20 $US pour un visa touristique et 25 $US pour un visa d'affaires. Vous devrez fournir une photo d'identité, et vous serez pénalisé d'une "amende" de 1 $US à 100 B si vous n'en avez pas. Si vous comptez travailler au Cambodge, optez pour le second, renouvelable officiellement pour de longues périodes (et officieusement indéfiniment) et autorisant des entrées et sorties multiples. Le visa touristique ne peut être prorogé qu'une seule fois, pour un mois seulement, et n'autorise pas de nouvelle entrée.

Des visas sont maintenant délivrés à la plupart des postes-frontières terrestres. Venant de Thaïlande, vous pourrez obtenir un visa à Anlong Veng, Krong Koh Kong,

ATTENTION ! VOILÀ LES FÊTES

Durant la période préparatoire aux grandes fêtes, comme P'chum Ben ou Chaul Chnam, le nombre de vols augmente de manière sensible, notamment à Phnom Penh (p. 72). Les Cambodgiens ont besoin d'argent pour offrir des présents à leurs proches ou s'acquitter de leurs dettes et, pour certains, le vol est un expédient tout trouvé. Durant ces périodes, faites preuve d'une vigilance accrue en soirée et ne prenez avec vous que les objets de valeur indispensables.

O Smach, Pailin et Poipet. Les voyageurs désirant visiter Prasat Preah Vihear dans la journée à partir de la Thaïlande n'ont pas besoin de visa, mais ils seront peut-être obligés de laisser leurs passeports au poste thaïlandais pour garantir qu'ils ne continueront pas leur voyage au Cambodge. Les voyageurs sont parfois excessivement taxés au passage de la frontière thaïlandaise, car les douaniers demandent à être payés en bahts et arrondissent allègrement les sommes. Demander un visa à l'avance à Bangkok permet d'éviter ce genre de problème.

Les voyageurs arrivant du Vietnam par la route peuvent obtenir un visa aux postes-frontières de Bavet sur la RN1 et de Kaam Samnor sur le Mékong, mais pas à celui de Phnom Den. Dans ce cas, il faut obtenir au préalable un visa à Hanoï ou à Ho Chi Minh-Ville.

Le poste-frontière avec le Laos est désormais un point de passage bien établi, mais il est toujours nécessaire de se procurer un visa à l'avance, soit à Vientiane, soit à Bangkok.

Prorogations de visa

Les prorogations de visa sont délivrées par le service de l'immigration du ministère de l'Intérieur de Phnom Penh (275, bd Norodom, ☎ 023 750802, moi@interior.giv.kh). Les visas de tourisme ne sont renouvelables qu'une seule fois, pour un mois, tandis que les visas d'affaires peuvent être prorogés indéfiniment, à condition d'avoir un portefeuille bien garni. Il est même sans doute possible d'obtenir la nationalité cambodgienne si vous êtes très généreux. Demeurer sur le territoire cambodgien après l'expiration de votre visa coûte 5 $US par jour.

La prorogation d'un visa s'obtient de manière officielle ou de façon officieuse. Le délai de délivrance et le coût varient évidemment de l'une à l'autre. Officiellement, la prorogation revient à 30 $US pour 1 mois, 60 $US pour 3 mois, 100 $US pour 6 mois, 150 $US pour 1 an, vous oblige à vous séparer de votre passeport pendant 25 jours, et exige une paperasserie incroyable. Cette procédure conviendra aux expatriés dont l'employeur peut se charger des démarches. Les voyageurs indépendants ont vraiment besoin de passer par la voie non officielle. Au Cambodge, on ne parle pas de corruption, mais de "dessous-de-table". En payant 39 $US pour 1 mois, 69 $US pour 3 mois, 145 $US pour 6 mois et 275 $US pour un an, vous récupérerez votre passeport le lendemain. Une fois dans le camp des "officieux", rien ne s'oppose à ce que l'on vous proroge votre visa indéfiniment. Des agences de voyages recommandées et certains magasins de location de motos de Phnom Penh peuvent faciliter les démarches, parfois à des prix moindres.

Pour toute prorogation, vous devez fournir une photo d'identité et payer 1 $US pour le formulaire.

HANDICAPÉS

Trottoirs et routes défoncés, escaliers vertigineux d'Angkor, le Cambodge n'est pas un pays facilement accessible aux personnes à mobilité réduite. Peu de bâtiments ont été conçus pour répondre aux besoins spécifiques des handicapés. Toutefois, les plus récents, comme les aéroports internationaux de Phnom Penh et de Siem Reap et les hôtels de catégorie supérieure, possèdent des rampes d'accès pour fauteuils roulants. En province, les transports publics sont généralement bondés, mais la location d'un taxi d'une ville à l'autre reste abordable.

Les Cambodgiens se montrent très serviables envers les étrangers et le faible coût de la main-d'œuvre permet de se faire facilement accompagner en cas de besoin. La plupart des pensions et des petits hôtels disposent de chambres en rez-de-chaussée d'un accès relativement aisé.

Angkor, avec ses chaussées inégales, ses obstacles en tout genre et ses escaliers abrupts, constitue le principal problème. Il faudra probablement attendre quelques années pour que les choses s'améliorent dans le site le plus célèbre du Cambodge, même s'il y a eu des précédents, avec l'installation d'escaliers en 1963 pour la visite de Charles De Gaulle et plus récemment, de rampes d'accès au Bayon fin 2000 à l'occasion de la visite du roi Sihanouk et du chef de l'État chinois, Jiang Zemin.

L'**APF** (Association des paralysés de France, 17 bd Blanqui, 75013 Paris, ☎ 01 40 78 69 00, fax 01 45 89 40 57, www.apf.asso.fr) peut vous fournir des renseignements utiles sur les voyages accessibles. Deux sites Internet dédiés aux personnes handicapées comportent une rubrique consacrée au voyage et constituent de bonnes sources d'informations. Il s'agit de Yanous (www.yanous.com/pratique/tourisme/tourisme030613.html) et de Handica (www.handica.com).

Il existe aussi des agences de voyages spécialisées :

Handi Cap Evasion (☏/fax 04 78 22 71 02 ; hce@free.fr ; www.hce.asso.fr ; chemin de la Creuzette, 69270 Fontaines sur Saône)

I.care (☏ 01 55 20 23 83 ; fax 01 55 20 23 93 ; www.icare.net ; 220-224 bd Jean Jaurès, 92773 Boulogne)

APF Evasion (☏ 01 40 78 27 27 ; evasion.vacanciers@apf.asso.fr ; www.apf-asso.fr ; 17 bd Auguste Blanqui, 75013 Paris)

HÉBERGEMENT

Les possibilités d'hébergement ont considérablement évolué au cours des dix dernières années. La plupart des hôtels affichent des prix en dollars, mais certains petits hébergements, en province, se font payer en riels. Nous indiquons les prix dans la devise qui nous a été mentionnée lors de nos recherches. À Phnom Penh, Siem Reap et Sihanoukville, l'éventail permet de répondre à tous les budgets. Dans le reste du pays, le choix se restreint aux établissements pour petits budgets ou de catégorie moyenne, généralement d'un bon rapport qualité/prix.

Dans ce guide, la catégorie petits budgets correspond à des pensions dont les prix s'échelonnent de 2 à 10 $US. Comptez de 10 à 50 $US pour une chambre dans la catégorie moyenne et à partir de 50 $US dans la catégorie supérieure.

Les auberges très bon marché se limitaient autrefois à Phnom Penh, Siem Reap et Sihanoukville, mais avec le développement du tourisme dans les provinces, on trouve maintenant ce type d'établissement dans des chefs-lieux de province comme Kampot, Kratie et Stung Treng. Leur prix se situent entre 2 et 5 $US pour un lit. Dans nombre de régions rurales, le prix standard des hôtels bon marché s'élève à 5 $US, en général avec sdb et TV satellite. Vous pouvez aussi trouver quelques établissements fonctionnant comme des hôtels de passe avec des chambres à partir de 10 000 r, où les clients viennent plutôt passer une heure qu'une nuit. Ne comptez pas trop dormir !

À Phnom Penh, Siem Reap et Sihanoukville, qui accueillent un flux croissant de visiteurs, les hôtels gagnent nettement en qualité dès que l'on paie plus de 10 $US. Pour 15 $US, vous pourrez trouver une chambre climatisée, avec sdb et TV satellite. Entre 20 et 50 $US, vous obtiendrez une chambre très confortable, avec éventuellement le luxe d'une piscine. La plupart des petites villes de province offrent également la climatisation dans la fourchette des 10-15 $US.

Seules Phnom Penh, Siem Reap, Sihanoukville et les casinos jouxtant la frontière avec la Thaïlande (p. 217) disposent d'hôtels haut de gamme. Il existe maintenant tout un éventail d'hôtels de classe internationale à Siem Reap, plusieurs à Phnom Penh et un à Sihanoukville, appartenant à des chaînes renommées telles que Le Méridien, Raffles et Sofitel. Dans la plupart, les tarifs infligés aux voyageurs sans réservation sont très élevés, et supportent encore 10% de taxes et 10% de service. En réservant par l'intermédiaire d'une agence de voyage, vous obtiendrez un meilleur prix, taxes et service compris.

Certaines pensions sont dépourvues d'eau chaude, mais la plupart des hébergements disposent au moins de quelques chambres plus luxueuses où elle est fournie. Dans les régions les plus reculées, il se peut que la sdb soit équipée d'une grande bassine ou d'une cuve en ciment remplie d'eau pour la toilette. Ne vous plongez pas dedans : puisez l'eau avec la coupelle en plastique ou le bol en métal. De nos jours, la plupart des pensions sont équipées de douches froides.

Si les hôtels récents les plus élégants sont pourvus d'ascenseurs, il n'en va pas de même pour les hôtels anciens dont les chambres les moins chères sont situées aux étages les plus élevés. C'est tout bénéfice pour le client : économie d'argent, exercice physique et meilleure vue !

Il y a souvent confusion sur les termes "simple", "double", "double occupation" et "twins". Une simple contient un seul lit, même si deux personnes dorment dedans. Si la chambre comprend deux lits, c'est une twin (lits jumeaux), même si une seule personne y dort. Si deux personnes occupent la même chambre, c'est une "occupation double" (*double occupancy*). Dans certains hôtels, "double" signifie lits jumeaux, tandis que dans d'autres, cela signifie occupation double.

HEURE LOCALE

Comme le Vietnam, la Thaïlande et le Laos, le Cambodge est en avance de sept heures sur l'heure GMT. Quand il est 12h à Phnom Penh, il est 6h à Paris en hiver et 7h en été.

HEURES D'OUVERTURE

Les Cambodgiens ont l'habitude de se lever très tôt. Il n'est pas rare de voir des gens en train de faire de la gymnastique en plein air à 5h30 du matin. Les administrations, ouvertes du lundi au samedi, commencent en principe la journée à 7h30 et terminent à 17h, avec une pause de 11h30 à 14h. Dans la pratique, vous ne trouverez pas grand monde dans les bureaux tôt le matin et après 16h, car les fonctionnaires gagnent leur véritable revenu ailleurs.

Les horaires des banques varient légèrement selon les établissements, mais vous trouverez toujours les portes ouvertes entre 8h30 et 15h30, du lundi au vendredi, ainsi que le samedi matin. Les attractions touristiques telles que les musées ouvrent 7 jours/7 ; récemment, le personnel s'est vu contraint de maintenir les sites ouverts pendant l'heure du déjeuner.

Les restaurants à clientèle locale sont généralement ouverts de 6h30 à 21h, et les restaurants à clientèle étrangère ferment un peu plus tard. Beaucoup de bars sont ouverts toute la journée, mais certains n'ouvrent que le soir, surtout s'ils ne font pas de restauration.

Les marchés fonctionnent 7 jours/7, généralement de l'aube au crépuscule, soit de 6h30 à 17h30. Ils ferment quelques jours dans l'année à l'occasion des principales fêtes : Chaul Chnam (Nouvel An khmer), P'chum Ben (fête des Morts) et Nouvel An chinois. Les magasins ouvrent en général de 7h à 19h, quelques fois plus tard.

HOMOSEXUALITÉ

La culture cambodgienne tolère l'homosexualité, mais la situation n'a rien de comparable avec la Thaïlande. L'ancien roi Norodom Sihanouk était un ardent défenseur de l'égalité des droits pour les partenaires de même sexe, ce qui semble avoir encouragé une attitude plus tolérante chez la jeune génération. Il y a quelques bars gays à Phnom Penh et à Siem Reap, mais c'est un milieu qui reste très discret comparé à d'autres pays d'Asie.

Vu le nombre de personnes de même sexe, homosexuelles ou non, voyageant ensemble, les hôtels se soucient peu de savoir quelles relations elles entretiennent. Cependant, il n'est pas utile de faire état de sa sexualité et les démonstrations publiques d'affection passionnée, qu'elles soient de nature homosexuelle ou hétérosexuelle, ne sont pas de mise.

Utopia (www.utopia-asia.com) fournit des renseignements aux voyageurs gays. On y trouvera notamment des chapitres détaillés sur la législation khmère en la matière et quelques termes du vocabulaire gay local.

INTERNET

On peut désormais accéder à Internet dans la plupart des villes du pays. À Phnom Penh, les prix continuent de baisser et se situent actuellement entre 0,50 et 1 $US l'heure. Prévoyez entre 1 et 1,50 $US l'heure à Siem Reap et entre 2 et 5 $US dans les autres villes de province, en raison du coût élevé des communications téléphoniques nationales.

Si vous voyagez avec un ordinateur portable, sachez que votre modem peut ne pas fonctionner hors de votre pays d'origine. Le mieux est d'acheter un bon modem global ou une carte modem locale si vous comptez passer un certain temps au Cambodge. Pour plus de renseignements sur la façon de voyager avec un portable, visitez le site www.teleadapt.com.

Si vous désirez connecter votre portable à un serveur, le plus simple consiste à acheter les cartes Internet prépayées de Online ou Everyday (de 10 à 50 $US), en vente en magasins ou dans certains restaurants ou hôtels. Si vous voulez un contrat écrit, adressez-vous à **Online** (carte p. 80-81 ; ☎ 023-430000 ; 15 bd Norodom), **Camintel** (carte p. 76-77 ; ☎ 023-986789 ; 1 quai Sisowath) ou **Telesurf** (carte p. 80-81 ; ☎ 012 800800 ; 33 bd Sihanouk), tous à Phnom Penh. Les prix sont élevés par rapport aux standards internationaux, et si vous utilisez un téléphone portable dans des régions reculées, la connexion ne sera pas de bonne qualité.

JOURS FÉRIÉS

Les banques, les ministères et les ambassades ferment pendant les fêtes et les jours fériés.

L'INNOCENCE VIOLÉE

Les abus sexuels perpétrés sur les enfants par des pédophiles étrangers constituent un grave problème au Cambodge. Au Cambodge, les pédophiles sont considérés comme des criminels et plusieurs d'entre eux sont détenus dans les prisons du pays, où il n'existe pas de section de détention spécifique. Des pays comme la France, l'Allemagne, l'Australie, les États-Unis et le Royaume-Uni ont adopté des lois qui leur permettent de poursuivre leurs ressortissants à leur retour. Ainsi, la France a adopté dès 1994 le principe de lois pénales extraterritoriales : la loi du 1er février 1994, complétée par la loi du 17 juin 1998, punit l'ensemble des crimes ou délits sexuels commis contre des mineurs à l'étranger, avec ou sans rémunération et s'applique aux ressortissants français comme aux personnes résidant habituellement en France. Par ailleurs, le code pénal français punit de 5 ans de prison des relations sexuelles rémunérées avec un enfant de moins de 15 ans, et de 20 ans de réclusion "toute atteinte sexuelle" sur un mineur de moins de 15 ans "commise avec violence, contrainte ou surprise".

Le combat contre ces pratiques répugnantes progresse lentement mais sûrement, bien que, dans un pays pauvre comme le Cambodge, ce soit le besoin d'argent qui pousse certains à vendre des bébés pour l'adoption et des enfants sur le marché du sexe. Le trafic d'enfants revêt de multiples aspects. Des familles pauvres louent leurs enfants comme mendiants, ouvriers agricoles ou marchands de rue. Un grand nombre des enfants prostitués au Cambodge sont des Vietnamiens, vendus par leur famille dans leur pays d'origine. Une fois sur le trottoir, il leur est bien difficile d'échapper à une vie faite de violences et de sévices. Comme nombre de prostitués adultes, les mineurs subissent des viols collectifs et des passages à tabac. Afin de les abrutir et de les garder sous leur coupe, les souteneurs n'hésitent pas à les rendre dépendants au *yama* (une métamphétamine trafiquée) ou à l'héroïne.

Les visiteurs peuvent contribuer à la lutte contre ce fléau en repérant les comportements suspects d'étrangers. Ne fermez pas les yeux, tâchez de communiquer le nom et la nationalité de l'individu à l'ambassade concernée. Vous pouvez aussi appeler un **numéro d'urgence au Cambodge** (☎ 023-720555), ou la **hotline d'une ONG confidentielle** (☎ 012 888840) pour transmettre toute information sur des cas d'abus sexuel ou d'exploitation d'enfants. Présent dans la plupart des pays occidentaux, dont la France, le réseau international **End Child Prostitution and Trafficking** (Ecpat ; www.ecpat.org) vise à mettre un terme à la prostitution enfantine, à la pornographie enfantine et au trafic d'enfants à des fins sexuelles. En France spécifiquement, l'**ACPE** (Action contre la prostitution des enfants, www.acpe-asso.com) mène des actions de prévention et de formation pour lutter contre la prostitution enfantine et les réseaux d'exploitation des enfants.

Tenez-en compte lors de votre voyage. De plus, les Cambodgiens décalent les jours fériés s'ils tombent en fin de semaine, et ils prennent un jour ou deux de congés à l'occasion des grandes fêtes (voir ci-contre). Ajoutez à cela qu'ils célèbrent certains jours fériés internationaux, et il devient vite évident que le Cambodge compte plus de jours fériés que n'importe quel autre pays au monde !

Nouvel An 1er janvier
Victoire sur le génocide 7 janvier
Journée internationale des Femmes 8 mars
Fête internationale du Travail 1er mai
Journée internationale des Enfants 1er mai
Fête de la Constitution 24 septembre
Accords de paix de Paris 23 octobre
Anniversaire du roi 30 octobre au 1er novembre
Fête de l'Indépendance 9 novembre
Journée internationale des Droits de l'homme 10 décembre

LIBRAIRIES SPÉCIALISÉES

Plusieurs librairies sont spécialisées dans les ouvrages sur l'Asie, et plus particulièrement sur le Cambodge. En voici quelques unes où vous trouverez probablement votre bonheur.

Ambika (☎ 01 43 66 84 21, ambika@noos.fr), 51 rue Piat, 75020 Paris

Les Éditions du Centenaire, 12 résidence Belleville ou 5 rue de Belleville, 75019 Paris (☎ 01 42 02 87 05) Large choix de dictionnaires et de méthodes de langues asiatiques.

Fenêtre sur l'Asie, 49 rue Gay-Lussac, 75005 Paris (☎ 01 43 29 11 00) Ouvrages sur l'Asie méridionale et l'Extrême Orient entre autres.

Kaobang, 24 rue Thomann, 67000 Strasbourg (☎ /fax 03 88 32 94 17, kaobang@noos.fr, www.kaobang.com) Possibilité d'achat en ligne.

Librairie du Musée Guimet, 6 place Iéna, 75016 Paris (☎ 01 56 52 54 21) Ouverte tous les jours sauf le mardi, de 10h à 18h.
Maisonneuve, 3bis place de la Sorbonne, 75005 Paris (☎ 01 43 26 19 50, www.maisonneuve-adrien.com) Possibilité de parcourir le catalogue en ligne.
Sudestasie, 17 rue du Cardinal-Lemoine, 75005 Paris (☎ 01 43 25 18 04)
Le Phénix, 72 boulevard de Sébastopol, 75003 Paris (☎ 01 42 72 70 31) Ouvrages sur l'Asie du Sud-Est entre autres.
You Feng, 45 rue Monsieur-le-Prince, 75006 Paris (☎ 01 43 25 89 98) ou 66 rue Baudricourt, 75013 Paris (☎ 01 53 82 16 68), http://you-feng.com) Ouvrages sur le Vietnam, la Thaïlande, le Cambodge, le Laos, dictionnaires spécialisés et méthodes de langue. Possibilité d'achat en ligne.
Librairie Orientale Samuelian, 51 rue Monsieur le Prince, 75006 Paris (☎ 01 43 26 88 65) Ouvrages sur le monde oriental.

ASSOCIATIONS CULTURELLES

Pour commencer ou continuer le voyage chez vous…
Association française des amis de l'Orient (AFAO), 19 av d'Iéna, 75016 Paris (☎ 01 47 20 33 09). Organisation de voyage, de manifestations culturelles.
Association des amis d'Angkor, c/o Musée Guimet, 6 place d'Iéna, 75016 Paris. Conférences et expositions centrées sur la culture khmère. À l'occasion, l'association organise des voyages.
Association culturelle franco-khmère, école khmère de Paris XIII (ACFK), 188 rue de Tolbiac, 75013 Paris. Cours de khmer, séminaires et sorties axées sur le Cambodge.

OFFICES DU TOURISME

Le Cambodge ne possède pas d'office du tourisme à l'étranger. En France, l'ambassade royale du Cambodge (ambcambodgeparis@mangoosta.fr, ☎ 01 45 03 47 20, 4 rue Adolphe-Yvon, 75116 Paris), pourra vous fournir quelques renseignements.

Sur place, le Cambodge ne compte qu'une poignée d'offices du tourisme et ceux que le voyageur indépendant verra à Phnom Penh et à Siem Reap ne s'intéressent qu'aux plus fortunés. Il en va tout autrement en province, où les employés sont souvent surpris et enthousiastes à la vue de touristes. Même si l'on doit aller chercher le directeur dans la salle de karaoké voisine, on vous dira tout sur les sites touristiques de la région. Un nombre croissant de villes se dotent ambitieusement d'un office du tourisme, qui manque généralement de brochures et de prospectus. Vous trouverez leurs adresses dans les différents chapitres consacrés aux villes, mais ne vous attendez pas à un service aussi rôdé qu'en Malaisie ou à Singapour. En général, les pensions et les journaux gratuits locaux sont des sources d'informations beaucoup plus utiles.

PHOTO ET VIDÉO

Conseils techniques

Au Cambodge, la luminosité est excellente à deux moments de la journée : 20 minutes après le lever du soleil et pendant l'heure ou les deux heures qui suivent (en gros de 6h à 8h) et en fin d'après-midi, lorsque la lumière devient plus chaude, une heure environ avant le coucher du soleil. De 10h à environ 16h, une lumière dure et décolorante empêche tout bon cliché sans filtre. N'oubliez pas que vous aurez plus de liberté d'exposition avec des pellicules papier qu'avec des diapos. Au tirage, les premières peuvent être acceptables, même prises dans de mauvaises conditions de lumière, alors que les secondes sont bonnes ou franchement ratées.

Pellicules et matériel

Les pellicules et le développement ne coûtent pas très cher. Comptez 2 $US pour un film Kodak ou Fuji 100 ASA (36 poses) et 3 $US en 400 ASA. Dans la plupart des laboratoires, le développement revient à quelque 4 $US la pellicule. Les laboratoires Fuji offrent une meilleure qualité, mais les Konika pratiquent parfois des prix plus bas.

Également bon marché à Phnom Penh, les films diapos reviennent à 5 $US en Kodak Elite ou Fuji Sensia, et à 6 $US dans la gamme Velvia et Provia de Fuji. Faites vos provisions dans la capitale car il n'est pas facile de s'en procurer dans le reste du pays. Évitez de faire développer vos diapositives au Cambodge, à moins d'une urgence. La plupart des laboratoires se proclament compétents, mais les tirages risquent fort de ressembler à des radiographies en noir et blanc.

La plupart des laboratoires de développement de Phnom Penh et de Siem Reap peuvent désormais télécharger vos photos numériques sur CD pour libérer de l'espace sur votre carte mémoire, et imprimer des photos de bonne qualité directement à partir de votre appareil ou d'un CD. Des cartes mémoire bon marché sont en vente partout.

Fournitures et accessoires pour appareils photo sont en vente à Phnom Penh. Les piles pour les modèles courants sont en vente à peu près partout, mais achetez-en quelques-unes d'avance avant de partir hors des sentiers battus. Un grand choix d'appareils récents, de marques célèbres, est disponible à Phnom Penh à des prix défiant tout concurrence, puisqu'ils ne sont pas taxés.

En ville, il y aura toujours un magasin dans un rayon d'une centaine de mètres pour vous vendre des pellicules de la marque que vous souhaitez. Le meilleur laboratoire de développement – argentique ou numérique – est **City Colour Photo** (carte p. 80 ; 123 bd Monivong), qui vend également des appareils bon marché et des cartes mémoire.

Si vous emportez un caméscope, n'oubliez pas le chargeur, l'adaptateur et le transformateur. Ne vous fiez pas trop aux installations électriques des pensions provinciales, parfois fantaisistes. La plupart des formats de cassettes vidéo sont disponibles à Phnom Penh et à Siem Reap, mais vous ne trouverez probablement rien dans le reste du pays. Il est toujours utile d'acheter quelques cassettes détaxées à l'aéroport avant d'entamer le voyage.

Photographier les gens

Les règles habituelles de politesse sont de rigueur. Ne brandissez pas votre appareil sous le nez des gens et respectez les moines et les fidèles en prière. En général, les Khmers sont remarquablement courtois et, si vous le demandez gentiment, ils accepteront de se laisser photographier. Les mêmes consignes s'appliquent avec un caméscope : demandez la permission, même si, dans les campagnes, les enfants se bousculent devant l'objectif et sont stupéfaits de se voir sur l'écran. Pour eux, c'est un peu comme passer à la télévision !

Restrictions

Bien que les forces armées cambodg[...] ne manifestent pas une grande inquiétu[...] lorsque les touristes photographient des ponts ou d'autres ouvrages (construits pour la plupart par des étrangers grâce à l'aide internationale), mieux vaut faire preuve de prudence : se précipiter sur un convoi militaire pour le mitrailler avec son appareil photo peut avoir de fâcheuses conséquences.

Sécurité aéroportuaire

Les appareils de détection des aéroports de Phnom Penh et de Siem Reap ne risquent pas d'endommager les films. Si vous transportez des pellicules de 1 000 ASA ou plus, placez-les dans un sac séparé et demandez à ce qu'il soit contrôlé manuellement.

POSTE

Le courrier est désormais acheminé par avion via Bangkok ou d'autres centres de la région, ce qui a augmenté la rapidité des envois postaux, qui autrefois transitaient par Moscou, mais pas leur fiabilité.

Le service postal est des plus aléatoires. Pour les objets de valeur, préférez les messageries privées ou envoyez-les depuis un autre pays. Assurez-vous que les cartes postales et les lettres sont bien oblitérées avant de les voir disparaître de votre vue.

Les tarifs postaux sont affichés dans les postes des grandes villes. L'envoi d'une carte postale à l'étranger coûte entre 1 500 et 2 100 r. Les lettres et les colis expédiés vers un pays non asiatique peuvent mettre deux ou trois semaines pour parvenir à destination. Pour raccourcir les délais, vous pouvez avoir recours à un service de messagerie : **DHL** (carte p. 76 ; ☎ 023-427726 ; www.dhl.com ; 28 bd Monivong), **FedEx** (carte p. 76 ; ☎ 023-216712 ; www.fedex.com ; 701D bd Monivong), **TNT** (carte p. 80 ; ☎ 023-211880 ; www.tnt.com ; 151 Ph 154) et **UPS** (carte p. 80 ; ☎ 023-427511 ; www.ups.com ; 27 Ph 134). Tous sont présents à Phnom Penh et certains ont des succursales à Siem Reap (p. 113). Une alternative un peu moins chère que les précédents est **EMS** (carte p. 80 ; ☎ 023-723511 ; Poste principale, Ph 13), avec des bureaux dans toutes les postes principales du pays.

À la poste principale de Phnom Penh (p. 78), le guichet de poste restante est installé à l'extrémité gauche du comptoir.

N'importe qui peut récupérer votre courrier ; il n'est donc pas recommandé de s'y faire expédier des objets de valeur. Vous devrez payer 100 r par pli reçu. Si vous effectuez un long périple, faites plutôt expédier votre courrier à Bangkok.

PROBLÈMES JURIDIQUES

La marijuana est illégale au Cambodge et la police commence à se montrer moins laxiste, bien que davantage motivée par l'appât du gain que par le respect de la loi. Plusieurs descentes de police (dont quelques coups montés) ont visé des bars et des restaurants appartenant à des étrangers où l'on fumait du cannabis. L'époque de l'herbe gratuite dans les pensions est révolue. La marijuana entre dans la composition de certains plats khmers traditionnels et ne risque pas de disparaître du jour au lendemain. Cependant, mieux vaut rester discret si vous en fumez. Il y a fort à parier qu'à l'instar des pays voisins, la police cambodgienne ne tardera pas à profiter grassement de l'arrestation d'étrangers.

Ces remarques s'appliquent aux autres substances narcotiques, également illicites. Réfléchissez avant de vous laisser conduire par un conducteur de moto-dop inconnu dans une fumerie d'opium ; une fois inconscient, vous risquez fort de vous faire dévaliser.

TÉLÉPHONE ET FAX

Le réseau téléphonique terrestre a été totalement dévasté au cours de la longue guerre civile. L'avènement du téléphone portable, que le pays a adopté avec ferveur, a permis au Cambodge de rattraper ses voisins régionaux. Le téléphone portable est omniprésent, mais le téléphone filaire fait également des progrès dans les grandes villes, rétablissant peu à peu les communications avec le reste du monde.

Pour appeler le Cambodge depuis l'étranger, composez le ☎ 00 (le ☎ 011 si vous êtes au Canada), suivi du ☎ 855, puis de l'indicatif de la ville (sans le 0) et enfin du numéro de votre correspondant. Pour appeler l'étranger depuis le Cambodge, composez le ☎ 001, suivi de l'indicatif de votre pays (☎ 33 pour la France) et du numéro de votre correspondant (sans le premier 0). Si vous appelez l'étranger depuis un portable ou un téléphone à carte, composez l'indicatif d'accès à l'international ☎ 007. Géré par Tele2, un opérateur privé récemment installé au Cambodge, il offre des communications beaucoup moins onéreuses que le ☎ 001.

INDICATIFS TÉLÉPHONIQUES DES PROVINCES

Banteay Meanchey	☎ 054
Battambang	☎ 053
Kampot	☎ 033
Kandal	☎ 024
Kep	☎ 036
Koh Kong	☎ 035
Kompong Cham	☎ 042
Kompong Chhnang	☎ 026
Kompong Speu	☎ 025
Kompong Thom	☎ 062
Kratie	☎ 072
Mondolkiri	☎ 073
Oddar Meanchey	☎ 065
Phnom Penh	☎ 023
Preah Vihear	☎ 064
Prey Veng	☎ 043
Pursat	☎ 052
Ratanakiri	☎ 075
Siem Reap	☎ 063
Sihanoukville	☎ 034
Stung Treng	☎ 074
Svay Rieng	☎ 044
Takeo	☎ 032

Appels internationaux

L'époque où les appels internationaux passaient par Moscou est bien révolue. Pour téléphoner à l'étranger, il existe désormais plusieurs cartes utilisables dans des téléphones publics, des cartes d'appel prépayées à utiliser depuis n'importe quel téléphone, des cabines privées dotées de téléphones portables, et le marché en croissance des appels par Internet. Si vous appelez d'un hôtel, la communication sera surtaxée en proportion de ses tarifs. Quel que soit le moyen utilisé, les communications sont un peu moins chères le week-end.

La solution la plus économique pour appeler l'étranger consiste à passer par Internet. La plupart des boutiques et des cafés qui offrent un service Internet proposent ce type d'appels (entre 200 et 2 000 r la minute, selon la destination). Les appels vers l'Europe ou les États-Unis sont généralement les moins chers, mais le supplément pour appeler un téléphone portable est très élevé. Si l'avantage de la formule réside dans le prix, le principal inconvénient est le petit décalage de transmission qui ne facilite pas la conversation.

On peut facilement appeler l'étranger depuis les cabines MPTC (Ministère des Postes et des Télécommunications) ou Camintel. Il vous suffit d'acheter une carte téléphonique (entre 5 et 50 $US), en vente dans les hôtels, les restaurants, les bureaux de poste et de nombreuses boutiques des grandes villes.

Avant d'insérer la carte dans un téléphone public, assurez-vous qu'un texte apparaît sur l'écran à cristaux liquides. Sinon, cela signifie que le téléphone ne fonctionne pas ou que l'électricité est coupée ; si vous insérez votre carte, les unités restantes risquent d'être effacées.

Reliées au réseau thaïlandais, les lignes téléphoniques de Battambang et de l'ouest du pays sont bien meilleures et les communications, beaucoup moins chères. Les appels vers la Thaïlande n'y coûtent que 10 B la minute et vers le reste du monde, 2 $US la minute, voire moins.

Pour un rappel des numéros utiles, services d'urgence, indicatifs étrangers, reportez-vous à la section *Bon à savoir*, en 2e de couverture de ce guide.

Appels nationaux

Les appels locaux sont généralement assez bon marché, même depuis les hôtels. Les communications d'une province à l'autre sont beaucoup plus chères à partir d'un poste fixe. Dans la plupart des villes, le plus simple consiste à recourir aux petits kiosques privés installés au bord du trottoir, généralement couverts de numéros tels que 012 et 016, et de prix tels que 300 r. Les opérateurs disposent de plusieurs lignes et de téléphones portables afin de proposer le meilleur tarif pour le numéro appelé dans le pays. Vous pouvez aussi passer vos appels locaux à partir des téléphones à pièces MPTC et Camintel, que l'on peut encore voir à Phnom Penh, Siem Reap, Sihanoukville et Kompong Cham. Il est parfois difficile de joindre un correspondant à l'extérieur de Phnom Penh et il n'existe pas de service des renseignements.

Certains hôtels possèdent un annuaire téléphonique de la capitale. Vous pouvez aussi consulter un exemplaire des pages jaunes locales, **Yellow Pages** (www.yellowpages.com.kh), pour retrouver une société, un service ou une administration d'État.

Fax

Le prix des envois de fax baisse grâce à la chute du coût des communications téléphoniques. La solution la plus économique consiste à les expédier par Internet depuis un cybercafé, pour 1 à 2 $US la page. Certains des hôtels de catégorie moyenne les plus fréquentés disposent de centres d'affaires fiables. Les centres d'affaires des hôtels de luxe offrent la même prestation, mais pour un prix trois fois supérieur.

Téléphone portable

Les numéros qui commencent par 011, 012 ou 016 correspondent à des téléphones portables. Si vous voyagez avec un portable pour lequel vous avez souscrit un contrat de roaming international, il vous suffira de sélectionner un réseau à votre arrivée, de téléphoner, et de vous attendre à trouver une note particulièrement salée à votre retour. Les frais sur les appels en roaming sont très élevés au Cambodge.

Si vous comptez séjourner longtemps dans le pays, choisissez plutôt un réseau local. Si vous possédez déjà un téléphone portable, il vous suffit d'acheter une carte SIM auprès d'un des fournisseurs de service locaux. Cela est impossible si votre téléphone est bloqué sur son réseau d'origine. Cependant, les téléphones portables sont très peu onéreux et le marché de l'occasion largement développé. La plupart des opérateurs locaux proposent des contrats fixes au mois, ou des cartes prépayées pour plus de flexibilité. Tous offrent régulièrement des promotions. Voici quelques opérateurs basés à Phnom Penh :

Camshin (carte p. 76 ; ☎ 023-367801 ; www.camshin.com ; 66 bd Mao Tsé-Toung)

Mobitel (carte p. 80 ; ☎ 012 800800 ; www.mobitel.com.kh ; 33 bd Sihanouk)

Samart (carte p. 80 ; ☎ 016 810001 ; www.hellogsm.com.kh ; 58 bd Norodom)

TOILETTES

Les pensions les plus modestes possèdent parfois des toilettes à la turque, mais le modèle occidental prévaut presque partout. Dans les endroits très reculés, attendez-vous à des installations rudimentaires. Au fin fond des campagnes, vous constaterez que les conditions d'hygiène se détériorent, mais les toilettes rurales cambodgiennes sont souvent en meilleur état que leurs homologues chinoises ou indiennes.

La question des toilettes et de ce qu'il faut faire du papier usagé posent problème au voyageur. En général, s'il se trouve une corbeille à papier près des toilettes, c'est à cet endroit qu'il faut déposer le papier, beaucoup de systèmes d'évacuation ne tolérant pas le papier hygiénique. Le papier est rare dans les toilettes des gares routières ou ferroviaires et dans les édifices publics : portez donc une réserve en permanence avec vous.

Les toilettes publiques sont rares ; vous n'en trouverez qu'au bord du fleuve à Phnom Penh (500 r) et près des temples d'Angkor (de jolies structures en bois, gratuites). La plupart des restaurants sont équipés de toilettes. Laissez 500 r si vous ne consommez pas.

Si vous succombez à l'appel de la nature dans la campagne, ne laissez pas votre pudeur vous guider vers les buissons : *des mines antipersonnel peuvent être dissimulées près de la route ou du chemin*. Restez sur le bas-côté ou… attendez la prochaine ville.

TRAVAILLER AU CAMBODGE

On peut travailler au Cambodge, notamment dans le domaine de l'enseignement du français et de l'anglais ou dans les pensions, les bars ou les restaurants.

Vous pouvez consulter les petites annonces du *Cambodge Soir*, du *Phnom Penh Post*, du *Cambodia Daily* et le panneau d'affichage du FCC (p. 97) à Phnom Penh.

Ne comptez pas faire fortune, mais si vous voulez mieux connaître le pays et aider la population à améliorer son niveau de vie, vous ferez une expérience très enrichissante.

VOYAGER SEULE

Les voyageuses ne sont pas importunées au Cambodge et n'auront pas à redouter de harcèlement de la part des Cambodgiens, même s'il arrive de temps en temps, dans les pensions, que l'un ou l'autre tente sa chance. Cela n'empêche pas une certaine vigilance. Comme partout, se promener ou faire du vélo seule tard le soir comporte des risques. Si vous envisagez de sortir des sentiers battus, il est préférable de trouver un compagnon de route.

La politesse et la courtoisie sont de règle à l'égard des étrangères. Les femmes khmères s'habillent de façon assez stricte et il est préférable d'en faire autant, surtout lorsque vous visitez un vat. Préférez toujours les chemises à manches longues, les pantalons ou les jupes couvrant les jambes. Il est également judicieux de porter un pantalon pour les sorties nocturnes à moto, les minijupes n'étant guère pratiques pour ce mode de transport.

Vous trouverez sans difficulté des tampons et des serviettes hygiéniques dans les villes, mais pensez à en faire provision avant de partir pour les régions reculées.

Transports

SOMMAIRE

DEPUIS/VERS LE CAMBODGE

ENTRER AU CAMBODGE

Le Cambodge possède deux aéroports internationaux, à Phnom Penh et Siem Reap, et plusieurs points de passage terrestres avec la Thaïlande, le Vietnam et le Laos. Les formalités sont habituellement plus rapides dans les aéroports, où le trafic est plus important, qu'aux postes-frontières terrestres. Le franchissement de ces derniers est relativement aisé, mais les douaniers peuvent être tentés de vous soutirer un peu d'argent, soit par le biais du visa, soit par toute autre manœuvre. Tenez bon.

AGENCES EN LIGNE

- www.anyway.com
- www.ebookers.fr
- www.govoyages.com
- www.opodo.fr
- www.expedia.fr

AVERTISSEMENT

Les informations contenues dans ce chapitre sont particulièrement susceptibles de changements. Vérifiez directement auprès de la compagnie aérienne ou de l'agence de voyages les modalités d'utilisation de votre billet d'avion. N'hésitez pas à comparer les prestations. Les détails fournis ici doivent être considérés à titre indicatif et ne remplacent en rien une recherche personnelle attentive.

VOIE AÉRIENNE

Aéroports

L'aéroport international de Phnom Penh (PNH ; ☎ 023-890520 ; www.cambodia-airports.com/phnompenh/fr) dessert la capitale, tandis que l'**aéroport international de Siem Reap** (REP ; ☎ 063-380283 ; www.cambodia-airports.com/siemreap/fr) reçoit les visiteurs des temples d'Angkor.

Les liaisons aériennes desservant le pays depuis les capitales voisines restent peu nombreuses et chères pour la distance parcourue. Bangkok offre le plus grand nombre de vols vers le Cambodge et l'on peut généralement obtenir une place à la dernière minute sur n'importe quelle compagnie ; toutefois, les vols Bangkok Airways pour Siem Reap sont très chargés entre novembre et mars. Si vous vous rendez au Cambodge pour quelques jours et que vous souhaitez avoir le moins de tracas, choisissez Thai Airways International (THAI), qui propose les correspondances les plus pratiques depuis les grandes villes d'Europe. La filiale régionale de Singapour Airlines, Silk Air, propose au moins un vol quotidien entre Singapour et le Cambodge. Des vols directs à destination du Cambodge partent également de Ho Chi Minh-Ville (Saigon), Vientiane, Kuala Lumpur, Hong Kong, Guangzhou et Shanghai.

Les compagnies aériennes cambodgiennes apparaissent et disparaissent régulièrement. Les visiteurs ont donc intérêt à entrer dans le pays avec un transporteur international tel que Bangkok Airways, Silk Air, THAI ou Vietnam Airlines, plutôt qu'avec une compagnie locale.

Voici les coordonnées locales de certaines compagnies aériennes :

Air France (carte p. 80 ; ☎ 219220 ; www.airfrance.com ; Hong Kong Center, bd Samdech Sothearos, Phnom Penh) Code AF, aéroport de Paris.

Bangkok Airways (carte p. 80 ; ☎ 023-426624 ; www.bangkokair.com ; 61 Ph 214, Phnom Penh) Code PG, aéroport de Bangkok.

China Southern Airlines (carte p. 76 ; ☎ 023-430877 ; www.cs-air.com ; Phnom Penh Hotel, 53 bd Monivong, Phnom Penh) Code CZ, aéroport de Guangzhou.

Dragonair (carte p. 76 ; ☎ 023-424300 ; www.dragonair.com ; A4 sq Regency, Hotel Intercontinental, angle bds Mao Tsé-Toung et Monireth, Phnom Penh) Code KA, aéroport de Hong Kong.

First Cambodia Airlines (carte p. 80 ; ☎ 023-221666 ; 107 bd Norodom, Phnom Penh) Code F6, aéroport de Phnom Penh.

Lao Airlines (carte p. 80 ; ☎ 023-216563 ; www.laoairlines.com ; 58 bd Sihanouk, Phnom Penh) Code QV, aéroport de Vientiane.

Malaysia Airlines (carte p. 80 ; ☎ 023-426688 ; www.malaysiaairlines.com ; Diamond Hotel, 172 bd Monivong, Phnom Penh) Code MY, aéroport de Kuala Lumpur.

President Airlines (carte p. 80 ; ☎ 023-993088 ; A14 sq Regency, Hotel Intercontinental, angle bds Mao Tsé-Toung et Monireth, Phnom Penh) Code TO, aéroport de Phnom Penh. Représente EVA Air au Cambodge.

Royal Phnom Penh Airways (carte p. 80 ; ☎ 023-990564 ; 209 Ph 19, Phnom Penh) Code RL, aéroport de Phnom Penh.

Shanghai Airlines (carte p. 80 ; ☎ 023-723999 ; www.shanghai-air.com ; 19 Ph 106, Phnom Penh) Code FM, aéroport de Shanghai.

Siem Reap Airways (carte p. 80 ; ☎ 023-723963 ; 61 Ph 214, Phnom Penh) Code FT, hub Phnom Penh.

Silk Air (carte p. 76 ; ☎ 023-426807 ; www.silkair.com ; Himawari, 313 quai Sisowath, Phnom Penh) Code MI, aéroport de Singapour.

Thai Airways (carte p. 76 ; ☎ 023-890292 ; www.thaiairways.com ; A15 sq Regency, Hotel Intercontinental, angle bds Mao Tsé-Toung et Monireth, Phnom Penh) Code TG, aéroport de Bangkok.

Vietnam Airlines (carte p. 80 ; ☎ 023-363396 ; www.vietnamairlines.com ; 41 Ph 214, Phnom Penh) Code VN, aéroports de Hanoi et de Ho Chi Minh-Ville.

Billets

Lors de l'achat d'un billet d'avion, il est toujours utile de se renseigner auprès de plusieurs agences et de comparer les tarifs offerts. En général, mieux vaut réserver le plus tôt possible, car les prix augmentent à mesure que les vols se remplissent.

Depuis l'Europe

Il n'y a pas de vol direct à destination du Cambodge. Vous devrez donc transiter par l'une des capitales voisines, généralement Bangkok. Comptez entre 15 et 20h de vol au départ de la plupart des aéroports européens. Le prix d'un aller-retour s'échelonne entre 800 et 1 500 € en fonction de la saison. En effet les tarifs augmentent considérablement lors des fêtes de fin d'année, ainsi qu'en juillet et août. En revanche, ils diminuent sensiblement durant la basse saison, notamment en février, juin et octobre.

Voici quelques agences et transporteurs que nous vous conseillons. Certains organisent également des circuits (voir aussi p. 297) :

FRANCE

Air France (☎ 0 820 820 820 ; www.airfrance.fr ; 119 av des Champs-Élysées, Paris 75008)

Compagnie franco-asiatique de voyages (☎ 0 892 23 42 32 ; www.cfavoyages.com ; 16 bd de la Villette, Paris 75019)

Nouvelles Frontières (☎ 0825 000 747 ; www.nouvelles-frontieres.fr/nf)

OTU Voyages (☎ 0820 817 817)

Voyageurs du Monde (☎ 0892 688 363 ; 2, rue Sainte-Anne, Paris 75002 ; www.vdm.com)

STA Travel (☎ 01805 456 422 ; www.statravel.com)

Thomas Cook (☎ 0826 826 777 ; 26 av de l'Opéra, Paris 75001 ; www.thomascook.fr)

La Route de l'Asie (☎ 01 42 60 60 90 ; fax 01 42 61 11 70 ; www.laroutedesindes.com ; 7 rue d'Argenteuil, Paris 75001)

Maison de l'Indochine (☎ 01 40 51 95 15 ; fax 01 44 41 01 10 ; www.maisondelindochine.com ; 1 place Saint Sulpice, Paris 75006)

Usit Connect Paris (☎ 01 43 29 69 50 ; 85 bd Saint Michel, Paris 75005)

Wasteels (☎ 0 825 887 070 ; coordonnées des agences sur le site www.wasteels.fr)

Thaï Airways (☎ 01 44 20 70 80 ; 23 av des Champs-Élysées , Paris 75008 ; www.taihairways.fr)

Vietnam Airlines (☎ 0810 01 88 88 ; 9, rue de la Paix, Paris 75002)

BELGIQUE

Airstop (☎ 070 23 31 88 ; fax 09/242 32 29 ; www.airstop.be ; 28 rue du Fossé aux Loups, Bruxelles 1000)

Connections (☎ 070/23 33 13 ; www.connections.be) Bruxelles (☎ 02/647 06 05 ; fax 02/647 05 64 ; 78 av Adolphe-Buyllan, Ixelles 1050) ; Gand (☎ 09/223 90 20 ; fax 09/233 29 13 ; 120 Nederkouter, Gand 9000) ; Liège (☎ 04/223 03 75 ; fax 04/223 08 82 ; 7 rue Sœurs-de-Hasque, Liège 4000)
Éole (☎ 02/227 57 80 ; fax 2 219 90 73 ; 35/43 chaussée de Haecht, Saint-Josse-Ten-Noode 1210)

SUISSE
STA Travel Lausanne (☎ 058/450 48 50 ; fax 058/450 48 68 ; www.statravel.ch ; 20 bd de Grancy, Lausanne 1006) ; Genève (☎ 058/450 48 30 ; fax 058/450 48 38 ; 3 rue Vigner, Genève 1205 ou ☎ 058/450 48 00 ; fax 058/450 48 28 ; 10 rue de Rive, Genève 1204)
Swiss (☎ 0820 04 05 06 ; www.swiss.com)

Depuis le Canada

Les billets à prix réduit depuis le Canada sont environ 10% plus chers que ceux vendus aux États-Unis. Depuis l'Ouest canadien, les vols les plus intéressants passent par Hong Kong ou Bangkok. Depuis l'Est, il peut être avantageux de passer par Londres. Pour des détails complémentaires sur les tarifs réduits, contactez **Travel Cuts** (☎ 800-667-2887 ; www.travelcuts.com).

Depuis l'Asie

Tous les voyageurs se rendant au Cambodge par avion transitent par un aéroport du sud de l'Asie. Bangkok est l'escale la plus courante, mais Ho Chi Minh-Ville, Hanoi, Kuala Lumpur, Singapour et Hong Kong sont des correspondances fréquentes.

Si vous arrivez d'une autre partie du monde que le Sud-Est asiatique, la Thaïlande est le pays de transit le plus pratique. À Bangkok, vous trouverez des billets à prix intéressants dans le quartier de Banglamphu, en particulier dans Khao San Rd. Les voyageurs passant par le Vietnam trouveront facilement des billets à Ho Chi Minh-Ville.

Si vous devez acheter un billet au Cambodge, les plus grandes agences se trouvent à Phnom Penh (p. 75). Celles-ci peuvent vous faire économiser quelques dollars sur le prix public des compagnies, et beaucoup plus sur les vols long courrier ou les places en classe affaires.

Si vous prévoyez de visiter plusieurs pays d'Asie du Sud-Est, envisagez l'achat de l'Asean Hip-Hop Pass qui vous permettra de voyager dans les pays de l'Asean à moindre frais. Cette solution est moins intéressante si vous ne visitez que les pays de la péninsule indochinoise où les vols régionaux sont peu coûteux. Pour en savoir plus, visitez le site de l'ASEANTA, à l'adresse www.aseanta.org.

TAXE D'AÉROPORT

La taxe à acquitter en vigueur pour les vols internationaux est de 25 $US, payable en liquide ou en carte de crédit, au départ de Phnom Penh et de Siem Reap.

CHINE
China Southern Airlines relie Phnom Penh à Guangzhou, dans le sud de la Chine (260/370 $US aller simple/aller retour), et Shanghai Airlines propose un Phnom Penh-Shanghai (300/395 $US aller simple/aller retour). Toutes deux offrent des correspondances vers des destinations chinoises.

HONG KONG
Dragonair et First Cambodia Airlines desservent Phnom Penh depuis Hong Kong (240/450 $US aller simple/aller retour), Dragonair assurant des correspondances vers la Chine intérieure.

LAOS
Lao Airlines (150/250 $US aller simple/aller retour) et Vietnam Airlines (155/310 $US aller simple/aller retour) relient Phnom Penh à Vientiane, et continuent sur Hanoi. Lao Airlines relie également Pakse à Phnom Penh (78/149 $US aller simple/aller retour) et à Siem Reap (68/130 $US aller simple/aller retour), et continue parfois sur Vientiane. Siem Reap Airways assure désormais plusieurs vols par semaine entre Luang Prabang et Siem Reap.

MALAISIE
Malaysia Airlines et First Cambodia Airlines proposent des vols Kuala Lumpur-Phnom Penh (205/330 $US aller simple/aller retour). Malaysia Airlines dessert également la ligne Kuala Lumpur-Siem Reap.

SINGAPOUR

Silk Air relie Singapour à Phnom Penh et Siem Reap (260/420 $US aller simple/aller retour). First Cambodia Airlines dessert également la ligne Singapour-Phnom Penh.

TAIWAN

EVA Air (www.evaair.com) assure des liaisons entre Phnom Penh et Taipei (232/390 $US aller simple/aller retour).

THAÏLANDE

Thai Airways, Bangkok Airways et President Airlines assurent des liaisons quotidiennes entre Phnom Penh et Bangkok (de 35 à 120 $US aller simple, de 170 à 240 $US aller retour).

Bangkok Airways dessert en outre quotidiennement la ligne Siem Reap-Bangkok (140/280 $US), et les lignes Siem Reap-Phuket et Siem Reap-Ko Samui (230/460 $US aller simple/aller retour) via Bangkok.

VIETNAM

Vietnam Airlines effectue le saut de puce entre Ho Chi Minh-Ville et Phnom Penh (75/130 $US l'aller simple/aller-retour, 35 minutes). La compagnie propose également des vols Phnom Penh-Hanoi (185/360 $US) via Ho Chi Minh-Ville ou Vientiane.

Vietnam Airlines relie quotidiennement Siem Reap à Hanoi et à Ho Chi Minh-Ville.

VOIE TERRESTRE

Pendant des années, les voyageurs ne pouvaient entrer ou sortir du Cambodge par la route qu'à Bavet, frontalier de Moc Bai au Vietnam. Ces dernières années, des postes-frontières se sont ouverts tant du côté thaïlandais que du côté vietnamien et même laotien.

Bus

Il est possible de passer la frontière en bus depuis la Thaïlande et le Vietnam. Le moyen le plus usité depuis/vers le Vietnam est une navette pour touristes bon marché, passant par Bavet-Moc Bai. Depuis la Thaïlande, beaucoup de voyageurs continuent d'être victimes de "l'arnaque au bus" (p. 295) allant de Bangkok à Siem Reap via le poste-frontière de Poipet-Aranya Prathet.

Voiture et moto

Les conducteurs de voiture ou de moto doivent présenter un certificat d'immatriculation, une attestation d'assurance et un permis de conduire international pour introduire un véhicule au Cambodge. La procédure se révèle compliquée pour une voiture, mais réellement facile pour une moto dans la mesure où vous possédez un carnet de passage. Ce dernier, qui vous dispense temporairement de droits de douane, devrait vous épargner bien des tracasseries à la douane cambodgienne. Un nombre croissant de motards étrangers circulent au Cambodge, mais la plupart des voitures étrangères sont immatriculées en Thaïlande.

Rivière

Il existe un poste-frontière entre le Cambodge et le Vietnam sur les rives du Mékong. Des bateaux de passagers font régulièrement la navette entre Phnom Penh et Chau Doc au Vietnam, via le poste-frontière de Kaam Samnor-Vinh Xuong. On peut également emprunter le bateau rapide de luxe des **Victoria Hotels** (www.victoriahotels-asia.com), et deux bateaux reliant Angkor, gérés par **Pandaw Cruises** (www.pandaw.com). Ces deux services passent également par Kaam Samnor-Vinh Xuong.

Postes-frontières

Le Cambodge partage un poste-frontière avec le Laos, cinq avec la Thaïlande et trois avec le Vietnam. Des visas sont désormais délivrés à tous les points de passage avec la Thaïlande, dans deux postes avec le Vietnam mais pas à la frontière laotienne.

Les possibilités de changer de l'argent y sont très limitées. En conséquence, assurez-vous d'être en possession de dollars en petites coupures. Le marché noir est une alternative pour les monnaies locales (dong vietnamien, kip laotien et baht thaïlandais), mais souvenez-vous que les changeurs jouissent d'une solide réputation d'escrocs, voire de voleurs.

Les douaniers cambodgiens des postes-frontières terrestres se livrent habituellement à de petites extorsions. On réclame parfois aux voyageurs provenant du Laos un "droit d'immigration", on fait payer plus cher le visa en bahts (de 1 000 à 13 000 B) à ceux arrivant de Thaïlande, ou on force les touristes à changer leurs devises à un taux usuraire. N'usez pas votre salive, tenez bon, n'entamez pas de querelle.

Les autorités de Phnom Penh tentent actuellement de mettre un terme à ces pratiques qui nuisent à l'image du Cambodge. Afin d'aider à cette remise en ordre, nous vous suggérons de demander le nom de toute personne réclamant indûment de l'argent à la frontière en signalant que vous le porterez à la connaissance des ministères de l'Intérieur et du Tourisme.

POSTES-FRONTIÈRES

Laos

- Dom Kralor–Voen Kham

Thaïlande

- Cham Yeam–Hat Lek
- Choam–Choam Srawngam
- O Smach–Chong Jom
- Poipet–Aranya Prathet
- Pruhm–Daun Lem

Vietnam

- Bavet–Moc Bai
- Kaam Samnor–Vinh Xuong
- Phnom Den–Tinh Bien

LAOS

La frontière qui sépare le Cambodge du Laos traverse quelques-unes des régions les plus sauvages de ces pays. Un seul poste-frontière est ouvert aux étrangers et l'isolement de la zone frontalière ne laisse guère présager de l'ouverture d'autres passages.

Dom Kralor–Voen Kham

La frontière entre le Cambodge et le Laos s'est ouverte officiellement aux étrangers en 2000. Sa fréquentation croît rapidement, car elle permet de combiner de manière économique et aventureuse la visite du nord-est du Cambodge et du sud du Laos. Du côté cambodgien, vous aurez le choix un peu confus entre deux postes-frontières : Koh Chheuteal Thom, sur le fleuve, et Dom Kralor, sur l'ancienne route de Stung Treng. La plupart des voyageurs optent actuellement pour le premier, mais avec la construction de la nouvelle route, Dom Kralor pourrait avoir bientôt la préférence. La frontière est ouverte entre 7h et 17h.

Vous devez auparavant obtenir un visa cambodgien à Bangkok ou à Vientiane, ou un visa laotien à Phnom Penh. De part et d'autre de la frontière, on vous demandera sans doute de payer un droit pour "heures supplémentaires" si vous traversez à l'heure du déjeuner ou à la nuit tombée ; son montant (en général entre 1 et 2 $US) dépendra de votre capacité à marchander avec douceur mais persuasion.

Pour sortir du Cambodge, il faut d'abord se rendre dans la lointaine ville de Stung Treng (p. 254). De Stung Treng, des bateaux remontent fréquemment le Mékong vers le nord jusqu'à la frontière. Des bateaux-fusées (30 $US l'embarcation, 5 $US par personne, 1 heure) se louent à n'importe quelle heure et peuvent accueillir jusqu'à 6 personnes.

L'immigration cambodgienne se situe sur la berge ouest du Mékong. Une fois à Voen Kham au Laos, des hors-bord desservent l'île de Don Khone (5 $US, 20 min), mais ils vous laissent du mauvais côté, car ils ne peuvent pas passer les chutes.

Ceux qui continuent vers le nord peuvent prendre une moto-taxi jusqu'à Nakasong (4 à 5 $US environ), où il est possible de louer un bateau pour Don Det ou Don Khone, ou un *jamboh* (taxi-triporteur) pour Hat Xai Khun, d'où l'on prend le bateau pour Don Khong.

Pour arriver au Cambodge depuis le Laos, on peut emprunter le même parcours en sens inverse. Le moyen le plus économique consiste à prendre l'un des bateaux très bon marché qui font de la publicité à Don Khone et Don Khong, le billet de 2 $US comprenant les chutes et l'observation des dauphins. Une fois à Voen Kham, changez pour un bateau-fusée vers Stung Treng. On trouvera beaucoup de hors-bord cambodgiens aux abords du quai de Voen Kham, mais ils semblent pratiquer un prix fixe de 10 $US par personne, le double du prix dans l'autre sens. On peut aussi emprunter la nouvelle route jusqu'à Stung Treng, qui sera prochainement desservie par des bus bon marché.

THAÏLANDE

Le Cambodge et la Thaïlande partagent une longue frontière rythmée par cinq points de passage pour les étrangers, et davantage pour les populations locales. Les postes-frontières sont ouverts tous les jours de 7h à 20h. Tous peuvent délivrer des visas moyennant 20 $US ou 1 000 B (inutile d'être comptable pour comprendre que, tant que le dollar vaudra moins de 50 B, mieux vaut payer en dollars). Pour lire les dernières aventures sur le passage de la frontière avec la Thaïlande, on consultera www.taleofasia.com.

Poipet–Aranya Prathet

Le poste-frontière le plus ancien entre le Cambodge et la Thaïlande s'est acquis depuis quelque temps une mauvaise réputation à cause des escroqueries dont les touristes sont victimes. Le bus (p. 295) dont on fait la publicité dans Khao San Rd à Bangkok est désormais une arnaque notoirement connue en Asie du Sud-Est, mais de nombreux voyageurs continuent de se laisser prendre.

De la gare ferroviaire de Hualamphong, à Bangkok, deux trains lents partent chaque jour à destination d'Aranya Prathet (48 B, 6 heures). Prenez celui de 5h50 si vous ne voulez pas passer la nuit dans une ville frontalière. Des bus réguliers desservent également Aranya Prathet depuis le terminal nord de Mo Chit à Bangkok (180/140 B 1re/2e classe, 4 à 5 heures). De là, prenez un *tuk-tuk* (triporteur à moteur) pour faire les six derniers km jusqu'à la frontière (50 B environ). Ignorez toutes les personnes qui vous proposeront leurs services pour traverser la frontière, et une fois à Poipet du côté cambodgien, marchandez une place dans un taxi collectif pour Siem Reap (3 à 5 heures), à 150 B environ, ou le taxi entier pour 1 000 B. Vous pouvez aussi aller jusqu'à Sisophon en taxi (50 B la place, 400 B le taxi entier), où vous négocierez la suite de votre voyage jusqu'à Siem Reap, Battambang ou Banteay Chhmar. Jusqu'à Siem Reap, la route peut devenir épouvantable à la saison des pluies. Bien qu'elle représente un intérêt économique et touristique indéniable, elle n'a malheureusement pas été refaite. La rumeur dit qu'une compagnie aérienne X verserait une commission d'un montant non spécifié à un parti politique Y afin que cette route soit la dernière de la liste…

Venant du Cambodge, il est assez facile de se rendre à Poipet depuis Siem Reap (p. 111), Battambang (p. 210) ou même Phnom Penh (p. 72). Aucune taxe de départ n'est imposée pour quitter le Cambodge par voie terrestre. À Poipet, prenez un *tuk-tuk* jusqu'à Aranya Prathet, où des bus, partant régulièrement entre 4h et 22h, vous mèneront à Bangkok.

Cham Yeam–Hat Lek

Le poste-frontière de Cham Yeam–Hat Lek entre Krong Koh Kong (au Cambodge) et Trat (en Thaïlande) a également la faveur des touristes, et les escroqueries semblent moins nombreuses.

À Bangkok, prenez un bus pour Trat à la gare routière Est (189 B, de 5 à 6 heures). Les départs sont réguliers, de 6h à 23h30. Le bus de 23h30 arrive à Trat suffisamment tôt pour se rendre à Krong Koh Kong et attraper la vedette de 8h à destination de Sihanoukville. Une autre solution intéressante pour les voyageurs qui séjournent dans Khao San Rd consiste à prendre un minibus à destination de Koh Chang jusqu'à Trat.

À Trat, prenez un minibus direct jusqu'au poste-frontière de Hat Lek (100 B). La frontière ouvrant à 7h, vous pouvez passer la nuit à Trat et attraper le bateau de Sihanoukville si vous vous levez suffisamment tôt. Sinon, franchissez la frontière dans la journée, passez la nuit à Krong Koh Kong et allez voir les chutes d'eau au nord de la ville (p. 179). Une fois au Cambodge, vous pourrez prendre une moto-dop (50 B) ou un taxi (100 B) pour passer le nouveau pont jusqu'à Krong Koh Kong.

Des vedettes reliant Krong Koh Kong à Sihanoukville (600 B pour les touristes, 4 heures), partent à 8h de Krong Koh Kong et à 12h de Sihanoukville. Attention cependant, ces bateaux sont conçus pour naviguer sur des fleuves et non sur la mer, qui peut parfois devenir très agitée ! Des bus climatisés bon marché relient Sihanoukville (p. 182) à Phnom Penh (p. 72).

De Krong Koh Kong, on peut aussi continuer par la route jusqu'à Phnom Penh

TRANSPORTS

ARNAQUE AUX BUS

Ces dernières années, Poipet, une localité digne du Far West, a attiré quantité de personnages peu recommandables. Nombre d'entre eux, engagés dans le tourisme, forment une sorte de mafia préjudiciable à l'image du Cambodge. Voici donc une arnaque aux voyages en bus, célèbre maintenant dans toute l'Asie. Quiconque séjourne dans Khao San Rd, à Bangkok, ne manque pas de remarquer les offres alléchantes de billets pour Siem Reap et les temples d'Angkor, à des prix aussi bas que 100 B. Les populations locales ne pouvant faire ce parcours pour moins de 250 B, le signal d'alarme devrait immédiatement se déclencher ! Une fois à la frontière, quelqu'un se propose d' "aider" les voyageurs à obtenir leurs visas et prétend qu'il coûte 1 300 B au lieu de 20 $US, ce qui fait 400 B dans la poche…

Du côté cambodgien, un autre jeu commence : il s'agit cette fois de rouler aussi lentement que possible jusqu'à Siem Reap. En bon état, la route de Poipet à Siem Reap permet désormais de couvrir le trajet en 3 ou 4 heures à la saison sèche, mais le chauffeur veillera à ce que vous arriviez après la nuit tombée et dans une pension de son choix. Toute tentative de partir en quête d'un autre hébergement se soldera par une confrontation majeure avec le patron de la pension, car il s'est déjà entendu sur une commission avec la compagnie de transport, et elle n'est pas remboursable. Ainsi, le bus bon marché qui finit par vous coûter du temps et de l'argent est tout simplement une escroquerie. Ces derniers temps, les choses ont même empiré, les compagnies cambodgiennes et thaïlandaises se mettant d'accord pour faire passer les touristes par le poste-frontière de Pruhm-Daun Lem (ci-contre), près de Pailin, soit un immense crochet par des routes déplorables. En venant de là, vous êtes sûr d'arriver à Siem Reap au milieu de la nuit, en n'ayant aucune envie d'aller chercher une autre pension.

La meilleure solution consiste à se débrouiller par ses propres moyens, d'utiliser les bus publics du côté thaïlandais et les taxis collectifs du côté cambodgien. Certes, il vous en coûtera davantage, mais vous gardez votre liberté d'action.

ou Sihanoukville. Un service de minibus coûtant 500 B part normalement à 9h tous les jours, mais pour plus de souplesse, on peut s'arranger avec un taxi collectif. La place devrait coûter environ 10 $US ou 400 B, pour l'une ou l'autre destination, mais il est sans doute préférable de louer deux places pour plus de confort. La route n'est pas encore goudronnée et peut devenir très mauvaise pendant la saison des pluies.

Si vous quittez le Cambodge, inutile de séjourner à Krong Koh Kong. Débarquez puis traversez le pont jusqu'à la frontière, en taxi ou à moto-dop. Une fois en Thaïlande, vous pouvez prendre un minibus jusqu'à Trat, d'où partent des bus réguliers pour Bangkok. Vous pouvez aussi passer la nuit à Trat et partir le lendemain pour Ko Chang ou les îles environnantes.

Autres postes-frontières

Trois autres points de passage – plus difficiles d'accès – sont ouverts au trafic international. Le poste d'**O Smach-Chong Jom** relie Siem Reap et la province cambodgienne d'Oddar Meanchey à la province thaïlandaise de Surin. Cinq bus quotidiens font la navette entre Surin et Chong Jom (30 B, 2 heures). Une fois du côté cambodgien, il est possible de prendre un taxi jusqu'à Siem Reap (30 $US, 5 à 7 heures). Sinon, on peut rejoindre Samraong (5 $US, 30 min) où l'on trouvera des transports locaux jusqu'à Siem Reap (p. 111) ou Anlong Veng (p. 223).

Le nouveau point de passage au nord d'Anlong Veng, **Choam-Choam Srawngam** vous introduit dans une région passablement isolée de la Thaïlande, et les moyens de communication, pour une fois, sont plus rares du côté thaïlandais. Des pick-up à destination de la ville frontalière de Choam (3 000/2 000 r en cabine/à l'arrière) quittent Anlong Veng vers 6h du matin. Du côté thaïlandais, des bus quotidiens sont censés permettre la suite du voyage, mais ils sont rares. Venant de Thaïlande, la ville importante la plus proche est Si Saket d'où partent plusieurs bus par jour à destination de la frontière.

Le poste-frontière proche de Pailin, dans l'ouest du Cambodge, est également ouvert aux étrangers. Une des variantes de "l'arnaque au bus" (voir ci-dessus) comprend le passage imprévu de la frontière à **Pruhm-Daun Lem**. Les voyageurs indépendants voulant emprunter ce passage doivent prendre un bus de Bangkok à Chantaburi (148 B, 4 heures), puis un minibus jusqu'à Daun Lem (100 B, 1 heure 30). Traversez la frontière jusqu'à Pruhm et prenez ensuite un taxi collectif jusqu'à Pailin (200 B pour la voiture entière, 50 B par personne). De Pailin, on peut rejoindre Battambang (200 B, 4 heures) en taxi collectif par une route impossible. On fera le trajet en sens inverse pour quitter le Cambodge. Les prix devraient être les mêmes, en marchandant ici et là.

Il existe aussi un poste-frontière à **Prasat Preah Vihear** (p. 233), le seul pour le moment à donner aisément accès à l'extraordinaire temple-montagne des monts Dangkrek. Il n'est emprunté que par les touristes, venus spécialement pour la visite, du côté thaïlandais.

VIETNAM

Le Cambodge et le Vietnam partagent une longue frontière, jalonnée de nombreux points de passage pour les populations locales. Actuellement, les étrangers ne peuvent passer que par trois postes, mais celui de Ha Tien, proche de la côte sud, devrait ouvrir prochainement. Des visas cambodgiens sont délivrés aux postes de Bavet–Moc Bai et Kaam Samnor–Vinh Xuong, mais pas à celui de Phnom Den–Tinh Bien. Les visas vietnamiens doivent être obtenus préalablement, car il ne sont pas délivrés sur place. Par chance, le Cambodge est le pays où les visas viet-namiens sont les moins chers au monde ! Il n'est plus nécessaire de préciser sur le visa vietnamien la date d'arrivée exacte, ni les points d'entrée et de sortie, une souplesse qu'apprécient les voyageurs empruntant la voie terrestre.

Bavet–Moc Bai

Le plus ancien poste-frontière entre le Vietnam et le Cambodge est régulièrement emprunté par les touristes. Le trajet de bus entre Phnom Penh et Ho Chi Minh-Ville dure 5 à 6 heures et comprend ordinairement un changement de véhicule à la frontière.

La plupart des voyageurs optent pour les services de minibus proposés par les pensions Capitol (p. 91) et Narin (p. 91) de Phnom Penh. Ils coûtent 6 $US seulement jusqu'à Ho Chi Minh-Ville, avec changement de bus à la frontière. Au Vietnam, des agences de voyages bon marché, comme celles du Sinh Café ou du Kim Café, proposent le parcours inverse. Phnom Penh Public Transport (PPPT) offre un bus direct quotidien (p. 104) partant de Phnom Penh à 6h30 et d'Ho Chi Minh-Ville à 6h, pour 9 $US.

Pour un voyage encore plus indépendant, du côté vietnamien, vous pouvez prendre un bus local depuis Ho Chi Minh-Ville à destination de Tay Ninh (3 000 d) et demander à descendre à l'embranchement vers Moc Bai. Une moto-dop vous amènera jusqu'au poste-frontière pour 1 $US environ. Une fois au Cambodge, vous pouvez prendre un taxi collectif de Bavet à Neak Luong (2 $US), traverser le Mékong en ferry (100 r pour les passagers piétons), et continuer en bus climatisé jusqu'à Phnom Penh (4 000 r).

Kaam Samnor–Vinh Xuong

Fin 2000, le Cambodge et le Vietnam ont ouvert leur frontière sur le Mékong, un point d'accès qui a rapidement conquis les voyageurs indépendants. L'itinéraire se révèle bien plus intéressant que le parcours routier, car il comprend un trajet en vedette sur le Mékong du côté cambodgien et, au Vietnam, la traversée de régions très pittoresques du delta. Partant d'Ho Chi Minh-Ville, il est possible de réserver un tour du delta du Mékong bon marché jusqu'à Chau Doc, d'où vous pourrez poursuivre votre route.

Toutefois, certains préféreront se débrouiller seuls. Du Psar Thmei, à Phnom Penh, prenez un bus jusqu'à Neak Luong (4 500 r, départs réguliers, 1 heure 30). Descendez sur la rive occidentale du Mékong (ne prenez pas le ferry qui traverse le fleuve !), puis mettez-vous en quête d'un hors-bord pour Kaam Samnor (1 heure). Ils partent d'un petit embarcadère, à 300 m au sud du ferry. Louer l'embarcation entière revient à 15 $US, mais si vous avez le temps, attendez qu'elle se remplisse de passagers locaux : vous ne paierez alors que 10 000 r (2,50 $US). Les postes-frontières de Kaam Samnor sont assez distants l'un de l'autre ; prenez une moto-dop (1 $US) pour vous emmener d'un poste à l'autre. D'un côté comme de l'autre, les bureaux de la douane et de l'immigration sont séparés, et les formalités peuvent durer jusqu'à une heure. Du côté vietnamien, les bagages sont passés aux rayons X ! Une fois au Vietnam, dans le village de Vinh Xuong, prenez une *xe om* (moto-dop) jusqu'à Chau Doc (4 $US, 1 heure). À Chau Doc, des bus fréquents et des bateaux (plus onéreux) rallient Cantho et Ho Chi Minh-Ville. Les voyageurs entrant au Cambodge via Vinh Xuong peuvent simplement faire le même trajet en sens inverse.

Deux compagnies de bateaux offrent des services directs entre Phnom Penh et Chau Doc. Dans la catégorie supérieure, **Blue Cruiser** (☎ 016 824343 ; 93 quai Sisowath ; 35 $US) part de Chau Doc à 8h30 et de Phnom Penh à 13h30. **Hang Chau** (☎ 012 883542 ; 15 $US) part de Chau Doc à 9h et du quai Sisowath de Phnom Penh à 14h. Tous deux mettent environ 4 heures. **Victoria Hotels** (www.victoriahotels-asia.com ; 65 $US) possède aussi un bateau qui fait plusieurs fois l'aller-retour par semaine entre Phnom Penh et le luxueux hôtel Victoria Chau Doc.

Il existe également un bateau plus lent (7 heures 30) qui part également de Chau Doc, mais qui vous amène à Neak Luong, à 65 km de Phnom Penh. Il faut ensuite prendre un minibus jusqu'au Capitol Guesthouse (carte p. 80) à Phnom Penh : comptez 1 heure 30 de trajet car la route est en très mauvais état. Le tout (bateau et minibus) vous coûtera 8 $US.

Enfin, il existe deux compagnies offrant des croisières de luxe entre Ho Chi Minh-Ville et Siem Reap via la frontière de Kaam Samnor–Vinh Xuong. La multinationale **Pandaw Cruises** (www.pandaw.com) est celle que préfèrent les tour-opérateurs de luxe. La compagnie cambodgienne **Toum Teav Cruises** (www.cf-mekong.com), plus petite, est bien notée pour son service personnel et son excellente cuisine.

Phnom Den–Tinh Bien

Ce poste-frontière est peu fréquenté actuellement, car tous les étrangers se trouvant à Chau Doc au Vietnam ont tendance à emprunter le poste-frontière de Kaam Samnor–Vinh Xuong pour aller à Phnom Penh. Il est difficile d'accès, les routes étant en mauvais état. Il se trouve à 60 km au sud-est de Takeo, par la cahoteuse RN2.

VOYAGES ORGANISÉS

Lorsque le tourisme a redémarré au Cambodge, il était pratiquement indispensable de venir en voyage organisé. Au cours des dix dernières années, la situation a totalement changé et il est désormais bien plus facile d'organiser son propre itinéraire. C'est en tout cas la meilleure solution pour les voyageurs à petit ou moyen budget. Si vous manquez de temps, réservez un vol pour Siem Reap avant votre départ afin d'être sûr de profiter d'Angkor. Une fois à Angkor, vous trouverez pléthore de guides et de moyens de transport.

N'hésitez pas à consulter les agences avant de réserver un voyage organisé car la compétition est vive et certains tour-opérateurs, comme ceux que nous citons ici, proposent des itinéraires plus intéressants que d'autres. Outre les voyages classiques essentiellement centrés sur Angkor, beaucoup d'agences proposent des circuits combinant les visites des pays de la péninsule indochinoise : c'est le cas par exemple de Clio, de la Maison de l'Indochine ou de Voyageurs du Monde. Fleuves du Monde ou Clio proposent quant à elles des croisières sur le Mékong qui vous permettront de découvrir en douceur ce fleuve mythique. Les plus sportifs d'entre vous auront le choix entre de nombreux treks et randonnées proposés par des agences de voyage spécialisées.

Circuits culturels

Compagnie des Indes et de l'Extrême-Orient (☎ 01 53 63 33 40 ; www.compagniesdumonde.com). Ses voyages organisés au Cambodge couvrent une plus grande partie du pays que ceux proposés par les autres tour-opérateurs.

Intermedes (☎ 01 45 61 90 90 ; www.intermedes.com)

La Route de l'Asie (☎ 01 42 60 60 90 ; www.laroutedesindes.com)

Maison de l'Indochine (☎ 01 40 51 95 15 ; fax 01 44 41 01 10 ; www.maisondelindochine.com ; 1 place Saint-Sulpice, Paris 75006)

Orients (☎ 01 40 51 10 40 ; fax 01 40 51 10 41 ; www.orients.com ; 25 rue des Boulangers, Paris 75005)

Clio (☎ 0 826 10 10 82 ; fax 01 53 68 82 60 ; www.clio.fr ; 27 rue du Hameau, Paris 75015)

Voyageurs en Indochine (☎ 0892 23 81 81 ; www.vdm.com ; 2, rue Sainte-Anne, Paris 75002)

Nouvelles Frontières (☎ 0825 000 747 ; www.nouvelles-frontieres.fr/nf)

Tourisme fluvial

Fleuves du monde (☎ 01 44 32 12 80 ; fax : 01 44 32 12 89 ; www.fleuves-du-monde.com ; Terre Birmane, 17 rue de la Bûcherie, Paris 75005)

Treks et voyages sportifs

Atalante Paris (☎ 01 55 42 81 00 ; fax 01 55 42 81 01 ; www.atalante.fr ; 5 rue de Sommerard, Paris 5005) ; Lyon (☎ 04 72 53 24 80 ; fax 04 72 53 24 81 ; 36-37 quai Arloing, 69256 Lyon Cedex 09)
Club Aventure (☎ 0 826 882 080 ; fax : 01 44 32 09 59 ; www.clubaventure.fr ; 18 rue Séguier, Paris 75006)
Terres d'Aventure Paris (☎ 0825 847 800 ; www.terdav.com ; 6 rue Saint-Victor, Paris 75005) ; Lyon (☎ 04 78 37 15 01 ; 5 quai Jules Courmont, Lyon 69002)
Nomade Paris (☎ 0826 100 326 ; www.nomade-aventure.com ; 40 rue de la Montagne Sainte-Geneviève, Paris 75005). ; Toulouse (☎ 05 61 55 49 22 ; fax 06 07 14 02 68 ; 21 place du Salin, Toulouse 31000)
Zig Zag (☎ 01 42 85 13 93 ; fax 01 45 26 32 85 ; www.zig-zag.tm.fr ; 54 rue de Dunkerque, Paris 75009)
Tamera (☎ 04 78 37 88 88 ; fax 04 78 92 99 70 ; www.tamera.fr ; 26 rue du Bœuf, Lyon 69005)

COMMENT CIRCULER

AVION

Lignes intérieures

Les vols intérieurs permettent des déplacements rapides dans le pays, mais la rotation des compagnies est elle aussi rapide. À l'heure actuelle, on compte trois compagnies opérant au Cambodge. **Siem Reap Airways** (p. 289) assure la liaison Phnom Penh-Siem Reap avec des turbo-réacteurs modernes de fabrication française. **President Airlines** (p. 290) dessert Siem Reap et le Ratanakiri au départ de Phnom Penh, parfois avec un Boeing 737 pour la première ligne, et toujours avec un vieil Antonov pour la seconde. **Royal Phnom Penh Airways** (p. 290) dessert les mêmes lignes que la précédente, mais avec une flotte de vieux appareils chinois.

Chaque jour, jusqu'à six vols relient Phnom Penh à Siem Reap et l'on peut souvent obtenir une place à la dernière minute. Toutefois, en pleine saison, Siem Reap Airways (65/105 $US aller simple/aller-retour) affiche rapidement complet, car les voyagistes utilisent de moins en moins President Airlines (60/95 $US) et Royal Phnom Penh Airways (55/100 $US). President Airlines dessert également le Ratanakiri (65/105 $US), mais en pleine saison, la demande dépasse souvent l'offre.

TAXE D'AÉROPORT

La taxe sur les vols intérieurs est de 6 $US au départ de Phnom Penh et Siem Reap et de 4 $US au départ des aéroport régionaux.

Autrefois, les destinations de Battambang, Koh Kong, le Mondolkiri et Stung Treng étaient régulièrement desservies, mais ces lignes n'étaient plus en service lors de nos recherches.

Les bagages sont limités à 10 kg par passager sur les vols intérieurs, mais, à moins d'être très au-dessus de cette limite, il est peu probable qu'on vous fasse payer pour un excédent de bagage.

Hélicoptère

Helicopters Cambodia (p. 146), basé à Siem Reap, loue un hélicoptère fiable qui effectue essentiellement des vols panoramiques au-dessus d'Angkor, mais peut être réservé pour n'importe quel trajet.

BATEAU

Les 1 900 km de voies d'eau navigables qui sillonnent le Cambodge constituent un élément clé du réseau de transports du pays, compte tenu de l'état général des routes et du réseau ferroviaire. Au nord de la capitale, la navigation sur le Mékong est facile jusqu'à Kratie (p. 251) ; et de juillet à janvier, même les grands bateaux peuvent remonter jusqu'à Stung Treng (p. 254). Des bateaux rapides relient Siem Reap à Battambang (p. 211), et le lac Tonlé Sap est navigable toute l'année bien qu'il soit réservé, de mars à juillet, aux petites embarcations.

La ligne fluviale la plus empruntée par les étrangers est celle de Phnom Penh à Siem Reap (p. 128). Les services express font le trajet en 5 heures, mais ces bateaux sont bondés et les étrangers paient presque le double du tarif pour jouir du "privilège" de s'asseoir sur le toit. En outre, ce n'est pas la plus belle traversée fluviale du pays, car le lac s'étend à perte de vue comme une mer intérieure. Il est beaucoup plus malin de prendre le bus (p. 128) et de profiter de la nouvelle route.

La remontée du Mékong à partir de la capitale (p. 103) et la traversée de Siem Reap à Battambang sont beaucoup plus gratifiantes, car le paysage est proprement inoubliable. En outre, en cas de panne (ce qui ne manque pas de se produire de temps en temps), vous pourrez débarquer plus facilement qu'au beau milieu du lac. Quel que soit l'itinéraire choisi en bateau rapide, vous vous retrouverez sans doute sur le toit : n'oubliez ni l'écran solaire ni le chapeau.

Il existe maintenant des bateaux-fusées ("longtail rocket boats") entre Kratie (p. 251) et la frontière laotienne. Comme leur nom l'indique, ce sont des bateaux extrêmement rapides mais extrêmement dangereux s'ils sont en surcharge ou s'ils naviguent dans le noir. Ne les prenez que pour des petits trajets tels que le tronçon entre la frontière laotienne et Stung Treng (p. 254) et ne vous risquez pas à partir tard le soir.

De nombreux visiteurs prennent le bateau rapide entre Sihanoukville et Krong Koh Kong (p. 178) pour passer du Cambodge en Thaïlande.

BUS

Le Cambodge offre une large gamme de transports routiers. Sur les axes goudronnés, choisissez plutôt les grands bus climatisés. Dans le reste du pays, vous aurez le choix entre les pick-up, les taxis collectifs et les minibus.

Les services de bus se sont considérablement améliorés ces dernières années et, au fur et à mesure de la réfection des routes, les déplacements deviendront plus aisés. Les étrangers utilisent essentiellement les lignes reliant Phnom Penh à Siem Reap, Battambang, Sihanoukville et Kompong Cham, ainsi que les bus touristiques de Siem Reap à Poipet.

Il existe un service de bus propre et confortable à destination des villes et des villages proches de Phnom Penh, tels que Udong et Phnom Chisor. Assuré par le Phnom Penh Public Transport (PPPT ; p. 104), ce service est bon marché et le personnel, parlant anglais, peut vous indiquer les bus à prendre.

Peu utilisés par les visiteurs occidentaux, des minibus sillonnent la plupart des routes de province. Très bon marché, ils sont souvent bondés et conduits par des fous du volant. N'envisagez cette solution qu'en dernier recours.

VÉLO

Le Cambodge constitue un pays idéal pour les cyclistes en mal d'aventure. Inutile de préciser qu'un VTT s'impose. L'équipement de sécurité de base et les pièces détachées adaptées à votre marque de vélo manquent dans le pays ; il faudra donc penser à les amener. Une sonnette est essentielle, la plus sonore possible. Si l'état des routes laisse à désirer, elles sont en général doublées d'une piste plus lisse sur le côté. Ce type de déplacement a l'avantage de favoriser les rencontres avec la population locale. Les vélos sont très répandus dans les villages, mais les cyclotouristes restent une nouveauté et seront accueillis à bras ouverts. Dans de nombreuses régions, de nouvelles pistes sont en train d'être tracées pour les motos et les vélos ; elles offrent de fabuleux parcours dans les provinces reculées.

La majeure partie du pays est absolument plate ou modérément vallonnée. Cependant, la sécurité est un problème essentiel sur les routes nouvellement goudronnées à cause de la vitesse de la circulation. Les bicyclettes peuvent voyager à travers le pays sur le plateau d'un pick-up ou sur le toit d'un minibus.

À Angkor (p. 132), il est merveilleux de se déplacer à vélo sur le site ; on prend ainsi mieux conscience de sa taille et de ses proportions. Au cours des prochaines années, le VTT deviendra certainement une activité phare au Mondolkiri et au Ratanakiri, car ces provinces offrent de très belles pistes hors des sentiers battus. Dans tout le Cambodge, des pensions et des hôtels louent des bicyclettes pour 1 à 2 $US la journée, et un atelier de réparations n'est jamais très loin.

Si vous lisez l'anglais et que vous voulez tout savoir sur le cyclotourisme au Cambodge et comment préparer un circuit, procurez-vous *Cycling Vietnam, Laos & Cambodia*, paru chez Lonely Planet. Il détaille 14 parcours de plusieurs jours, dont un trajet de cinq jours entre Phnom Penh et Ho Chi Minh-Ville, par Kompong Cham (p. 246) et Prey Veng (p. 244).

TRANSPORTS

SUR LES ROUTES DE L'ENFER

Le Cambodge a longtemps possédé le réseau routier le plus déplorable d'Asie, la plupart de ses prétendues nationales (RN) étant dans un état total d'abandon. Le Cambodge possède les pires routes du monde. Nombre d'entre elles ne sont plus entretenues depuis les années 1960 et, par endroits, la guerre, les intempéries et l'usure du temps les ont totalement ravagées. Toutefois, cette situation est en train de changer grâce au vaste programme de réhabilitation du réseau routier financé par l'aide internationale ; il concerne actuellement les nationales RN1, RN2, RN3, RN5, RN6 et RN7.

Si la circulation est devenue beaucoup plus facile sur les grands axes, la conduite sur les petites routes ressemble à un steeple-chase : des passages rapides suivis de passages cahoteux, et beaucoup de véhicules ne franchissent pas la ligne d'arrivée.

Les chauffeurs de taxis parisiens sont fiers de connaître toutes les rues de la ville. Mais ce n'est rien en comparaison du chauffeur de taxi cambodgien qui doit connaître tous les nids-de-poule de la route s'il veut tout simplement garder son véhicule en vie. Les meilleurs d'entre eux peuvent gagner une heure ou deux sur un long trajet, tandis qu'un amateur cassera un essieu à quelques kilomètres du départ. Malheureusement, vous ne découvrirez la compétence (ou l'incompétence) du chauffeur qu'en cours de route. Cependant, le choix du véhicule compte, et vous constaterez que les cahots sont mieux supportés à bord d'un taxi collectif à caisse surélevée qu'à bord d'un pick-up ou d'un minibus : ces Toyota Camry volent littéralement au-dessus des trous !

Au cours de leur brinquebalante traversée du Cambodge, nombre de voyageurs ont tenté d'établir un classement des routes infernales. Maintenant que nos anciens favoris sont en voie de réfection, Lonely Planet vous présente, après sondage, le nouveau classement des cinq voies les plus exécrables du Cambodge :

- **Kratie–Stung Treng** : la dernière section d'une grande nationale non stabilisée, jonchée de rochers et de sable meuble, soit 141 km de souffrances et d'angoisse.
- **Sen Monorom–Ban Lung** : il est certes tentant de relier le Mondolkiri au Ratanakiri, mais les pistes ne font qu'une bouchée des moto-dop et il est facile de se perdre.
- **Pailin–Koh Kong** : cette route de forestiers traverse le cœur des Chuor Phnom Kravanh (chaîne des Cardamomes), mais elle est avant tout très ancienne. Jamais entretenue, elle est devenue un lieu de perdition où la loi de la jungle règne en maître.
- **Tbeng Meanchey–Preah Vihear** : cette route qui était nouvelle il n'y a pas si longtemps, a été méthodiquement défoncée par les camions de la contrebande d'essence. Une fois passé ce tronçon, le Chuor Phnom Dangkrek (monts Dangkrek) vous réserve ses pentes à 35% !
- **Tbeng Meanchey–Preah Khan** : plus de sable qu'au Sahara ! C'est tout au moins l'impression qui se dégage de ces 56 km de lutte pour maintenir le véhicule droit. Un autre trajet à éviter soigneusement.

La bonne nouvelle, c'est qu'il existe déjà quelques belles nationales, dont la RN4 jusqu'à Sihanoukville ainsi que les routes refaites jusqu'à Battambang et Siem Reap. La mauvaise nouvelle, c'est que les choses empirent considérablement à la saison des pluies, surtout dans les provinces reculées. Tâchez d'aller directement de Stung Treng à Tbeng Meanchey en septembre, et vous finirez par apprécier les autres routes du Cambodge !

VOITURE ET MOTO

La location d'une voiture ou d'une moto est comparativement bon marché au Cambodge, et beaucoup de visiteurs ont recours à cette solution très souple qui permet de visiter des lieux isolés et de s'arrêter à son gré. Presque toutes les offres de voiture de location comprennent un chauffeur, ce dont on peut se féliciter vu l'état des routes et la manière de conduire de nombreux automobilistes cambodgiens.

Permis de conduire

Un permis de conduire ordinaire n'est pas d'une grande utilité au Cambodge. En principe, pour conduire une voiture, vous devez être en possession du permis de conduire international, à faire établir dans votre pays

DISTANCES ROUTIÈRES (EN KM)

	Ban Lung	Battambang	Kampot	Kompong Cham	Kompong Chhnang	Kompong Thom	Kratie	Phnom Penh	Poipet	Prey Veng	Pursat	Sen Monorom	Siem Reap	Sihanoukville	Sisophon	Stung Treng	Svay Rieng	Takeo	Tbeng Meanchey
Ban Lung	---																		
Battambang	928	---																	
Kampot	783	441	---																
Kompong Cham	515	413	263	---															
Kompong Chhnang	726	202	239	211	---														
Kompong Thom	654	322	313	139	256	---													
Kratie	287	641	496	228	439	367	---												
Phnom Penh	635	293	148	120	91	165	348	---											
Poipet	957	117	558	442	319	303	670	410	---										
Prey Veng	580	384	239	78	182	217	293	90	520	---									
Pursat	823	105	336	308	97	353	536	188	222	279	---								
Sen Monorom	155	663	518	250	461	389	215	370	692	315	558	---							
Siem Reap	805	171	464	290	373	151	664	317	152	407	276	540	---						
Sihanoukville	865	523	105	350	321	395	578	230	640	321	418	600	546	---					
Sisophon	908	68	509	393	270	254	621	361	49	471	173	643	103	591	---				
Stung Treng	165	782	637	369	580	508	141	489	811	434	677	356	659	719	762	---			
Svay Rieng	675	418	273	173	216	290	388	125	535	95	313	410	441	355	486	529	---		
Takeo	710	368	85	195	166	240	423	75	485	166	263	445	391	190	436	564	200	---	
Tbeng Meanchey	791	459	450	276	393	137	504	302	440	354	490	526	288	532	391	645	467	377	---

d'origine. Il est cependant peu probable que vous ayez besoin d'un permis de conduire au Cambodge, sauf si vous venez travailler pour l'une des nombreuses ONG présentes dans le pays.

En ce qui concerne les motos, aucun permis n'est requis. Si vous êtes capable de quitter le magasin au guidon de l'engin, on suppose que vous êtes capables de le conduire partout.

Essence et pièces détachées

L'essence est relativement chère au Cambodge, dans les 3 000 r (0,75 $US) le litre. On en trouve partout dans le pays, mais à des prix plus élevés dans les campagnes. Même dans les villages les plus reculés, vous trouverez toujours quelqu'un pour vous vendre de l'essence dans des bouteilles de Fanta ou de Johnnie Walker. Certains s'amusent à la couper avec du kérosène pour plus de profit : utilisez celle-ci avec parcimonie, uniquement en cas d'urgence.

En ce qui concerne les pièces détachées, le Cambodge étant inondé de motos japonaises, vous trouverez facilement de quoi réparer des Honda, des Yamaha et des Suzuki, mais pas des Harley ou des Ducati. Il en va de même pour les voitures. Les pièces de voitures japonaises sont faciles à trouver, mais si vous conduisez des modèles peu courants dans le pays, vous devrez vous munir d'un stock de pièces détachées.

Location

VOITURE

La location d'une voiture n'est possible qu'avec chauffeur et ne s'avère vraiment utile que pour visiter les environs de Phnom Penh et Angkor. Si votre budget le permet, vous pouvez aussi louer une voiture ou un 4x4 avec chauffeur pour découvrir les provinces. Comptez environ 20 $US par jour pour une voiture avec chauffeur dans les villes et leurs environs. En province, le prix passe à 40 $US, voire plus, selon la destination. Si vous ne rentrez pas le jour même, vous devrez également payer l'hébergement du chauffeur. La location d'un 4x4 coûte entre 50 et 100 $US par jour, en fonction du modèle et de la distance parcourue. Conduire soi-même est autorisé, mais déconseillé à cause de l'état des routes, de la responsabilité civile en cas d'accident et de coûts plus élevés.

MOTO

Vous trouverez des motos de location à Phnom Penh, Kampot, ainsi que dans la plupart des sites touristiques. À Siem Reap, la location des motos est actuellement interdite, mais cette situation est susceptible de changer d'un jour à l'autre. Si donc vous projetez de sillonner la région à moto, vous devrez louer une machine à Phnom Penh (p. 105). Dans les autres villes de province, vous parviendrez sans doute à louer une petite moto après quelques négociations. Comptez 3 $US par jour pour une 100 cm³ et 7 $US pour une 250 cm³ tout-terrain à Phnom Penh et Sihanoukville. Ces prix passent à 5 et 10 $US respectivement dans la plupart des autres villes de province.

Conduisez avec une grande prudence, sans relâcher votre attention, sachant que les services médicaux cambodgiens sont généralement mal équipés et que les habitudes des conducteurs sont excentriques, notamment à Phnom Penh où la circulation est carrément anarchique – et c'est un euphémisme ! Si vous n'avez jamais conduit de moto auparavant, la capitale n'est pas l'endroit idéal pour commencer, mais les conditions s'améliorent une fois sorti de la ville. Si vous vous lancez quand même, assurez-vous que vous êtes accompagné par un conducteur expérimenté.

L'avantage de la moto est qu'elle autorise une totale liberté de mouvement. Vous pourrez vous arrêter dans des petits villages rarement visités par les Occidentaux. On peut circuler dans la campagne profonde à moto, mais nous ne conseillons ce type de trajet qu'aux amateurs de hors piste munis d'un engin tout-terrain. Même les motards expérimentés doivent rester vigilants dans les régions reculées. Les routes cambodgiennes n'ont rien à voir avec celles auxquelles vous êtes habitué ! Si vous prévoyez un long parcours, testez d'abord votre moto aux alentours de Phnom Penh pendant un jour ou deux, afin de vous assurer de son bon fonctionnement.

Les motards avertis découvriront au Cambodge quelques-unes des meilleures pistes au monde pour motos tout-terrain, notamment dans le Preah Vihear (p. 226), le Mondolkiri (p. 262) et le Ratanakiri (p. 256). Ceux qui ne souhaitent pas s'aventurer si loin pourront se faire plaisir sur la route de la station climatique de Bokor (p. 197), près de Kampot.

Red Raid (www.redraid.com.kh) est basée à Phnom Penh. Créée et gérée par un Français, elle est spécialisée dans les circuits à moto thématiques dans tout le Cambodge.

Hidden Cambodia (www.hiddencambodia.com), une société basée à Siem Reap, est spécialisée dans les circuits à moto à travers le Cambodge. Chaque année, pendant la saison sèche, elle propose un parcours qui inclut les temples isolés du nord du Cambodge, et au-delà.

Assurance

Si vous voyagez à bord d'un véhicule de tourisme avec chauffeur, le véhicule est généralement assuré. En ce qui concerne les motos, beaucoup d'engins de location ne sont pas assurés, et vous devrez signer un contrat mentionnant une estimation du prix de la moto en cas de vol. Assurez-vous d'avoir un antivol robuste et essayez toujours de laisser la moto sur un parking surveillé.

Il faudrait être irresponsable pour voyager au Cambodge sans assurance. En cas d'accident grave, les frais médicaux seraient ruineux pour les voyageurs à petit budget.

Conditions des routes et de sécurité

À force de voyager ou de résider au Cambodge, il est facile de se laisser aller à un sentiment de sécurité trompeur et de croire qu'au bout de chaque route de campagne un village accueillant vous attend. Or, malgré la disparition des Khmers rouges, banditisme et vols occasionnels peuvent se produire dans les campagnes. Si vous vous déplacez en province avec votre propre véhicule, et surtout à moto, renseignez-vous sur les conditions de sécurité le long de votre parcours. Par peur des vols, nombre de Cambodgiens ne s'aventurent plus la nuit au-delà des limites de leur village ou de leur ville, une attitude que nous vous conseillons d'imiter. Les risques sont sans doute faibles pour un étranger à vélo, mais il est inutile de tenter le diable.

Les expatriés travaillant à Phnom Penh et amenés à conduire un 4x4 ou une voiture doivent se montrer plus prudents que dans leur pays d'origine. À Phnom Penh, la circulation n'obéit à aucune règle et dans les provinces, les routes ressemblent parfois à des montagnes russes. Résidents et touristes ne devraient pas se risquer à conduire la nuit sur les routes des provinces. Faites particulièrement attention aux enfants que l'on voit parfois gambader au milieu de routes à grande circulation. Le bétail représente aussi un danger ; une collision entre un motocycliste et une vache transformera les deux en charpie.

En outre, voici quelques recommandations pour les motards :

- Portez un casque pour les longs trajets ou si vous roulez vite.
- Emportez une petite trousse de réparation comprenant un démonte-pneu, des rustines et une pompe.
- Si vous partez pour un long trajet, emportez une corde afin de faire remorquer votre véhicule en cas de panne.
- Dans les régions reculées, prévoyez toujours plusieurs litres d'eau : on ne sait jamais quand on en trouvera.
- Voyagez en petit groupe, jamais seul.
- En groupe, ne vous éloignez pas les uns des autres en cas de problème ou d'accident.
- Ne lésinez pas sur l'essence : tomber en panne sèche en rase campagne peut mettre votre vie en danger, surtout si vous manquez aussi d'eau.
- Abstenez-vous de consommer marijuana ou alcool, susceptibles d'affecter vos capacités.
- Ne quittez pas la route des yeux : les nids-de-poule avalent les conducteurs juste pour le plaisir.

Code de la route

Si tant est qu'il existe un code de la route au Cambodge, personne ne semble s'en soucier. Si vous conduisez une voiture ou une moto, la meilleure attitude est de ne rien considérer comme acquis et de partir du principe que les autres sont des dangers. Plus sérieusement, au Cambodge, on roule à droite. À Phnom Penh, peu de carrefours sont équipés de feux de signalisation ; lorsque l'on veut tourner à gauche, le jeu consiste à rouler le plus à gauche possible, en frôlant les véhicules qui arrivent en sens inverse, jusqu'à ce qu'un espace permette de tourner. Proprement affolant pour les non-initiés, ce système semble tout à fait maîtrisé par les Cambodgiens. Nous conseillons aux étrangers de s'arrêter aux carrefours et de redoubler de prudence.

Le chaos de Phnom Penh constitue le terrain de jeu de prédilection des agents de la circulation, qui arrêtent les étrangers à la moindre infraction (p. 79). Veillez à ne pas tourner à gauche en cas d'interdiction signalée, ni à circuler avec vos feux allumés en plein jour (même s'il semble tout à fait admis que les Cambodgiens puissent conduire phares éteints au cœur de la nuit).

AVERTISSEMENT

Ne possédant que quelques rudiments d'anglais, voire aucun, les conducteurs de moto-dop et de cyclo-pousse, ne comprennent pas forcément où vous voulez aller, même s'ils acquiescent vigoureusement. Un problème particulièrement délicat dans une grande ville comme Phnom Penh (voir l'encadré p. 106).

EN STOP

Nous ne recommandons pas ce type de transport qui n'est sûr dans aucun pays. Les voyageurs qui décident de se déplacer en auto-stop prennent un risque certain, même s'il est limité. Il est plus sûr de voyager à plusieurs et de prévenir quelqu'un de la destination prévue. Vous pourrez probablement voyager en stop à bord d'un camion, mais le voyage sera très inconfortable et particulièrement risqué pour les femmes seules. Attendez-vous à payer pour le trajet.

ÇA BRÛLE !

Sur une moto-dop, n'approchez surtout pas vos jambes du pot d'échappement après un long trajet, vous risqueriez de vous brûler gravement. C'est une mésaventure qui arrive fréquemment aux voyageurs. L'humidité ambiante ralentit la cicatrisation et le recours aux antibiotiques s'avère souvent nécessaire.

TRANSPORTS LOCAUX

Bus

Il n'y a pas de bus locaux au Cambodge, même pas dans la capitale.

Cyclo-pousse

Comme au Vietnam et au Laos, le *samlor* ou cyclo-pousse permet de se déplacer en ville à peu de frais. À Phnom Penh, nombre d'entre eux attendent à proximité des marchés et des hôtels, ou vous pouvez leur faire signe dans la rue. Vous devrez marchander si vous prenez un cyclo-pousse devant un hôtel coûteux, un bar ou un restaurant réputé. Les tarifs varient de 1 000 r à 1 $US (environ 4 000 r). Les cyclo-pousse se font rares en province et les moto-dop gagnent du terrain dans la capitale.

Lorry

Ce mot cambodgien désigne un train local en bois entraîné par une moto, la roue arrière de la moto, en contact avec le rail, faisant avancer le train. Dans la région de Battambang, on les nomme des "norry" ; les touristes les connaissent sous le nom de *bamboo train*. Ils sont propulsés par un moteur électrique. C'est très amusant… tant qu'on ne rencontre pas un train venant en sens inverse.

Moto-dop

Les conducteurs de ces petites cylindrées, communément appelées *moto-dop* ou *moto-doup* (doup vient du français "double"), sont reconnaissables à leur casquette de base-ball. En ville, c'est le moyen le plus rapide de parcourir de courtes distances. Comptez entre 1 000 r et 1 $US ou plus, selon la distance et la ville, et un peu plus en soirée. Les conducteurs partent du principe que vous connaissez les prix et les discutent rarement avant de démarrer. Toutefois, à une heure avancée de la nuit ou si vous résidez dans un hôtel haut de gamme, mieux vaut convenir du prix à l'avance afin d'éviter de longues discussions à l'arrivée.

Hors-bord

Le hors-bord (prononcé "out-boor" en mauvais anglais) sert de bus ou de taxi fluvial. Présents dans tout le pays, ces petits bateaux en fibre de verre dotés d'un moteur 15 CV ou 40 CV peuvent transporter jusqu'à six passagers sur un trajet court ou long. Ils partent rarement à heure fixe et l'on attend patiemment qu'ils se remplissent. Si vous êtes pressé, vous pouvez louer tout le bateau et partir immédiatement. Une nouvelle variante est apparue sous la forme de bateaux-fusées ("longtail rocket boats") importés de Thaïlande. Ils relient les petites villes du Haut-Mékong. Leur nom leur convient à merveille mais leur sécurité est plus que douteuse.

Remorque-kang

La *remorque-kang* est une remorque tirée par un vélo, sorte de cyclo-pousse avec un passager à l'arrière. L'avènement de la moto-dop a entraîné une diminution de leur nombre, mais elles restent très répandues à Battambang (p. 211), Kampot (p. 192) et Kratie (p. 251). Les tarifs correspondent à ceux des moto-dop.

Remorque-moto

La *remorque-moto* est une grande remorque, équipée de planches faisant office de banquettes et tirée par une moto. C'est en quelque sorte un bus local rudimentaire, avec un air conditionné naturel. Elles sont utilisées à la campagne pour le transport de passagers et de marchandises. On en voit souvent à la lisière des villes, attendant les fermiers pour les ramener chez eux. Dans certaines provinces, la remorque-moto est un moyen très bon marché (environ 100 r/km) de visiter le pays, si vous parvenez à faire comprendre au chauffeur où vous voulez descendre.

Siem Reap a sa propre version touristique de la remorque-moto, avec une jolie petite remorque à capote dans laquelle deux personnes tiennent confortablement, mais où, le soir, s'entassent autant de passagers qu'il est possible d'en mettre. C'est un moyen très agréable de visiter les temples, rafraîchi par la brise et à l'abri des précipitations. Phnom Penh dispose désormais de son contingent de remorque-motos, couramment appelées *tuk-tuk*. Importés de différents pays de la région, ils sont de formes et de tailles variées.

Rotei Ses

Rotei signifie "chariot" ou "voiture" et *ses* "cheval". Le terme désigne en fait tout chariot tiré par un animal. Le char à bœufs, très courant dans les régions reculées, est le seul mode de transport qui fasse fi de la boue épaisse au plus fort de la saison des pluies. Il est généralement tiré par des buffles asiatiques ou des vaches. Les carrioles à cheval se rencontrent fréquemment dans les campagnes, mais les touristes répugnent à se faire remorquer par ces animaux squelettiques.

Taxi

Des taxis se louent de plus en plus facilement au Cambodge, mais ceux qui sont équipés d'un compteur sont quasiment inexistants. De nombreux opérateurs privés travaillent dans tout le Cambodge. Hôtels, pensions et agences de voyages pourront vous en procurer un pour la visite des villes et des alentours. Cependant, même à Phnom Penh, il est presque impossible de trouver un taxi pour une petite course, à moins que vous ne l'ayez réservé à l'avance ou que vous ne sortiez d'un night-club réputé, à une heure tardive.

PICK-UP, TAXI COLLECTIF ET JEEP

Actuellement, le pick-up et la jeep perdent du terrain par rapport à la Toyota Camry à suspension surélevée. Avec les pick-up et les taxis collectifs, il est intéressant de voyager en groupe, car on peut acheter des places en plus pour être plus à l'aise. Doublez le prix pour une place à l'avant, et quadruplez-le pour les places à l'arrière. Il est important de se rappeler qu'il n'y a pas forcément de prix fixe sur tous les itinéraires. Il faut négocier, et les prix fluctuent en fonction de celui de l'essence.

Pick-up et taxis collectifs empruntent aussi bien les routes à grande circulation où circulent les bus que les mauvaises routes sur lesquelles ils ne passent pas. Les taxis collectifs sont très nombreux et pour les principales destinations, on peut louer le véhicule ou payer sa place et attendre qu'il se remplisse. Les pensions s'occupent volontiers de trouver un taxi collectif, moyennant une commission, naturellement.

En ce qui concerne les pick-up, vous pouvez vous installer dans la cabine ou, par souci d'économie et en renonçant à tout confort, à l'arrière. Dans le second cas, n'oubliez pas de vous protéger de la poussière avec un foulard, et du soleil avec de l'écran total. En saison des pluies, un imperméable est obligatoire. Les camions démarrent quand ils sont archi-pleins. Louer sa place en s'adressant directement au chauffeur revient moins cher que de passer par une pension, mais implique un patient marchandage pour payer le juste prix.

Dans les zones reculées du Nord-Est, où les routes sont tellement ravinées qu'elles ressemblent à des sculptures, les robustes jeeps russes et les pick-up à haut gabarit constituent les meilleurs modes de transport ; ils continuent d'avancer dans les conditions les plus cauchemardesques.

Dans les régions les plus isolées, notamment à la saison des pluies lorsque les routes sont encore plus défoncées que d'habitude, d'énormes camions militaires russes à six roues motrices, ou *lan damrei* ("camions-éléphant"), servent temporairement de moyen de transport.

TRAIN

Le réseau ferré cambodgien, comme le réseau routier, est l'un des pires d'Asie. Voyager en train est distrayant, mais uniquement sur une courte distance, les meilleurs parcours étant Kampot-Sihanoukville (p. 195) et Pursat-Battambang (p. 210). Les trains circulent à une moyenne de 20 km/h et les pannes éventuelles peuvent bloquer le convoi toute une nuit. Les ponts ne sont pas toujours entretenus et le trajet est souvent aussi cahoteux que sur les mauvaises routes tellement les rails sont déformés. Cela dit, les passagers cambodgiens accueillent avec chaleur les étrangers qui choisissent ce mode de transport.

Le réseau consiste en 645 km de voie unique, à écartement d'un mètre. Construite avant la Seconde Guerre mondiale, la ligne nord-ouest, longue de 382 km, relie Phnom Penh à Pursat (165 km), Battambang (274 km) et Sisophon (302 km). Le dernier tronçon jusqu'à Poipet fut démonté par les Khmers rouges dans les années 1970. La ligne sud-ouest (263 km), achevée en 1969, part de Phnom Penh et dessert Takeo (75 km), Kampot (166 km) et le port de Sihanoukville (228 km).

La guerre civile des années 1980 et 1990 a donné lieu à des aménagements insolites sur les trains. Chaque convoi comprenait un wagon blindé à toit de tôle, surmonté d'une énorme mitrailleuse et percé de meurtrières. De plus, les deux premiers wagons à plateau servaient de balayeurs de mines. On voyageait gratuitement sur le premier et à moitié prix sur le second ; malgré cela, ces places étaient très recherchées par les Cambodgiens. Fort heureusement, ces précautions ne sont plus nécessaires.

Tarifs

Les Khmers paient environ 15 r le kilomètre ; pour les étrangers, le prix, multiplié par trois, reste dérisoire, mais ne vous attendez pas à un service d'une qualité trois fois supérieure.

SANTÉ

SOMMAIRE

Votre santé est plus exposée au Cambodge que dans la plupart des autres pays du Sud-Est asiatique, car les installations sanitaires laissent à désirer et les services médicaux sont rarement compétents. Dans les campagnes, vous ne pourrez compter que sur vous-même et, si vous avez la chance de trouver une pharmacie ou un hôpital, vous aurez du mal à vous faire comprendre.

Si vous vous sentez vraiment mal, essayez de consulter un médecin plutôt que de vous rendre à l'hôpital : les hôpitaux sont assez rudimentaires et les diagnostics ne sont pas toujours fiables. En cas de maladie plus grave, mieux vaut retourner à Phnom Penh, seule ville du pays disposant de services d'urgence corrects (voir p. 79 les adresses des hôpitaux et services médicaux de la capitale). Les pharmacies des villes, très bien fournies, délivrent tous les médicaments sans ordonnance, des antibiotiques aux antipaludéens. Les prix sont raisonnables mais vérifiez soigneusement la date de péremption sur les emballages.

Ne devenez pas pour autant paranoïaque. La santé en voyage dépend du soin avec lequel on prépare le départ, de l'observance d'un minimum de règles quotidiennes et de la manière dont on réagit en cas de problème. Les risques peuvent sembler effrayants mais sachez qu'en réalité, la plupart des visiteurs souffrent tout au plus de troubles intestinaux.

AVANT LE DÉPART

ASSURANCE ET SERVICES MÉDICAUX

Il est conseillé de souscrire à une police d'assurance qui vous couvrira en cas d'annulation de votre voyage, de vol, de perte de vos affaires, de maladie ou encore d'accident. Les assurances internationales pour étudiants sont en général d'un bon rapport qualité/prix. Lisez avec la plus grande attention les clauses en petits caractères : c'est là que se cachent les restrictions.

Vérifiez notamment que les "sports à risques", comme la plongée, la moto ou même la randonnée ne sont pas exclus de votre contrat, ou encore que le rapatriement médical d'urgence, en ambulance ou en avion, est couvert. De même, le fait d'acquérir un véhicule dans un autre pays ne signifie pas nécessairement que vous serez protégé par votre propre assurance.

Vous pouvez contracter une assurance qui réglera directement les hôpitaux et les médecins, vous évitant ainsi d'avancer des sommes qui ne vous seront remboursées qu'à votre retour. Dans ce cas, conservez avec vous tous les documents nécessaires.

Attention ! Avant de souscrire une police d'assurance, vérifiez bien que vous ne bénéficiez pas déjà d'une assistance par votre carte de crédit, votre mutuelle ou votre assurance automobile. C'est bien souvent le cas.

QUELQUES CONSEILS

Assurez-vous que vous êtes en bonne santé avant de partir. Si vous suivez un traitement de façon régulière, n'oubliez pas votre ordonnance (avec le nom du

AVERTISSEMENT

La santé en voyage dépend du soin avec lequel on prépare le départ et, sur place, de l'observance d'un minimum de règles quotidiennes. Les risques sanitaires sont généralement faibles si une prévention minimale et les précautions élémentaires d'usage ont été envisagées avant le départ.

VACCINS RECOMMANDÉS

Vous trouverez ci-dessous la liste des vaccins recommandés pour un voyage au Cambodge, mais demandez également l'avis de votre médecin.

Maladie	Durée du vaccin	Précautions
Diphtérie	10 ans	Recommandé.
Encéphalite B japonaise	3 ans	Recommandé si vous passez un mois ou plus au Cambodge, si vous y faites des séjours répétés ou si vous vous y rendez en période d'épidémie. Trois injections sur une période de 30 jours.
Fièvre jaune	10 ans	Le vaccin contre la fièvre jaune est aujourd'hui le seul exigé par le Cambodge pour les voyageurs arrivant, par vol direct, d'une région touchée par cette maladie. Il n'existe cependant aucun vol direct entre le Cambodge et l'Afrique ou l'Amérique du Sud, les zones les plus exposées. À éviter en début de grossesse.
Hépatite virale A	5 ans (environ)	Il existe un vaccin combiné hépatite A et B qui s'administre en trois injections. La durée effective de ce vaccin ne sera pas connue avant quelques années.
Hépatite virale B	10 ans (environ)	Très conseillé pour le Cambodge.
Rage	sans	Faites-vous vacciner si vous passez plus d'un mois au Cambodge, surtout si vous vous déplacez à vélo, si vous manipulez des animaux, si vous explorez des grottes ou si vous vous aventurez dans des régions reculées.
Rougeole	toute la vie	Indispensable chez l'enfant.
Tétanos et poliomyélite	10 ans	Fortement recommandé.
Tuberculose	toute la vie	Conseillé pour les enfants et les jeunes adultes qui séjournent au Cambodge pendant trois mois ou plus.
Typhoïde	3 ans	Recommandé si vous voyagez dans des conditions d'hygiène médiocres. À envisager si vous passez plus de deux semaines au Cambodge.

principe actif plutôt que la marque du médicament, afin de pouvoir trouver un équivalent local, le cas échéant). De plus, l'ordonnance vous permettra de prouver que vos médicaments vous sont légalement prescrits, des médicaments en vente libre dans certains pays ne l'étant pas dans d'autres.

Attention aux dates limites d'utilisation et aux conditions de stockage, parfois mauvaises. Il arrive également que l'on trouve, dans des pays en développement, des produits interdits en Occident.

VACCINS

Plus vous vous éloignez des circuits classiques, plus il faut prendre vos précautions. Faites inscrire vos vaccinations dans un carnet international de vaccination que vous pourrez vous procurer auprès de votre médecin ou d'un centre. Gardez ce carnet avec vous lorsque vous vous déplacez à l'intérieur du Cambodge.

Planifiez vos vaccinations (au moins six semaines avant le départ), car certaines demandent des rappels ou sont incompatibles entre elles. Même si vous

SANTÉ AU JOUR LE JOUR

La température normale du corps est de 37°C ; deux degrés de plus représentent une forte fièvre. Le pouls normal d'un adulte est de 60 à 80 pulsations par minute (celui d'un enfant est de 80 à 100 pulsations ; celui d'un bébé de 100 à 140 pulsations). En général, le pouls augmente d'environ 20 pulsations à la minute avec chaque degré de fièvre.

La respiration est aussi un bon indicateur en cas de maladie. Comptez le nombre d'inspirations par minute : entre 12 et 20 chez un adulte, jusqu'à 30 pour un jeune enfant et jusqu'à 40 pour un bébé, elle est normale. Les personnes qui ont une forte fièvre ou qui sont atteintes d'une maladie respiratoire grave (pneumonie par exemple) respirent plus rapidement. Plus de 40 inspirations faibles par minute indiquent en général une pneumonie.

avez été vacciné contre plusieurs maladies dans votre enfance, votre médecin vous recommandera peut-être des rappels contre le tétanos ou la poliomyélite, maladies qui existent toujours dans de nombreux pays en développement. Les vaccins ont des durées d'efficacité très variables ; certains sont contre-indiqués pour les femmes enceintes.

Voici les coordonnées de quelques centres de vaccination à Paris :

Hôtel-Dieu, vaccins obligatoires en France : centre gratuit de l'Assistance publique (☎ 01 42 34 84 84), 1 parvis Notre-Dame, 75004 Paris. Vaccins pour les voyageurs : centre payant (☎ 01 45 82 90 26), 15-17 rue Charles Bertheau, 75013 Paris.

Assistance publique voyages, service payant de l'hôpital de la Pitié-Salpêtrière (☎ 01 45 85 90 21), 47 bd de l'Hôpital, 75013 Paris.

Institut Pasteur (☎ 01 45 68 81 98), 209 rue de Vaugirard, 75015 Paris.

Air France, centre de vaccination (☎ 01 43 17 22 00), aérogare des Invalides, 2 rue Robert Esnault Pelterie, 75007 Paris.

Vous pouvez obtenir la liste de ces centres de vaccination en France en vous connectant sur le site Internet du ministère des Affaires étrangères www.diplomatie.gouv.fr, dans la rubrique Conseils aux voyageurs.

LECTURES COMPLÉMENTAIRES

Un guide sur la santé peut s'avérer utile. *Les Maladies en voyage* du Dr Éric Caumes (Points Planètes), *Voyages internationaux et santé* de l'Organisation mondiale de la Santé (OMS) et *Saisons et climats* de Jean-

TROUSSE MÉDICALE DE VOYAGE

Veillez à emporter avec vous une petite trousse à pharmacie (nous vous conseillons de la transporter en soute) contenant quelques produits indispensables. Certains ne sont délivrés que sur ordonnance médicale.

- des **antibiotiques**, à utiliser uniquement aux doses et périodes prescrites, même si vous avez l'impression d'être guéri avant. Chaque antibiotique soigne une affection précise : ne les utilisez pas au hasard. Cessez immédiatement le traitement en cas de réactions graves.
- un **antidiarrhéique** et un **réhydratant**, en cas de forte diarrhée, surtout si vous voyagez avec des enfants.
- un **antihistaminique** en cas de rhumes, allergies, piqûres d'insectes, mal des transports – évitez de boire de l'alcool.
- un **antiseptique** ou un désinfectant pour les coupures, les égratignures superficielles et les brûlures, ainsi que des pansements gras pour les brûlures.
- de **l'aspirine** ou du **paracétamol** (douleurs, fièvre).
- une **bande Velpeau** et des **pansements** pour les petites blessures.
- une **paire de lunettes de secours** (si vous portez des lunettes ou des lentilles de contact) et la copie de votre ordonnance.
- un **produit contre les moustiques**, un écran total, une pommade pour soigner les piqûres, et les coupures et des comprimés pour stériliser l'eau.
- une **paire de ciseaux** à bouts ronds, une **pince à épiler** et un **thermomètre à alcool**.
- une petite trousse de **matériel stérile** comprenant une seringue, des aiguilles, du fil à suture, une lame de scalpel et des compresses, l'hygiène médicale au Cambodge laissant à désirer.
- des **préservatifs**.

DÉCALAGE HORAIRE

Les malaises liés aux voyages en avion apparaissent généralement après la traversée de trois fuseaux horaires (chaque zone correspond à un décalage d'une heure). Plusieurs fonctions de notre organisme – dont la régulation thermique, les pulsations cardiaques, le travail de la vessie et des intestins – obéissent en effet à des cycles internes de 24 heures, qu'on appelle rythmes circadiens. Lorsque nous effectuons de longs parcours en avion, le corps met un certain temps à s'adapter à la "nouvelle" heure de notre lieu de destination – ce qui se traduit souvent par des sensations d'épuisement, de confusion, d'anxiété, accompagnées d'insomnie et de perte d'appétit. Ces symptômes disparaissent généralement au bout de quelques jours, mais on peut en atténuer les effets moyennant quelques précautions :

- Efforcez-vous de partir reposé. Autrement dit, organisez-vous : pas d'affolement de dernière minute, pas de courses échevelées pour récupérer passeport ou chèques de voyage. Évitez aussi les soirées prolongées avant d'entreprendre un long voyage aérien, et si vous le pouvez, essayez de vous préparer en vous mettant progressivement au rythme du pays.
- À bord, évitez les repas trop copieux (ils gonflent l'estomac !) et l'alcool (qui déshydrate). Mais veillez à boire beaucoup – des boissons non gazeuses, non alcoolisées, comme de l'eau et des jus de fruits.
- Abstenez-vous de fumer pour ne pas appauvrir les réserves d'oxygène ; ce serait un facteur de fatigue supplémentaire.
- Portez des vêtements amples, dans lesquels vous vous sentez à l'aise ; un masque oculaire et des bouchons d'oreille vous aideront peut-être à dormir.

Noël Darde (Balland) sont d'excellentes références.

Ceux qui lisent l'anglais pourront se procurer *Healthy Travel Asia & India*, paru chez Lonely Planet. Mine d'informations pratiques, cet ouvrage renseigne sur la conduite à tenir en matière de santé en voyage.

Également paru chez Lonely Planet, le guide *Travel with children* (en anglais) vous donnera de nombreux conseils sur la santé des jeunes enfants en voyage.

SANTÉ SUR INTERNET

Il existe de très bons sites Internet consacrés à la santé en voyage. Avant de partir, vous pouvez consulter les conseils en ligne du Ministère des Affaires étrangères (www.france.diplomatie.fr/voyageurs/etrangers/avis/conseils) ou le site très complet du Ministère de la Santé (www.sante.gouv.fr). Vous pouvez vous informer sur les maladies rares en visitant le site www.orpha.net, constitué d'une encyclopédie en ligne rédigée par des experts européens. Vous trouverez d'autres liens sur le site de Lonely Planet (www.lonelyplanet.fr), à la rubrique *Ressources*.

PENDANT LE VOYAGE

VOLS LONG COURRIER

Les trajets en avion, qui nécessite une immobilité prolongée, peuvent favoriser la formation de caillots sanguins dans les jambes (phlébite ou thrombose veineuse profonde dite TVP). Le risque est d'autant plus élevé que le vol est long. Ces caillots se résorbent le plus souvent sans autre incident, mais il peut arriver qu'ils se rompent et migrent à travers les vaisseaux sanguins jusqu'aux poumons, risquant alors de provoquer de graves complications.

Généralement, le principal symptôme est un gonflement ou une douleur du pied, de la cheville ou du mollet d'un seul côté, mais pas toujours. La migration d'un caillot vers les poumons peut se traduire par une douleur à la poitrine et des difficultés respiratoires. Tout voyageur qui remarque l'un de ces symptômes doit aussitôt réclamer une assistance médicale.

En prévention, buvez en abondance des boissons non alcoolisées, évitez de fumer, faites jouer les muscles de vos jambes lorsque vous êtes assis et levez-vous de temps à autre pour marcher dans la cabine.

MAL DES TRANSPORTS

Pour réduire les risques d'avoir le mal des transports, mangez légèrement avant et pendant le voyage. Si vous êtes sujet à ces malaises, essayez de trouver un siège dans une partie du véhicule où les oscillations sont moindres : près de l'aile dans un avion, au centre sur un bateau et dans un bus. Tout médicament doit être pris avant le départ ; une fois que vous vous sentez mal, il est trop tard.

AU CAMBODGE

PRÉCAUTIONS ÉLÉMENTAIRES

Faire attention à ce que l'on mange et à ce que l'on boit est la première des précautions à prendre. Les troubles gastriques et intestinaux sont fréquents, même si la plupart du temps ils restent sans gravité. Ne soyez cependant pas paranoïaque et ne vous privez pas de goûter la cuisine locale, cela fait partie du voyage. N'hésitez pas également à vous laver les mains fréquemment.

Problèmes de santé et traitement

L'autodiagnostic et l'autotraitement sont risqués ; aussi, chaque fois que cela est possible, adressez-vous à un médecin. Le consulat pourra vous en recommander un. Les meilleurs hôpitaux et cliniques se trouvent à Phnom Penh (p. 79) et Siem Reap (p. 113). Vous paierez en général aux alentours de 20 $US par consultation, médicaments non compris. Ailleurs, les installations médicales sont plus rudimentaires et il vaudra mieux opter pour une clinique privée que pour un hôpital public. Dans la mesure du possible, retournez à Phnom Penh ou à Siem Reap pour consulter un médecin. En cas de maladie ou d'accident graves, faites-vous soigner à Bangkok. Pensez aussi à demander conseil aux habitants : si l'on vous dit qu'il ne faut pas vous baigner à cause des méduses ou de la bilharziose, suivez leur avis.

SRAS

En mars 2003, l'apparition d'une nouvelle maladie respiratoire, apparemment grave et désormais connue sous le nom de SRAS (Syndrome Respiratoire Aigu Sévère) a attiré l'attention du monde entier. À l'heure où nous écrivons, le SRAS semble avoir été ramené sous contrôle. Depuis son apparition, 8 500 cas ont été confirmés et 800 malades sont morts. Le pic d'intensité de l'épidémie a été atteint en mai 2003, où plus de 200 cas se déclaraient chaque jour. Le SRAS a débuté en novembre 2002 dans la province chinoise de Guangdong. À la mi-mars, de nombreux cas de troubles respiratoires dus à un virus particulièrement virulent furent recensés à Hong Kong, au Vietnam, à Singapour et au Canada. L'Organisation mondiale de la Santé (OMS) lança très vite un bulletin d'alerte global destiné aux professionnels de la santé et au grand public. Si cette réaction rapide aida à endiguer la maladie, elle eut aussi pour effet de provoquer une panique générale. Le coût du SRAS pour les pays d'Extrême-Orient, où le commerce et le tourisme déclinèrent, fut estimé au moins à 30 millards de dollars.

L'origine du SRAS fut découverte en avril 2003 : c'était un nouveau virus qui ne ressemblait à aucun de ceux déjà connus affectant les humains et les animaux. Les symptômes sont identiques à ceux qu'entraînent beaucoup d'autres affections respiratoires : fièvre élevée et toux. On peut suspecter la maladie chez une personne fiévreuse qui tousse, à condition que celle-ci ait voyagé dans une zone infectée ou ait été en contact avec un individu atteint au cours des 10 jours précédents. Il n'existe pas de test spécifique rapide pour détecter le SRAS, mais des examens sanguins et une radio des poumons aident à confirmer le diagnostic. Aucun traitement n'est encore disponible et dans 10% des cas, la maladie entraîne la mort. Heureusement, il semble que la contamination ne soit pas aisée, contrairement à ce que l'on pensait au départ. Le port de masques a permis de limiter la virulence de l'épidémie, mais ce n'est plus préconisé.

Aujourd'hui, les risques de contracter le SRAS sont extrêmement faibles. Toutefois, des questions fondamentales restent en suspens : d'où est venu le SRAS ? Va-t-il revenir et pouvons-nous mettre au point un test rapide et un traitement ? Il faudra attendre au moins un an pour savoir si le SRAS s'est bel et bien installé dans notre écosystème.

AFFECTIONS LIÉES À L'ENVIRONNEMENT

Coup de chaleur

De longues périodes d'exposition à des températures élevées peuvent vous rendre vulnérable au coup de chaleur. Cet état grave survient quand le mécanisme de régulation thermique du corps ne fonctionne plus : la température s'élève alors de façon dangereuse. Évitez l'alcool et les activités fatigantes lorsque vous arrivez dans un pays à climat chaud.

Symptômes : malaise général, transpiration faible ou inexistante et forte fièvre (39 à 41°C) et céphalée lancinante, difficultés à coordonner ses mouvements, signes de confusion mentale ou d'agressivité. Il faut absolument hospitaliser le malade. En attendant les secours, installez-le à l'ombre, ôtez-lui ses vêtements, couvrez-le d'un drap ou d'une serviette mouillés et éventez-le continuellement.

Coup de soleil

Sous les tropiques, dans le désert ou en altitude, les coups de soleil sont plus fréquents, même par temps couvert. Utilisez un écran solaire et pensez à couvrir les endroits qui sont habituellement protégés, les pieds par exemple. Si les chapeaux fournissent une bonne protection, n'hésitez pas à appliquer également un écran total sur le nez et les lèvres. Les lunettes de soleil s'avèrent souvent indispensables.

Coupures, piqûres et morsures

COUPURES ET ÉGRATIGNURES

Les blessures s'infectent très facilement dans les climats chauds et cicatrisent difficilement. Coupures et égratignures doivent être traitées avec un antiseptique et du désinfectant cutané. Évitez si possible bandages et pansements, qui empêchent la plaie de sécher.

Les coupures de corail sont particulièrement longues à cicatriser, car le corail injecte un venin léger dans la plaie. Portez des chaussures pour marcher sur des récifs, et nettoyez chaque blessure à fond.

MÉDUSES

Les conseils des habitants vous éviteront de faire la rencontre des méduses et de leurs tentacules urticants. Certaines espèces peuvent être mortelles mais, en général, la piqûre est seulement douloureuse. Des antihistaminiques et des analgésiques limiteront la réaction et la douleur.

PIQÛRES

Les piqûres de guêpe ou d'abeille sont généralement plus douloureuses que dangereuses. Une lotion apaisante ou des glaçons soulageront la douleur et empêcheront la piqûre de trop gonfler. Certaines araignées sont dangereuses mais il existe en général des antivenins. Les piqûres de scorpions sont très douloureuses et parfois mortelles. Inspectez vos vêtements et vos chaussures avant de les enfiler.

PUNAISES ET POUX

Les punaises affectionnent la literie douteuse. Si vous repérez de petites taches de sang sur les draps ou sur les murs autour du lit, cherchez un autre hôtel. Les piqûres de punaises forment des alignements réguliers. Une pommade calmante apaisera la démangeaison.

Les poux provoquent des démangeaisons. Ils élisent domicile dans les cheveux, les vêtements ou les poils pubiens. On en attrape par contact direct avec des personnes infestées ou en utilisant leur peigne, leurs vêtements, etc. Poudres et shampooings détruisent poux et lentes ; il faut également laver les vêtements à l'eau très chaude.

SANGSUES ET TIQUES

Les sangsues, présentes dans les régions de forêts humides, se collent à la peau et sucent le sang. Les randonneurs en retrouvent souvent sur leurs jambes ou dans leurs bottes. Du sel ou le contact d'une cigarette allumée les feront tomber. Ne les arrachez pas, car la morsure s'infecterait plus facilement. Une crème répulsive peut les maintenir éloignées. Utilisez de l'alcool, de l'éther, de la vaseline ou de l'huile pour vous en débarrasser. Vérifiez toujours que vous n'avez pas attrapé de tiques dans une région infestée : elles peuvent transmettre le typhus.

SERPENTS

Portez toujours bottes, chaussettes et pantalons longs pour marcher dans la végétation à risque. Ne hasardez pas la main dans les trous et les anfractuosités, et faites attention lorsque vous ramassez du bois pour faire du feu. Les morsures de serpent ne provoquent pas instantanément la mort, et il existe généralement des antivenins. Il faut calmer la victime, lui interdire de bouger, bander étroitement le membre comme pour une foulure et l'immobiliser avec une attelle. Trouvez ensuite un médecin, et essayez de lui apporter le serpent mort. N'essayez en aucun cas d'attraper le serpent s'il y a le moindre risque qu'il pique à nouveau. On sait désormais qu'il ne faut absolument pas sucer le venin ou poser un garrot.

Eau

Règle d'or : *méfiez-vous de l'eau et des glaçons*, même si elle provient généralement d'usines héritées de l'époque coloniale française. Préférez les eaux minérales et les boissons gazeuses, tout en vous assurant que les bouteilles sont décapsulées devant vous. Évitez les jus de fruits, souvent allongés à l'eau. Attention au lait, rarement pasteurisé mais le lait bouilli et les yaourts ne posent pas de problème. Thé et café, en principe, sont sûrs, puisque l'eau doit bouillir.

Pour stériliser l'eau, la meilleure solution est de la faire bouillir durant quinze minutes. Un simple filtrage peut être très efficace mais n'éliminera pas tous les micro-organismes dangereux. Aussi, si vous ne pouvez faire bouillir l'eau, traitez-la chimiquement. Le Micropur (vendu en pharmacie) tuera la plupart des germes pathogènes.

Vous éviterez bien des problèmes de santé en vous lavant souvent les mains, afin de ne pas contaminer vos aliments. Brossez-vous les dents avec de l'eau traitée.

Insolation

Une exposition prolongée au soleil peut provoquer une insolation. Symptômes : nausées, peau chaude, maux de tête. Dans ce cas, il faut rester dans le noir, appliquer une compresse d'eau froide sur les yeux et prendre de l'aspirine.

Problèmes de peau

Les infections fongiques sont courantes dans les climats humides. Elles apparaissent souvent sur les parties du corps les moins "aérées" (aine, aisselles, orteils) et se caractérisent par une tache rouge qui grossit lentement, souvent accompagnée de démangeaisons. Le traitement consiste à garder la peau sèche, à éviter les frottements et à utiliser une crème antifongique comme le Clotrimazole ou la Lamisil.

La teigne (qui est un champignon et non un parasite animal) est également fréquente. Elle se caractérise par l'apparition de petites tâches légèrement colorées, souvent sur le dos, la poitrine et les épaules. Quelle que soit l'infection, consultez un médecin.

Les coupures et les égratignures s'infectent très facilement dans les climats chauds et humides. Aussi convient-il de surveiller attentivement toute blessure, aussi petite soit-elle pour éviter toute complication (comme un abcès). Lavez immédiatement à l'eau claire toute blessure et traitez-la avec un antiseptique. N'hésitez pas à voir un médecin si des signes d'infection apparaissent (rougeur et douleur croissantes).

Les plongeurs et les surfeurs feront particulièrement attention aux coupures de corail car elles s'infectent très facilement.

MALADIES INFECTIEUSES ET PARASITAIRES

Bilharzioses

Les bilharzioses sont des maladies dues à des vers qui vivent dans les vaisseaux sanguins et dont les femelles viennent pondre leurs œufs à travers la paroi des intestins ou de la vessie.

On se contamine en se baignant dans les eaux douces (rivières, ruisseaux, lacs et retenues de barrage) où vivent les mollusques qui hébergent la forme larvaire des bilharzies. Juste après le bain infestant, on peut noter des picotements ou une légère éruption cutanée à l'endroit où le parasite est passé à travers la peau. Quatre à douze semaines plus tard, apparaissent une fièvre et des manifestations allergiques. En phase chronique, les symptômes principaux sont des douleurs abdominales et une diarrhée, ou la présence de sang dans les urines.

Si par mégarde ou par accident, vous vous baignez dans une eau infestée (même les eaux douces profondes peuvent être infestées), séchez-vous vite et séchez aussi vos vêtements. Consultez un médecin si vous êtes inquiet. Les premiers symptômes de la bilharziose peuvent être confondus avec ceux du paludisme ou de la typhoïde.

Dengue

En raison des phénomènes climatiques considérés comme responsables de vastes épidémies de dengue dans le Sud-Est asiatique, les voyageurs qui se rendent au

Cambodge sont particulièrement exposés à l'infection. Il n'existe pas de traitement prophylactique contre cette maladie propagée par les moustiques. Poussée de fièvre, maux de tête, douleurs articulaires et musculaires précèdent une éruption cutanée sur le tronc qui s'étend ensuite aux membres puis au visage. Au bout de quelques jours, la fièvre régresse, et la convalescence commence. Les complications graves sont rares.

Diarrhée

Le changement de nourriture, d'eau ou de climat suffit à la provoquer ; si elle est causée par des aliments ou de l'eau contaminés, le problème est plus grave. Si vous séjournez longtemps au Cambodge, vous connaîtrez probablement des problèmes intestinaux sans gravité. En dépit de toutes vos précautions, vous aurez peut-être la "turista", mais quelques visites aux toilettes sans aucun autre symptôme n'ont rien d'alarmant. Il est recommandé d'emmener avec soi un antidiarrhéique. Demandez conseil à votre pharmacien et à votre médecin (certains médicaments ne peuvent être délivrés sans ordonnance). La déshydratation est le danger principal lié à toute diarrhée, particulièrement chez les enfants. Ainsi le premier traitement consiste à boire beaucoup. Quand vous irez mieux, continuez à manger légèrement. Les antibiotiques peuvent être utiles dans le traitement de diarrhées très fortes, en particulier si elles sont accompagnées de nausées, de vomissements, de crampes d'estomac ou d'une fièvre légère. Trois jours de traitement sont généralement suffisants, et on constate normalement une amélioration dans les 24 heures. Toutefois, lorsque la diarrhée persiste au-delà de 48 heures ou s'il y a présence de sang dans les selles, il est préférable de consulter un médecin.

Dysenterie

Affection grave, due à des aliments ou de l'eau contaminés, la dysenterie se manifeste par une violente diarrhée, souvent accompagnée de sang ou de mucus dans les selles. On distingue deux types de dysenterie : la dysenterie bacillaire se caractérise par une forte fièvre et une évolution rapide ; maux de tête et d'estomac, vomissements en sont les symptômes. Elle dure rarement plus d'une semaine mais elle est très contagieuse. La dysenterie amibienne, quant à elle, évolue plus graduellement, sans fièvre ni vomissements, mais elle est plus grave. Elle dure tant qu'elle n'est pas traitée, peut réapparaître et causer des problèmes de santé à long terme. Une analyse des selles est indispensable pour diagnostiquer le type de dysenterie. Il faut donc consulter rapidement.

UNE BANANE PAR JOUR...

Si votre alimentation est pauvre en qualité ou en quantité, si vous voyagez à la dure en sautant des repas ou si vous perdez simplement l'appétit, votre santé risque très vite de s'en ressentir, en même temps que vous perdrez du poids.

Assurez-vous que votre régime est équilibré. Œufs, tofu, légumes secs, lentilles et noix variées fournissent des protéines. Les fruits que l'on peut éplucher (bananes, oranges et mandarines, par exemple), sont généralement sans danger et apportent des vitamines. Mieux vaut éviter les melons, qui peuvent contenir des bactéries. Essayez de manger des céréales (notamment du riz) et du pain en abondance. Bien que la nourriture présente moins de risques quand elle est bien cuite, n'oubliez pas que les plats trop cuits perdent leur valeur nutritionnelle. Si votre alimentation est mal équilibrée ou insuffisante, prenez des vitamines et des comprimés à base de fer.

Sous un climat chaud, n'attendez pas d'avoir soif pour boire. Une urine peu abondante et très foncée ou l'absence d'envie d'uriner sont un signe de danger. Pour de longues sorties, munissez-vous toujours d'une bouteille d'eau. Vous trouverez ci-dessous des informations sur l'épuisement dû à la chaleur.

Encéphalite B japonaise

Il y a quelques années, cette maladie virale était pratiquement inconnue. Elle a été longtemps endémique en Asie tropicale (ainsi qu'en Chine, en Corée et au Japon), et de récentes épidémies ont éclaté pendant la saison des pluies en Thaïlande du Nord et au Vietnam. Un moustique nocturne (le *Culex*) est responsable de sa transmission, surtout dans les zones rurales près des élevages de cochons ou des rizières, car les porcs et certains oiseaux nichant dans les rizières servent de réservoirs au virus.

Symptômes : fièvre soudaine, frissons et maux de tête, suivis de vomissements et de délire, aversion marquée pour la lumière vive et douleurs aux articulations et aux muscles. Les cas les plus graves provoquent des convulsions et un coma. Chez la plupart des individus qui contractent le virus, aucun symptôme n'apparaît.

Les personnes les plus en danger sont celles qui doivent passer de longues périodes en zone rurale pendant la saison des pluies (de juillet à octobre). Si c'est votre cas, il faudra peut-être vous faire vacciner.

Fièvre jaune

La fièvre jaune est une maladie infectieuse grave transmise par des moustiques vivant dans des régions boisées. Elle est endémique dans certaines régions d'Afrique et d'Amérique du Sud. Les premiers symptômes ressemblent à ceux de la grippe, tels que fièvre, frissons, maux de tête, douleurs musculaires, douleurs dorsales, perte d'appétit, nausées ou vomissements. Généralement, ces symptômes régressent au bout de quelques jours. Cependant, environ une personne sur six entre dans une deuxième phase, caractérisée par une fièvre récurrente, des vomissements, de l'apathie, une jaunisse, une défaillance rénale et des hémorragies pouvant entraîner la mort dans la moitié des cas. Il n'existe aucun traitement sinon symptomatique.

Le vaccin contre la fièvre jaune ne peut être effectué que dans des centres spécialisés, autorisés à valider le Certificat de vaccination International (livret jaune). La vaccination doit être pratiquée au moins dix jours avant toute exposition potentielle au virus de la fièvre jaune. Elle assure une protection durant une dizaine d'années. Les réactions provoquées par le vaccin restent généralement légères : maux de tête, douleurs musculaires, petite fièvre ou gêne à l'endroit de l'injection. Des réactions graves demeurent extrêmement rares. Aussi est-il vivement conseillé de se faire vacciner. Consultez également plus haut l'encadré sur les vaccinations.

Les mesures de protection contre les piqûres de moustiques jouent un rôle essentiel dans la prévention de la fièvre jaune.

Filarioses

Ce sont des maladies parasitaires transmises par des piqûres d'insectes. Les symptômes varient en fonction de la filaire concernée : fièvre, ganglions et inflammation des zones de drainage lymphatique ; œdème (gonflement) au niveau d'un membre ou du visage ; démangeaisons et troubles visuels. Un traitement permet de se débarrasser des parasites, mais certains dommages causés sont parfois irréversibles. Si vous soupçonnez une possible infection, il vous faut rapidement consulter un médecin.

Giardiase

Ce parasite intestinal est présent dans l'eau souillée ou dans les aliments souillés par l'eau. Symptômes : crampes d'estomac, nausées, estomac ballonné, selles très liquides et nauséabondes, et gaz fréquents. La giardiase peut n'apparaître que plusieurs semaines après la contamination. Les symptômes peuvent disparaître pendant quelques jours puis réapparaître, et ceci pendant plusieurs semaines.

Grippe aviaire

L'épidémie de grippe aviaire a fait quelques victimes humaines au Vietnam, en Thaïlande et au Cambodge. Si l'OMS ne déconseille pas d'effectuer un voyage en Asie du Sud-Est, elle recommande toutefois d'éviter tout contact avec les volailles et les oiseaux (restez à distance des cages de volatiles sur les marchés, dans les élevages et les poulaillers) et de se laver régulièrement les mains.

Le virus se transmet par voie respiratoire, soit directement en côtoyant les animaux ou en touchant leurs matières fécales, soit indirectement, en ingérant de la nourriture ou de l'eau contaminée par exemple.

Symptômes : la maladie se traduit par l'apparition d'une fièvre supérieure à 38°C,

LENTILLES DE CONTACT DÉCONSEILLÉES

Le Cambodge est un pays extrêmement poussiéreux, ce qui peut provoquer de fortes irritations chez les porteurs de lentilles. Vous pourrez les garder si vous vous déplacez en voiture mais pensez à les ôter lors de trajets à moto ou en pick-up. Emportez une paire de lunettes.

de maux de gorge, de douleurs musculaires et de troubles respiratoires accompagnés de toux.

Hépatites

L'hépatite est un terme général qui désigne une inflammation du foie. Elle est le plus souvent due à un virus. Dans les formes les plus discrètes, le patient n'a aucun symptôme. Les formes les plus habituelles se manifestent par une fièvre, une fatigue qui peut être intense, des douleurs abdominales, des nausées, des vomissements, associés à la présence d'urines très foncées et de selles décolorées presque blanches. La peau et le blanc des yeux prennent une teinte jaune (ictère). L'hépatite peut parfois se résumer à un simple épisode de fatigue sur quelques jours ou quelques semaines.

Hépatite A C'est la plus répandue et la contamination est alimentaire. Il n'y a pas de traitement médical ; il faut simplement se reposer, boire beaucoup, manger légèrement en évitant les graisses et s'abstenir totalement de toute boisson alcoolisée pendant au moins six mois. L'hépatite A se transmet par l'eau, les coquillages et, d'une manière générale, tous les produits manipulés à mains nues. En faisant attention à la nourriture et à la boisson, vous préviendrez le virus. Malgré tout, s'il existe un fort risque d'exposition, il vaut mieux se faire vacciner.

Hépatite B Elle est très répandue, puisqu'il existe environ 300 millions de porteurs chroniques dans le monde. Elle se transmet par voie sexuelle ou sanguine (piqûre, transfusion). Évitez de vous faire percer les oreilles, tatouer, raser ou de vous faire soigner par piqûres si vous avez des doutes quant à l'hygiène des lieux. Les symptômes de l'hépatite B sont les mêmes que ceux de l'hépatite A mais, dans un faible pourcentage de cas, elle peut évoluer vers des formes chroniques dont, dans des cas extrêmes, le cancer du foie. La vaccination est très efficace.

Hépatite C Ce virus se transmet par voie sanguine (transfusion ou utilisation de seringues usagées) et semble donner assez souvent des hépatites chroniques. La seule prévention est d'éviter tout contact sanguin, car il n'existe pour le moment aucun vaccin contre cette hépatite.

Maladie de Lyme

Identifiée en 1975, cette maladie est due à une bactérie appelée *Borrélia* transmise par des morsures de tiques.

Aujourd'hui encore, elle n'est pas toujours diagnostiquée, car elle peut présenter des symptômes très divers. Consultez un médecin si, dans les 30 jours qui suivent la piqûre, vous observez une petite bosse rouge entourée d'une zone enflammée. À ce stade, les antibiotiques constitueront un traitement simple et efficace. Certains symptômes ultérieurs peuvent se produire, comme par exemple une sorte d'arthrite gagnant les genoux.

Le meilleur moyen d'éviter ce type de complications est de prendre ses précautions lorsque vous traversez des zones forestières. Emmitouflez-vous le plus possible dans vos vêtements, utilisez un produit répulsif contenant un diéthyltoluamide, ou un substitut plus léger pour vos enfants. À la fin de chaque journée, vérifiez que ni vous, ni vos enfants, ni votre animal familier n'avez attrapé de tiques. La plupart des tiques ne sont pas porteuses de la bactérie.

MST

L'herpès, les condylomes vénériens (verrues), la syphilis, la blennoragie et les infections à *chlamydiae* sont des maladies sexuellement transmissibles (MST). Les personnes contaminées peuvent ne pas avoir de symptômes. Les préservatifs peuvent prévenir la blennoragie et les infections à *chlamydiae*, mais ils ne protègent pas des verrues et de l'herpès. Si après un rapport sexuel, vous souffrez d'éruptions, de cloques, de pertes anormales ou de douleurs lors de la miction, prenez immédiatement rendez-vous chez le médecin. Si vous avez eu des relations pendant votre voyage, faites un bilan à votre retour.

L'utilisation de préservatifs est le moyen le plus efficace pour se protéger des MST. On trouve des préservatifs de bonne qualité dans toutes les villes cambodgiennes.

Opisthorchiose

Cette maladie parasitaire se contracte en consommant des poissons d'eau douce, crus ou insuffisamment cuits.

Le risque d'attraper cette maladie reste toutefois assez faible. L'intensité des symptômes dépend du nombre de parasites ayant pénétré dans l'organisme. À des niveaux faibles, on ne remarque pratiquement rien. Quand la contamination est importante, on souffre d'une fatigue générale, d'une fièvre légère, d'un gonflement ou d'une sensibilité du foie ou de douleurs abdominales générales. En cas de doute, il faut faire analyser ses selles par un médecin compétent.

Paludisme

Le paludisme, ou malaria, est transmis par un moustique, l'anophèle, dont la femelle pique surtout la nuit, entre le coucher et le lever du soleil.

La transmission du paludisme a disparu en zone tempérée, régressé en zone subtropicale mais reste incontrôlée en zone tropicale. D'après le dernier rapport de l'Organisation mondiale de la Santé (OMS), 90% du paludisme mondial sévit en Afrique.

Le paludisme survient généralement dans le mois suivant le retour de la zone d'endémie. Symptômes : maux de tête, fièvre et troubles digestifs. Non traité, il peut avoir des suites graves, parfois mortelles. Il existe différentes espèces de paludisme, dont celui à *Plasmodium falciparum* pour lequel le traitement devient de plus en plus difficile à mesure que la résistance du parasite aux médicaments gagne en intensité.

Les médicaments antipaludéens n'empêchent pas la contamination mais ils suppriment les symptômes de la maladie. Si vous voyagez dans des régions où la maladie est endémique, il faut absolument suivre un traitement préventif. La chimioprophylaxie fait le plus souvent appel à la chloroquine (seule ou associée au Proguanil), ou à la méfloquine en fonction de la zone géographique du séjour, mais d'autres produits sont utilisables. Renseignez-vous impérativement auprès d'un médecin spécialisé, car le traitement n'est pas toujours le même à l'intérieur d'un même pays.

Tout voyageur atteint de fièvre ou montrant les symptômes de la grippe doit se faire examiner. Il suffit d'une analyse de sang pour établir le diagnostic. Contrairement à certaines croyances, une crise de paludisme ne signifie pas que l'on est touché à vie.

Phnom Penh, Siem Reap et la plupart des grandes villes cambodgiennes ne sont pas touchées par le paludisme ; un traitement préventif est donc inutile pour un court séjour dans les centres touristiques. Des tests de dépistage sont en vente un peu partout dans le pays mais ils manquent de fiabilité. Si vous comptez faire un séjour prolongé dans les campagnes cambodgiennes, procurez-vous un traitement qui vous évitera des complications en cas d'urgence. Vous trouverez facilement des antipaludéens bon marché dans le pays mais pour être certain qu'il ne s'agit pas de contrefaçons, adressez-vous de préférence à un centre de soins.

Si vous vous rendez dans des régions isolées, emportez un traitement antipaludéen au cas où des symptômes apparaîtraient. On peut acheter dans toutes les pharmacies cambodgiennes un nouveau médicament du nom de Malarine, fourni et financé par l'Union européenne et l'OMS. Peu coûteux (7 900 r), il s'agit du traitement le plus efficace disponible à ce jour dans le pays. Renseignez-vous auprès d'un spécialiste sur le dosage nécessaire.

LA PRÉVENTION ANTIPALUDIQUE

La protection contre les piqûres de moustique est le premier moyen d'éviter d'être contaminé. Le soir, dès le coucher du soleil, couvrez vos bras et surtout vos chevilles, mettez de la crème antimoustiques, car les moustiques sont en pleine activité. Ils sont parfois attirés par le parfum ou l'après-rasage.

En dehors du port de vêtements longs, l'utilisation d'insecticides (diffuseurs électriques, bombes insecticides, tortillons fumigènes) ou de répulsifs sur les parties découvertes du corps est à recommander. La durée d'action de ces répulsifs est généralement de 3 à 6 heures. Les moustiquaires constituent en outre une protection efficace, à condition qu'elles soient imprégnées d'insecticide (non nocif pour l'homme). L'Organisation mondiale de la santé (OMS) préconise fortement ce mode de prévention. De plus, ces moustiquaires sont radicales contre tout insecte à sang froid (puces, punaises, etc.) et permettent d'éloigner serpents et scorpions.

Il existe désormais des moustiquaires imprégnées synthétiques très légères (environ 350 g) que l'on peut trouver en pharmacie. À titre indicatif, vous pouvez vous en procurer par correspondance auprès du Service médical international (SMI) 29, avenue de la Gare, Coignières, BP 125, 78312 Maurepas Cedex (☎01 30 05 05 40 ; fax 01 30 05 05 41).

Notez enfin que, d'une manière générale, le risque de contamination est plus élevé en zone rurale et pendant la saison des pluies.

Rage

Très répandue, cette maladie est transmise par un animal contaminé : chien, singe et chat principalement. Morsures, griffures ou même simples coups de langue d'un mammifère doivent être nettoyés immédiatement et à fond. Frottez avec du savon et de l'eau courante, puis nettoyez avec de l'alcool. S'il y a le moindre risque que l'animal soit contaminé, allez immédiatement voir un médecin. Même si l'animal n'est pas enragé, toutes les morsures doivent être surveillées de près pour éviter les risques d'infection et de tétanos. Un vaccin antirabique est désormais disponible. Il faut y songer si vous pensez explorer des grottes (les morsures de chauves-souris peuvent être dangereuses) ou travailler avec des animaux. Cependant, la vaccination préventive ne dispense pas de la nécessité d'un traitement antirabique immédiatement après un contact avec un animal enragé ou dont le comportement peut paraître suspect.

Tuberculose

Bien que très répandue dans de nombreux pays en développement, cette maladie ne présente pas de grand danger pour le voyageur. Les enfants de moins de 12 ans sont plus exposés que les adultes. Il est donc conseillé de les faire vacciner s'ils voyagent dans des régions où la maladie est endémique. La tuberculose se propage par la toux ou par des produits laitiers non pasteurisés faits avec du lait de vaches tuberculeuses. On peut boire du lait bouilli et manger yaourts ou fromages (l'acidification du lait dans le processus de fabrication élimine les bacilles) sans courir de risques.

Typhoïde

La fièvre typhoïde est une infection du tube digestif. Mieux vaut être vacciné, même si la vaccination n'est pas entièrement efficace. L'infection est particulièrement dangereuse.

Premiers symptômes : les mêmes que ceux d'un mauvais rhume ou d'une grippe, mal de tête et de gorge, fièvre qui augmente régulièrement pour atteindre 40°C ou plus. Le pouls est souvent lent par rapport à la température élevée et ralentit à mesure que la fièvre augmente. Ces symptômes peuvent être accompagnés de vomissements, de diarrhée ou de constipation.

La deuxième semaine, quelques petites taches roses peuvent apparaître sur le corps. Autres symptômes : tremblements, délire, faiblesse, perte de poids et déshydratation. S'il n'y a pas d'autres complications, la fièvre et les autres symptômes disparaissent peu à peu la troisième semaine. Cependant, un suivi médical est indispensable, car les complications sont fréquentes, en particulier la pneumonie (infection aiguë des poumons) et la péritonite (éclatement de l'appendice). De plus, la typhoïde est très contagieuse.

Mieux vaut garder le malade dans une pièce fraîche et veiller à ce qu'il ne se déshydrate pas.

Typhus et Rickettsioses

Les rickettsioses sont des maladies transmises soit par des acariens (dont les tiques), soit par des poux. La plus connue est le typhus. Elle commence comme un mauvais rhume, suivi de fièvre, de frissons, de migraines, de douleurs musculaires et d'une éruption cutanée. Une plaie douloureuse se forme autour de la piqûre et les ganglions lymphatiques voisins sont enflés et douloureux.

Le typhus transmis par les tiques menace les randonneurs en Afrique australe qui risquent d'attraper les tiques du bétail et des animaux sauvages.

Le typhus des broussailles est transmis par des acariens. On le rencontre principalement en Asie et dans les îles du Pacifique. Soyez prudent si vous faites de la randonnée dans des zones rurales d'Asie du Sud-Est.

Vers

Ces parasites sont présents principalement dans les zones rurales du Cambodge. On les trouve dans les légumes non lavés ou la viande trop peu cuite. Ils se logent également sous la peau quand on marche pieds nus (ankylostome). Souvent, l'infection ne se déclare qu'au bout de plusieurs semaines. Bien que bénigne en général, elle doit être traitée sous peine de complications sérieuses. Une analyse des selles est nécessaire.

VIH/sida

L'infection à VIH (virus de l'immunodéficience humaine), agent causal du sida (syndrome d'immunodéficience acquise) est présente dans pratiquement tous les pays et épidémique dans nombre d'entre eux. La transmission de cette infection se fait : par rapport sexuel (hétérosexuel ou homosexuel – anal, vaginal ou oral), d'où l'impérieuse nécessité d'utiliser des préservatifs à titre préventif ; par le sang, les produits sanguins et les aiguilles contaminées. Il est impossible de détecter la présence du VIH chez un individu apparemment en parfaite santé sans procéder à un examen sanguin.

Il faut éviter tout échange d'aiguilles. S'ils ne sont pas stérilisés, tous les instruments de chirurgie, les aiguilles d'acupuncture et de tatouage, les instruments utilisés pour percer les oreilles ou le nez peuvent transmettre l'infection. Il est fortement conseillé d'acheter seringues et aiguilles avant de partir.

Toute demande de certificat attestant la séronégativité pour le VIH (certificat d'absence de sida) est contraire au Règlement sanitaire international (article 81).

Selon l'OMS, les prostituées présentent le taux d'infection le plus élevé de la population cambodgienne : plus de 40% d'entre elles étaient séropositives en 1996 contre 10% en 1992. Les militaires forment un autre groupe très atteint par la maladie.

SANTÉ AU FÉMININ

Grossesse

La plupart des fausses couches ont lieu pendant les trois premiers mois de la grossesse. C'est donc la période la plus risquée pour voyager. Pendant les trois derniers mois, il vaut mieux rester à distance raisonnable de bonnes infrastructures médicales, en cas de problèmes. Les femmes enceintes doivent éviter de prendre inutilement des médicaments. Cependant, certains vaccins et traitements préventifs contre le paludisme restent nécessaires. Mieux vaut consulter un médecin avant de prendre quoi que ce soit.

Pensez à consommer des produits locaux, comme les fruits secs, les agrumes, les lentilles et les viandes accompagnées de légumes.

Problèmes gynécologiques

Une nourriture pauvre, une résistance amoindrie par l'utilisation d'antibiotiques contre des problèmes intestinaux peuvent favoriser les infections vaginales lorsqu'on voyage dans des pays à climat chaud. Respectez une hygiène intime scrupuleuse, et portez jupes ou pantalons amples et sous-vêtements en coton.

Les champignons, caractérisés par une éruption cutanée, des démangeaisons et des pertes, peuvent se soigner facilement. En revanche, les trichomonas sont plus graves ; pertes blanches et sensation de brûlure lors de la miction en sont les symptômes. Le partenaire masculin doit également être soigné.

Il n'est pas rare que le cycle menstruel soit perturbé lors d'un voyage.

Langue

SOMMAIRE

Le khmer, ou cambodgien, est parlé par quelque neuf millions de personnes au Cambodge et compris dans de nombreux pays frontaliers. L'alphabet repose sur le brahmi, ancienne écriture du sud de l'Inde. Le khmer est considéré comme l'une des langues les plus anciennes du Sud-Est asiatique, certaines inscriptions remontant au VIIe siècle. Bien qu'indépendant et distinct du thaï, du lao et du birman, le khmer partage avec eux des racines communes provenant du sanscrit et du pali – héritage de plusieurs siècles de synergie linguistique et culturelle, et d'une même croyance dans le bouddhisme Theravada. Plus récemment, la colonisation a introduit de nombreux mots français dans la langue khmère, principalement des termes médicaux et techniques.

À la différence des langues voisines, le khmer n'est pas une langue tonale : les tons ne modifient pas la signification des mots. Quel soulagement pour les voyageurs qui ont vu leurs efforts pour s'exprimer en thaï, en vietnamien ou en lao mal récompensés ! Mais qu'ils ne se réjouissent pas trop vite : la complexité de la prononciation compense largement l'absence de tons. Le khmer compte 33 consonnes, souvent combinées en paires, et quelque 24 voyelles et diphtongues. Pour compliquer le tout, le système de translittération, hérité de la colonisation française, a été établi un peu au hasard.

La grammaire est en revanche très simple : absence de conjugaison des verbes et de déclinaisons, de singulier ou de pluriel, de féminin ou de masculin. Quelques mots supplémentaires suffisent à transposer une phrase au présent, au passé ou au futur.

Dans tous les cas, quelques mots de khmer, même approximatifs, pourront servir de sésame. Les Cambodgiens sont très sensibles aux étrangers qui font l'effort d'apprendre leur langue. Ils vous aideront, même si vous faites piètre figure. Au fur et à mesure de vos progrès, vous gagnerez en estime : les gens viendront vous féliciter, le prix d'une course à moto-dop ou celui des marchandises au marché chuteront et vous vous ferez même des amis.

Si l'anglais tend à devenir la première langue étrangère parlée au Cambodge, les Khmers s'accrochent farouchement à la prononciation française de l'alphabet romain et de la plupart des mots étrangers, ce qui représente un avantage pour les francophones. Ceux-ci communiqueront aisément avec les personnes âgées, la plupart des Khmers éduqués ayant appris le français à l'école. De nombreux objets domestiques, notamment ceux apportés par les colons, comme robinet ou ampoule, ont conservé leur appellation française.

Disponible en version livre et cassettes, le *Guide de conversation français-khmer* des éditions You Feng (☎ 01 43 25 89 98, 45, rue Monsieur-le-Prince, 75006 Paris ou www.you-feng.com, achat en ligne possible) pourra constituer une bonne introduction à l'apprentissage de la langue khmère.

Dialectes

Bien que le khmer, tel qu'il est parlé à Phnom Penh, soit généralement compris dans l'ensemble du pays, les régions usent de dialectes distincts. Ainsi, les habitants de la province de Takeo tendent à modifier ou à glisser allégrement sur les combinaisons de consonnes/voyelles qui comportent un "r" : *bram* ("cinq") devient ainsi *be-am*, *sraa* ("alcool") donne *se-aa*, et *baraang* ("Français" ou "étranger") est prononcé *be-ang*. À Siem Reap, les voyageurs à l'ouïe fine noteront des intonations spécifiquement lao. Certaines voyelles sont altérées, par exemple dans *poan* (millier), qui devient *peuan*, et dans *kh'sia* (pipe), prononcé *kh'seua*.

TRANSLITTÉRATION

La translittération utilisée dans cette rubrique ne vise pas l'exactitude linguistique, mais l'efficacité de la communication. Cependant, certaines voyelles khmères n'ont aucun équivalent phonétique en français et les transcriptions proposées restent approximatives. Dans d'autres cas, les mots sont écrits tels qu'ils se prononcent, avec des voyelles qui ne sont pas toujours celles réellement employées. L'orthographe khmère a été conservée tout au long de ce guide pour la transcription des noms de lieux.

PRONONCIATION

Les explications phonétiques ci-dessous constituent la partie la plus complexe du système de translittération. Elles sont basées sur l'alphabet romain, afin de proposer un équivalent le plus proche possible des sons khmers. Pour améliorer votre prononciation, la meilleure solution reste encore d'écouter attentivement les Khmers parler.

Voyelles

Les voyelles ou les diphtongues suivies d'un h sont aspirées.

aa comme "a" dans "sac"
i comme "i" dans "lit"
uh entre le "a" et le "eu"
ii comme un "i" long
ei une combinaison de **uh** et **ii** comme indiqués ci-dessus
eu comme "eu" dans "peuple"
euh comme **eu** ci-dessus, mais court et dur
oh comme "au" dans "saule", mais court et dur
ow comme le **oh** précédent, mais plus long
u comme "ou" dans "soupe", mais court et dur
uu comme un "ou" long
ua comme un "ou" long et ouvert à la fin
uah comme **ua** ci-dessus, mais court et dur
aa-œ combinaison difficile car elle n'a pas d'équivalent en français ; se prononce comme une combinaison de **aa** et **œ** ; située entre deux consonnes, elle se prononce souvent comme "ao"
œ comme "eu" dans "heure", mais plus ouvert
eua combinaison de **eu** et **a**
ia comme "illet" dans "feuillet"
e comme "ai" dans "vrai"
ai comme dans "ail"
ae comme "a" dans "plat"
ay comme dans **ai** ci-dessus, mais légèrement plus nasal
ey comme "ei" dans "oseille"
ao comme "ao" dans "taoïsme"
av pas d'équivalent en français ; prononcer comme un **ao** très nasal ; le "v" final ne s'entend pas
euv pas d'équivalent ; comme un **eu** très nasal ; le "v" final ne s'entend pas
ohm comme "eaum" dans "heaume"
am comme "eum" dans "heum"
oam combinaison de "o" et **am**, soit "o-eum"
a, ah plus court et plus dur que le **aa** ci-dessus
eah combinaison de **e** et **ah**, soit "ai-a" prononcée de manière courte et dure
ih comme "i" dans "scie", mais court et dur
eh comme "ai" dans "vrai", mais court et dur
awh comme "o" dans "sol", court et dur
oah combinaison de "o" et **ah**, court et dur
aw comme "o" dans "sol"

Consonnes

Le khmer possède certaines combinaisons de consonnes qui paraîtront étranges aux oreilles d'un Occidental et lui seront difficiles à prononcer. C'est le cas de "j-r" dans *j'rook* ("cochon") ou de "ch-ng" dans *ch'ngain* ("délicieux "). Afin d'en faciliter la prononciation, nous avons séparé, dans le lexique qui suit, ces consonnes par une apostrophe.

k comme "g" dans "garde"
kh comme "k" dans "kaki"
ng comme "ng" dans l'onomatopée "bing" ; un son difficile à prononcer pour les Occidentaux, qui devront s'entraîner en répétant "nging-nging-

nging" jusqu'à ce que l'on entende distinctement la combinaison de consonnes

j comme "dj" dans "Djibouti"
ch comme "tch" dans "tchèque"
ny proche du "ny" de "canyon"
t un son "t" dur, non aspiré, qui n'a pas d'équivalent en français, proche du premier "t" de "station"
th comme "t" dans "touriste" (rien à voir avec le "th" anglais de "thanks")
p un son "p" dur, non aspiré
ph comme "p" dans "panier" (rien à voir avec le "ph" de "photo")
r comme le "r" français, mais dur et roulé ; la langue vient claquer contre le palais. Dans le flot d'une conversation, ce son est souvent éludé.
w comme "w" dans "Web" ; le son "v" français n'a pas d'équivalent en khmer.

ACHATS ET SERVICES

Où puis-je trouver un/une ...
... neuv ai naa ? ... នៅឯណា?

ambassade
s'thaantuut ស្ថានទូត
banque
th'niakia ធនាគារ
bureau de poste
praisuhnii ប្រៃសណីយ
cinéma
rowng kohn រោងកុន
consulat
kohng sul កុងស៊ុល
hôpital
mohntii paet មន្ទីរពេទ្យ
marché
p'saa ផ្សារ
musée
saramohntii សារមន្ទី
parc
suan សួន
poste de police
poh polih/ ប៉ុស្តិ៍ប៉ូលីស/
s'thaanii nohkohbaal ស្ថានីយនគរបាល
téléphone public
turasahp saathiaranah ទូរស័ព្ទសាធារណៈ
temple
wawt វត្ត

toilettes publiques
bawngkohn saathiaranah បង្គន់សាធារណៈ

À quelle distance se trouve le/la ... ?
... ch'ngaay pohnmaan ? ... ឆ្ងាយប៉ុន្មាន?
Je voudrais voir le/la...
kh'nyohm jawng teuv mœl... ខ្ញុំចង់ទៅមើល ...
Je cherche le/la...
kh'nyohm rohk... ខ្ញុំរក ...
Combien cela coûte-t-il ?
nih th'lay pohnmaan ? នេះថ្លៃប៉ុន្មាន?
C'est trop cher
th'lay pek ថ្លៃពេក
Je vous en donne ...
kh'nyohm ao-y... ខ្ញុំឱ្យ ...
Pas plus de...
muhn lœh pii... មិនលើសពី ...
Quel est votre meilleur prix ?
niak dait pohnmaan ? អ្នកដាច់ប៉ុន្មាន?
Quelle est l'heure d'ouverture ?
wia baok maong pohnmaan ?
វាបើកម៉ោងប៉ុន្មាន?
Quelle est l'heure de fermeture ?
wia buht maong pohnmaan ?
វាបិតម៉ោងប៉ុន្មាន?
Je voudrais changer des dollars US
kh'nyohm jawng dow dolaa
ខ្ញុំចង់ដូរដុល្លាអាមេរិក
Quel est le taux de change pour les dollars US ?
muy dolaa dow baan pohnmaan ?
មួយដុល្លាដូរបានប៉ុន្មាន?

CONVERSATION ET EXPRESSIONS USUELLES

Titres et formules de politesse

La langue khmère reflète le statut social des interlocuteurs par un jeu de pronoms personnels et de formules de politesse variés. Ces nuances vont de la simple distinction entre *baat* pour les hommes et *jaa* réservé aux femmes qui, placés en bout de phrase, signifient "oui" ou "je suis d'accord", à l'utilisation du *reachasahp* ("langue royale"), un vocabulaire protocolaire et archaïque, exclusivement destiné au roi et aux très hauts dignitaires. Le choix du pronom est souvent conditionné par l'âge et le sexe de l'interlocuteur. Les étrangers ne sont pas censés connaître toutes ces subtilités. Retenez simplement que *niak* (tu/vous) est le pronom personnel le plus usité, indépendamment du contexte et du sexe de la personne. Pour vous adresser à des personnes de votre âge ou plus âgées, vous utiliserez *lowk* (monsieur) pour les hommes et *bawng srei* (grande soeur) ou, de manière plus formelle, *lowk srei* (madame) pour les femmes. *Bawng* est un pronom neutre et informel bien commode pour s'adresser aux personnes qui sont (ou semblent être) plus âgées que vous. Pour parler d'un tiers, homme ou femme, la forme la plus respectueuse est *koat* et la plus courante *ke*.

Bonjour
johm riab sua/sua s'dei ជំរាបសួរ/សួស្ដី
Au revoir
lia suhn hao-y លាសិនហើយ
À bientôt
juab kh'nia th'ngay krao-y ជួបគ្នាថ្ងៃក្រោយ
Oui
baat បាទ
(par un homme)
jaa ចាស
(par une femme)
Non
te ទេ
S'il vous plaît
sohm សូម
Merci
aw kohn អរគុណ
De rien (je vous en prie)
awt ei te/sohm anjœ-in អត់អីទេ/សូមអញ្ជើញ
Excusez-moi/je suis désolé
sohm toh សុំទោស
Pardon ? (Pouvez-vous répéter ?)
niak niyey thaa mait ? អ្នកនិយាយថាមេច?
Bonjour, comment allez-vous ?
niak sohk sabaay te ? អ្នកសុខសប្បាយទេ?
Je vais bien
kh'nyohm sohk sabaay ខ្ញុំសុខសប្បាយ
Où allez-vous ?
niak teuv naa ? អ្នកទៅណា?

(NB : c'est une question courante quand on rencontre quelqu'un, même un étranger, et qui n'implique pas une réponse précise.)

Comment vous appelez-vous ?
niak ch'muah ei ? អ្នកឈ្មោះអី?
Je m'appelle ...
kh'nyohm ch'muah... ខ្ញុំឈ្មោះ ...
De quel pays venez-vous ?
niak mao pii prateh naa ? អ្នកមកពីប្រទេសណា?
Je viens de ...
kh'nyohm mao pii... ខ្ញុំមកពី ...
Je réside à/au...
kh'nyohm snahk neuv... ខ្ញុំស្នាក់នៅ ...
Puis-je vous prendre en photo ?
kh'nyohm aa-it thawt ruup niak baan te ? ខ្ញុំអាចថតរូបអ្នកបានទេ?

DATE ET HEURE

Quelle heure est-il ?
eileuv nih maong pohnmaan?
ឥឡូវនេះម៉ោងប៉ុន្មាន?

le matin
pel pruhk ពេលព្រឹក
l'après-midi
pel r'sial ពេលរសៀល
le soir
pel l'ngiat ពេលល្ងាច
la nuit
pel yohp ពេលយប់
aujourd'hui
th'ngay nih ថ្ងៃនេះ
demain
th'ngay s'aik ថ្ងៃស្អែក
hier
m'suhl mein ម្សិលមិញ

lundi
th'ngay jahn ថ្ងៃចន្ទ
mardi
th'ngay ahngkia ថ្ងៃអង្គារ
mercredi
th'ngay poht ថ្ងៃពុធ
jeudi
th'ngay prohoah ថ្ងៃព្រហស្បតិ៍
vendredi
th'ngay sohk ថ្ងៃសុក្រ
samedi
th'ngay sav ថ្ងៃសៅរ៍
dimanche
th'ngay aatuht ថ្ងៃអាទិត្យ

DIFFICULTÉS LINGUISTIQUES

Est-ce que quelqu'un parle anglais ?
tii nih mian niak jeh phiasaa awngle te ?
ទីនេះមានអ្នកចេះភាសាអង់គ្លេសទេ?

Vous me comprenez ?
niak yuhl te/niak s'dap baan te ?
អ្នកយល់ទេ/អ្នកស្ដាប់បានទេ?
Je comprends
kh'nyohm yuhl/kh'nyohm s'dap baan
ខ្ញុំយល់/ខ្ញុំស្ដាប់បាន

Je ne comprends pas
kh'nyohm muhn yuhl te/kh'nyohm s'dap muhn baan te
ខ្ញុំមិនយល់ទេ/ខ្ញុំស្តាប់មិនបានទេ

Qu'est-ce que cela signifie ?
nih mian nuh-y thaa mait ?
នេះមានន័យថាមេ១ច?

Comment s'appelle ceci ?
nih ke hav thaa mait ?
នេះគេហៅថាមេ១ច?

Parlez lentement s'il vous plaît.
sohm niyay yeut yeut
សូមនិយាយយឺតៗ

Pouvez-vous écrire ce mot s'il vous plaît ?
sohm sawse piak nu ao-y kh'nyohm
សូមសរសេរពាក្យនោះឱ្យខ្ញុំ

Pouvez-vous traduire s'il vous plaît ?
sohm bawk brai ao-y kh'nyohm
សូមបកប្រែឱ្យខ្ញុំ

DIRECTIONS

Comment puis-je me rendre à ... ?
phleuv naa teuv..? — ផ្លូវណាទៅ ...?

Est-ce loin ?
wia neuv ch'ngaay te? — វានៅឆ្ងាយទេ?

Est-ce près ?
wia neuv juht te? — វានៅជិតទេ?

Est-ce près d'ici ?
wia neuv juht nih te? — វានៅជិតនេះទេ?

Allez tout droit
teuv trawng — ទៅត្រង់

Tournez à gauche
bawt ch'weng — បត់ឆ្វេង

Tournez à droite
bawt s'dam — បត់ស្តាំ

à l'angle
neuv kait j'rohng — នៅកាច់ជ្រុង

devant
neuv khaang mohk — នៅខាងមុខ

à côté de
neuv joab — នៅជាប់

derrière
neuv khaang krao-y — នៅខាងក្រោយ

en face de
neuv tohl mohk — នៅទល់មុខ

nord
khaang jœng — ខាងជើង

sud
khaang d'bowng — ខាងត្បូង

est
khaang kaot — ខាងកើត

ouest
khaang leit — ខាងលិច

HÉBERGEMENT

Où puis-je trouver un hôtel (bon marché) ?
sahnthaakia/ohtail (thaok) neuv ai naa ?
សណ្ឋាគារ/អូតែល(ថោក)នៅឯណា?

J'ai déjà trouvé un hôtel
kh'nyohm mian ohtail hao-y
ខ្ញុំមានអូតែលហើយ

Je loge au ...
kh'nyohm snahk neuv...
ខ្ញុំស្នាក់នៅ ...

Pouvez-vous écrire l'adresse, s'il vous plaît ?
sohm sawse aasayathaan ao-y kh'nyohm baan te ?
សូមសរសេរអាសយដ្ឋានឱ្យខ្ញុំ

Je voudrais une chambre ...
kh'nyohm sohm bantohp mouy… — ខ្ញុំសុំបន្ទប់
...ារៈមេ រមោរស្តុេ ចិី

pour une personne
samruhp muy niak — សំរាប់មួយនាក់

pour deux personnes
samruhp pii niak — សំរាប់ពីរនាក់

avec une salle de bains
dail mian bantohp tuhk — ដែលមានបន្ទប់ទឹក

avec un ventilateur
dail mian dawnghahl — ដែលមានកង្ហារ

avec une fenêtre
dail mian bawng-uit — ដែលមានបង្អួច

Je vais rester ici ...
kh'nyohm nuhng snahk tii nih...
ខ្ញុំនឹងស្នាក់ទីនេះ ...

un jour
muy th'ngay — មួយថ្ងៃ

une semaine
muy aatuht — មួយអាទិត្យ

Avez-vous une chambre libre ?
niak mian bantohp tohmne te ?
អ្នកមានបន្ទប់ទំនេរទេ?

Quel est le tarif pour une nuit ?
damlay muy th'ngay pohnmaan ?
តំលៃមួយថ្ងៃប៉ុន្មាន?

Le petit déjeuner est-il compris ?
damlay bantohp khuht teang m'hohp pel pruhk reu ?
តំលៃបន្ទប់គិតទាំងម្ហូបពេលព្រឹកឬ?

LANGUE

Puis-je voir la chambre ?
kh'nyohm aa-it mœl bantohp baan te ?
ខ្ញុំអាចមើលបន្ទប់បានទេ?

Je n'aime pas cette chambre
kh'nyohm muhn johl juht bantohp nih te
ខ្ញុំមិនចូលចិត្តបន្ទប់នេះទេ

Avez-vous une meilleure chambre ?
niak mian bantohp l'aw jiang nih te ?
អ្នកមានបន្ទប់ល្អជាងនេះទេ?

Je prends cette chambre
kh'nyohm yohk bantohp nih
ខ្ញុំយកបន្ទប់នេះ១៥

Puis-je laisser mes affaires ici jusqu'à … ?
kh'nyohm aa-it ph'nyaa-œ tohk eiwuhn r'bawh kh'nyohm neuv tii nih dawl… baan te ?
ខ្ញុំអាចផ្ញើអីវ៉ាន់របស់ខ្ញុំនៅទីនេះដល់ ... បានទេ?

cet après-midi
l'ngiak nih ល្ងាចនេះ
ce soir
yohp nih យប់នេះ

NOMBRES ET QUANTITÉS

Les Khmers comptent en base cinq. Une fois arrivé à cinq *(bram)*, on continue à compter en accolant un, deux… au chiffre cinq – par exemple "cinq-un" *(bram muy)*, "cinq-deux" *(bram pii)*, etc. – jusqu'à 10, où un nouveau cycle commence. Ce système paraît compliqué au premier abord (18, par exemple, se décompose en trois parties : dix, cinq et trois), mais s'acquiert rapidement avec la pratique.

Vous risquez aussi d'être troublé par la façon assez répandue de compter des Khmers, qui consiste à inverser l'ordre des termes pour les nombres compris entre 10 et 20 et à séparer ces termes par *duhn* : *pii duhn dawp* pour 12, *bei duhn dawp* pour 13, *bram buan duhn dawp* pour 19, etc. Cette manière de compter est couramment utilisée sur les marchés ; soyez attentif.

1	*muy*	មួយ
2	*pii*	ពីរ
3	*bei*	បី
4	*buan*	បួន
5	*bram*	ប្រាំ
6	*bram muy*	ប្រាំមួយ
7	*bram pii/puhl*	ប្រាំពីរ
8	*bram bei*	ប្រាំបី
9	*bram buan*	ប្រាំបួន
10	*dawp*	ដប់
11	*dawp muy*	ដប់មួយ
12	*dawp pii*	ដប់ពីរ
16	*dawp bram muy*	ដប់ប្រាំមួយ
20	*m'phei*	ម្ភៃ
21	*m'phei muy*	ម្ភៃមួយ
30	*saamsuhp*	សាមសិប
40	*saisuhp*	សែសិប
100	*muy roy*	មួយរយ
1 000	*muy poan*	មួយពាន់
1 000 000	*muy lian*	មួយលាន
1er	*tii muy*	ទីមួយ
2e	*tii pii*	ទីពីរ
3e	*tii bei*	ទីបី
4e	*tii buan*	ទីបួន
10e	*tii dawp*	ទីដប់

SANTÉ

Où puis-je trouver un/une … ?
… neuv ai naa ? ... នៅឯណា?

dentiste
paet th'mein ពេទ្យធ្មេញ
médecin
kruu paet គ្រូពេទ្យ
hôpital
mohntrii paet មន្ទីរពេទ្យ
pharmacie
kuhnlaing luak th'nam/ ohsawt s'thaan កន្លែងលក់ថ្នាំ/ ឱសថស្ថាន

Je suis malade
kh'nyohm cheu ខ្ញុំឈឺ
J'ai mal à/au …
… r'bawh kh'nyohm cheu ... របស់ខ្ញុំឈឺ
J'ai la nausée
kh'nyohm jawng k'uat ខ្ញុំចង់ក្អួត
Je me sens faible
kh'nyohm awh kamlahng ខ្ញុំអស់កំលាំង
Je n'arrête pas de vomir
kh'nyohm k'uat j'raa-œn ខ្ញុំក្អួតច្រើន
J'ai des vertiges
kh'nyohm wuhl mohk ខ្ញុំវិលមុខ

Je suis allergique à/aux…
kh'nyohm muhn treuv thiat…
ខ្ញុំមិនត្រូវធាតុ ...
la pénicilline
penicillin ប៉េនីស៊ីលីន
antibiotiques
awntiibiowtik អង់ទីប៊ីយោទិក

J'ai besoin de médicaments contre …
kh'nyohm treuv kaa th'nam samruhp…
ខ្ញុំត្រូវការថ្នាំសំរាប់ ...

LANGUE

la diarrhée
rowk joh riak រោគចុះរាក
la dysenterie
rowk mual រោគមួល
la douleur
cheu ឈឺ
la fièvre
krohn/k'dav kh'luan គ្រុន/ក្តៅខ្លួន

URGENCES

À l'aide !
juay kh'nyohm phawng ! ជួយខ្ញុំផង!
C'est une urgence !
nih jia reuang bawntoan ! នេះជារឿងបន្ទាន់!
Appelez un médecin !
juay hav kruu paet mao ! ជួយហៅគ្រូពេទ្យមក!
Appelez la police !
juay hav polih mao ! ជួយហៅប៉ូលីសមក!
Pouvez-vous m'aider s'il vous plaît ?
niak aa-it juay kh'nyohm baan te ? អ្នកអាចជួយខ្ញុំបានទេ?
Puis-je utiliser votre téléphone ?
kh'nyohm braa-œ turasahp baan te ? ខ្ញុំប្រើទូរស័ព្ទបានទេ?
On vient de me voler !
kh'nyohm treuv jao plawn ខ្ញុំត្រូវចោរប្លន់.
Stop !
Chohp ! ឈប់!
Attention !
Prawyaht ! ប្រយ័ត្ន!
Où sont les toilettes ?
bawngkohn neuv ai naa ? បង្គន់នៅឯណា?
Je voudrais contacter mon ambassade/consulat
kh'nyohm jawng hav s'thaantuut/kohngsuhl r'bawh prawteh kh'nyohm
ខ្ញុំចង់ហៅស្ថានទូត/កុងស៊ុលរបស់ប្រទេសខ្ញុំ

antiseptique
th'nam samlahp me rowk ថ្នាំសំលាប់មេរោគ
aspirine
parasetamol ប៉ារាសេតាមុល
codéine
codiin ខូឌីន
crème à raser
kraim samruhp kao pohk moat ក្រែមសំរាប់កោរពុកមាត់
lames de rasoir
kambuht kao pohk moat កាំបិតកោរពុកមាត់
médicaments
th'nam ថ្នាំ
papier toilettes
krawdah ahnaamai ក្រដាស់អនាម័យ
préservatifs
sraom ahnaamai ស្រោមអនាម័យ
produit antimoustique
th'nam kaa pia muh ថ្នាំការពារមូស
protection solaire
kraim kaa pia pohnleu th'ngay ក្រែមការពារពន្លឺថ្ងៃ
quinine
kiiniin គីនីន
serviettes hygiéniques
samlei ahnaamai សំឡីអនាម័យ
shampoing
sabuu kawk sawk សាប៊ូកក់សក់

TRANSPORTS

Où se trouve ... ?
... neuv ai naa ? ... នៅឯណា?
l'aéroport
wial yohn hawh វាលយន្តហោះ
la gare routière
kuhnlaing laan ch'nual កន្លែងឡានឈ្នួល
l'arrêt de bus
jamnawt laan ch'nual ចំណតឡានឈ្នួល
la gare ferroviaire
s'thaanii roht plœng ស្ថានីយរថភ្លើង

À quelle heure part ... ?
... jein maong pohnmaan ? ... ចេញម៉ោងប៉ុន្មាន?
l'avion
yohn hawh/k'pal hawh យន្តហោះ/កប៉ាល់ហោះ
le bus
laan ch'nual ឡានឈ្នួល
le train
roht plœng រថភ្លើង

À quelle heure part le dernier bus ?
laan ch'nual johng krao-y jein teuv maong pohnmaan ?
ឡានឈ្នួល ចុងក្រោយចេញទៅម៉ោងប៉ុន្មាន?
Je voudrais descendre (ici) !
kh'nyohm jawng joh (tii nih) !
ខ្ញុំចង់ចុះ (ទីនេះ)!
Combien coûte le trajet jusqu'à ... ?
teuv... th'lay pohnmaan ?
ទៅ ... ថ្លៃប៉ុន្មាន?
Amenez-moi à ... s'il vous plaît.
sohm juun kh' nyohm teuv...
សូមជូនខ្ញុំទៅ ...
cette adresse
aadreh/aasayathaan nih
អាស័យដ្ឋាននេះ
Ici, c'est très bien, merci.
chohp neuv tii nih kaw baan
ឈប់នៅទីនេះកបាន

Glossaire

amoc – spécialité culinaire khmère de poisson cuit au four dans une feuille de bananier
année Zéro – 1975, année de la prise de pouvoir par les Khmers rouges
Angkar – Organisation des Khmers rouges sous laquelle les Cambodgiens vécurent les années de terreur
Apronuc – Autorité provisoire des Nations unies au Cambodge
apsara – nymphe ou danseuse céleste, très souvent représentée dans la sculpture khmère
Apsara Authority - organisme chargé de la gestion et de la conservation d'Angkor
Asean – Association des nations de l'Asie du Sud-Est
Avalokiteshvara – bouddha de la Compassion, qui inspira Jayavarman VII pour la construction d'Angkor Thom

barang – étranger
baray – réservoir
bobor – porridge de riz
boeng – lac

CCB – Cambodian Commercial Bank
CCC – Comité de coopération pour le Cambodge
CFF – Cambodian Freedom Fighters (Combattants pour la liberté du Cambodge)
chapaye – blues cambodgien
Chenla – deuxième royaume khmer qui a succédé au Funan au VIe siècle ; il était séparé en deux : le "Chenla" de l'eau près de Takeo, et le "Chenla des terres", près de Sambor Prei Kuk
chunchiet –minorités ethniques
CNS – Conseil national suprême
cyclo – cyclo-pousse

devaraja –culte du roi divin instauré par Jayavarman II, qui confère au monarque un pouvoir absolu
deveda – déesse

EFEO – École Française d'Extrême-Orient
essai – sage ou médecin traditionnel

FARC – Forces armées royales du Cambodge
Funan – premier royaume khmer (Ier-Ve siècle)
Funcinpec – Front uni national pour un Cambodge indépendant, neutre, pacifique et coopératif

garuda – créature mythique mi-homme mi-oiseau
gecko – petit lézard nocturne muni de ventouses, au cri caractéristique, que l'on trouve souvent sur les murs des habitations
gopura – pavillon d'entrée, dans l'architecture traditionnelle hindoue

HCR – Haut Commissariat des Nations unies pour les réfugiés
Hinayana – école bouddhiste du Petit Véhicule, également dénommée *Theravada*
Hun Sen – Premier ministre du Cambodge depuis 1998. Hun Sen fit partie du premier gouvernement mis en place par les Vietnamiens en 1977 et accéda au poste de Premier ministre pour la première fois en 1985.

Jayavarman II – souverain qui régna de 802 à 850, instaura le culte du roi divin et inaugura une période d'intense production architecturale aboutissant à l'édification des superbes temples d'Angkor
Jayavarman VII – À la tête du royaume de 1181 à 1201, il chassa les Cham du Cambodge avant de se lancer dans un ambitieux programme de construction avec, entre autres, la ville fortifiée d'Angkor Thom

Kampuchéa – nom sous lequel les Cambodgiens désignent leur pays ; il est associé au pouvoir sanguinaire des Khmers rouges (1975-1979), qui insistèrent pour que le monde extérieur utilise le nom de Kampuchéa démocratique
khsae muoy – instrument courbé à une corde
Khmer – personne d'origine cambodgienne ; langue du Cambodge
Khmers Krom – Khmers vivant au Vietnam
Khmers Loeu – Khmers "du haut" ; minorité ethnique du nord-est du Cambodge
Khmers rouges – organisation révolutionnaire qui s'empara du pouvoir en 1975 et imposa une restructuration brutale de la société ; des millions de Cambodgiens subirent les pires souffrances ou périrent pendant les quatre années qui suivirent.
koh – île
kompong – port
kouprey – espèce très rare de buffle sauvage d'Asie du Sud-Est
krama – écharpe multi-usages en coton à carreaux
kyteow – soupe de nouilles de riz

linga – symbole phallique, emblème du pouvoir royal
lorry – train en bois tiré par une moto ; également appelé *norry* ou *bamboo train*

mahayana – bouddhisme du Grand Véhicule (également connu sous le nom d'école du Nord), qui a complété et

développé les premiers enseignements bouddhistes ; voir aussi theravada
Mont Meru – séjour mythique du dieu hindou Shiva
moto-dop – moto-taxi, moyen de transport très répandu au Cambodge
MPTC – ministère cambodgien des Postes et Télécommunications

nâga – serpent mythique souvent doté de plusieurs têtes et symbole couramment utilisé dans l'architecture angkorienne
nandi – buffle sacré
NCDP – National Centre for Disabled Persons (Centre national pour les personnes handicapées)
Norodom Ranariddh – prince, fils du roi Sihanouk, et dirigeant du Funcinpec
Norodom Sihanouk – ancien roi du Cambodge, réalisateur de films et personnage incontournable de la vie politique cambodgienne
Norodom Sihamoni – roi du Cambodge depuis 2004, fils de Sihanouk et anciennement ambassadeur de son pays à l'Unesco

OMS – Organisation mondiale de la santé
ONG – organisation non gouvernementale

Pali – ancienne langue indienne qui, avec le sanscrit, forme la base du khmer moderne
Parti du Kampuchéa démocratique – parti politique des Khmers rouges
phamuong – robe de soie unie
phlauv – rue, abrégé en ph
phnom – montagne, colline
phnom pleung – barbecue individuel très apprécié des Khmers
PNUD – Programme des Nations unies pour le développement
Pol Pot – ancien dirigeant des Khmers rouges, également connu sous le nom de Saloth Sar, responsable des souffrances et de la mort de plusieurs millions de Cambodgiens
PPC – Parti du peuple cambodgien
prahor – pâte de saumure de poisson très salée qui accompagne de nombreux plats khmers
prang – tour d'un temple
prasat – édifice en pierre ou en brique doté d'une signification religieuse ou royale
preah – sacré
psar – marché

RAC – Royal Air Cambodge
Rainsy, Sam – dirigeant actuel de l'opposition cambodgienne
Râmakerti – version khmère du *Râmâyana* (voir ci-après) ; également appelé *Reamker*
Râmâyana – poème épique en sanscrit composé vers 300 av. J.-C. et célébrant le mythique Ramachandra, une incarnation du dieu Vishnou
remorque-kang – remorque tractée par une bicyclette
remorque-moto – remorque tractée par une moto ; voir également *tuk-tuk*
RN – route nationale
rom vong – danse cambodgienne en cercle

S-21 –centre de détention et de torture sous le régime des Khmers rouges ; aujourd'hui transformé en musée
sampot – grand tissu drapé autour des hanches
Sangkum Reastr Niyum – Rassemblement socialiste populaire ; mouvement national dirigé par le roi Sihanouk dans les années 1950 et 1960
Sanscrit – ancienne langue hindoue qui, avec le pali, forme la base du khmer moderne
sbei tuoi – marionnettes de théâtre d'ombre en cuir
skor areak – tambour
sompiah – salutation traditionnelle cambodgienne qui consiste en une inclinaison du buste en tenant les mains jointes
soup chhnang dei – soupe à préparer soi-même
spean – pont
stung – rivière
Suryavarman II – souverain qui régna de 1112 à 1152, fit construire Angkor Vat et étendit l'Empire khmer en l'unifiant

theravada – école du bouddhisme (également connue sous le nom d'école du Sud ou de bouddhisme hinayana), présente au Myanmar (Birmanie), en Thaïlande, au Laos et au Cambodge ; cette école se réfère uniquement aux premiers enseignements bouddhistes ; voir aussi mahayana
tonlé – grande rivière, lac
trey pisau – nom khmer des dauphins de l'Irrawaddy
tro khmae – violon à trois cordes
teuk kralok – sorte de milk-shake aux fruits généralement très sucré, qui devient mousseux si on ajoute un œuf
tuk-tuk – remorque-moto

Unesco – Organisation des Nations unies pour l'éducation, la science et la culture

vat – temple
vihara – sanctuaire d'un temple

yoni – symbole de fertilité féminine

En coulisses

À PROPOS DE CET OUVRAGE

Nick Ray a rédigé cette 5ᵉ édition du guide *Cambodge*, ainsi que les deux précédentes. Le Dr Trish Batchelor, médecin généraliste, et Luc Paris, docteur en médecine au service de Parasitologie-Mycologie de l'hôpital de la Pitié-Salpêtrière à Paris, ont rédigé le chapitre *Santé*.

TRADUCTION

Hélène Demazure, Evelyne Haumesser, Dominique Lablanche, Patrick Mercadal

UN MOT DE L'AUTEUR

Comme toujours, je voudrais exprimer ma gratitude au peuple cambodgien pour sa chaleur, son humour, son stoïcisme et sa spiritualité, autant de qualités qui font d'un séjour dans ce pays tant une leçon d'humilité qu'un pur instant de bonheur. Ma reconnaissance va tout particulièrement à ma merveilleuse épouse, Kulikar Sotho, qui a permis à ce livre de voir le jour grâce à son soutien et à ses encouragements. La naissance de notre fils Julian a illuminé notre vie. J'ai hâte de lui faire découvrir les coins et recoins de cet extraordinaire pays.

Je remercie mes parents pour leur soutien et leurs nombreuses visites, notamment au moment de mon mariage. Un grand merci également à tous ceux qui ont fait le déplacement à cette occasion, en particulier mes témoins, Chris Johnson, Andrew Dear et Andrew Burke (les Trois Mousquetaires), mais aussi Valerie et John Belcher, Sue Evans, Andrew Johnson et Jane Coyle, Elliot Jacobs et Lara Fisher, Janina Mundy, Chris et George Dear, Linda et Steve Prince, Gren et Elaine Kershaw, Alison et Andrew Scarth, Sue, Dick et James Gillian, Rose Rabone, Anthony Dupont, Simon Sweet et tous les invités "locaux". Je salue également ma famille cambodgienne qui m'a si chaleureusement accueilli en son sein, notamment Ma Sotho et Milean.

Au Cambodge, John McGeoghan, Philippe Janowski et Chris Gow, entre autres, m'ont accompagné dans mes nombreux périples. Merci aussi aux innombrables Cambodgiens qui m'ont apporté leur aide ou leur compagnie. Je pense en particulier à Vannak, Bunthon, Rith et Tra.

Pour finir, je tiens à remercier l'équipe de Lonely Planet qui a œuvré à cette édition. Si je suis, en tant qu'auteur, la vitrine publique de cet ouvrage, ils sont nombreux à avoir accompli en coulisses un immense travail pour l'améliorer, ce dont je leur suis extrêmement reconnaissant.

UN MOT DE L'ÉDITEUR

Marie Barriet-Savev a coordonné l'édition française de ce guide. Caroline Dezeuze a réalisé sa mise en page, avec l'aide de Jean-Noël Doan.

Un immense merci à Chantal Duquénoy et Élise Rathat pour leur précieux travail sur le texte et leurs remarques. Merci également à Christiane Mouttet

LES GUIDES LONELY PLANET

Tout commence par un long voyage : en 1972, Tony et Maureen Wheeler rallient l'Australie après avoir traversé l'Europe et l'Asie. À l'époque, on ne disposait d'aucune information pratique pour mener à bien ce type d'aventure. Pour répondre à une demande croissante, ils rédigent leur premier guide Lonely Planet, écrit sur un coin de table.

Depuis, Lonely Planet est devenu le plus grand éditeur indépendant de guides de voyage dans le monde et dispose de bureaux à Melbourne (Australie), Oakland (États-Unis) et Londres (Royaume-Uni).

La collection couvre désormais le monde entier et ne cesse de s'étoffer. L'information est aujourd'hui présentée sur différents supports, mais notre objectif reste constant : donner des clés au voyageur pour qu'il comprenne mieux le pays qu'il découvre.

L'équipe de Lonely Planet est convaincue que les voyageurs peuvent avoir un impact positif sur les pays qu'ils visitent, pour peu qu'ils fassent preuve d'une attitude responsable. Depuis 1986, nous reversons un pourcentage de nos bénéfices à des actions humanitaires, à des campagnes en faveur des droits de l'homme et, plus récemment, à la défense de l'environnement.

pour sa relecture attentive et à Mathilde Singer pour son travail de référencement.

Les cartes ont été créées par Natasha Velleley et Mark Griffiths ; elles ont été adaptées en français par Nicolas Chauveau. La version française de la couverture, créée par Kristin Guthrie, a été réalisée par Aude Gertou.

Un grand merci à Didier Férat pour ses conseils et ses remarques. Toute notre gratitude va à Dominique Spaety pour son aide inestimable tout au long de l'édition de ce guide ; sans oublier Debra Hermann du bureau australien, Clare Mercer et Ellie Cobb du bureau londonien.

À NOS LECTEURS

Nous remercions vivement tous les lecteurs qui ont utilisé la précédente édition et qui ont pris la peine de nous écrire pour nous communiquer informations, commentaires et anecdotes.

A Albine Avallart **B** Michel Baudry, Cyril Béjar, Patrick Bertharion, François Boulenger **C** Nicolas Chappuis, Jean Cholet, Anne Coudurier **D** Vincent Darneaud, Régine Denaegel, Sébastien Dominguez, Benoît Duchateau-Arminjon, Jean-Philippe Dupuis, Jacques Duquet **E** Grégoire d'Escrivan **G** Christian Greiling, Philippe Goiffon **J** Nicole Josset **K** Andrée Karsenti **L** Georges Lardet, Pierre Lavergne, Hervé Le Goff, Céline Lemoine, Véronique Librez, Catherine Linel **M** Marie-Christine Maury, Lucien Mautet, Delphine Mazillier, Maurice Montagut **N** François Naret **O** Philippe Ollivier **P** Audrey Pichery **R** Anne Revest, Anne & Gérard Robert **S** Michel Santi, Cédric Sieber

REMERCIEMENTS

Nous remercions pour leur autorisation de l'utilisation du globe de la quatrième de couverture Mountain High Maps 1993 Digital Wisdom, Inc.

VOS RÉACTIONS ?

Vos commentaires nous sont très précieux et nous permettent d'améliorer constamment nos guides. Notre équipe lit toutes vos lettres avec la plus grande attention. Nous ne pouvons pas répondre individuellement à tous ceux qui nous écrivent, mais vos commentaires sont transmis aux auteurs concernés. Tous les lecteurs qui prennent la peine de nous communiquer des informations sont remerciés dans l'édition suivante, et ceux qui nous fournissent les renseignements les plus utiles se voient offrir un guide.

Pour nous faire part de vos réactions, prendre connaissance de notre catalogue et vous abonner à Comète, notre lettre d'information, consultez notre site web : **www.lonelyplanet.fr**.

Nous reprenons parfois des extraits de notre courrier pour les publier dans nos produits, guides ou sites web. Si vous ne souhaitez pas que vos commentaires soient repris ou que votre nom apparaisse, merci de nous le préciser. Pour connaître notre politique en matière de confidentialité, connectez-vous à www.lonelyplanet.fr/confidentialite/index.cfm.

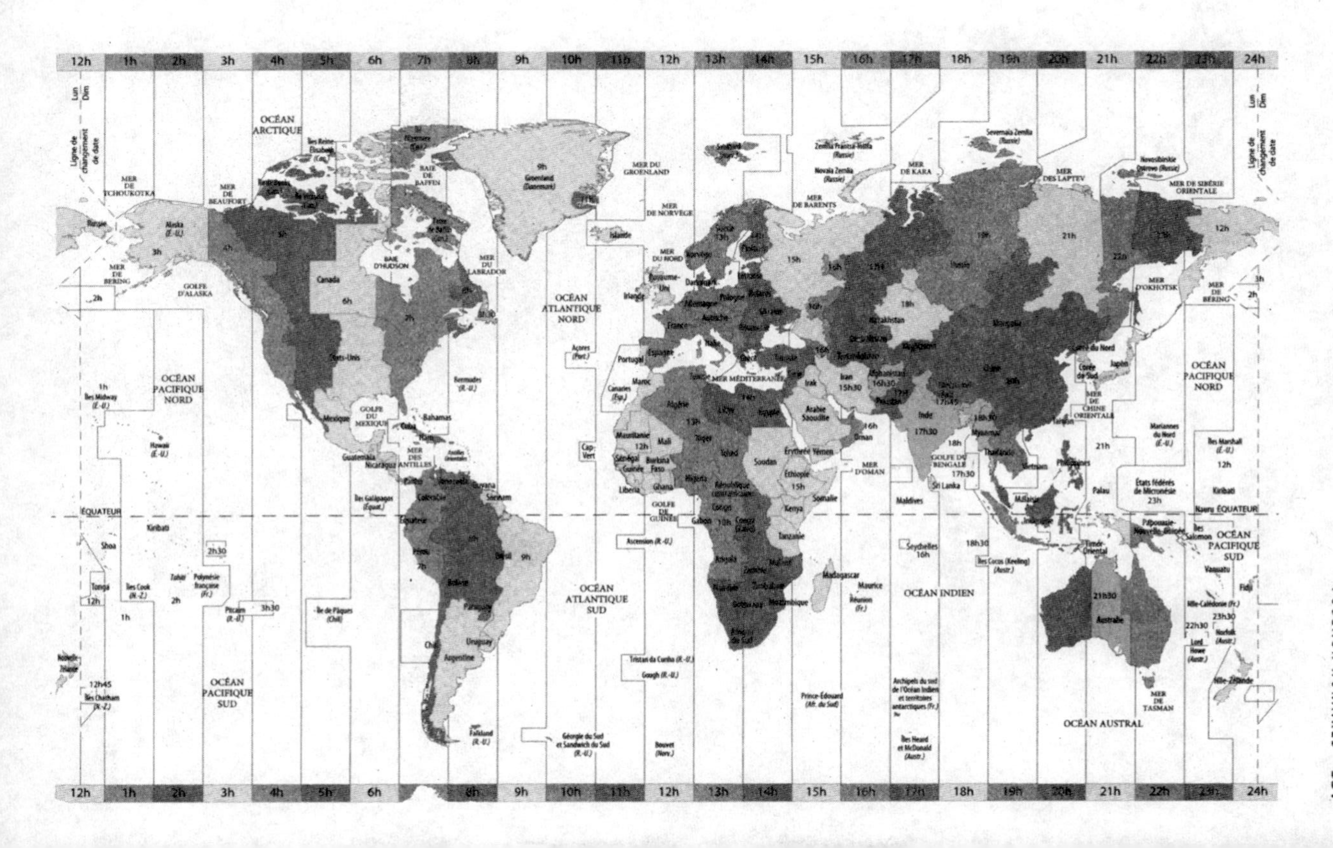
12h
1h
2h
3h
4h
5h
6h
7h
8h
9h
10h
11h
12h
13h
14h
15h
16h
17h
18h
19h
20h
21h
22h
23h
24h
Lun
Dim
Ligne de changement de date
OCÉAN ARCTIQUE
MER DE TCHOUKOTKA
MER DE BEAUFORT
BAIE DE BAFFIN
BAIE D'HUDSON
MER DU LABRADOR
MER DE BERING
GOLFE D'ALASKA
Alaska (É.-U.)
Canada
États-Unis
Mexique
GOLFE DU MEXIQUE
Bahamas
MER DES ANTILLES
Groenland (Danemark)
MER DU GROENLAND
MER DE NORVÈGE
Islande
MER DU NORD
MER DE BARENTS
MER DE KARA
MER DES LAPTEV
MER DE SIBÉRIE ORIENTALE
MER D'OKHOTSK
OCÉAN ATLANTIQUE NORD
OCÉAN PACIFIQUE NORD
Açores (Port.)
Bermudes (R.-U.)
Canaries (Esp.)
Cap-Vert
Portugal
Espagne
France
Royaume-Uni
Irlande
Maroc
Algérie
MER MÉDITERRANÉE
Irak
Iran 15h30
Afghanistan 16h30
Inde 17h30
Chine
Mongolie
Corée du Nord
Corée du Sud
Japon
MER DE CHINE ORIENTALE
Mariannes du Nord (É.-U.)
Îles Marshall (É.-U.)
Îles Midway (É.-U.)
Hawaii (É.-U.)
Mauritanie
Mali
Sénégal
Guinée
Burkina Faso
Liberia
Ghana
Niger
Tchad
Nigeria
Soudan
Éthiopie
Érythrée
Yémen
Arabie Saoudite
Oman
MER D'OMAN
GOLFE DU BENGALE
Sri Lanka
Maldives
Myanmar
Thaïlande
Palau
États fédérés de Micronésie
Kiribati
Nauru
ÉQUATEUR
GOLFE DE GUINÉE
Gabon
Congo
Kenya
Somalie
Tanzanie
Angola
Mozambique
Madagascar
Maurice
Réunion (Fr.)
Seychelles
Îles Cocos (Keeling) (Austr.)
OCÉAN INDIEN
Papouasie-Nouvelle-Guinée
Îles Salomon
OCÉAN PACIFIQUE SUD
Vanuatu
Fidji
Nlle-Calédonie (Fr.)
Norfolk (Austr.)
Lord Howe (Austr.)
Australie
MER DE TASMAN
Nlle-Zélande
OCÉAN AUSTRAL
Samoa
Tonga
Îles Cook (N.-Z.)
Tahiti
Polynésie française (Fr.)
Pitcairn (R.-U.)
Île de Pâques (Chili)
Îles Galápagos (Équat.)
Équateur
Colombie
Venezuela
Guyana
Surinam
Pérou
Brésil
Bolivie
Paraguay
Chili
Argentine
Uruguay
Falkland (R.-U.)
OCÉAN ATLANTIQUE SUD
Ascension (R.-U.)
Tristan da Cunha (R.-U.)
Gough (R.-U.)
Géorgie du Sud et Sandwich du Sud (R.-U.)
Bouvet (Norv.)
Prince-Édouard (Afr. du Sud)
Archipels du sud de l'Océan Indien et territoires antarctiques (Fr.)
Îles Heard et McDonald (Austr.)
Îles Chatham (N.-Z.)
12h45
2h30
3h30
17h30
18h30
21h30
22h30
23h30

Index

Les références des cartes sont indiquées en **gras**.

INDEX

U

V

W

Y

ENCADRÉS

INDEX

CATALOGUE LONELY PLANET EN FRANÇAIS

Guides de voyage

Afrique du Sud, Lesotho et Swaziland
Andalousie
Asie centrale
Aquitaine et Pays basque
Athènes et les îles
Argentine
Australie
Bali et Lombok
Bolivie
Brésil
Bretagne et les îles
Bulgarie
Cambodge
Chine
Corée
Corse
Costa Rica
Croatie
Cuba
Égypte
Guadeloupe
Guatemala
Inde
Iran
Irlande
Italie
Laos
Louisiane
Madagascar
Maroc
Martinique
Mexique
Myanmar (Birmanie)
Népal
Norvège, Suède, Danemark et Finlande
Nouvelle-Calédonie
Ouest américain
Pérou
Portugal
Provence
Québec
Réunion, Maurice et Rodrigues
Sénégal
Sicile
Sri Lanka
Tahiti
Thaïlande
Toscane et Ombrie
Transsibérien
Tunisie
Turquie
Vietnam

Guides de villes

Barcelone
Berlin
Londres
Marrakech
Marseille
Naples et la côte amalfitaine
New York
Rome

Les guides Citiz (week-ends et courts séjours)

Amsterdam
Barcelone
Bruxelles
Londres
Milan
Madrid
New York
Paris
Prague
Tokyo
Venise

Guides de conversation

Allemand
Croate
Espagnol latino-américain
Italien
Japonais
Mandarin
Portugais et brésilien

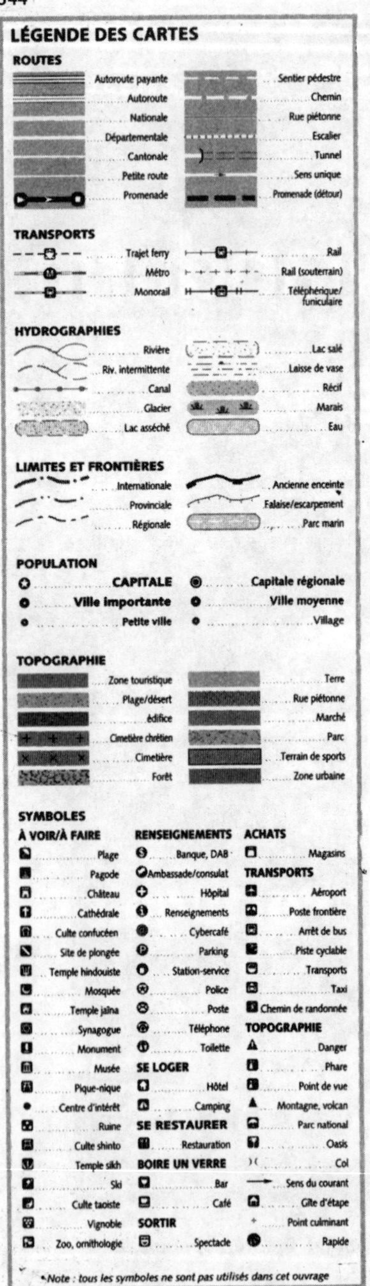

Cambodge
6e édition
Traduit de l'ouvrage *Cambodia* (6th edition), Janvier 2006

Traduction française : © Les Presses-Solar-Belfond
12 avenue d'Italie, 75627 Paris cedex 13
01 44 16 05 00
bip-lonely_planet@psb-editions.com
www.lonelyplanet.fr

Dépôt légal
Novembre 2005
ISBN 2-84070-436-6

Photographie de couverture : Jerry Galea / Lonely Planet images.
La plupart des photos publiées dans ce guide sont disponibles auprès de notre agence photographique Lonely Planet Images : www.lonelyplanetimages.com.

Imprimé par Hérissey, Évreux, France